디지털인문학연구총서

6

시맨틱 데이터 아카이브의 구축과 활용

제도와 인사의 관계에 대한 근대(1895~1910) 학교 자료를 중심으로

김바로 지음

여는 글

『논어(論語)』의 「헌문(憲問)」 편에서 공자는 "안 될 것을 알면서도 행하려고 하는 사람(知其不可爲而爲之者)"이라고 묘사된다. 이 말은 이상을 실현하기 위하여 존재하는 수많은 현실적인 역경을 분명히 알고 있음에도 불구하고 끊임없이 노력하는 정신을 의미한다. 현재 디지털인문학의 가치는 당시의 공자가 그랬듯이 아직 인정받지 못하고 있다. 공자는 당대에 유가의 이상이 이루어지지 않을 것을 알면서도 유가를 정립하고 전파하였다. 현재의 디지털인문학도 그와 같이 이상을 향한 끝없는 도전이 필요하다. 이 책도 그러한 무한 도전을 향한 작은 한 걸음이다.

디지털인문학의 이상은 디지털과 인문학의 어우러짐이다. 그러나 인문학에 있어 디지털인문학은 아직 낯설다. 그런데 20년 전만 하더라도 E-Mail은 소수의 사람들만이 사용하던 어려운 통신수단이었다. 10년 전만 하더라도 스마트폰은 마니아들의 비싼 장난감이었다. 하지만 그 모두 지금은 누구나 사용하게 되었다. 또한 현대의 연구자는 컴퓨터로 논문을 집필한다. 종이 원고지에 논문을 쓰지 않았다고 인문학 논문이 아니라고 말하지 않는다. 인간에 대한 끊임없는 탐구라는 인문학 연구의 본질이 결코 변하지 않았기 때문이다. 그렇기에 조만간 디지털인문학도 자연스럽게 인문학과 함께 노닐게 될 것으로 생각한다.

디지털인문학은 단순히 디지털 기술을 활용하는 학문이 아니다. 수천 년간 축적된 인문학적 통찰력을 바탕으로 디지털 세계에 대해 가열차면서도 진취적인 비판을 할 수 있어야 한다. 그러나 한자 하나 읽고 쓰지 못하는 사람이 하는 공자님 말씀을 신뢰하기 어렵듯이 디지털 세계에 대한 비판은 마땅히 디지털에 대한 깊은 이해 위에 이루어져야 할 것이다. 디지털에 대한 작은 깨달음을 위하여, 인문학 태생의 필자는 아직 트이지 않은 디지털 문리(文理)를 갈구하며, 더듬더듬 디지털 인문학에 대해 말해 보고자 한다.

본 책은 제도와 인사의 관계성 데이터 아카이브 구축 및 활용 방법론을 제시하는 데 목적이 있다. 이를 위하여 근대 학교 자료(1895~1910)의 분석 및 고증, 온톨로지(Ontology) 설계 및 검증, 데이터 모델링, 시각화 모델 및 디지털 연구 모델 제시의 과정을 수행하였다.

제1장에서는 본 연구의 이론적 배경과 목적 그리고 구체적인 방법론에 대해서 기술하였다. 필자가 생각하는 디지털인문학의 정의와 분류 그리고 이상에 대한 모색을 담았다. 특히, 디지털 통합 정보 아카이브의 개념을 소개하며, 그에 따르는 시대적인 필요성과 기술적인 배경을 서술하였다.

제2장 '구한말 교육인사제도 자료의 수집과 고증 방법'에서는 제도와 인사의 관계성 데이터 아카이브 구축을 위하여, 구한말 관공립학교의 제도와 교원의 인사 기록 데이터를 수집하고, 이를 처리하여 고증하는 구체적인 방법과 사례를 소개하였다.

제3장 '제도-인사 아카이브 온톨로지 설계'에서는 제2장의 연구 결과를 바탕으로 아카이브의 뼈대가 되는 온톨로지를 설계하였다. 그 과정에서 인문학 연구의 특질을 반영한 인문학 정보 온톨로지를 구축하기 위하여 "학문 필수 요소"를 제시하였고, 이를 통해 동일한 대상에 대한 다양한 연구자들의 서로 다른 판단 결과들을 데이터의 형태로

구축 가능하게 하였다. 또한 기존 인문학에서 소략되었던 "추정"의 개념을 제안하여, 설령 완벽하게 대상을 파악하지 못하였더라도 근사치를 제공하여 지속적인 연구를 위한 토대를 제공할 수 있도록 하였다. 더 나아가 인문학 정보의 "사건"에 대한 온톨로지 모형을 제시하였다. 인문학에서 등장하는 복합적인 지식 정보인 "사건"을 특정 시점을 기준으로 한 선후 변화 개념으로 디지털에 최대한 모사하였다.

제4장 '제도-인사 아카이브 데이터 모델링'에서는 구축된 온톨로지를 다양한 데이터 모델에 적용하는 방법을 기술하였다. 동일한 온톨로지를 바탕으로 시맨틱웹을 구현할 수 있는 RDF(Resource Description Framework) 모델, 기존 디지털 아카이브에 사건 정보를 추가할 수 있도록 설계된 XML(Extensible Markup Language) 모델을 각기 모델링하였다.

제5장 '제도-인사 아카이브의 활용'에서는 구축된 제도-인사 아카이브가 인문학 연구에 활용될 수 있도록 하기 위한 시각화 방법론과 새로운 인문학 연구 모델을 제시하였다. 우선 기존의 종이 매체와 디지털 매체의 제도-인사 관련 시각화 방안에 대해서 살펴보고 각각의 장단점을 분석하였다. 그 결과를 바탕으로 데이터를 효과적으로 전달할 수 있는 정보전달형 시각화 모델들과 데이터 질의언어를 표상화한 데이터접근형 시각화 모델인 블록조합형 시각화를 제시하였다. 정보전달형 시각화에서는 표형, 체계형, 통계형, 타임테이블형, 네트워크형, 공간정보형을, 데이터접근형 시각화에서는 대상, 연결, 출처, 조건, 출력 블록과 그 조합 방법을 제안하였다. 또한 제도-인사 아카이브를 통하여 실제 인문학 연구에서 활용할 수 있는 새로운 연구 모델로 네트워크 분석, 지리정보 분석 등의 방법을 활용한 데이터 분석 중심의 "의원면직과 보직이동" 모델과 디지털 스토리텔링의 방법을 활용한 개별 인물 중심의 "인물 탐구"의 모델을 서술하였다.

마지막으로 부록을 통해서 근대 학교 설치와 변천, 교원의 직위·직급·직봉 및 인사운영의 용어·용례에 대한 구체적인 고증 내용을 독자에게 소개하였다. 부록에서 소개한 내용이 근대 학교 연구에 도움이 되기를 바라며, 또한 부록보다 부록의 내용을 바탕으로 구축된 '제도-인사 아카이브'가 더욱 많이 활용되기를 소망한다.

디지털인문학이라는 말이 만들어지기 전부터 인문학과 디지털의 융합의 현장에서 앞서 실천하며 후학 양성에도 힘쓰고 계시는 스승 김현 교수님의 용감한 걸음에 언제나 감사드린다.

또 석박사 과정에서 지도해 주신 로우신(羅新), 손용택, 정치영 교수님과 논문 심사 과정에서 많은 지도 편달을 통하여 가르침을 주신 이길상, 임영상, 한철호, 한동승 교수님께 감사드린다. 그리고 학위 과정 동안 함께한 인문정보학 선후배 여러분께도 고마움을 전한다.

부족한 글을 "디지털 인문학연구총서" 시리즈에 추천해 주신 연세대학교 허경진 교수님과 출판을 위하여 수고하신 보고사 김흥국 대표님 및 편집부 여러분께도 감사의 인사를 드린다. 끝으로 저를 지지해 주는 외할머니, 아버지, 어머니, 장모님 그 밖의 다른 가족들, 친지, 그리고 무엇보다 나의 동반자 변윤경과 나의 딸 김마루에게 감사의 마음을 전한다.

2018년 10월

지은이 김바로

차례

표목차

그림목차

제1장
서론

1. 연구 목적 및 배경

본 연구는 제도와 인사의 관계성 데이터 아카이브 구축 및 활용 방법론을 제시하는 데 목적이 있다.

모든 역사적 사건은 인간의 활동이다. 그렇기에 역사의 탐구는 언제나 인간을 중심 대상으로 행해져 왔다. 인간 그 자체에 대한 이해는 역사 연구에 있어 기본 중에 기본이다. 그 중에서도 특히 인물의 경력 정보는 해당 인물의 역사적 행적을 파악할 수 있는 기본 자료이다. 그런데 대부분의 경력 정보는 방대한 역사 자료 중에서 편린으로만 존재하고 있다. 이에 선현들은 특정 인물에 대한 경력의 편린들을 모아서 공구서를 편찬하였다.

그러나 종이 매체의 제약으로 인하여, 기존의 공구서는 각자가 판단하는 중요 인물들에 대한 정보만을 집대성하였을 뿐이었으며, 대부분의 인물들에 대한 정보는 여전히 편린으로 남겨져 있다. 그뿐만이 아니라, 중요 인물들에 대한 정보라 하더라도 이들의 직위, 이칭, 출신지역 등의 부수적인 정보는 하나의 공구서에서 모두 수록하지 못하였다. 예를 들어서 특정 인물의 경력 정보와 그 인물이 재직하였던 특정 직위에 있었던 모든 인물들에 대한 정보를 단일한 공구서에서 동시에 기술하는 것은 종이 매체에서는 현실적으로 불가능하다. 그러나 디지털에서는 기계가독형 데이터(machine-readable data)만 있다면 컴퓨터를 통하여 손쉽게 데이터를 재가공할 수 있다. 그 결과 현대의 디지털 매체에서는 사용자에게 다양한 방식으로 재구성된 복합적인 역사 정보를 즉각적으로 제공할 수 있다.

그런데 특정 인물의 보직 경력을 올바르게 이해하기 위해서는 보직 관련 제도에 대한 명확한 이해가 선행되어야 한다. 제도는 당시의 사회 구조가 관습이나 도덕, 법률 등의 형태로 발현된 것으로 당시의 시대적 상황을 이해하는 일차적인 접근점이다. 따라서 선현들은 다양한 공구서를 통하여 제도에 대해 탐색해 왔다.

그러나 역시 종이 매체의 제약 속에서 공구서의 편찬자는 특정 시점에서의 단편적인 제도 양상을 중심으로 서술하였다. 따라서 연구자가 더 나아가 제도의 미세한 변화 양상에 대해 파악하기 위해서는 방대한 자료 속에서 추가적인 탐색을 행해야 하였다. 또한, 제도의 변화를 명확하게 이해하기 위해서는 제도의 실제 운영을 파악해야 하였다. 제도 관련 공구서는 대부분 제도의 형태를 중심으로 서술하였다. 따라서 연구자는 실제적인 제도의 운영에 대해서 알기 위해서 방대한 역사 사료 속에서 제도의 실제 운용을 탐구할 수밖에 없었다. 그에 반하여 현재의 디지털에서는 사료와 공구서를 유기적으로 연결하여 제도와 실제 운영을 통합적으로 파악할 수 있다.

또한 과거에는 제도를 보다 쉽게 이해하기 위하여 종이 매체의 본질적인 한계 속에서 구현 가능한 표보와 같은 시각화 방식이 모색되었다. 이와는 달리 현재에는 디지털 매체에서 음성과 동영상과 같은 멀티미디어 자료를 통한 시각화는 물론이고, 사용자의 의도에 따라서 실시간으로 변화하는 인터랙티브(interactive) 시각화 방식은 구현이 가능하다.

따라서 기존의 종이 매체에서의 인문학 정보 서술과 활용의 한계를 극복하기 위하여, 이를 대체할 디지털을 바탕으로 하는 새로운 인문학 정보 서술과 활용 방안에 대한 모색이 필요하다. 특히 기존 종이 매체의 구조와 형식을 그대로 디지털에 모사하는 일차적인 디지털화에서 탈피하여, 컴퓨터 연산이 가능한 기계가독형 데이터를 생산함으로써 새로운 방식으로 수행되는 인문학 연구가 이루어져야 한다.

디지털인문학[1)]은 정보기술(Information Technology)의 도움을 받아 새로운 방식으로 수행하는 인문학 연구와 교육, 그리고 이와 관계된 창조적인 저작 활동을 일컫는 말이다. 디지털인문학은 전통적인 인문학의 주제를 계승하면서 연구 방법의 측면에서 디지털 기술을 활용하는 연구, 그리고 예전에는 가능하지 않았지만 컴퓨터를 사용함으로써 시도할 수 있게 된 새로운 성격의 인문학 연구를 포함한다. 단순히 인문학의 연구 대상이 되는 자료를 디지털화하거나, 연구 결과물을 디지털의 형태로 간행하는 것은 아니다. 그것보다는 정보 기술의 환경에서 더욱 창조적인 인문학 활동을 전개하는 것, 그리고 그것을 디지털 매체를 통해 소통시킴으로써 보다 혁신적으로 인문 지식의 재생산

---

1) 디지털인문학에 대한 대표적인 포괄적인 선행 연구는 다음과 같다.
김현·임영상·김바로, 『디지털 인문학 입문』, HUEBOOKs, 2016; 立命館大學大學院의 “シリーズ日本文化デジタル・ヒューマニティーズ”시리즈(『日本文化デジタル・ヒューマニティーズの現在』, 2009; 『イメージデータベースと日本文化研究』, 2010; 『京都の歴史GIS』, 2011; 『デジタル・ヒューマニティーズ研究とWeb技術』, 2012; 『京都イメージ—文化資源と京都文化』, 2012; 『デジタル・アーカイブの新展開』, 2012); 項潔 編, “數位人文研究叢書” 시리즈, 國立臺灣大學出版中心(『從保存到創造: 開啟數位人文研究』, 2011; 『數位人文研究的新視野: 基礎與想像』, 2011; 『數位人文在歷史學研究的應用』, 2011; 『數位人文要義: 尋找類型與軌跡』, 2012; 『數位人文研究與技藝』, 2014; 『數位人文: 在過去、現在和未來之間』, 2016); Susan Schreibman, Ray Siemens, and John Unsworth, *A Companion to Digital Humanities*, Blackwell Publishing, 2004; Matthew K. Gold, *Debates in the Digital Humanities*, Univ Of Minnesota Press, 2012.

을 촉진하는 노력을 하는 학문이 바로 디지털인문학이다.[2] 디지털인문학은 영미권에서는 "Digital Humanities(디지털 휴머니티즈)", 중국에서는 "数字人文(슈쯔런원)", 타이완에서는 "數位人文(슈웨이런원)", 일본에서는 "デジタル・ヒューマニティーズ(데지타루 휴머니티즈)"로 불리고 있다.[3]

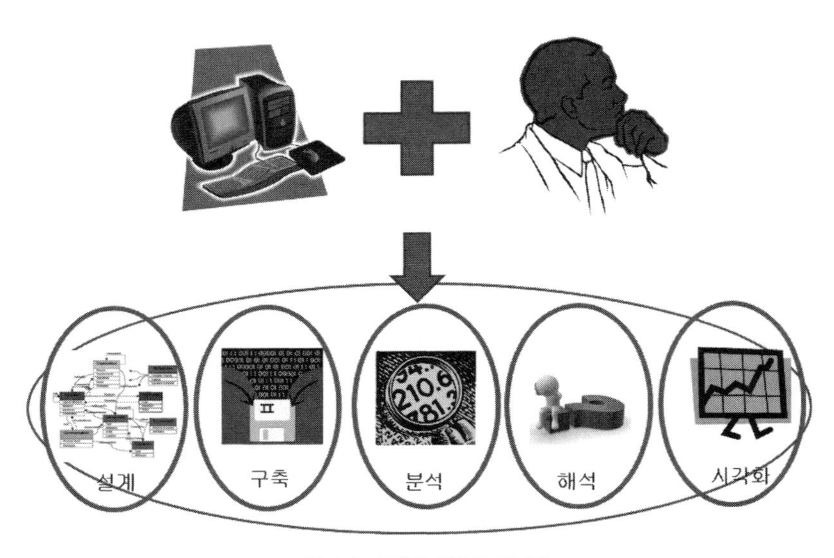

그림 1-1. 디지털 인문학 개념도

디지털인문학의 연구 영역은 설계, 구축, 분석, 해석, 시각화로 크게 분류할 수 있다. "설계"는 대상 인문학 정보를 디지털에서 구현하기 위하여 대상의 구조와 내용을 연구하는 영역이다.[4] "구축"은 설계

2) 김현, 「디지털 인문학 – 인문학과 문화콘텐츠의 상생 구도에 관한 구상」, 『인문콘텐츠』, 제29호, 2013, 12쪽.

3) 김바로, 「해외 디지털인문학 동향」, 『인문콘텐츠』, 제33호, 2015, 230쪽.

4) 설계 영역을 중심으로 전개된 선행 연구는 다음과 같다.

를 통한 연구 성과를 바탕으로 인문학 자원을 신규 구축하거나, 기존에 구축된 인문학 데이터를 특정 목적 아래에 재편성하는 영역이다.[5)]

박순의 「고전문학 자료의 디지털고전문학 자료의 디지털 아카이브 편찬 연구 -누정기(樓亭記) 자료를 중심으로-」(연세대학교 박사학위논문, 2017)는 누정기 자료를 중심으로 고전문학자료의 지식 정보를 총체적으로 제공하며, 지식 정보 간의 관계 양상을 분석하고 있고, 다중 참여형 지식 정보를 쌓기 위한 온톨로지 구축을 통한 디지털 아카이브의 모델을 제시하고 있다.

이현실의 「온톨로지 기반 한의학 처방 지식관리시스템 설계에 관한 연구」(중앙대학교 박사학위논문, 2003)는 한의학 처방 지식 합성 온톨로지 구축을 통하여 한의학의 특성을 충분히 반영한 정보 시스템을 구현할 수 있도록 한의학의 지식체계를 구조화하였다. 이에 따라서 사진(四診), 변증(辨證), 논치(論治), 방약(方藥)의 4개 단위로 온톨로지를 구축하고, 이들을 통합하는 합성 온톨로지를 구축하였다.

서소리의 「문화유산 지식 정보 데이터 모델 연구 : 불탑 지식 정보망을 중심으로」(한국학중앙연구원 한국학대학원 석사학위논문, 2014)는 불탑을 중심으로 기존 문화유산 지식 정보 모델인 LIDO와 EDM의 데이터 모델을 응용하여 불탑 지식 정보망을 설계하였다. 불탑에 관한 정보를 상세하게 기술하고 관련된 정보 자원들의 의미적 관계망을 형성하였다.

류인태의 「디지털 환경에서의 인문 지식 연구에 관한 小考 — 修信使 자료 DB 편찬 프로젝트를 중심으로」(『열상고전연구』, 제50호, 2016)는 '修信使 자료 DB 편찬 프로젝트'의 연구 수행 방향에 따른 DB(Data Base) 편찬 방향을 제시하고 있다. DB 편찬 방향에서 인물들 간의 명확한 관계 설정을 위한 온톨로지 설계 방안을 제안하고 있다.

5) 데이터 구축을 중심으로 전개된 선행 연구는 다음과 같다.

이양원·구자용·최진무의 「인문지리정보 통합DB 구축을 위한 데이터 모델링 및 온톨로지 연계 방안」(『한국지도학회지』, 제10권, 제2호, 2010)은 효율적인 인문지리정보 DB구축을 위한 방법론과 사례를 제시하였다. 특히 시간에 따른 정보 변화를 관리하기 위한 방안을 제시하였다.

김바로의 「역사기록의 전자문서 편찬방법 탐구 -역사 요소를 중심으로」(『열상고전연구』, 제51호, 2016)는 전통적으로 인문학자들이 수행하는 대상 자료의 분석·해석 작업을 바탕으로 디지털상에서 역사 요소를 중심으로 역사기록의 전자문서를 편찬하는 방법을 탐구하였다.

김현·안승준·류인태의 『고문서 연구를 위한 데이터 기술 모델』(제59회 전국역사학대회, 2016)은 부안 김씨 고문서를 대상으로 고문서의 데이터 모델을 연구하였다. 우선 부안 김씨 문중 고문서의 내용을 개괄하고, 문중 고문서에 적합한 온톨로지를 설계하고 데이터를 구축하여, Neo4J를 통하여 시각화하였다.

윤소영의 「LOD 기반 한국사 콘텐츠 서비스 구축에 관한 연구」(『정보관리학회지』, 제30권, 제3호, 2013)는 국사편찬위원회, 한국학중앙연구원, 문화재청, 한국콘텐츠진흥원의 데이터를 융합하여 한국사 LOD를 구축하기 위한 필요성과 구체적인 방법을

“분석”은 구축된 데이터를 네트워크 분석, 지리정보 분석 등의 디지털 분석 방법뿐만이 아니라, 전통적인 인문학 연구 방법론을 통하여 구체적인 수치를 도출하는 영역이다.[6] “해석”은 분석을 통하여 도출된 수치에 인간의 다양한 관점과 사유를 통한 의미를 부여하는 영역이다. “시각화”는 컴퓨터에 최적화되어 있는 설계, 구축, 분석 및 인간에 의한 해석을 인간을 위하여 출력하는 영역이다.[7]

제시하고 있다. 본 논문의 내용을 토대로 국사편찬위원회에서는 2014년부터 한국사 LOD를 서비스하고 있다.

6) 분석 영역을 중심으로 전개된 선행 연구는 다음과 같다.
이상국의 「『안동권씨성화보(安東權氏成化譜)』에 나타난 13~15세기 관료 재생산과 혈연관계」(『대동문화연구』, 제81권, 2013)는 『안동권씨성화보』를 토대로 개인의 관직 획득에서의 아버지와 할아버지의 영향력을 분석하여, 아버지의 영향력이 할아버지의 영향력보다 높음을 밝혀내었다.
김종혁의 「고지명 데이터베이스를 통한 19세기 지명의 지역별·유형별 분포 특징」(『문화역사지리지』, 제20권, 제3호, 2008)은 조선시대 전자문화지도를 통하여 구축된 고지도의 지명 데이터를 토대로 고지도에 수록된 지명의 유형을 분류하고 분석하여 고지도에서 사용되는 지명의 지역별·유형별 분포 특징을 제시하였다.
邱偉雲의 「關鍵詞叢與文本意義挖掘的嘗試: 以『淸季外交史料』爲例」(項潔 編, 『數位人文在歷史學研究的應用』, 臺灣大學出版中心, 2011)는 청계외교사료 데이터베이스를 토대로 1897년의 “주권”과 “중국”의 연어와 공기어를 분석하여 기존의 학설과는 상이하게 당시에는 아직 주권 개념이 생겨나지 않았음을 밝혀내었다.
김현종의 「조선시대 교통로 복원과 공간 데이터베이스 설계 - 경기도 광주부를 중심으로 -」(한국학중앙연구원 한국학대학원 석사학위논문, 2016)는 경기도 광주부를 중심으로 교통로를 복원하기 위하여 역사지리정보시스템(HGIS)을 이용한 교통로 시공간 데이터 모델 설계안을 제시하였다.
이상국의 「'빅데이터' 분석 기반 한국사 연구의 현황과 가능성: 디지털 역사학의 시작」(『응용통계연구』, 제29권, 제6호, 2016)은 빅데이터를 바탕으로 하는 양적 분석 방법론의 현황을 정리하고, 현재의 문제점을 보완할 미래 가능성을 제시하였다.

7) 시각화 영역을 중심으로 전개된 선행 연구는 다음과 같다.
허경진·구지현의 『조선시대 표류노드 시각망 연구일지』(보고사, 2016)는 “조선시대 표류노드 시각망 구축 프로젝트”의 수행 과정을 기록한 연구보고서이다. 『표인영래등록(漂人領來謄錄)』, 『조선왕조실록(朝鮮王朝實錄)』, 『변례집요(邊例集要)』를 바탕으로 조선시대 표류기록 데이터를 추출하고, 데이터와 연구 목표에 유효한 온톨로지를 설계한 다음 그에 해당하는 시각화 방안을 제시하였다.
김현승의 「〈문효세자 보양청계병〉 복식 고증과 디지털 콘텐츠화」(단국대학교 석사학

디지털인문학은 전통적인 인문학 연구에 "디지털"을 도입한 연구 방법이다. 따라서 디지털인문학의 본질은 인간에 대한 탐구이며, 기존 인문학 연구의 본질과 같은 선상에 있다.[8] 다만 기존 인문학이 종이 매체를 근간으로 전개된 것에 반하여, 디지털인문학은 컴퓨터를 이용한다는 것이 큰 차이이다. 컴퓨터 처리는 인간 개인의 힘으로 수행하기 어려웠던 방대한 정보의 수집과 분석을 가능하게 하고, 한정된 종이 매체에서와는 달리 무한한 디지털 매체에서 텍스트와 멀티미디어에 대한 시각화 및 이를 위한 데이터 설계와 구축 작업을 수행할 수 있게 한다.

역사학 연구의 토대가 되는 "사료"와 디지털 기술과의 결합은 "디지털 조선왕조실록"[9], "한국고전종합DB"[10] 등의 성과물로 보급되어, 연구자들은 물론이고 일반인들에게까지 활용되고 있다. 그러나 본질적으로 한국의 역사 기록 디지털화는 아직도 종이 매체의 개념에서 머무르고 있다. 종이 매체에서는 제약된 지면에 최대한 많은 정보를 전달하여야 하였기에, 정보의 우선순위를 선정하여 정보를 차등적으로

위논문, 2016)는 정조(正祖)의 첫 번째 아들인 원자(문효세자: 文孝世子)를 위해 시행한 보양청(輔養廳) 상견례(相見禮)를 묘사한 〈문효세자 보양청계병(文孝世子輔養廳契屏)〉을 중심으로 문효세자와 보양관의 상견례시 참여자들이 착용한 복식을 고증한 후 일러스트로 구현하고, 복식 정보 간의 관계를 시각적인 그래프로 보여주기 위하여 온톨로지를 구축하고, 구축된 결과물을 Neo4J로 시각화하였다.

정환석의 「한국 기록문화유산 정보시각화 연구 방안 : 천문류초, 천상열차분야지도를 중심으로」(한국외국어대학교 석사학위논문, 2009)는 조선시대 천문기록문화유산인 『천문류초』와 『천상열차분야지도』를 토대로 데이터베이스를 구축하고, 이를 바탕으로 대상에 대한 최적의 시각화 방안을 모색하였다.

8) 디지털인문학의 설계는 논문의 목차 작업이나 사료 분류 작업과 유사하며, 데이터 영역은 사료의 수집과 보관의 영역이다. 분석과 해석은 모든 연구에서 수행되는 단계이다. 마지막으로 시각화는 연구의 결과를 보여주는 방법론을 모색하는 영역이다.

9) 조선왕조실록DB, 국사편찬위원회, http://sillok.history.go.kr

10) 한국고전종합DB, 한국고전번역원, http://db.itkc.or.kr

제공하였다. 예를 들어서, 특정 사료에서 서로 다른 표점 부여 가능성이 존재하더라도, 당시 편찬자가 가장 합리적이라고 생각하는 단 하나의 가능성만을 표시하고, 그 외의 가능성은 무시하거나 소략하여 편찬하였다. 그런데 디지털 매체에서는 종이 매체와 같은 수용 용량의 제한에 따른 제약이 존재하지 않는다. 수용 용량의 제한으로 인한 정보의 순위 선정이나 이로 인한 정보의 차등적 제공이 불필요한 것이다. 그럼에도 불구하고, 디지털 매체로 이식된 역사 기록들은 여전히 종이 매체의 한계를 승계하여 정보를 차등적으로 제공하는 경우가 종종 발생한다.

또한 한국의 역사 기록 디지털화는 기본적으로 인간이 읽을 수 있는 자료의 생산을 목적으로 하고 있으며, 컴퓨터가 읽을 수 있는 기계가독형 데이터에 대한 고민이 아직 부족하다. 과거의 역사 기록 편찬 작업에서 연구자는 표점을 부여하고, 인명, 지명 등의 고유용어에 대한 식별을 진행하였다. 특정 대상 중에서 유의미하다고 판단되는 개별 요소에 대해서 특정 기호를 통하여 의미성을 부여하였다. 디지털 세계에서는 태그(Tag) 등을 이용하여 데이터에 의미를 부여하며, 이러한 태그를 마크업 언어(Markup Language)라고 한다. 마크업 언어는 의미적으로 구조 요소와 문중 요소로 구분할 수 있다. 구조 요소는 대상 데이터의 구조적인 특성을 표현하는 요소이다. 과거 해제 중에 포함되는 정보인 저자, 역자, 간행년, 간행처 등의 정보를 의미한다. 문중 요소는 문자 데이터의 중간에 삽입되어 특정 의미를 표현하는 요소이다.[11] 기존의 문헌 정리 작업에서 밑줄로 표시하였던 인명, 지명 등의 정보를 의미한다.

11) 김현, 「고문헌 자료 XML 전자문서 편찬 기술」, 『고문서연구』, 제29호, 2006, 183~230쪽.

인문학의 마크업 언어는 1995년 "조선왕조실록 CD-ROM"에서 편년체에 최적화된 데이터 구조를 구현한 이후, "메타데이터" 혹은 "데이터 구조"라는 이름으로 문헌정보학 및 기록학의 영역에서 비교적 활발하게 연구되고 있다. 특히 정보통신부에서 공공근로 정보화사업의 일환으로 추진한 지식 정보 연계 활용 체제 구축 사업 및 그 후속 사업인 지식 정보 관리 사업을 통하여 다양한 기관에서 다채로운 인문학 자원의 디지털화 작업이 수행되었다. 기존의 역사 기록 해제 작업과 같이 대상의 편찬자, 편찬 연도, 주요내용 등의 구조 요소를 기록하기 위한 메타데이터 및 데이터 구조 구축과 연구를 진행하였다.[12] 그 결과 "한국역사정보통합시스템"[13]을 통하여 다양한 역사 기록을 통합적으로 제공할 수 있게 되었다.

다만 역사 기록의 문중 요소는 "인명", "지명", "관직", "서명"에 대해서 일차적인 마크업을 부여하는 수준에 머무르고 있다. "인명"과 "지명" 등의 역사 요소의 정확성과 재사용을 위한 역사요소 통합시스템이 구축되지 않고 있을 뿐만이 아니라, "이두(吏讀)"와 같은 차자(借字)표기, "구결(口訣)"과 같은 보조언어 및 "쓰기방향"이나 "낙관(落款)"과 같은 비문자 기호 등 다양한 용어에 대한 확장이 이루어지지 않고 있다.

---

12) 강범모·장효현·윤재민, 「한국학문헌의 전산화를 위한 TEI 표준안 응용 및 확장 방안 연구」, 『한국어전산학』, 제2호, 1998, 227~278쪽; 이남희, 「디지털시대의 고문서 정리 표준화」, 『고문서연구』, 제22호, 2003, 25~50쪽; 리상용, 「XML을 활용한 고문헌의 원문디지털화 방안에 대한 연구 : 고문헌을 위한 DTD 개발을 중심으로」, 『한국문헌정보학회지』, 제37호, 2003, 171~201쪽; 구영옥, 「한국 고문서의 기술요소 선정과 고문서 XML DTD 설계」, 숙명여자대학교석사학위논문, 2003; 이상용, 「한국 문집을 위한 XML DTD 설계」, 『서지학연구』, 제25호, 2003, 169~208쪽; 김남일, 「고문서 메타데이터 표준화 현황과 과제-역사정보통합시스템과 한국국학진흥원의 고문서 메타데이터를 중심으로-」, 『고문서연구』, 제34호, 2009, 107~147쪽 등.

13) 한국역사정보통합시스템, 국사편찬위원회, http://www.koreanhistory.or.kr/

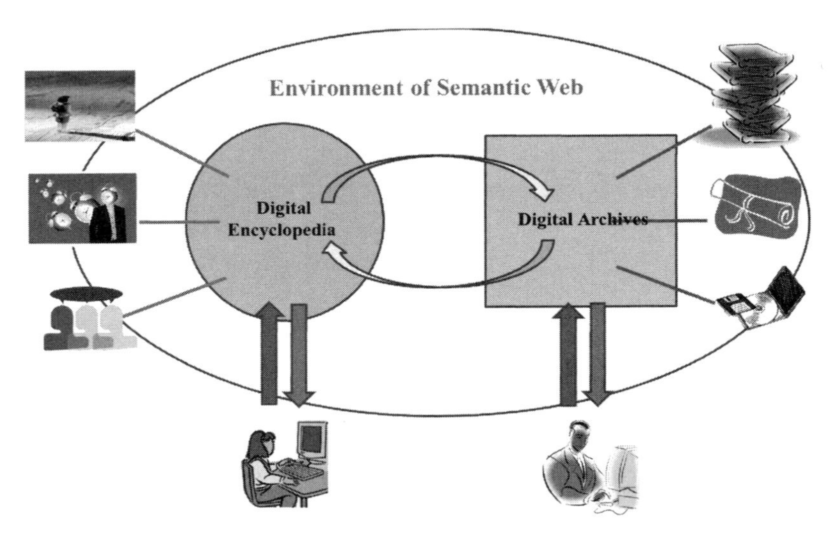

그림 1-2. 디지털 통합정보 아카이브(Digital Encyves) 개념도

김현은 디지털 통합정보 아카이브(Digital Encyves)의 개념을 통하여 이에 대한 돌파구를 모색하고 있다. 디지털 통합정보 아카이브(Digital Encyves)는 디지털 백과사전(Digital Encyclopedia)과 디지털 아카이브(Digital Archives)의 통합 개념이다.[14]

디지털 백과사전은 디지털 기술을 바탕으로 기존 종이매체보다 발전된 양태로 구축된 학문, 기술, 예술 등 자연과 인간의 모든 활동에 관한 다방면의 지식을 수집하여 체계적으로 정리한 내용 혹은 이를 위한 전반적인 시스템을 지칭한다. 아날로그 시대에 백과사전은 대중들이 분야별 전문지식의 세계로 들어가는 관문의 역할을 담당하였다. 그러나 디지털 시대에는 이미 무한한 디지털 공간에서의 “검색”이 종래의 백과사전의 역할을 대신하게 되었다. 이미 수많은 지식들이 인

14) 김현, 「디지털 인문학과 한국문화」, 건양대학교 발표자료, 2015년 5월 14일.

터넷상에 존재하고 있기에 간단한 검색만으로 원하는 정보를 취득할 수 있게 되었기 때문이다. 하지만 인터넷에 있는 정보는 아직 그 정보의 정확도를 따로 검증해야 할 필요가 있다. 또한, 무엇보다 정보가 서로 분산이 되어 있어 사용자가 다양한 정보를 스스로 취합해야 된다. 따라서 디지털 백과사전은 다양한 분야와 층위의 전문적인 지식 내용을 구축하고, 서로 다른 영역의 지식 정보들을 상호 연계하는 시스템이어야 한다.

디지털 아카이브는 오프라인 실물 자원의 디지털화 방법 혹은 태생적으로 디지털인 자원의 수집과 보존 및 활용을 위한 보관 장소 혹은 이를 위한 전반적인 시스템을 지칭한다. 디지털 시대에도 기록관이나 박물관 등에서의 의미 있는 실물 자원의 수집과 보존은 지속되어야 한다. 다만 실물 자료의 활용성 증대, 그리고 태생적 디지털 자원의 수집과 보존에 대한 새로운 모색이 필요하다.

디지털 아카이브에 구축된 역사 기록을 이해하기 위해서는 역사 기록에 등장하는 인물과 공간에 대한 정보는 물론, 다양한 용어들을 알아야 한다. 기존 종이 매체에서는 이러한 용어에 대해 주석의 형식으로 개설적인 소개를 하는 데 그쳤다. 그런데 주석에 소개된 개설적인 내용은 해당 주석을 기술한 편찬자의 관심과 지식에 따라 한정되기 때문에 사용자의 요구가 충족되지 않을 수 있다. 또한 이용자가 해당 용어에 대한 추가적인 정보를 알고 싶을 때, 관련 저술에 대한 복잡한 탐색 작업을 수행하여야만 하였다. 그러나 디지털 세계에서는 다양한 분야와 층위의 전문적인 지식을 다방면의 전문가들이 각기 서술하고 이를 통합적으로 사용자에게 제공할 수 있다.

이를 위하여 출현한 개념이 디지털 통합정보 아카이브이다. 다시 말해서 디지털 통합정보 아카이브는 문헌, 문서, 사진 등 역사 기록의 원천자원을 제공하는 디지털 아카이브와 특정 내용에 대한 전문적인 지식을 제공하는 디지털 백과사전을 상호 연계하는 개념이다.

디지털 통합 정보 아카이브의 구현을 위해서는 “디지털 조선왕조실록”과 같은 디지털 아카이브에 대응하는 디지털 백과사전의 존재가 요구된다. 디지털 백과사전은 기존 공구서의 디지털 버전이라고 비유할 수 있다. 예를 들어, 기존에는 조선왕조실록을 보다가 등장하는 인물과 공간에 대한 기술이 주석만으로 부족할 경우, 해당 정보에 대한 전문적인 공구서를 통하여 보다 상세하고 전문적인 정보를 취득하였다. 그러나 기존의 공구서는 종이 매체의 한계에 구속되어 비록 주석보다는 상세하지만 여전히 대상에 대한 제한적인 서술에 머무르고 있다. 물론 현재에는 한국학중앙연구원의 “한국역대인물종합정보시스템[15)]”이나 “민족문화대백과사전[16)]”과 같이 디지털로 된 공구서가 만들어지고 있다.

하지만, 한국역대인물종합정보시스템은 인물의 생년, 본관, 혈연관계, 관직 등의 정보를 포함한 일차사료의 구조를 디지털로 모사하였는데, 이런 정보들이 인물 사전에서 요구되는 내용들이었기에 자연스럽게 인물 공구서의 역할을 수행하는 것이다. 다시 말해서, 한국역대인물종합정보시스템은 본질적으로 일차사료에 대한 디지털 아카이브이며, 일차사료에 대한 추가적인 가공이 이루어지는 디지털 백과사전이라고는 할 수 없다. “민족문화대백과사전”은 기존 종이 매체 서술에 멀티미디어적인 기능을 추가한 것으로 본질적으로 기계가독형 데이터로 만들어지지 않았다는 한계를 가지고 있다.

기계가독형 데이터란 컴퓨터가 이해할 수 있는 형태의 데이터를 의

15) 한국역대인물종합정보시스템, 한국학중앙연구원, https://people.aks.ac.kr
16) 민족문화대백과사전, 한국학중앙연구원, http://encykorea.aks.ac.kr

미한다. 예를 들어서 WORD, PDF, HWP 등은 비록 디지털 파일의 형태로 존재하지만, 컴퓨터가 해당 파일의 내용을 텍스트로 인지할 뿐이지 텍스트에 내재되어 있는 정보를 이해할 수 없기에 엄격하게 말해서 기계가독형 데이터가 아니다.[17] 전통적인 기계가독형 데이터에는 "RDB(Relational Database, 관계형 데이터베이스)"로 대변되는 테이블 연계 방식과 "XML(Extensible Markup Language)"로 대변되는 마크업 방식이 있다. "RDB"는 정형 데이터[18]의 집합으로, 여러 개의 테이블 형식으로 구성되고, 테이블들을 상호 연계한다. 고정된 틀에서 반복적으로 수행되는 행위에 최적화되어 있기에 은행 업무나 회사 업무 관리에 효과적이다. 하지만 특정한 틀에 고정되어 있으며, 테이블과 테이블 간의 관계에 대해서는 어디까지나 인간가독형이라는 점에서 본질적인 한계가 있다. "XML"은 비정형 데이터[19] 속에서 유의미한 정보를 기계가독형 데이터로 전환한다. 따라서 대부분이 비정형 정보로 구성되어 있는 인문학 정보를 디지털로 전환하는 데에 상당히 효과적이다. 하지만 근본적으로 단일 대상에 대한 정보를 기술할 뿐, 다중 대상에 대한 "관계"를 기술하는 데에는 한계가 있다. 이에 따라서 기존의 기계가독형 데이터의 단점을 보완하고, 인간의 정보를 최대한 기계가독형 데이터로 전환하기 위하여 시맨틱웹(Semantic Web)이 등장하였다.

시맨틱웹의 목적은 사람만이 웹에 산재한 정보의 의미를 파악하는

17) 예를 들어서 "충무공 이순신이 한산도대첩에서 승리하였다."라는 문장은 컴퓨터에 있어 "충, 무, 공, 이, 순, 신, 이, 한, 산, 도, 대, 첩, 에, 서, 승, 리, 하, 였, 다"라는 문자들의 조합일 뿐이다. 컴퓨터는 "충무공"이 "이순신"의 호(號)라는 정보도 인지하지 못하며, "한산도대첩"과 "이순신"의 관계도 인지하지 못한다.

18) 정형 데이터란 일정한 구조(스키마)가 있으며, 기계연산이 쉬운 데이터이다.

19) 비정형 데이터란 일정한 구조가 없고, 기계연산도 힘든 데이터이다.

것이 아니라 자동화된 기계가 해석할 수 있는 일종의 표준 의미 정보를 교환하는 수단을 만드는 것에 있다. 시맨틱웹의 이상향은 인터넷에 산재하는 방대한 양의 온톨로지(Ontology)를 자동으로 해석하여 처리할 수 있는 에이전트 소프트웨어에 사람 또는 에이전트가 질의를 하면 컴퓨터가 자동으로 분산된 온톨로지를 탐색하고 추론하여 원하는 결과를 돌려주는 것이다.

시맨틱웹(Semantic Web)은 '의미론적인 웹'이라는 뜻으로, 현재의 인터넷과 같은 분산환경에서 리소스(웹 문서, 각종 화일, 서비스 등)에 대한 정보와 자원 사이의 관계-의미 정보(Semanteme)를 기계(컴퓨터)가 처리할 수 있는 온톨로지 형태로 표현하고, 이를 자동화된 기계(컴퓨터)가 처리하도록 하는 프레임워크이자 기술이다. 시맨틱웹은 웹의 창시자인 팀 버너스 리(Tim BernersLee)가 1998년 제안하였고 현재 W3C(World Wide Web Consortium)에 의해 표준화 작업이 진행 중이다.

주목해야 할 점은 인문 지식의 구조가 시맨틱웹의 구조에 상당히 근접해 있다는 것이다. 그동안 디지털 매체의 데이터는 마크업 형태와 관계형 구조로 이루어져 왔다. 마크업 형태와 관계형 구조 모두 간단한 데이터를 디지털상에서 처리하기에 최적화된 구조를 가지고 있다. A가 곧 A이며, A와 B의 관계가 C 하나뿐인 단순한 지식 구조는 계층형과 관계형 구조를 통해서 입력되고 저장되어, 처리 속도와 용량의 한계의 제약에서 벗어나 비교적 자유롭게 디지털 분석이 수행될 수 있었다. 문제는 인문 지식은 단순하지 않다는 점이다. A는 곧 A가 아니며, A와 B의 관계도 C만 있는 것이 아니다. 인문 지식은 개개인의 사유에 따라서 수많은 변수들이 발생하는 매우 다층적인 구조를 가지고 있다. 그러나 시맨틱웹의 개념과 기술의 발생 이전에는 인문 지식을 디지털로 옮길 때 제대로 다층적인 구조의 복잡한 데이터를 저장하고 처리할 수 없었고, 이에 인문 지식은 단순화의 과정을 거쳐서 일부 파편만이 디지털 매체로 이전되거나, 처음부터 디지털 매체로의 전환이 포기되었다.

그런데 시맨틱웹은 온톨로지 개념을 바탕으로 인문 지식의 다층적인 지식망을 데이터로 입력하고 저장할 수 있게 한다. 또한 저장된 인문 지식 데이터를 바탕으로 논리적 추론을 하여 새로운 정보를 추가할 수 있는 시스템 또한 구현하고 있다. 시맨틱웹을 통하여 디지털 매체에 인간의 사유를 이식할 수 있게 된 것이다.

인문 지식이 기존의 종이 매체에서 탈피하여 디지털 매체로 들어선다면, 디지털 매체의 강점인 정보의 빠른 유통을 통하여 인문 지식의 정보 파급력을 향상시킬 수 있다. 과거에 인쇄기가 발명된 이후에도 인문 지식은 인쇄기를 통한 신속한 정보 파급을 통하여 인류 사회를 변혁시켰다. 현재의 디지털 매체는 인터넷을 통하여 인쇄기를 뛰어넘는 정보 파급력을 보유하고 있고 이전보다 월등한 인류 사회의 발전을 가져올 수 있다.

그런데 정보 파급력보다 우선적으로 고려해야 할 부분은 인간의 발전이다. 인간은 자신의 기능을 외부로 이식하여 "발전"을 이루어 왔다. 인간은 문자를 통하여 인간의 사유의 결과물을 외부로 이식하였고, 인간은 바퀴를 통하여 인간의 다리 기능을 외부로 이식하였다. 이제 인간은 디지털을 통하여 인간의 연산 능력을 외부로 이식하려고 하고 있다. 컴퓨터는 이미 인간보다 월등히 뛰어난 연산 처리 능력을 가지고 있다. 다만 디지털은 아직 인간의 질의 능력과 해석 능력에 있어서 따라가지 못하고 있다. 그런데 인문학의 본질은 "왜?"라는 질문을 할 수 있는 질의 능력에 있다. 따라서 디지털인문학은 인문학적 질의 능력을 통하여 디지털에 해당 질의에 대한 연산을 위탁하고, 디지털의 빠른 처리 속도로 인해 그동안 인간 개인의 역량으로 한계가 있었던 대단위 데이터의 분석을 행할 수 있다. 이러한 과정을 통하여 도출된 결과에 대한 해석을 진행하는 것은 또 하나의 인간 발전의 모델이 될 것이다.

결국 새로운 인문학은 인간의 지적 능력을 디지털로 이식하여 강화된 능력을 활용한 또 다른 형태의 인문학 연구일 수밖에 없다. 다만 현재로서는 인간의 지식이 충분히 디지털로 이식되지 않았기에 디지털을 통하여 분석 가능한 데이터의 양이 제한적이다. 그렇기에 무엇보다 시급한 일은 인문 지식을 온전히 디지털로 이식하는 것이며, 다층적인 인문 지식을 디지털로 이식할 수 있게 하는 시맨틱웹이 현재로서는 가장 합당한 방안이다.

이에 따라서 본 연구에서는 새로운 디지털 백과사전 구축을 목적으로 전통 인문학 지식의 총아인 공구서를 디지털로 이식하고자 한다. 그 대상으로 인문학 연구의 기반인 인물 관련 공구서와 제도 관련 공구서 그리고 양자의 상호 관계에 대해 다루고자 한다.

제도와 인사에 관한 완전무결한 데이터 틀을 구축하기 위해서는 역사상 존재하는 모든 제도와 인사를 대상으로 자료 수집 및 고증을 진행하여야 한다. 그러나 개인이 행하는 연구의 본질적인 한계로 인하여 연구의 범위를 제한한다. 연속성이 보장되면서도 현존 사료가 풍부하고 국가 권력 혼란기의 변화 양상을 볼 수 있는 1895년 한성사범학교 시기부터 1910년 조선총독부 직원록 시기까지의 사범학교, 소학교, 보통학교 및 그 교원을 연구 대상으로 한다. 세부적으로 기관은 1895년부터 1910년까지의 소학교, 보통학교, 사범학교 274개를 대상으로 한다. 인물은 《구한말 관보》에 등장하는 공식적인 학교 관련 인물 4,250명을 핵심 대상으로 한다. 인물 및 인사운용 자료는 《구한말 관보》에서 공식적으로 거론된 기록 7,955건, 직원록 기록 795건, 근현대인물데이터베이스 기록 578건을 주요 대상으로 한다. 또한《구한말 관보》의 출현 인물과 연계된『직원록 자료』의 인물 64명과 기록 795건,『한국근현대인물자료』의 인물 58명, 기록 577건을 보조 자료로 사용한다.

선정된 구한말 근대 학교, 교원 및 이와 관련한 제도와 인사 운영 자료를 수집한다. 전통적인 고증 방법에 따라서, 우선 수집된 자료의 역사적 맥락을 파악하고, 구한말 관공립학교의 제도와 교원의 인사 기록에 관련된 선행 연구의 성과를 종합한다. 이후 조직, 제도(직위, 직급, 직봉), 인사 운영에 대한 고증을 수행한다. 그런데 수집된 데이터는 인간가독형 데이터(human-readable data)이거나 낮은 수준의 기계가독형 데이터이다. 컴퓨터를 통한 처리를 위해서 최소한의 기계가독형 데이터로 전환하였다.

대상 수집 및 고증을 통하여 도출된 내용과 기존 인사 및 제도 관련 종이 매체의 자료 구조와 디지털 매체의 데이터 모델의 현황 및 장단점을 파악하여 구한말 관공립학교 제도와 교원의 인사 기록에 대한 온톨로지를 도출한다. 또한 구축된 온톨로지가《구한말 관보》뿐만이 아니라,『조선왕조실록』이나『선생안』등의 기초 사료에서도 통용이 되는지 데이터 틀의 확장성을 검토한다. 이를 통하여 구축된 제도와 인사에 관한 데이터 틀이 모든 시대와 자료의 제도와 인사 데이터를 담을 수 있음을 증명한다.

구축된 데이터 틀과 실제 구한말 관공립 학교 제도와 교원의 인사 기록 데이터를 바탕으로 시맨틱웹으로 구현할 수 있는 RDF 데이터 모델, 기존 디지털 아카이브에 사전 정보를 추가할 수 있도록 설계된 XML 데이터 모델을 각기 모델링한다.

마지막으로 데이터 모델에 따라서 구축된 데이터가 인문학 연구에서 활용될 수 있도록 하는 시각화 방법을 모색한다. 기존의 종이 매체와 디지털 매체에서 활용된 제도-인사 관련 시각화 방안을 탐구하여 각각의 장단점을 분석한다. 그 분석 결과를 바탕으로 시각화는 크게 정보전달형 시각화 모델과 데이터접근형 시각화 모델로 분리하여 서술한다. 정보전달형 시각화 모델에서는 인간의 다양한 관점에 따른 정보 요구를 수용하기 위해 각각의 관점에 대한 시각화 모델을 제시한다. 데이터접근형 시각화 모델에서는 디지털에 익숙하지 않은 사용자들이 데이터에 직접적으로 접근하기 위한 블록조합형 질의 언어에 의한 시각화 방법론을 제시한다. 마지막으로 앞에서 제시한 시각화 모델과 디지털인문학 분석 방법론을 활용하여 구축된 제도와 인사의 관계성 데이터 아카이브를 토대로 인문학 연구를 위한 활용 모델을 제시한다.

2. 연구 방법

제도와 인사의 관계성 데이터 아카이브 구축 및 활용 방법론의 제시를 위하여 구한말 관공립학교의 제도와 교원의 인사 기록을 바탕으로 대상 수집 및 분석, 온톨로지 구축, 데이터 모델링, 아카이브 시각화의 일련의 과정을 수행한다.

온톨로지는 철학의 존재자가 존재자로서 지니는 근본적인 규정을 고찰하는 형이상학의 한 분야에서 시작하였다. 이후 디지털인문학에서는 철학의 개념을 승계하여 “디지털”에서 존재자가 존재자로서 지니는 근본적인 규정의 기계가독형 표현 방법에 대해서 탐구하고 있다. 온톨로지 구축 방법은 정형 데이터를 중심 대상으로 하는 관계형 데이터 모델과 비정형 데이터를 중심 대상으로 하는 마크업형 데이터 모델로 지금까지 발전해 왔다. 현재 가장 발전된 형태의 온톨로지는 기존의 데이터 모델에서 관계성을 강조한 OWL(Web Ontology Language)[20)] 이다.[21)]

온톨로지의 구성요소는 "객체(Individuals)", "클래스(Classes)", "속성(Attributes)", "관계(Relations)", "함수(Function Terms)", "제약(Restrictions)", "규칙(Rules)", "공리(Axiom)", "사건(Event)"이다.

"객체"는 단일 대상을 의미하고,[22)] "클래스"는 객체의 조직 단위를 의미한다.[23)] 다만 객체와 클래스에 대한 판단은 관점에 따라 유동적이다.[24)] "속성"은 객체 혹은 클래스가 가질 수 있는 속성, 특징, 특성 등을 의미한다.[25)] "관계"는 객체와 객체 혹은 클래스와 클래스가 가질 수 있는 관계성을 의미한다.[26)]

---

20) 이후 본 연구에서 언급되는 온톨로지는 기본적으로 W3C의 "OWL Web Ontology Language"를 의미한다.

21) W3C, "OWL Web Ontology Language Overview", 2009, https://www.w3.org/TR/2004/REC-owl-features-20040210 ;
W3C, "OWL Web Ontology Language Reference", 2009, https://www.w3.org/TR/owl-ref/ ;
W3C, "OWL Web Ontology Language Guide", 2009, https://www.w3.org/TR/owl-guide/

22) 예를 들어서 "이몽룡", "성춘향"은 독립적으로 인지할 수 있는 인물 객체이고, "한국학중앙연구원", "국립중앙도서관"은 독립적으로 인지할 수 있는 기관 객체이다.

23) 예를 들어서 "이몽룡", "성춘향"이 인물의 공통속성을 가지고 있다고 인지한다면 "인물" 클래스를 구축할 수 있다. 그리고 "인물" 클래스는 "이몽룡"과 "성춘향"이라는 객체를 포함하게 된다.

24) 예를 들어서 "한국학중앙연구원"은 "국가기관" 클래스의 객체일 수도 있지만, 그 자체로 "한국학중앙연구원" 클래스가 되어서 그 하위에 "한국학대학원", "한국학진흥사업단" 등의 객체를 가질 수도 있다.

25) 예를 들어서 "이몽룡"이라는 객체는 "성별", "생졸년"이라는 종속적인 속성을 가질 수 있다. 또한 "이몽룡"이 포함되어 있는 "인물"이라는 클래스도 "성별"이나 "생졸년"이라는 종속적인 속성을 가질 수 있다.

"함수"는 정보 기술에서 개별 용어 대신 사용할 수 있는 확정적인 관계로 형성된 복잡한 구조를 의미한다. "제약"은 일부 정보를 입력하기 위하여 필요한 사실판단 내용의 기술을 의미한다. "규칙"은 특정 형식의 정보에서 가져올 수 있는 논리적 추론을 설명하는 조건에 따른 결과(if-then) 형식 혹은 선행사건과 결과 형식의 기술을 의미한다. "공리"는 온톨로지 적용 영역에서 기술하는 전반적인 이론을 함께 포함하는 논리 형식의 기술 및 규칙을 의미한다. "사건"은 시간 변화에 따른 속성 혹은 관계의 변화를 의미한다.

온톨로지는 위에서 언급한 9개의 구성요소를 모두 갖추어야 하는 것은 아니다. 다만 온톨로지는 위의 구성요소를 기반으로 현실세계의 특정 영역을 디지털에서 최대한 구현하는 것이다. 이를 위하여 단순히 클래스만 정의하는 것이 아니라, 클래스와 클래스 간의 관계, 함수, 제약, 규칙, 공리, 사건을 총체적으로 형식화하여 기술해야 한다.

이에 따른 실제적인 온톨로지 구축 과정은 "분석", "규격화", "개념화", "설계", "검증"의 단계로 구분할 수 있다.

"분석"은 대상 정보의 분석을 의미한다. 대상에 대한 명확한 이해 아래에서만 대상에 대한 온톨로지 구축이 가능하다. 대상 정보의 분석은 최초의 시점에서 종료되는 것이 아니다. 이후의 규격화, 개념화, 설계, 검증, 구현의 전 단계에서 지속적으로 분석을 수행하여, 그 수행 결과가 각 단계로 피드백된다. "규격화"는 원문 자료, 연구 자료 등 다양한 형태로 되어 있는 대상 자료의 정보를 온톨로지의 목적과 범위에 합당하도록 "객체+관계+객체"의 형태로 정보를 분절하여 추출하

---

26) 예를 들어서 객체 "이몽룡"과 객체 "성춘향"은 "연인" 관계를 가지고 있으며, 그렇다면 객체를 추상화한 클래스 간에도 동일 관계의 성립이 가능하다. 따라서 "인물" 클래스와 "인물" 클래스는 "연인" 관계를 가질 수 있다.

는 과정을 의미한다.

"개념화"는 수집된 정보를 온톨로지의 목적과 범위에 합당하도록 추상화하는 과정을 의미한다. 추상화는 온톨로지의 목적과 범위 내에서 이루어진다. 반대로 서로 다른 목적과 범위를 가지는 온톨로지에서는 동일한 내용이라도 서로 다른 추상화가 진행된다. "설계"는 수집된 추상화 요소와 추상화 요소 간의 관계를 종합하여 전체적인 온톨로지를 구축하는 과정이다. 설계의 과정에서 가장 중요한 것은 개별적으로 존재하는 추상화 요소들 간의 관계를 특정한 목적과 범위에 부합하면서도 일관성이 있는 방식으로 종합해야 한다는 점이다.

마지막으로 "검증"은 설계된 온톨로지를 검증하는 과정이다. 검증의 절차에는 이론적 검증과 실무적 검증 두 단계가 있다. 우선 이론적 검증에서는 온톨로지 설계 검증 이론을 통해 온톨로지의 설계를 검증한다. 그 다음 실무적 검증에서는 실제 대상의 정보 입력을 통해서 온톨로지 설계를 검증한다.

이에 따라서 본 연구에서는 다음의 A~F와 같은 절차를 수행한다.

A. 구한말 관공립학교 제도와 교원의 인사 기록 수집

구한말 관공립학교 제도와 교원의 인사 기록을 수집하기 위하여 정부 3.0 및 "공공데이터 제공 및 이용 활성화에 관한 법률"[27]에 의거하여 수집 가능한 공공데이터인 국사편찬위원회의 한국근현대인물자료 데이터[28]와 직원록 데이터[29]를 확보한다.

---

27) 공공데이터의 제공 및 이용 활성화에 관한 법률(법률 제11956호, 2013.7.30. 제정)은 법률 제12844호(2014.11.19., 타법개정)에서 주무책임이 안전행정부장관에서 행정자치부장관으로 변동되었고, 법률 제13723호(2016.1.6., 일부개정)에서 공공기관과 민간의 중복 및 유사한 서비스를 통한 경쟁을 방지하여 공공데이터의 이용을 촉진하도록 일부 개정되었다.

공공데이터로서의 수집이 제한되는 서울대학교 규장각한국학연구원 소장자료를 디지털화한 규장각한국학연구원본 《구한말 관보》[30]와 아세아문화사의 『구한국 관보』를 토대로 하는 국립중앙도서관본 《구한국 관보》[31] 및 한국언론진흥재단의 "고신문 데이터"[32] 등의 데이터는 온라인 서비스를 통하여 접근한다.

B. 구한말 관공립학교 제도와 교원의 인사 기록 구조 분석

온톨로지 설계의 방향성을 결정하기 위한 선행 단계로 A에서 수집된 자료의 역사적 맥락을 파악하고, 구한말 관공립학교 제도와 교원의 인사 기록 관련 선행 연구 성과를 종합한다. 이를 바탕으로 학교, 제도(직위, 직급, 직봉)에 대해서 고증하고, 인사 운영의 용어·용례를 정리한다.

C. 구한말 관공립학교 제도와 교원의 인사기록 데이터 처리

B의 고증 결과물을 바탕으로 A에서 수집된 PLAIN TEXT, RDB, XML 형식의 데이터를 정규표현식, RDB 데이터 운용, XML 데이터 운용의 방법을 통해 기계가독형 데이터로 전환하는 과정을 수행한다.

---

28) 한국근현대인물자료, 한국사데이터베이스, 국사편찬위원회, http://db.history.go.kr/item/level.do?itemId=im

29) 직원록 자료, 한국사데이터베이스, 국사편찬위원회, http://db.history.go.kr/item/level.do?itemId=jw

30) 관보DB, 서울대학교 규장각한국학연구원.

31) 구한국 관보, 국립중앙도서관.

32) 대한민국 신문 아카이브, 국립중앙도서관, http://www.nl.go.kr/newspaper/

D. 구한말 관공립학교 제도와 교원의 인사 기록 온톨로지 구축

효율적인 온톨로지 설계를 위하여 제도와 인사에 관련된 종이 매체와 디지털 매체의 자료 및 데이터의 모델을 살펴본다. 선행 모델과 B에서 분석된 내용을 바탕으로 구한말 관공립학교 제도와 교원의 인사 기록 온톨로지를 구축한다. 온톨로지의 설계는 크게 인문학 기본 온톨로지, 관공립학교 제도 온톨로지, 인사 기록 온톨로지로 분리하여 설계한 이후에 이를 종합하고 검증한다.

E. 구한말 관공립학교 제도와 교원의 인사 기록 온톨로지를 바탕으로 하는 데이터 모델링

D에서 구축된 온톨로지를 바탕으로 C에서 처리한 데이터를 시맨틱 웹으로 구현할 수 있는 RDF 모델과 기존 디지털 아카이브에 사전 정보를 추가할 수 있도록 설계된 XML 모델을 각기 모델링한다.

F. 구한말 관공립학교 제도와 교원의 아카이브를 바탕으로 하는 시각화

효율적인 시각화 모델 제시를 위하여 유관 시각화 선행 모델을 살펴본다. 이를 바탕으로 E에서 구축한 아카이브를 효율적으로 활용하기 위한 시각화 방법을 모색한다.

시각화는 크게 정보전달형 시각화 모델과 데이터접근형 시각화 모델로 분리하여 서술한다. 정보전달형 시각화 모델에서는 인간의 다양한 관점에 따른 정보 요구를 수용하기 위해 각각의 관점에 대한 시각화 모델을 제시한다. 데이터접근형 시각화 모델에서는 디지털에 익숙하지 않은 사용자들이 데이터에 직접적으로 접근하기 위한 블록조합형 질의 언어에 의한 시각화 방법론을 제시한다.

마지막으로 제시한 시각화 모델과 디지털인문학 분석 방법론을 활용하여 구축된 아카이브를 토대로 인문학 연구를 위한 활용 모델을 제시한다.

연구 과정에서 사용되는 소프트웨어는 다음과 같다.

데이터의 설계를 위해서 protégé(프로테제)[33]와 Altova XMLSpy(알토바 엑스엠엘스파이)[34]를 사용하였다. 지리 정보 수집을 위하여 남한 지역은 Daum 지도[35]와 네이버 지도[36]를 사용하였고, 북한 지역은 Google 지도[37]와 Google Earth Pro[38]를 사용하였다.[39] 데이터의 처리를 위하여 EmEditor(엠에디터)[40], Microsoft Excel(마이크로소프트 엑셀)[41], RDFConvert(알디에프 컨버트)[42]를 사용하였다. 데이터의

---

33) protégé(프로테제)는 스탠포드 대학교에서 개발한 온톨로지 편집기 및 지식관리 시스템이다. 본 연구에서는 2016년 5월 24일 공개된 protégé 5.0 버전을 사용했다. protégé 홈페이지, http://protege.stanford.edu

34) Altova XMLSpy는 Altova에서 개발한 XML 편집기이자 통합 개발 환경이다. 본 연구에서는 Altova XMLSpy 2011 Enterprise Edition을 사용했다. Altova XMLSpy 홈페이지, https://www.altova.com

35) Daum 지도는 Kakao에서 개발한 온라인 지도 서비스이다. Daum 지도 홈페이지, http://map.daum.net/

36) 네이버 지도는 NAVER Corp.에서 개발한 온라인 지도 서비스이다. 네이버 지도 홈페이지, http://map.naver.com/

37) Google 지도는 구글에서 개발한 2D 기반 지도 서비스이다. Google 지도 홈페이지, https://www.google.co.kr/maps

38) Google Earth Pro는 구글에서 개발한 3D 위성 지도 서비스이다. 본 연구에서는 Google Earth Pro 7.1.8.3036 (32-bit)를 사용했다. Google Earth 홈페이지, https://www.google.co.kr/intl/ko/earth/

39) 수집 대상 공간에 북한 지역이 포함되어 있기에 Daum 지도나 네이버 지도는 제약사항이 발생한다.

40) EmEditor는 Emurasoft에서 개발한 윈도우용 문서 편집기이다. 본 연구에서는 EmEditor Professional (32-bit) 12.0.10 버전을 사용했다. EmEditor 홈페이지, https://ko.emeditor.com/

분석을 위하여 Gephi(게파이)[43], GNU R(지엔유 알)[44]을 사용하였다. 데이터의 검색을 위하여 Twinkle(트윙클)[45]을 사용하였다. 데이터의 운용을 위하여 Virtuoso Universal Server(벌투오소 유니버설 서버)[46]를 사용하였다. 온톨로지 시각화를 위하여 WebOWL(웹아울)[47]을 사용하였다. 이미지 처리를 위해서 Photoshop(포토샵)[48]과 Illustrator(일러스트레이터)[49]를 사용하였다. 마지막으로 집필을 위하여 문서편집기로 Google Docs(구글 문서)[50], Microsoft PowerPoint(마이크로소

---

41) Microsoft Excel은 마이크로소프트에서 개발한 스프레드 시트 프로그램이다. 본 연구에서는 Microsoft Office Professional Plus 2010을 사용했다. Microsoft Excel 홈페이지, https://www.microsoft.com/

42) RDFConvert는 Jeen Broekstra가 개발한 오픈 소스의 'RDF/XML', 'N-Quads', 'N-Triples', 'Turtle', 'TriG', 'TriX', 'RDF/JSON', 'JSON-LD', 'BinaryRDF' 간의 상호 변환을 해주는 도구이다. 본 연구에서는 RDFConvert 0.4를 사용하였다. RDFConvert 홈페이지, https://bitbucket.org/jeenbroekstra/rdf-syntax-convert

43) Gephi는 자바를 기반으로 동작하는 오픈 소스 네트워크 분석 및 시각화 소프트웨어 패키지이다. 본 연구에서는 2016년 2월 14일에 공개한 0.9.1 버전을 사용했다. 특히 UCLA의 "ExportToEarth" 플러그 인을 통하여 네트워크 분석 결과를 KMZ 형식으로 도출하였다. Gephi 홈페이지, https://gephi.org/

44) GNU R은 통계 계산과 그래픽을 위한 오픈소스 온라인 플랫폼이다. 본 연구에서는 GNU R version 3.3.1(2016-06-21)을 사용하였다. GNU R 홈페이지, https://www.r-project.org/

45) Twinkle은 Leigh Dodds가 개발한 오픈 소스 오프라인 SPARQL 쿼리 도구이다. 본 연구에서는 Twinkle 2.0을 사용하였다. Twinkle 홈페이지, http://www.ldodds.com/projects/twinkle/

46) Virtuoso Universal Server는 Openlink Software에서 개발한 통합 웹서비스용 플랫폼으로 LOD 서비스를 위한 종합적인 서비스를 제공하고 있다. Virtuoso Universal Server 홈페이지, https://virtuoso.openlinksw.com/

47) WebOWL은 MIT에서 개발한 온라인 OWL 시각화 서비스이다. WebOWL 홈페이지 : http://visualdataweb.de/webvowl/

48) Photoshop은 Adobe에서 개발한 레스터 그래픽 편집기이다. 본 연구에서는 Adobe Photoshop CS5를 사용했다. Photoshop 홈페이지, http://www.adobe.com

49) Illustrator는 Adobe에서 개발한 벡터 드로잉 프로그램이다. 본 연구에서는 Adobe Illustrator CS5를 사용했다. Illustrator 홈페이지, http://www.adobe.com

50) Google Docs는 Google에서 개발한 온라인 문서 편집기이다. Google Docs 홈페이지,

프트 파워포인트)[51], 한컴오피스 한글[52], MediaWiki(미디어위키)[53]를 사용하였다.

https://docs.google.com/

51) Microsoft PowerPoint은 마이크로소프트에서 개발한 프레젠테이션 프로그램이다. 본 연구에서는 Microsoft Office Professional Plus 2010을 사용했다. Microsoft PowerPoint 홈페이지, https://www.microsoft.com/

52) 한컴오피스 한글은 한글과컴퓨터에서 개발한 문서 편집기이다. 본 연구에서는 한컴오피스 한글 2014를 사용하였다. 한컴오피스 한글 홈페이지, http://www.hancom.com

53) MediaWiki는 미디어위키 재단에서 개발한 자유 웹 기반 위키 소프트웨어이다. 본 연구에서는 MediaWiki 1.27.3 버전을 사용했다. MediaWiki 홈페이지, https://www.mediawiki.org/

제2장

구한말 교육인사제도 자료의 수집과 고증 방법

이번 장에서는 온톨로지 설계의 방향성을 결정하기 위한 선행 단계로 수집이 필요한 자료의 역사적 맥락과 구한말 관공립학교의 제도와 교원의 인사 기록 관련 선행 연구 성과를 종합한다. 이를 토대로 수집 필요 자료가 선정되면 공공데이터 관련 법을 활용하여 데이터 수집을 수행한다. 그 다음 수집된 자료를 바탕으로 학교, 제도(직위, 직급, 직봉)를 고증하고, 인사 운영의 용어·용례를 정리한다. 마지막으로 고증하고 정리한 내용을 바탕으로 수집된 인간가독형 데이터를 기계가독형 데이터로 전환한다.

1. 구한말 교육인사제도 토대 자료 및 연구 자료

1) 구한말 교육인사제도 토대 자료

본 연구에서는 구한말 교육인사제도 관련 자료 중에서 교육 제도와 인사 운용을 가장 다채롭게 반영하고 있는《구한말 관보》, 『직원록 자료』, 『근현대인물자료』를 토대 자료로 사용하였다.[1)]

---

1) 구한말 교육인사제도 토대 자료로는《구한말 관보》, 『직원록 자료』, 『근현대인물자료』, "신문 자료", 『조선왕조실록』, 『승정원일기』 등의 다양한 사료가 있다. 『조선왕조실록』과 『승정원일기』는 정사로서 기록의 가치가 높기에 전체 RAWDATA를 입수하였다. 하지만 학부령급 이하의 제도 관련 법령과 부교원(副敎員)의 임용 기록이 누락되어

(1) 구한말 관보

구한말 관보는 1894년 6월 21일부터 의정부 관보국에서 발행한 조선왕조 및 대한제국기의 한국사상 최초의 근대적 관보를 지칭한다. 관보는 새로운 법의 공표와 정부의 정책 결정 및 이와 관련된 정보를 일반에 고시하는 공식적인 문서이다. 구한말 관보는 일제의 조선통감부 시기에도 지속적으로 발행되었지만, 1910년 8월 22일 조인되어 1910년 8월 29일 발효된 한일 병탄 조약에 따라서 1910년 8월 29일 4,768호가 마지막으로 발행되었다.

구한말 관보의 정보 요소는 호수, 발행일, 발표기관 그리고 섹션이다. 호수는 일반적인 호수(號數)[2]와 호외(號外), 부록(附錄)으로 구성되어 있다. 발행일은 "연호+연도+월+일+요일"의 형식으로 이루어져 있다.[3] 단 정규 호수가 아닌 호외와 부록에는 요일 정보가 생략되어 있다. 발표기관은 제도의 변화에 따라서 내각기록국(內閣記錄局), 의정부총무국(議政府總務局), 법제국(法制局) 등에서 담당하였다. 섹션은 궁정록사(宮廷錄事), 칙령(勅令), 조칙(詔勅), 훈령(訓令), 법률(法律), 부령(部令), 고시(告示), 조약(條約), 포달(布達), 서임급사령(敍任及辭令), 서임

있어 토대 자료로 사용하기에는 다소 부족하였다. 물론 칙령급 제도 관련 법령이나 교원 이상의 임용 기록에 대한 다중 출처 제시의 측면에서 활용의 가능성이 있으나, 개인 연구의 한계상 토대 자료에는 포함시키지 않았다. 또한 《황성신문》과 같은 당대의 신문 자료는 학교와 관련된 다양한 사건이 등장하기에 당대의 교육인사제도를 탐색하는 데 중요한 참고자료로 활용할 수 있다. 그러나 신문에 등장하는 제도와 인사에 대한 내용은 사실상 관보의 내용을 전사한 것이다. 물론 제도와 인사의 변화의 배경을 파악하기 위하여 신문 자료에 대한 디지털 아카이브 작업도 행되어야 하겠지만, 개인 연구의 한계로 역사 사건에 대해서는 이번 연구에서는 소략하였고, 이에 따라서 신문 자료도 토대 자료에는 포함시키지 않았다.

2) 최초의 구한말 관보는 호수 없이 발간되었다가, 1895년 4월 1일부터 내각 기록국 관보과에서 고유 호수가 부여되어 편찬되기 시작하였다.

3) 예를 들어서 "隆熙四年八月二十六日 金曜"의 형식이다.

(敍任), 사령(辭令), 휘보(彙報), 관상(觀象), 광고(廣告), 예산급예비금지출(豫算及豫備金支出), 관보정가표(官報定價表), 정오(正誤) 등으로 대상 내용의 성격에 따라서 구분되어 있다.[4]

서울대학교 규장각한국학연구원 소장본 중, "奎17289본"은 1895년(高宗 32) 6월 1일부터 1910년(隆熙 4) 8월 26일까지의 전 기간에 걸쳐 관보 제77-4767호(제1책에는 1895년 閏 5월 28일자 호외가 병부(竝付)되어 있음)를 180책으로 분책한 것이고, "奎16042본"은 위의 기간 중 1908년부터 1910년 사이의 관보 제4,190-4,718호만을 8책으로 분책한 것이다.[5] 또한 "奎16025본"은 1895년(高宗 32) 3월과 4월에 정부가 제정·공포한 각종 제도에 관한 법령을 수록한 것이다.[6] 이후 1973년에 아세아문화사(亞細亞文化社)에서 간행한 『구한국관보(舊韓國官報)』는 규장각한국학연구원 소장본을 저본으로 하여 내용을 보충하여 1894년 6월 21일자 이후의 완질을 영인하여 출간한 것이다.

현재 구한말 관보의 디지털 데이터에는 1899년 5월 25일 아세아문화사의 구한국관보를 토대로 하는 국립중앙도서관본[7]과 규장각 소장 자료를 디지털화한 서울대학교 규장각한국학연구원본[8]이 있다. 국립중

4) 1995년 윤 5월 25일 제73호 관보에서는 詔勅, 法律, 勅令, 閣令, 部令, 宮內府布達, 閣府部訓令, 閣府部告示, 警務廳 및 漢城府令 公文, 豫算外支出, 敍任及辭令, 宮廷錄事(動駕, 動輿, 祭典, 王族), 官廳事項,(警察, 軍事, 學士, 産業, 褒賞, 司法(特赦·死刑執行), 雜事(氣象·測候·船舶難破)), 外交關聯事項, 廣告 등의 내용을 기술한다고 하였다. 1907년 12월 12일 제3,947호 관보에서의 "閣令 官報編製에關한 件"에서 詔勅, 協約과 協定 및 約束 등, 預算及預備金支出, 法律, 勅令과 宮內府布達, 閣令, 部令과 宮內府令, 訓令, 告示, 敍任及辭令, 官廷錄事, 彙報官廳事項, 觀象, 廣告의 내용을 기술한다고 하였다. 1908년 3월 30일부터 제도 변경에 의해서 警視廳令과 漢城府令이 추가되었다. 1908년 12월 26일부터는 道令이 서술되기 시작하였다. 1906년 9월 12일부터는 統監府法令類가 기술되었으며, 1908년 8월 21일부터는 統監府委託 사항이 추가되었다.

5) 관보 奎17289 해제, 규장각한국학연구원

6) 관보 奎16025 해제, 규장각한국학연구원

7) 구한국 관보, 국립중앙도서관

앙도서관본은 정리되어 영인된 아세아문화사 구한국관보를 토대로 하고 있기에 누락이 없이 모든 일자의 이미지 정보를 제공하고 있다. 다만 내용에 대한 텍스트를 제공하고 있지는 않다. 그에 반하여 규장각한국학연구원본은 소장자료를 토대로 하고 있기에 누락 내용이 존재하고 있지만, 관보의 이미지뿐만이 아니라 텍스트까지 제공하고 있다.

본 연구에서는 서울대학교 규장각한국학연구원본을 저본으로 하였다.[9] 1895년 7월 23일부터 1910년 8월 28일까지의 서임급사령(敍任及辭令)을 중심으로 광고(廣告), 정오(正誤), 칙령(勅令), 도령(道令), 훈령(訓令), 고시(告示) 등에서 학교 관련 내용을 수집하며, 국립중앙도서관본을 참조하여 내용의 수정 및 보완을 진행하였다.

(2) 직원록 자료

대한제국 직원록은 대한제국 내각기록과에서 작성하였고 1908년본[10]과 1909년본[11]이 있다. 1908년본 직원록은 1908년도 6월 30일을 기준으로 작성하였다. 1909년본 직원록은 1909년 6월 30일을 기준으로 하였으나, 친위부 소속은 1909년 7월 31일을 기준으로 작성하였다.

대한제국 직원록은 해당 시기 각 관청의 관등별 편재수 및 해당 페이지를 기입한 목록정보를 제공한다. 그리고 각 관청명 구체적인 직원 명부도 서술하고 있다. 1908년본은 대한제국 직원의 직명, 관명,

---

8) 관보DB, 서울대학교 규장각한국학연구원

9) 가장 좋은 방법은 마땅히 자료의 누락이 없는 국립중앙도서관본을 저본으로 선택하는 것이다. 그러나 이미지 데이터만 존재하는 국립중앙도서관본을 활용하기 위해서는 OCR 등을 통한 디지털 텍스트로의 전환 작업을 수행하여야 하기에 개인연구의 한계상 규장각한국학연구원본을 저본으로 삼았다.

10) 국립중앙도서관 청구기호 朝57-130-1

11) 국립중앙도서관 청구기호 朝57-130-2

등급, 품훈 및 성명의 5개 항목을 서술하고, 겸직자는 본관과 성명만을 중복하여 출현하게 하였으며, 촉탁으로 재임한 자는 편입하지 않았다. 1909년본 직원록은 대한제국 직원의 직명, 임관, 명관, 관등, 급봉, 수당[12], 품계, 훈등, 성명의 9개 항목을 서술하고, 겸직자는 본관과 성명만을 중복하여 출현하게 하였고, 대우관은 칙임대우, 주임대우 등을 명기하였다.

현재 대한제국 직원록으로는 2007년 12월 13일 국립중앙도서관에서 자체 소장본의 이미지를 디지털화한 국립중앙도서관본이 있다. 또한 국립중앙도서관본을 저본으로 하여 1908년본만을 제공하는 국사편찬위원회본이 있다. 국사편찬위원회본은 한국사데이터베이스의 "직원록 자료"[13]로 서비스하고 있다. 국립중앙도서관은 현재 소장중인 1908년본과 1909년본 모두를 이미지로 서비스하고 있기에 누락이 없이 모든 대한제국 직원록을 제공하고 있다. 다만 국립중앙도서관은 내용에 대한 디지털 텍스트본을 제공하고 있지 않다. 그에 반하여 국사편찬위원회본은 단일 테이블 형태의 데이터베이스로 전환하여 기본적인 디지털 처리가 가능하도록 하였지만 1908년본만을 제공하고 있어서 내용상의 누락이 있다.

본 연구에서는 연구의 핵심인물 기준 설정을 위하여 국사편찬위원회본의 대한제국 직원록 자료를 저본으로 활용하였다.[14]

---

12) 수당이 급봉과 일치한 경우에는 기입하지 않으며, 동일 급봉에서 수당의 차이가 있을 경우에만 수상, 수하로 기입한다.

13) 직원록 자료, 국사편찬위원회, http://db.history.go.kr/item/level.do?itemId=jw

14) 가장 좋은 방법은 자료의 누락이 없는 국립중앙도서관본을 저본으로 선택하는 것이다. 그러나 이미지 데이터만 존재하는 국립중앙도서관본을 활용하기 위해서는 OCR 등을 통한 디지털 텍스트로의 전환 작업을 수행하여야 하기에 개인연구의 한계상 국사편찬위원회본을 저본으로 삼았다.

(3) 한국근현대인물자료

한국근현대인물자료는 국사편찬위원회에서 근현대시기 대한민국에서 활동한 인물을 대상으로 35종의 인물 자료를 출처[15]로 하여 46,627명의 인물 정보를 디지털화한 것이다. 본 연구에서 연계 핵심 인물인 1908년 대한제국 직원록의 인물과 연계된 출처는 『대한제국관원이력서(大韓帝國官員履歷書)』, 『조선신사대동보(朝鮮紳士大同譜)』, 『재조선내지인신사명감(在朝鮮內地人紳士名鑑)』, 『경성시민명감(京城市民名鑑)』, 『조선인사여신록(朝鮮人事興信錄)』으로 총 5종이다.

『대한제국관원이력서(大韓帝國官員履歷書)』는 1900년부터 1910년까지 작성된 400여명의 구한말 관원들의 이력서이다. 1972년 국사편찬위원회는 서울대학교 규장각한국학연구원 소장본을 저본으로 『대한제국관원이력서』 43책을 영인 및 간행하였다.[16] 이력서의 내용으로는 현재 직명, 현재 품계, 성명, 생년, 본관, 현주소가 기록되고, 연호, 월일, 학업, 경력, 임관·상벌, 승진 등의 이력 정보가 열거되었다.

『조선신사대동보(朝鮮紳士大同譜)』는 조선왕족과 일제의 조선귀족령에 의거하여 작위를 받은 인물 및 서울을 비롯한 전국의 주요인사이면

---

15) 〈朝鮮紳士大同譜〉, 〈朝鮮在住內地人 實業家人名辭典 第1編〉, 〈朝鮮紳士寶鑑〉, 〈人物評論眞物歟贋物歟〉, 〈在朝鮮內地人 紳士名鑑〉, 〈京城府町內之人物と事業案內〉, 〈京城市民名鑑〉, 〈大陸自由評論 事業人物號 第8〉, 〈忠北産業誌〉, 〈半島官財人物評論〉, 〈咸鏡南道 事業と人物名鑑〉, 〈全鮮府邑會議員銘鑑〉, 〈朝鮮と三州人〉, 〈國外ニ於ケル容疑朝鮮人名簿〉, 〈始政卄五年紀念 躍進之朝鮮 附 財界人物傳〉, 〈朝鮮功勞者銘鑑〉, 〈朝鮮人事興信錄〉, 〈朝鮮總督府施政二十五周年記念表彰者名鑑〉, 〈大京城公職者名鑑〉, 〈朝鮮의 人物과 事業-湖南編(第1輯)〉, 〈新興之北鮮史〉, 〈事業と鄕人 第1輯〉, 〈(皇紀二千六百年記念)咸南名鑑〉, 〈昭和思想統制史資料〉, 〈朝鮮年鑑 1947년판〉, 〈朝鮮年鑑 1948년판〉, 〈大韓民國人事錄〉, 〈大韓年監 4288〉, 〈大韓民國建國十年誌〉, 〈大韓民國行政幹部全貌(4293年版)〉, 〈(寫眞으로 본)國會20年 -附錄- 歷代國會議員略歷〉, 〈大韓民國人物聯鑑〉, 〈大韓帝國官員履歷書〉, 〈歷代國會議員總覽〉, 〈倭政時代人物史料〉

16) 대한제국관원이력서(大韓帝國官員履歷書) 해제, 국사편찬위원회.

서 조선인인 사람을 대상으로 목록을 작성하였다. 1923년 12월 15일 조선신사대동보발행사무소(朝鮮紳士大同譜發行事務所)에서 발행하였고, 편찬자 겸 발행자는 오가끼 다케오(大垣丈夫)이다. 현존하는 판본은 성문사본[17]과 일한인쇄본[18]인데, 국사편찬위원회의 한국근현대인물자료에서는 성문사본을 사용하였다. 대동보의 내용으로는 직위, 주소, 출생일, 본관, 가계, 선조와 본인의 관력, 학력, 직책, 서훈, 포상, 종교 등이 기술되어 있다.[19]

『재조선내지인신사명감(在朝鮮內地人紳士名鑑)』은 재조선일본인 사회 내의 교류와 정보 파악을 위해 재조선일본인들을 소개한 책으로 총 1,563명의 일본인이 수록되어 있다. 국사편찬위원회의 한국근현대인물자료에서는 1917년 6월 20일 조선공론사(朝鮮公論社) 발행본을 사용하였다. 『재조선내지인신사명감』의 내용으로는 인명, 직책(직업명 혹은 직장명), 관품, 훈등, 원적, 현주소, 생년월일, 학력, 경력, 가족관계 등을 기술하였다.[20]

『경성시민명감(京城市民名鑑)』은 1919년 8월 19일 단행된 조선총독부제도의 전면 개정에 따른 관료의 인사변동과 조선은행을 비롯한 각종 회사 등의 인사변동 내역을 반영하기 위하여 1913년에 발간된 『조선실업가사전』및 1917년에 발간된 『재조선내지인신사명감』을 저본으로 그 변동내역 등을 반영하여 발간한 책이다. 한국인 21명, 일본인

---

17) 성문사본은 경성부 공평동 55번지의 성문사(誠文社)에서 출판되었다. 일한인쇄본과는 달리 김윤식(金允植)의 서문은 없고, 오가끼 다케오(大垣丈夫)의 서문만 실려 있다. 분량은 일한인쇄본보다 많은 1,306쪽으로 수록 인물수도 일한인쇄본에 비하여 많다.

18) 일한인쇄본은 경성부 명치정 1정목 54번지의 일한인쇄주식회사(日韓印刷株式會社)에서 출판되었으며, 오가끼의 서문과 함께 김윤식의 서문도 실려 있다. 분량은 성문사본보다 적은 1,102쪽으로 수록 인물수도 성문사본에 비하여 적다.

19) 조선신사대동보(朝鮮紳士大同譜) 해제, 국사편찬위원회.

20) 재조선내지인신사명감(在朝鮮內地人紳士名鑑) 해제, 국사편찬위원회.

978명 등 총 999명이 수록되어 있다. 조선중앙경제회(朝鮮中央經濟會)에서 1921년 5월 5일 편찬하여 1921년 8월 25일 초판을 발행하였고, 이후 수록 인물들의 변동사항을 보완·반영하여 1922년 1월 10일 재판을 발행하였다. 경성시민명감의 내용에는 성명, 현직책 또는 현직업, 본적지, 현주소, 생년월일, 학력, 경력, 사진 등으로 구성되어 있다.

『조선인사여신록(朝鮮人事興信錄)』은 조선 내에서 활동하거나 또는 조선에 연고를 둔 사람들 중에서 관계, 재계, 학계, 언론계 등에서 일정한 지위를 차지하고 있는 일본인 혹은 소수의 조선인들에 대해 다루고 있다. 국사편찬위원회의 한국근현대인물자료에서는 1935년 3월 29일 인쇄되고, 4월 1일에 발행된 쇼와(昭和) 10년(1935) 판 『조선인사여신록』을 사용하였다. 『조선인사여신록』의 내용으로는 이름, 소속, 직책, 공훈 및 관등, 출생지, 생년월일, 학력, 경력, 취미, 가족관계, 원적, 현주소, 전화번호 등이 있다.[21]

2) 구한말 교육인사제도 연구 자료

구한말 관공립 교육 제도 및 교원에 대한 직접적인 연구는 많이 이루어지지 않고 있다. 대부분의 연구가 한국교육사를 주로 서술하면서 일부분에서 언급하거나,[22] 일제강점기에 대한 연구를 위하여 이에 대해 간략하게 다루는 수준이다.[23]

---

21) 조선인사여신록(朝鮮人事興信錄) 해제, 국사편찬위원회.

22) 이만규, 『(다시 읽는) 조선교육사』, 살림터, 2010; 박득준, 『조선근대교육사』, 한마당, 1989; 장덕삼, 『한국교육사』, 동문사, 2003; 劉太昱, 「韓國初等敎員 養成 制度의 變遷에 관한 硏究」, 『敎育論叢』, 제3권, 제1호, 1987.

23) 李元必, 「日帝下의 敎員養成制度 硏究」, 부산대학교 박사학위논문, 1987; 박혜진, 「1910·1920년대 공립보통학교 교원의 업무와 지위」, 숙명여자대학교 석사학위논문, 2001; 안홍선, 「경성사범학교의 교원양성교육 연구」, 서울대학교 석사학위논문, 2004; 朴永奎, 「植民地朝鮮における敎員養成に關する硏究」, 九州大學 박사학위논문,

안기성의 『한국근대교육법제연구』[24]는 1895년부터 1910년 사이의 한국근대교육을 교육 법제를 중심으로 정리하고 체계화하여, 전통과의 마찰과 수용의 과정을 서술함으로써 근대교육법제의 가치를 드러내고자 하였다. 구한말의 교육 법제를 시기적으로 1895년부터 1905년까지의 관제기(官制期)와 1906년부터 1910년까지의 학교령기(學校令期)로 구분하였다. 관제기에는 대한제국의 상위행정조직의 변화를 중심으로 이와 교육 간의 관계를 살펴보았다. 학교령기에는 일제통감부와 대한제국의 상위행정조직의 변화와 교육 간의 관계를 살펴보았다. 기능적으로 교원의 양성에 대한 법제를 살펴보고, 초등교육, 중등교육, 고등교육, 실업교육, 교육행정 및 기타 군사교육, 특수교육, 실무교육에 대해서 구분하여 다루었다. 특히 교육행정 부분에서는 교원인사에 관련된 봉금, 임용, 승급, 보상의 법제를 정리하였다. 『한국근대교육법제연구』는 교육 연구 영역에서 제도를 통하여 당시의 교육 상황을 들여다보는 선도적인 역할을 하였다. 다만 법률적인 규정에 상응하는 실제적인 운영에 대해서는 다루지 않았다는 한계가 있다.

후루카와 아키라의 『구한말 근대학교의 형성』[25]은 1894년부터 1910년까지의 교육 사상, 교육 제도, 교원의 실제적인 임명 등의 통합적인 교육 제도의 운영을 바탕으로 한 분석으로 구한말 학교 교육의 실태와 근대화 문제에 대해서 공교육을 중심으로 검토하였다. 구한말의 근대학교를 초등학교, 사범학교, 중·고등학교, 외국어학교, 농·상·공업학교, 한성고등여학교로 구분하였다. 각각의 근대학교들의

2005; 김광규, 「大韓帝國期 初等教員의 養成과 任用」, 『역사교육』, 제119집, 2011; 김광규, 「日帝强占期 朝鮮人 初等教員 施策 研究」, 서울대학교 박사학위논문, 2013.

24) 안기성, 『韓國近代教育法制研究』, 고려대학교민족문화연구소, 1984.

25) 古川 昭(후루카와 아키라)(저)/李成鈺(역), 『구한말 근대학교의 형성』, 경인문화사, 2006.

시대 흐름에 따른 학교 제도의 변화와 그에 따른 실제 운영(교원 인사 운용, 교육과정, 교과서, 학교재정)에 대해서《구한말 관보》,《황성신문》 등의 1차 사료를 바탕으로 연구를 진행하였다. 특히 초등학교 부분에서는 제도와 실제 운영상의 간극으로 발생하였던 문제점에 대해서 서술하였다. 또한 사범학교 부분에서는 사범학교 출신자들의 배치에 대해서 서술하여 교원 양성과 교원 운영 사이의 연결점을 제공하고 있다. 『구한말 근대학교의 형성』은 1차 사료를 바탕으로 제도와 실제 운영의 양 측면에서 접근하여 당시의 구한말 근대학교의 실체에 대해서 접근을 하였다. 다만 토대가 된 교원 인사 자료에 있어 불완전한 부분이 있으며, 교원 인사 운영에서 임명 이외의 승진, 해임, 상벌 등에 대해 소략하게 서술하였다.

김광규의 「근대개혁기~일제강점기 관공립초등학교 교장 인사와 조선인 교장」[26]은 구한말부터 일제강점기까지의 관공립초등학교 교장의 인사 정책과 실제 운영에 대해서 살펴보았다. 시기를 1895년부터 1905년까지의 근대개혁기와 1906년부터 1910년까지의 통감부통치기로 구분하였다. 세 시기의 공통점으로 별도의 교장자격증제가 운영된 것이 아니라, 교원이 교장을 겸임하는 것을 원칙으로 하고 있었다는 점을 들었다. 다만 교원의 교장 겸직은 일제 강점기 이전에는 교육 행정 능력의 부족이 원인이었고, 일제 강점 이후에는 일제의 교육 방침에 따른 관리 및 통제가 원인이었다고 보았다. 「근대개혁기~일제강점기 관공립초등학교 교장 인사와 조선인 교장」은 교장 제도와 실제 교장 인사 운영의 현황의 차이를 비교하고, 그 원인에 대해서 규명하였다. 다만 교장 임용자들의 임용 사유에 대해서는 명확하게 밝히지

---

26) 김광규, 「근대개혁기 ~ 일제강점기 관공립초등학교 교장 인사와 조선인 교장」, 『한국교육사학』, 제37권, 제3호, 2015.

못하였다.

이외의 연구에서는 구한말의 교육제도의 변화 양상에 대해서 당시의 시대적인 상황과 비교하거나,[27] 특정 학교나 특정 지역의 교육에 대해서 집중적으로 탐색하기도 하였다.[28] 또한 교원의 양성과 인사운영 및 활동에 대해서 서술하거나,[29] 학교 체육 제도에 대해서 집중을 하기도 하였다.[30]

2. 데이터 수집 방법

본 연구에서 사용한 한국근현대인물자료, 직원록 자료 등은 정부

27) 권태윤, 「舊韓末의 敎育制度 變遷에 관한 硏究」, 한국교원대학교 석사학위논문, 1995; 백상호, 「구한말 신교육제도 도입에 관한 연구」, 전주대학교 석사학위논문, 2000; 최성환, 「舊韓末 敎育政策에 대한 檢討」, 한국교원대학교 석사학위논문, 2006.

28) 정형진, 「한말 일제기의 광주·전남지역 근대 학교 연구」, 전남대학교 석사학위논문, 1998; 송준식, 「한말 경남지역 근대교육의 보급과 확산」, 『교육사상연구』, 제27권, 제3호, 2013; 이시용, 「개화기의 경기교육의 관한 고찰」, 『畿甸文化硏究』, 제29-30권, 2002; 최혜경, 「일제강점기 보통학교의 설립과 교육활동 : 경기도 군포시 지역을 중심으로」, 『경주사학』, 2010; 서태정, 「한말·일제하 평택지역 근대학교의 설립과 성격」, 수원대학교 석사학위논문, 2010; 길민정, 「한말·일제초 인천지역 초등교육의 도입과 전개 : 인천사립영화학교와 인천공립보통학교를 중심으로」, 인하대학교 석사학위논문, 2011.

29) 임후남, 「대한제국기 초등교원의 양성」, 서울대학교 박사학위논문, 2002; 김광규, 「근대개혁기 ~ 일제강점기 교원시험의 변천」, 『역사교육』, 제132권, 2014; 김성학, 「국가 차원의 교원양성제도 운영성과 고찰 - 1895~1910년을 중심으로 -」, 『한국교육사학』, 제38권, 제4호, 2016; 서보원, 「舊韓末 敎員養成과 敎員의 社會的 地位에 關한 硏究」, 한국교원대학교 석사학위논문, 1996; 임후남, 「대한제국기 근대교원의 활동과 사상」, 『교육사학연구』, 제13권, 2003.

30) 정명수, 「舊韓末 學校 體育 制度에 관한 硏究 : 1895~1910년을 中心으로」, 조선대학교 석사학위논문, 1981; 손환·박상석, 「구한말 운동회의 개최실태에 관한 연구」, 『한국체육학회지』, 제52권, 제3호, 2013; 박환, 「근대 수원지역 학교운동회 연구」, 『한국민족운동사연구』, 제81권, 2014; 조정규, 「전라북도 근대체육·스포츠의 도입과 전개 : 1900~1949년 간 학교체육활동 중심으로」, 전북대학교 석사학위논문, 2012.

3.0에 의거하여 공공데이터포털을 통하여 신청하였다. "공공데이터 제공 및 이용 활성화에 관한 법률"[31]은 공공기관이 보유·관리하는 데이터의 제공 및 그 이용 활성화에 관한 사항을 규정함으로써 국민의 공공데이터에 대한 이용권을 보장하고, 공공데이터의 민간 활용을 통한 삶의 질 향상과 국민경제 발전에 이바지함을 목적으로 한다.[32] 이에 따라서 공공기관은 "공공기관의 정보공개에 관한 법률"[33] 제 9조에 따른 비공개 대상 정보 및 저작권법[34] 및 그 밖의 다른 법령에서 보호하고 있는 제삼자의 권리가 포함된 것으로 해당 법령에 따른 정당한 이용 허락을 받지 아니한 정보를 제외하고는 저작권 표시, 영리적 사용 여부, 내용 변경 등의 모든 제약이 없는 퍼블릭 도메인(public domain)의 형태로 제공하여야 한다.[35]

다만 위의 공공데이터 법률이 존재함에도 불구하고 일부 기관에서는 데이터 허깅(DATA Hugging)[36]을 위하여 "개인정보"와 "저작권"을 근거로 삼아 데이터의 제공을 거부하는 경우가 있다.

"공공기관의 정보공개에 관한 법률"에서는 총 9개 항목에 해당하는 정보는 공개하지 않도록 규정하고 있다. 대부분이 국가 안보와 관련

---

31) 공공데이터의 제공 및 이용 활성화에 관한 법률(법률 제11956호, 2013.7.30. 제정)은 법률 제12844호(2014.11.19., 타법개정)에서 주무책임이 안전행정부장관에서 행정자치부장관으로 변동되었고, 법률 제13723호(2016.1.6., 일부개정)에서 공공기관과 민간의 중복 및 유사한 서비스를 통한 경쟁을 방지하여 공공데이터의 이용을 촉진하도록 일부 개정되었다.

32) 공공데이터 제공 및 이용 활성화에 관한 법률(법률 제 13723호, 2016.1.6.) 제1장 총칙 제1조(목적)

33) 공공기관의 정보공개에 관한 법률(법률 제14185호, 2016.5.29., 일부개정)

34) 저작권법(법률 제14634호, 2017.3.21., 일부개정)

35) 공공데이터법은 공공기관에만 적용이 되며, 민간에는 적용되지 않는다.

36) 데이터 허깅(DATA Hugging)은 자신의 데이터를 공개하지 않고 내부적으로 가지고 있으려는 행위의 통칭이다.

된 사항으로 인문학 데이터의 신청에서는 일반적으로 고려할 필요가 없다. 다만 성명, 주민등록번호 등과 같이 공개될 경우 사생활의 비밀 또는 자유를 침해할 우려가 있다고 인정되는 개인정보에 관한 사항은 근현대 역사학 부분에서는 아직 생존해 있는 인물 혹은 해당 인물의 후손들로 인하여 정보 제공을 거부하기도 한다. 하지만 일반적으로 신청되는 인문학 데이터는 인터넷을 통하여 서비스가 되고 있기에, 개인정보에 대한 예외 조항 중 "나. 공공기관이 공표를 목적으로 작성하거나 취득한 정보로서 사생활의 비밀 또는 자유를 부당하게 침해하지 아니하는 정보"에 해당하여, 개인 정보로 인한 거부 사유에 해당하지 않는다.

예를 들어서 국사편찬위원회의 한국근현대인물자료의 경우, 해당 자료에 수록된 인물들 중에 현재까지 생존해 있거나 해당 인물의 후손이 존재하고 있기에 원칙적으로는 개인정보보호의 범위에 포함된다. 그러나 한국근현대인물자료는 현재 국사편찬위원회의 한국사데이터베이스 서비스를 통하여 서비스가 되고 있기에 "나. 공공기관이 공표를 목적으로 작성하거나 취득한 정보로서 사생활의 비밀 또는 자유를 부당하게 침해하지 아니하는 정보"에 해당하며, 국사편찬위원회는 이를 제공할 의무가 발생한다.

"저작권"을 통한 정보 제공 거부는 대부분 대상 인문학 데이터의 종이 출판 저작권 문제 혹은 웹서비스 저작권만을 소유한 문제에서 비롯된다. 종이 출판 저작권 문제에 대해서는 공공재적인 지식의 유통 저해를 방지하기 위한 보조장치로 마련된 "교육·학술 또는 연구를 위하여 이용하는 경우"에 의한 비영리 목적 이용으로 반박 가능하다. 다만 웹서비스 저작권만을 가지고 있는 경우에는 원저작자에게 신청을 해야 하며, 원저작자가 공공기관이 아니라면 원칙적으로는 신청이 불가하다.

예를 들어서 국사편찬위원회의 조선왕조실록 원문에 대한 저작권은 국사편찬위원회가 가지고 있지만, 번역에 대한 저작권은 고전번역원이 가지고 있기에 번역본에 대한 공공데이터 신청은 고전번역원에 해야 한다. 또한 조선왕조실록 원문 이미지에 대한 저작권은 국가기록원이 가지고 있기에, 원문 이미지에 대한 공공데이터 신청은 국가기록원으로 해야 한다. 문제는 고전번역원의 문집총간의 경우, 원문과 번역문은 고전번역원측에 저작권이 있기에 공공데이터 신청에 문제가 없지만, 원문 이미지의 경우 원문 소장처로부터 웹서비스 용도로만 제공받았기 때문에 원문 소장처 중 민간 소장처에는 공공데이터 신청이 불가하다. 이에 따라서 서울대학교 규장각한국학연구원의 "구한말 관보"는 공공데이터 신청을 통하여 RAWDATA를 입수하지 못하고, 규장각한국학연구원에서 제공하는 인터넷 서비스[37]를 통하여 수집하였다.

공공데이터 신청의 구체적인 방법과 절차는 다음과 같다.

A. 필요 데이터 공개 여부 확인

2017년 현재 공공데이터는 공공데이터포털[38]에서 종합적으로 서비스하고 있다. 우선 자신이 필요한 정보가 있는지 해당 기관 혹은 데이터의 이름으로 검색을 진행한다. 예를 들어서 "조선왕조실록"으로 검색하면 국사편찬위원회의 "조선왕조실록"의 원문과 국역문 XML 데이터와 부가정보 인물 데이터 CSV 데이터 및 한국학중앙연구원의 "조선왕조실록 전문사전"의 XML 데이터가 제공된다. 일반적으로 이미

37) 관보DB, 서울대학교 규장각한국학연구원.

38) 공공데이터포털, 한국정보화진흥원, https://www.data.go.kr

공개된 데이터는 로그인 없이도 다운로드가 가능하며, 이용 허락 범위도 특별히 표기된 제한이 없으며 상업적인 사용도 무료이다. 정확한 정보를 확인하기 위해서는 해당 데이터의 "상세정보"를 살펴보면 된다. "상세정보"에서는 해당 데이터의 업데이트 주기, 비용 부과 유무, 등록일, 수정일, 차기 등록 예정일, 이용 허락 범위, 제공 형태 등의 정보를 확인할 수 있다.

B. 공공데이터 신청

만약 필요한 데이터가 공개되어 있지 않다면 공공데이터 포털에 로그인해야 한다. "참여마당 〉 공공데이터 제공신청서 작성 〉 (중앙부처 및 공공기관) 제공신청서 작성" 혹은 "마이페이지 〉 공공데이터 제공신청 〉 (중앙부처 및 공공기관) 제공신청서 작성"의 순서로 이동하면 신청서를 작성할 수 있다.

공공데이터 제공신청서는 크게 신청 내용과 신청인 정보로 구분되어 있다. 신청 내용에는 공공데이터 명칭, 기관명, 공공데이터 내용, 공공데이터 활용 목적을 적시하도록 되어 있다. 신청인 정보는 신청인 성명, 생년월일, 우편번호, 주소, 상세주소, 사업자등록번호, 전화번호, 전자우편주소, 자동등록방지로 구성되어 있다.

공공데이터 명칭에는 현재 웹서비스되고 있는 일반적인 명칭을 기입한다. 기관명은 해당 공공데이터를 보유중인 기관으로 기관의 이름을 검색하여 입력한다. 만약 공공기관이 분명한데 대상 기관이 존재하지 않는다면, 해당 기관의 상위기관을 검색하여 입력한다. "공공데이터의 내용"에는 신청을 하는 데이터에 대한 내용을 최대한 상세하게 기술한다. 예를 들어서 "현재 국사편찬위원회에서 제공 중인 조선왕조실록의 RAWDATA(원문, 번역문, 원본 이미지)를 제공 요청드립니다."라고 적시하여야 한다. 만약 정확하게 적시하지 않았을 경우 본인이 원하는 정보를 제공받지 못할 수도 있다.

"공공데이터 활용목적"은 공공데이터 활성화를 위한 토대 자료로의 활용을 위하여 기입을 요청하고 있다. 의무적인 기입 사항은 아니지만, 공공데이터법의 혜택을 받고 있는 만큼 본인의 활용 목적에 대해서 명확하게 기술하는 것을 권장한다. 최소한 "교육·학술 또는 연구를 위하여 이용"으로는 적시할 것을 권장한다.

표 2-1. 정보공개 신청 예시

기관명 : 교육부 국사편찬위원회
공공데이터 명칭 : 한국사 데이터베이스 정보공개 신청

공공데이터 내용 :
현재 국사편찬위원회에서 제공 중인 한국사 데이터베이스 중에서 다음의 세부 제공 요청 목록에 있는 데이터베이스의 이미지 데이터를 제외한 RAWDATA를 제공 요청합니다. 또, RAWDATA에 대응하는 데이터베이스 설계 명세서 혹은 설계 파일(DTD, XSD)의 제공도 같이 요청드립니다.

-- 정보제공 요청 데이터베이스 세부 목록
1) 삼국사기(원문/국역)
2) 삼국유사(원문/국역)
3) 해동고승전(원문/국역)
4) 한국고대금석문자료집
5) 역주 한국고대금석문
6) 한국고대목간자료
7) 고려사(원문/국역)
8) 고려사절요(원문/국역)
9) 조선왕조실록(원문)
* 번역본의 경우 국사편찬위원회가 아닌 한국고전번역원에 저작권이 있는 것으로 인지하고 있습니다. 다만 만약 번역본도 저작권상으로 제공 가능하다면 제공을 부탁드립니다.
10) 비변사등록(원문/국역)
11) 각사등록

12) 각사등록 근대편
13) 직원록 자료
14) 한국근현대인물자료
15) 일제감시대상인물카드
16) 한국근현대회사조합자료
17) 한국근현대잡지자료
18) 주한일본공사관기록 통감부문서
19) 중추원조사자료
20) 한국근대사자료집성

공공데이터 활용목적 :
본 연구자는 한국학중앙연구원 한국학대학원 인문정보학 박사수료생으로, 박사 논문의 참고 자료로 한국사데이터베이스를 활용하기 위하여 공공데이터베이스 정보공개를 신청합니다. 박사 논문의 제목은 “디지털 인사제도 사전 구축 및 활용 연구: 1895-1910 근대 학교 자료를 중심으로”로 한국사 데이터베이스 중 근대 학교 관련 자료를 시맨틱 데이터베이스로 통합할 수 있는 방안을 모색하고자 합니다.

C. 공공데이터 신청 처리

원칙적으로는 요청을 받은 날로부터 10일 이내에 제공 여부를 결정하여야 하고, 부득이한 경우 10일의 범위 내에서 연장할 수 있지만, 실제로는 2주에서 4주의 시간이 소요된다. 만약 신청서에 문제가 있다면, 신청 기간에 해당 기관의 공공데이터 담당자가 전화 혹은 이메일로 연락을 해서 세부 사항을 확인한다. 공공데이터 제공이 결정되면 제공방법 및 절차를 통보해 주며, 동시에 공공데이터포털의 목록에 등록된다.

다만 공공데이터의 제공을 거부한다면, 거부 결정의 내용과 사유를 신청인과 행정자치부장관에게 통보하게 된다. 만약 신청인이 거부 내용과 사유에 문제가 있다고 생각한다면, 제공 거부 결정 통지를 받은 날로부터 60일 이내에 공공데이터 제공분쟁조정위원회에 제공거부 분쟁조정을 신청할 수 있다.[39]

3. 학교의 고증 방법

온톨로지 설계를 위해서는 우선 대상에 대한 명확한 이해와 분석이 선행되어야 한다. 따라서 대상 범위의 학교에 대한 고증 작업을 수행하여, 구한말 관공립학교와 인사제도의 변화 양상에 대해서 파악하고자 한다. 다만 이 작업은 온톨로지 및 데이터를 구축하기 위한 선행 작업으로 기존의 인문학의 서술 묵계와는 반대로 최대한 동일한 형태의 문장을 사용하였다. 또한 문장 단위로 관련 내용이 모두 서술될 수 있도록 동일 문단 내에서 이미 서술된 내용이라도 중복하여 서술하였다. 또한 모든 고증 내용을 부록을 통하여 제시하여, 본 고증을 통하여 구축되는 데이터의 신뢰도를 높이고자 하였다.

본 연구의 대상 범위에서 실제적인 학교 명칭과 그 변화 양상은 크게 관립학교[40]와 공립학교로 분류하였다.[41] 그 중에서 공립학교는 네 가지 기준으로 구분하였다. 법률에 의거하여 소학교에서 보통학교

---

39) 만약 신청 전에 제공 거부가 될 것으로 의심되거나 불안하다면, 신청 전에도 관련 사항을 공공데이터제공분쟁조정위원회에 문의할 수 있다.

40) 근대의 관립학교로는 사범학교, 소학교(보통학교), 중학교, 외국어학교, 실업학교, 법관양성소 등 다양한 교육 수요에 맞춘 학교들이 존재하였다. 본 연구에서는 그 중에서 일반 교육을 담당한 소학교(보통학교)와 중학교 및 교원의 양성을 담당한 사범학교만을 대상으로 선택하였다. 이는 개인연구의 한계로 인하여 범위를 제한할 수밖에 없었기 때문이다. 다만 외국어학교나 실업학교 등에 대한 고증만을 수행하지 않았을 뿐, 사범학교, 소학교(보통학교), 중학교와 그 외의 학교 간의 보직이동은 데이터로 온전히 전환하였다.

41) 근대의 학교는 크게 관공립학교와 사립학교로 구분할 수 있다. 근대의 사립학교는 제국주의 열강의 침략에 맞서기 위한 근대 교육의 필요성을 절감한 민간 유지들과 기독교계 선교단체를 양대 축으로 하여 전개된 교육운동의 실제 운용 기관으로 중요한 역사적 가치를 지니고 있다. 그러나 개인연구의 한계상 체계성이 떨어지며, 사립학교의 교원 인사운용 기록이나 학교 위치 변화 등의 세부적인 정보에 대한 접근 자체가 제한되기에 본 연구에서는 관공립학교를 중심으로만 학교의 명칭과 변화를 고증한다. 다만 구한말 관보의 인사운용 기록에서 출현하는 사립학교는 학교 자체에 대한 고증작업만 생략하였을 뿐, 기록 자체는 데이터로 온전히 전환하였다.

로 개편된 "법적승계", 법률로는 승계되지 않았지만 동일 지역에서 교원의 전임을 통해서 실질적으로 승계된 "교원승계", 법률적으로도 승계되지 않았고, 교원의 전임을 통한 승계도 없지만 동일한 지역에서 교육의 직무를 승계한 "지역승계", 마지막으로 법률, 교원이동과 지역적인 어떠한 연관성도 발견되지 않은 "단독학교"가 바로 이에 해당한다. 각각의 분류 하위에서는 각 학교의 설립일을 우선 기준으로 삼아 정렬하고, 설립일이 동일한 경우에는 가나다 순으로 정렬하였다.

표 2-2. 학교 고증 예시 - 인천부공립소학교

■ 인천부공립소학교(仁川府公立小學校), 인천군공립소학교(仁川郡公立小學校), 인천항공립소학교(仁川港公立小學校)[42]: 인천부공립소학교는 1895년 7월 19일 칙령 제145호 소학교령(小學校令)[43]에 의거하여, 1895년 12월 22일부터 1896년 2월 22일 사이에 개교했을 것으로 추정된다.[44] 1903년 7월 3일 칙령 제10호[45]에 따라, 인천군공립소학교로 개명하였다. 하지만 인천군공립소학교는 교원과 부교원의 임명과 해임을 짧은 시간 동안 반복하다가[46] 1905년 3월 17일부터 1906년 9월 17일 사이에 사실상 폐교한 것으로 추정된다.[47] 인천부공립소학교의 위치는 미상이다.[48]

■ 공립인천보통학교(公立仁川普通學校): 공립인천보통학교는 1906년 8월 27일 칙령 제44호 보통학교령(普通學校令)[49]과 1907년 4월 1일 학부령 제4호 공립보통학교명칭급소재지건(公立普通學校名稱及所在地件)[50]에 의거하여, 1907년 5월 6일에 개교하였다.[51] 공립인천보통학교는 현재의 인천창영초등학교[52]에 위치하였다.[53]

42) 인천은 조선왕조실록 1896년 8월 4일 칙령 제36호에 따라 인천부였다. 1903년 7월 3일 칙령 제10호에 따라 인천군으로 개명되었다. 그런데 인천은 개항이라는 특별한 지위 때문에 구한말 관보에 인천항공립소학교(仁川港公立小學校)로 기술되기도 하였다.

43) 勅令第一百四十五號, 開國五百四年七月十九日, 구한말 관보, 第一百十九號.

44) 구한말 관보, 第二百三十號에 따르면, 1896년 1월 22일 변영대(卞榮大)가 인천부공립소학교의 교원으로 임용되었다. 따라서 인천부공립소학교의 개교일은 변영대의 임용일 전후로 한 달을 넘지 않을 것으로 추정된다.

45) 조선왕조실록 1900년 9월 4일 칙령 30호.

46) 1903년 1월 20일부터 1905년 10월 17일까지 2년이 안 되는 시간 동안 1902년 5월

학교에 대한 고증은 명칭 정보, 분류 정보, 사건 정보, 위치 정보를 중심으로 진행하였다.

학교의 명칭 정보에는 한국어명칭과 한자명칭을 기술하였다. 또한 구한말 관보의 인사 기록에서 학교의 명칭의 변화가 있을 경우, 해당 명칭이 변화한 일자와 근거를 밝혔다. 예를 들어서 "성진군공립소학교(城津郡公立小學校)"는 1900년 1월 23일 칙령 제9호[54]에 의거하여, "길성항공립소학교(吉城港公立小學校)"로 개명하였다가, 1900년 5월 16일 칙령 제18호[55]에 의거하여, "성진항공립소학교(吉城港公立小學校)"로 다시 개명하였다.

학교의 분류 정보로는 관립학교, 공립학교, 소학교, 보통학교, 사범학교, 고등학교 등의 내용을 파악하였다. 다만 당시의 학교 분류 정보는 학교의 명칭에 포함되어 있다. 예를 들어서 인천부공립소학교(仁川

13일 최초 부교원 임명부터 1905년 3월 17일 최후 임용까지 3년이 안 되는 시간 동안 총 9명의 교원과 부교원의 임용, 해임 및 전임이 발생하였다.

47) 구한말 관보, 第三千八十九號에 따르면 1905년 3월 17일 관립소학교 교원인 조관증(趙寬增)이 함흥군공립소학교의 교원으로 임용되었다. 그 이후 함흥군공립소학교에 관련된 인사기록은 보이지 않는다. 교원의 임명과 해임 양상을 고려했을 때 함흥군공립소학교는 6개월 이내에 폐교했을 것으로 추정된다.

48) 다만 인천항과 혼용을 한 것으로 보아서 인천항에 위치한 것으로 추정되기에 인천감리서 위치로 추정되는 현재의 인천신포스카이타워(37.47267, 126.62692)를 중심으로 1km 이내에 위치했을 것으로 추정된다. 혹은 인천 구시가지에 위치한다면, 현재의 인천도호부청사(37.43898, 126.68772)로부터 500m 이내에 위치했을 것으로 추정된다.

49) 勅令第四十四號, 光武十年八月二十七日, 구한말 관보, 第三千五百四十六號.

50) 學部令第四號, 光武十一年四月一日, 구한말 관보, 第三千七百四十八號.

51) 학교연혁, 인천창영초등학교.

52) 인천창영초등학교 경위도 좌표: 37.47181, 126.63942

53) 공립인천보통학교는 지금까지 이전 없이 몇 번의 개명을 거쳐서 현재의 인천창영초등학교가 되었다.

54) 조선왕조실록 1900년 1월 23일 칙령 제9호.

55) 조선왕조실록 1900년 5월 16일 칙령 제18호.

府公立小學校)는 "공립학교"이며, "소학교"이다. 또한 공립성주보통학교(公立星州普通學校)는 "공립학교"이며, "보통학교"이다.[56]

학교 사건 정보는 "개교", "개학", "개명", "개편", "인물승계"로 구분하였다.

"개교" 시기는 기본적으로 최초 교원의 임명일을 기준으로 추정하였다. 예를 들어서 평양부공립소학교(平壤府公立小學校)는 1896년 5월 30일 최초로 안영상(安榮商)이 평양부공립소학교의 교원으로 임용되었다.[57] 다만 교사 완공 시점을 개교일로 보기도 하고, 실제 "개학" 시점을 개교일로 볼 수도 있기에, 최초의 교원 임용일을 기준으로 전후 한 달을 개교 추정 범위로 잡았다. 다만 구한말 관보를 통하여 개학일이 명시되어 있는 학교는 개학일로 개교일을 기술하였다. 예를 들어서 장동관립소학교(壯洞官立小學校)는 구한말 관보에 학생 모집 광고에 등장하는 개교일인 1895년 8월 8일을 개학일로 서술하였다.[58] 또한 학교 연혁 혹은 기존 공구서 등에서 개교일이 분명히 명시가 되어 있다면 이를 따랐다. 예를 들어서 한성부공립소학교(漢城府公立小學校)는 한국민족문화대백과사전의 "서울미동초등학교" 항목[59]의 서술을 존중하여 1896년 5월 1일에 개교한 것으로 기술하였다.

"개명"은 학교의 분류가 변경되지 않으면서 명칭만 변경되는 것을 의미한다. 예를 들어서 공주부공립소학교(公州府公立小學校)는 1896년 9월 11일 학부령 제5호 지방공립소학교위치(地方公立小學校位置)[60]에

56) 직접 고증 대상은 아니지만, 구한말 관보에서 보직 이동의 명령으로 출현을 하는 학부(學部), 교동군(喬桐郡), 공사관(公使館) 등에 중앙기관, 지방기관, 해외기관 등으로 분류 정보를 기술하였다.

57) 구한말 관보, 第三百四十一號.

58) 구한말 관보, 第一百二十六號.

59) 서울미동초등학교, 한국민족문화대백과사전.

의거하여, 충청남도관찰부공립소학교로 개명하였다.

"개편"은 법률에 의거하여 학교의 분류가 변경되는 것을 의미한다. 대규모의 분류 전환으로는 1906년 8월 27일 칙령 제44호 보통학교령(普通學校令)[61]에 의한 소학교에서 보통학교로의 개편과 1910년 3월 11일 학부고시 제4호[62]에 의한 관립보통학교에서 공립보통학교로의 개편이 있다. 그 외에도 1907년 6월 20일 학부령 제6호(光武十一年學部令第六號)[63]에 따라서 관립양사동보통학교(官立養士洞普通學校)와 관립양현동보통학교(官立養賢洞普通學校)가 관립어의동보통학교(官立於義洞普通學校)로 합병되기도 한다. 또는 1906년 9월 1일 학부령 제25호 "관립교동보통학교의 관립한성사범학교부속보통학교 대용건"[64]에 따라서 관립교동보통학교가 관립한성사범학교부속보통학교로 사용되는 등의 다양한 개편의 양상이 전개되었다.

"인물승계"는 명확한 사료 기술은 존재하지 않지만, 동일한 지역의 학교에서 동일한 교원이 지속적으로 근무를 하고 있을 때, 두 학교가 승계 관계에 있다고 판단한 것이다. 예를 들어서 강화군공립소학교(江華郡公立小學校)와 1908년 4월 22일 학부고시 제3호[65]에 의해서 설립된 공립강화보통학교(公立江華普通學校) 사이에는 명확한 법적 승계 기술이 존재하지 않는다. 하지만 두 학교의 공간적 범위가 사실상 동일하고, 무엇보다 1906년 8월 16일 강화군공립소학교의 교원으로 임명된 정중근(鄭重根)[66]은 1908년 6월 18일 공립강화보통학교에서 공립

60) 學部令第五號, 建陽元年九月十七日, 구한말 관보, 第四百卅四號.
61) 勅令第四十四號, 光武十年八月二十七日, 구한말 관보, 第三千五百四十六號.
62) 學部告示第四號, 隆熙四年三月十一日, 구한말 관보, 第四千六百二十六號.
63) 學部令第六號, 光武十一年六月二十二日, 구한말 관보 第三千八百五號.
64) 學部令第二十五號, 光武十年九月一日, 구한말 관보, 第三千五百四十九號.
65) 學部告示第三號, 隆熙二年四月二十二日, 구한말 관보, 第四千六十三號.

남양보통학교 본과훈도로 전임한다.[67] 또한 1906년 4월 3일에 강화군공립소학교에서 부교원으로 임명된 이규학(李圭鶴)[68]이 1907년 2월 23일 공립강화보통학교에서 해임된다.[69] 따라서 공립강화보통학교가 강화군공립소학교를 실제적으로 승계하고 있다고 판단할 수 있다.

학교 위치 정보는 문자형 위치 정보와 경위도 좌표형 위치 정보로 기술하였다. 문자형 위치정보는 "한성(漢城)", "경기도(京畿道)", "충청북도(忠淸北道)" 등의 십삼도 정보와 "교동초등학교"나 "연합뉴스빌딩" 등과 같은 현재 지명 혹은 "금부직방"과 같은 과거 지명을 기술하였다.

좌표형 위치 정보는 경위도 좌표 정보값과 위치 추정 정보를 기술하였다. 경위도 좌표값은 대상의 위치를 컴퓨터 처리를 하기 위하여 반드시 필요한 수치이다. 그에 따라서 최대한 관련된 정보를 통하여 학교의 위치를 비정하였다. 예를 들어서 관립교동보통학교는 지금까지 몇 번의 개명과 개편이 있었지만, 그 위치는 변동이 없이 현재의 서울교동초등학교 자리에 있었다. 따라서 관립교동보통학교의 위치는 현재의 서울교동초등학교의 경위도 좌표인 경도 값 "37.5747"과 위도 값 "126.98774"를 기술하였다. 현재는 존재하지 않는 학교라고 하더라도 위치 정보에 대한 관련 사료를 통하여 고증이 가능할 경우에는 위치를 명확하게 비정하였다. 예를 들어서 수하동관립소학교는 도화서 터에 세워졌는데, 도화서 터는 현재의 우정총국이 있는 자리로 이곳에는 도화서 터 표지석이 존재하고 있다.[70] 따라서 수하동관립소

---

66) 구한말 관보, 第三千五百三十五號.

67) 구한말 관보, 第四千百十五號.

68) 구한말 관보, 第三千四百十七號.

69) 구한말 관보, 第三千六百九十七號.

70) "수하동관립소학교는 도화서 터에 세워져 있는데, 현재의 우정총국에 도화서 터 표지석이 있다", 도화서터, 『서울 문화재 기념표석들의 스토리텔링 개발』.

학교의 위치를 현재의 도화서 터 표지석 경위도 좌표인 경도 값 "37.57439"와 위도 값 "126.98273"으로 기술하였다.

하지만 관련된 정보가 미비하거나 존재하지 않는 경우가 발생한다. 매동관립소학교는 겨레문화유산연구원의 보고서[71]에 따르면, 1900년에 서울특별시 종로구 통의동 7번지 금부직방(禁部直房)의 건물로 이전하였다. 그러나 금부직방의 정확한 위치는 미상이다. 다만 "경성부시가강계도(京城府市街疆界圖) 세부"의 자료에서 매동관립소학교가 동일 위치에 신축한 관립매동보통학교가 영추문(迎秋門)의 맞은편 북측에 위치해 있는 것을 확인하였다. 하지만 역시 정확한 좌표값을 확정할 수는 없기에 경도 값 "37.57886"과 위도 값 "126.97363"으로 입력하고 추정 개념을 도입하였다. 추정 개념을 이용하여 "경성부시가강계도(京城府市街疆界圖) 세부"의 축척을 고려하여 입력된 경위도 좌표를 근거로 20m 이내에 있을 것으로 추정하였다.

문제는 위치 정보 관련 자료가 아예 존재하지 않는 경우이다. 특히 북한 지역에 소재하고 있는 학교의 경우 사실상 학교의 위치를 비정하는 것은 불가능에 가깝다. 따라서 북한 지역의 경우에는 대상 지역의 중심가나 기차역을 중심으로 1~3km로 추정 값을 사용하였다. 예를 들어서 증산군공립소학교(甑山郡公立小學校)의 정확한 위치를 비정하기는 매우 힘들지만, 현재의 증산군 중심가로부터의 도시 면적을 고려하여 증산군 중심가의 경위도 좌표인 경도 값 "39.10402"와 위도 값 "125.37155"로부터 1km 이내에 위치했을 것으로 추정하였다.

---

71) 겨레문화유산연구원, 『서울 종로구 통의동 2-1번지 근린생활시설 부지 내 유적 문화재 시발굴조사 완료 약보고서』, 2013, 7~8쪽.

4. 제도의 고증 방법

온톨로지 설계를 위해서는 우선 대상에 대한 명확한 이해와 분석이 선행되어야 한다. 따라서 대상 범위의 제도(직위, 직급, 직봉)에 대한 고증 작업을 수행하여, 구한말 관공립학교와 인사제도의 변화 양상에 대해서 파악하고자 한다. 다만 이 작업은 온톨로지 및 데이터를 구축하기 위한 선행 작업으로 기존의 인문학의 서술 묵계와는 반대로 최대한 동일한 형태의 문장을 사용한다. 또한 문장 단위로 관련 내용이 모두 서술될 수 있도록 동일 문단 내에서 이미 서술된 내용이라도 중복하여 서술하였다.

제도의 고증을 위하여 우선 학교 제도와 관련이 있는 법령 131개를 수집하였다. 수집된 법령은 1895년 3월 27일부터 1910년 7월 30일까지의 칙령 49건, 학부령 49건, 학부고시 25건, 학부훈령 2건, 한성부령 1건, 강원도령 1건, 탁지부령 1건, 충청남도고시 1건이다. 이후 법령 간의 상호 관계를 파악하여, “일부개정”과 “폐지대체” 관계를 설정하였다. 예를 들어서 1906년 8월 27일 칙령 제40호 학부직할학교급공립학교관제(學部直轄學校及公立學校官制)[72]는 1906년 9월 3일 칙령 제45호 학부직할학교직원정원령(學部直轄學校職員定員令)[73]으로 일부개정 되었고, 1895년 4월 16일 칙령 제79호 한성사범학교관제(漢城師範學校官制)[74]는 1906년 8월 27일 칙령 제41호 사범학교령(師範學校令)[75]으로 폐지대체 되었다.

---

72) 勅令第四十號, 光武十年八月卅一日, 구한말 관보, 第三千五百四十六號.

73) 勅令第四十五號, 光武十年九月三日, 구한말 관보, 第三千五百五十三號.

74) 勅令第七十九號, 開國五百四年四月十六日, 法規類編 元 및 조선왕조실록 1245년 4월 16일 두 번째 기사.

75) 勅令第四十一號, 光武十年八月二十七日, 왕실자료 칙령②.

1) 교원의 직위

교원의 직위는 학교 제도 법령에 등장하는 교관(教官), 부교관(副教官), 교원(教員), 부교원(副教員), 교수(教授), 부교수(副教授), 본과훈도(本科訓導), 본과부훈도(本科副訓導), 전과훈도(專科訓導), 전과부훈도(專科副訓導), 서기(書記), 보모(保姆), 학무위원(學務委員), 학교장(學校長), 학원감(學員監), 학감(學監), 교감(教監)의 17개 직위에 대한 고증을 수행하였다. 고증은 대상 직위의 직급, 편성인원, 직무 및 관계 법령을 중심으로 진행하였다.

표 2-3. 직위 고증 예시 - 교원과 부교원

■ 교원(教員): 교원은 1895년 4월 16일 칙령 제79호 한성사범학교관제(漢城師範學校官制)[76]에 의거하여, 판임관으로 3명 이하가 편성된 직책이다. 한성사범학교 교원의 직무는 부속소학교 아동의 교육을 담당하는 것이다.[77] 1895년 7월 19일 칙령 제145호 소학교령(小學校令)[78]에 의거하여 소학교에도 판임관으로 교원이 편성되었다. 1906년 8월 27일 칙령 제44호 보통학교령(普通學校令)[79]에 의거하여 보통학교에서도 계속 판임관으로 편성되었다. 1906년 9월 3일 칙령 제45호 학부직할학교직원정원령(學部直轄學校職員定員令)[80]에 의거하여, 교원과 부교원을 합쳐서 5명으로 편성하였다.

■ 부교원(副教員): 부교원은 1906년 8월 27일 칙령 제44호 보통학교령(普通學校令)[81]에 의거하여 판임관으로 편성된 직책이다. 부교원의 직무는 학생의 교육이다.[82] 1906년 9월 3일 칙령 제45호 학부직할학교직원정원령(學部直轄學校職員定員令)[83]에 의거하여, 교원과 부교원을 합쳐서 5명으로 편성하였다.

---

76) 勅令第七十九號, 開國五百四年四月十六日, 法規類編 元.

77) "教員은附屬小學校兒童의教育을掌. 勅令第七十九號", 開國五百四年四月十六日, 法規類編 元.

78) 勅令第一百四十五號, 開國五百四年七月十九日, 구한말 관보, 第一百十九號.

79) 勅令第四十四號, 光武十年八月二十七日, 구한말 관보, 第三千五百四十六號.

80) 勅令第四十五號, 光武十年九月三日, 구한말 관보, 第三千五百五十三號.

81) 勅令第四十四號, 光武十年八月二十七日, 구한말 관보, 第三千五百四十六號.

82) "副教員은學徒의教育을掌이라", 勅令第四十四號, 光武十年八月二十七日, 구한말 관

2) 교원의 직급

교원의 직급은 당시 전체적인 직급 체계를 우선 고증하고, 그 뒤에 각 학교 분류를 중심으로 직급 체계와 그 변화 양상을 고증하였다. 전체적인 직급 체계에서는 1894년 7월 갑오개혁 이후에 기존 조선왕조와는 상이한 직급 체계인 칙임/주임/판임 체계에 대해서 관련 법령에 의거하여 개설적으로 기술하였다.

표 2-4. 갑오개혁 이후 직급 고증 예시

1894년 7월 갑오개혁 이후 칙임/주임/판임은 다시 여러 등급으로 세분화되었다. 최초에 칙임관은 1등부터 4등까지 존재하였고, 3등과 4등은 다시 세분화되어 각각 1급과 2급이 존재하였다. 주임관은 1등부터 6등까지 존재하였다. 판임관은 1등부터 8등까지 존재하였다. 1905년 6월 23일 칙령 제34호 관등봉급령(개정)(官等俸給令(改正))[84]에서 칙임은 1등부터 3등으로 구분하고, 1등은 1급과 2급, 2등은 3급과 4급, 3등은 5급과 6급으로 세분화하였다. 주임관은 1등부터 4등으로 구분하고, 1등은 1급과 2급, 2등은 3급과 4급, 3등은 5급과 6급, 4등은 7급과 8급으로 세분화하였다. 판임은 관등 없이 1급부터 10급까지 구분하였다.

표 2-5. 직급 고증 예시 - 소학교와 보통학교

■ 소학교(小學校), 보통학교(普通學校): 1895년 7월 19일 칙령 제145호 소학교령(小學校令)[85]에 의거하여, 학교장은 1명으로 교원이 겸직하거나 때에 따라서 학부 혹은 지방청 주사가 겸직하였다. 학교장은 판임관에, 교원은 인원수의 제약 없이 판임관에 임명하였다. 부교원은 법령에서 언급되지 않으며, 공립학교에서 필요에 따라서 임명하였다. 1906년 8월 27일 칙령 제44호 보통학교령(普通學校令)[86]에 의거하여 소학교는 보통학교로 개편되었다. 1906년 8월 27일 칙령 제44호 보통학교령(普通學校令)[87]에 의거하여, 학교장은 1명으로 교원이 겸직하거나 특별한 경우에 전임직으로 하였다. 교원은 인원수의 제한 없이 판임관에, 부교원은 인원수의 제한 없이 판임관에 임명하였다. 1907년 12월 30일 칙령 제83호 보통학교령중개정건(普通學校令中改正件)[88]에 의거하여, 학교장은 1명으로 본과훈도의 겸임직으로, 교감은 1명으로 본과훈도가 겸임하거나 특별한 경우에 전임직으로 하였다. 본과훈도,

보, 第三千五百四十六號.

83) 勅令第四十五號, 光武十年九月三日, 구한말 관보, 第三千五百五十三號.

84) 勅令第三十四號, 光武九年六月二十三日, 구한말 관보, 號外, 光武九年六月二十六日.

본과부훈도, 전과훈도, 전과부훈도는 인원수의 제한 없이 법령에는 존재하지 않지만 판임관에 임명하였다. 1908년 6월 22일 학부훈령 제66호 학무위원규정준칙(學務委員規程準則)[89]에 의거하여, 학교장은 1명으로 본과훈도의 겸임직으로, 교감은 1명으로 본과훈도가 겸임하거나 특별한 경우에 전임직으로 하였다. 본과훈도, 본과부훈도, 전과훈도, 전과부훈도는 인원수의 제한 없이 법령이 명확히 규정되지 않았지만 판임관에, 학무위원을 명예직에 임명하였다.

이를 바탕으로 소학교(小學校)와 보통학교(普通學校), 한성사범학교(漢城師範學校)와 관립한성사범학교(官立漢城師範學校), 중학교(中學校)와 관립한성고등학교(官立漢城高等學校)에 대한 고증을 수행하였다. 고증은 대상 직위에 따른 편성 인원 정보, 겸직 정보, 직급 정보, 전임 정보를 중심으로 진행하였다.

3) 교원의 직봉

교원의 직봉은 교원을 중심으로 당시의 직위와 직급 체계의 변화와 이에 따른 직봉 체계의 변화에 대한 고증을 수행하였다. 세부적으로 각각의 직봉 법령에 따른 각 직급의 직봉 및 그 변화양상을 기술하였다.

표 2-6. 직봉 고증 예시

1895년 4월 16일 칙령 제80호 한성사범학교직원관등봉급령(漢城師範學校職員官等俸給令)[90]에 따르면, 직위에 관계없이 한성사범학교의 주임관 1등은 1,600원을, 주임관 2등은 1,400원을, 주임관 3등은 1,200원을, 주임관 4등은 1,000원을, 주임관 5등은 800원을, 주임

85) 勅令第一百四十五號, 開國五百四年七月十九日, 구한말 관보, 第一百十九號.
86) 勅令第四十四號, 光武十年八月二十七日, 구한말 관보, 第三千五百四十六號.
87) 勅令第四十四號, 光武十年八月二十七日, 구한말 관보, 第三千五百四十六號.
88) 勅令第八十三號, 隆熙元年十二月三十日, 구한말 관보, 第三千九百七十四號.
89) 學部訓令第六十六號, 隆熙二年六月二十二日, 구한말 관보, 第四千百十五號.

관 6등은 600원을, 판임관 1등은 500원을, 판임관 2등은 420원을, 판임관 3등은 360원을, 판임관 4등은 300원을, 판임관 5등은 240원을, 판임관 6등은 180원을, 판임관 7등은 150원을, 판임관 8등은 120원을 연봉으로 수령하였다.
1895년 7월 19일 칙령 제146호 "관립소학교교원의 관등봉급에 관한 건(官立小學校教員의 官等俸給에 關한 件)"[91]과 1895년 7월 19일 칙령 제147호 "한성사범학교 교원의 관등봉급에 관한 건(漢城師範學校教員의 官等俸給에 關한 件)"[92]에 따르면, 직위와 관계없이 관립소학교와 한성사범학교의 교원[93]은 판임관 1등 1급은 35원을, 1등 2급은 33원을, 2등 1급은 30원을, 2등 2급은 28원을, 3등 1급은 26원을, 3등 2급은 24원을, 4등 1급은 22원을, 4등 2급은 20원을, 5등 1급은 18원을, 5등 2급은 16원을, 6등 1급은 15원을, 6등 2급은 14원을, 7등 1급은 13원을, 7등 2급은 12원을, 8등 1급은 11원을, 8등 2급은 10원을 월급으로 수령하였다. 교원의 봉급은 관립소학교가 한성사범학교에 비하여 낮았다.

5. 인사운영의 용어·용례 고증 방법

온톨로지 설계를 위해서는 우선 대상에 대한 명확한 이해와 분석이 선행되어야 한다. 따라서 대상 범위의 인사 용어에 대한 고증 작업을 수행하여, 구한말 관공립학교와 인사제도의 변화 양상에 대해서 파악하고자 한다. 다만 이 작업은 온톨로지 및 데이터를 구축하기 위한 선행 작업으로 기존의 인문학의 서술 묵계와는 반대로 최대한 동일한 형태의 문장을 사용한다. 또한 문장 단위로 관련 내용이 모두 서술될 수 있도록 동일 문단 내에서 이미 서술된 내용이라도 중복하여 서술하였다.

---

90) 勅令第八十號, 開國五百四年四月十六日, 法規類編 元.
91) 勅令第一百四十七號, 開國五百四年七月十九日, 일성록, 1895년 7월 19일.
92) 勅令第一百四十七號, 開國五百四年七月十九日, 구한말 관보, 第一百十九號.
93) 단 한성사범학교 교원은 넓은 의미의 교원이 아닌, 한성사범학교부속소학교에서 교원(教員)의 직위에 종사하던 사람만을 가리킨다. 예를 들어서 한성사범학교의 교관과 부교관은 교원이 아니다.

南陽郡公立小學校教員 鄭雲好
郭山郡公立小學校教員 尹大善
依願免本官
蔚山郡守 金佑植
尙衣司主事 李禧榮
慶基殿令 趙永年
任中樞院議官敍奏任官六等
三和港公立小學校教員 李弼求
任南陽郡公立小學校教員敍判任官五等
洪州郡公立小學校教員 金仁衡
任郭山郡公立小學校教員敍判任官六等
金浦郡公立小學校教員 嚴觀燮
任三和港公立小學校教員敍判任官五等
陽川郡公立小學校教員 朴齊賢
任洪州郡公立小學校教員敍判任官五等
以上八月十八日

관보 원문의 교원 임명문 예시[95)]

南陽郡公立小學校教員 鄭雲好 郭山郡公立小學校教員 尹大善 依願免本官 蔚山郡守 金佑植 尙衣司主事 李禧榮 慶基殿令 趙永年任中樞院議官敍奏任官六等 三和港公立小學校教員 李弼求任南陽郡公立小學校教員敍判任官五等 洪州郡公立小學校教員 金仁衡任郭山郡公立小學校教員敍判任官六等 金浦郡公立小學校教員 嚴觀燮任三和港公立小學校教員敍判任官五等 陽川郡公立小學校教員 朴齊賢任洪州郡公立小學校教員敍判任官五等 以上八月十八日

규장각 관보 텍스트의 교원 임명문 예시[96)]

1) 원본 사료의 인사운영 기술

구한말 관보에서 중앙에 의하여 임명되는 교원 이상은 서임급사령(敍任及辭令)에서 기술한다.[94)] 기술되는 정보는 이름, 현재 소속 조직명, 현재 직위명, 인사유형(임명, 면직, 견책 등), 새로운 소속 조직명, 새로운 직위명, 새로운 직급명 등으로 구성된다.[97)]

지방에 의해서 임명되는 부교원은 휘보(彙報)의 학사(學事)에서 기술한다. 기술 방법은 특정 학교에서 해임된 부교원의 이름을 적시하고, 새로 임명된 부교원의 이름을 적시하는 방식이다. 교원과는 다르게 부교원은 지방에 임명 재량권이 있다. 따라서 지방은 부교원을 임명

94) 구체적인 기술 양식은 아래의 실제적인 용어 사용에서 분석한다.

95) 구한말 관보, 第二千九百十一號.

96) 구한말 관보, 第二千九百十一號.

97) 관보 원문에서는 개행을 통하여 정보를 효율적으로 전달한다. 그러나 규장각 한국학연구원 관보 텍스트본에서는 개행에 대한 정보를 제공하고 있지 않다.

○學事
義州郡公立小學校副教員李圭容은解任ᄒᆞ고金秉成으로尙州
郡公立小學校副教員尹光鎬ᄂᆞᆫ解任ᄒᆞ고李應泰로通津郡公立
小學校副教員辛寧復은解任ᄒᆞ고李愚日노抱川郡公立小學校
副教員李昌模ᄂᆞᆫ解任ᄒᆞ고鄭益鉉으로坡州郡公立小學校副教
員張文浩ᄂᆞᆫ解任ᄒᆞ고姜鎬崙으로林川郡公立小學校副教員韓
祥履ᄂᆞᆫ解任ᄒᆞ고金東植으로順天郡公立小學校副教員朴準燦
은解任ᄒᆞ고元五常으로江界郡公立小學校副教員金永培ᄂᆞᆫ解
任ᄒᆞ고金商說노任用事

관보 원문의 부교원 임명문 예시[98]

○學事 義州郡公立小學校副教員李圭容은 解任고 金秉成으로 尙州郡公立小學校副教員尹光鎬解任고 李應泰로 通津郡公立小學校副教員辛寧復은 解任고 李愚日노 抱川郡公立小學校副教員李昌模解任고 鄭益鉉으로 坡州郡公立小學校副教員張文浩解任고 姜鎬崙으로 林川郡公立小學校副教員韓祥履解任고 金東植으로 順天郡公立小學校副教員朴準燦은 解任고 元五常으로 江界郡公立小學校副教員金永培解任고 金商說노 任用事

규장각 관보 텍스트의 부교원 임명문 예시[99]

한 이후에 학부에 해당 내용을 통지하고, 학부는 정기적으로 해당 사실을 종합하여 관보를 통하여 고지한다. 그렇기에 관보에는 부교원의 정확한 임명일은 명시되지 않는다.

2) 용어·용례

인사 유형은 구한말 관보의 교원 관련 인사용어에 등장하는 용어를 바탕으로 "임명", "면직", "기타"로 구분하였다. "임명"은 특정한 직위를 획득하는 것을 의미한다. 임명 관련 용어는 임(任), 겸임(兼任), 기복행공(起復行公), 대(代) 또는 대임(代任), 명(命), 명 – 재근(命 – 在勤), 촉탁(囑託), 수칙(受勅)과 수첩(受牒), 증(贈), 훈(勳)이 있다.

98) 구한말 관보, 第二千五百十一號.
99) 구한말 관보, 第二千五百十一號.

임(任)은 일반적인 임명을 의미한다. 겸임(兼任)은 기존 관직을 유지하며 다른 관직의 직무를 같이 수행하는 것을 의미한다. 기복행공(起復行公)은 부모상과 같은 정당한 사유로 직무의 수행이 정지된 상태에서 다시 직무 수행을 명하는 것을 의미한다. 대(代) 또는 대임(代任)은 이전 관직자가 특정한 사유로 직무 수행이 불가하여 대임자를 임명하는 것을 의미한다. 명(命)은 본직이 있으면서 특정한 임시직에 임명되는 것을 의미한다. 명 – 재근(命 – 在勤)은 교원의 보직 학교를 지정할 때 사용한다. 1909년 4월 8일 이후, 보통학교 교원들은 모두 관립보통학교와 공립보통학교로 귀속되었고, 중앙에서 관직과 관등 등을 통합 관리하고 각각의 개별 학교에 교원들을 파견하는 형식으로 행정체계가 변경되었다. 이에 따라서 교원의 구체적인 재직 장소를 지정할 때 "命 (가) 在勤"의 형식으로 (가)의 조직에 근무를 명하였다. 촉탁(囑託)은 특정한 임시직에 임명하는 것을 의미한다. 수칙(受勅)과 수첩(受牒)은 왕으로부터 정식으로 임명받는 것을 의미한다. 수칙은 칙임관과 주임관을 대상으로 하고, 수첩은 판임관을 대상으로 한다. 증(贈)은 명예직을 수여하는 것을 의미한다. 훈(勳)은 훈장을 수여하는 것을 의미한다.

면직은 특정한 직위가 소실되는 것을 의미한다. 면직 관련 용어는 면(免), 면본관(免本官), 면본임(免本任), 면겸임(免兼官), 면본관병겸관(免本官并兼官), 의원면본관(依願免本官), 의원면겸임(依願免兼任), 의원면본관병겸관(依願免本官并兼官), 해(解), 해임(解任), 해촉(解囑), 의원해촉(依願解囑), 해겸관(解兼官), 해겸임(解兼任), 신고(身故), 사거(死去)가 있다.

면(免)은 면직으로 일반적으로 자의면직과 타의면직이 있다. 자의면직은 스스로 원해서 면직한 경우이고, 타의면직은 특정 사유에 의해서 면직하는 경우이다. 타의 면직에는 면본관(免本官), 면본임(免本任), 면겸임(免兼官), 면본관병겸관(免本官并兼官), 해(解), 해임(解任), 해촉(解囑), 해겸관(解兼官), 해겸임(解兼任), 신고(身故), 사거(死去)가 있다.

면본관(免本官)은 현재의 관직을 면직하는 것을 의미한다. 면본임(免本任)은 현재의 관직을 면직한다는 의미로, 하위직에서 사용하다가 1905년 이후에 해임(解任)으로 대체하였다. 면겸임(免兼官)은 현재의 겸임직을 면직하는 것을 의미한다. 면본관병겸관(免本官并兼官)은 현재의 관직과 겸임직을 동시에 면직하는 것을 의미한다. 해(解)는 면과 동일하게 면직을 의미한다. 하위직, 명예직, 임시직에 사용한다. 해임(解任)은 면직의 의미로 하위직에 사용한다. 해촉(解囑)은 면직을 의미하고 명예직, 임시직의 면직에 사용한다. 해겸관(解兼官)과 해겸임(解兼任)은 겸임직을 면직하는 것을 의미하며, 대상 인물이 본직에서 면직된 이후에 추가적으로 겸임직에서 면직될 때 사용한다. 해겸관은 상대적으로 본직이 고위직이었을 때 사용하고, 해겸임은 상대적으로 본직이 하위직이었을 때 사용한다. 신고(身故), 사거(死去)는 관직자의 사망을 의미한다.

자의면직에는 의원면본관(依願免本官), 의원면겸임(依願免兼任), 의원면본관병겸관(依願免本官并兼官), 의원해촉(依願解囑)이 있다. 의원면본관(依願免本官)은 현재의 관직을 자의로 면직하는 것을 의미한다. 의원면겸임(依願免兼任)은 현재의 겸임직을 자의로 면직하는 것을 의미한다. 의원면본관병겸관(依願免本官并兼官)은 현재의 관직과 겸임직을 모두 동시에 자의로 면직하는 것을 의미한다. 의원해촉(依願解囑)은 하위직, 명예직, 임시직을 자의로 면직하는 것을 의미한다.

기타는 임명과 면직 이외의 인사 운용과 관련된 용어를 포괄적으로 지칭한다. 기타 용어에는 현직(現職), 전직(前職), 승서(陞敍), 승봉(陞

俸), 책(責), 견책(譴責), 감봉(減俸), 벌봉(罰俸), 면징계(免懲戒), 부우(父憂), 모우(母憂)가 있다.

현직(現職)은 현재 재직하고 있는 상태를 의미한다. 문맥에서 "(관직)(인명)"의 형태로 출현한다. 전직(前職)은 이전에 재직했던 상태였음을 의미한다. 문장 안에서 '전(前)'으로 사용하거나, 문맥상으로 파악할 수 있다. 승서(陞敍)는 기존의 관등이 상승하는 것을 의미한다. 승봉(陞俸)은 기존의 관봉이 상승하는 것을 의미한다. 책(責)은 법에 의한 명령 위반, 직무상의 태만이나 의무 위반 등의 사유로 이루어지는 처벌 행위이다. 일반적으로 견책, 감봉, 정직, 강등, 면직의 징계 종류가 있다. 견책(譴責)은 문제에 대해서 훈계하고 회개하게 하는 것이다. 감봉(減俸)과 벌봉(罰俸)은 일정 기간 동안의 보수를 감하는 처분이다. 면본관(免本官)은 현재의 관직을 면직하는 것을 의미한다. 면징계(免懲戒)는 일반적으로 면직 징계를 취소한다는 의미를 가진다. 단, 면징계는 어디까지나 면직 징계를 취소하는 것이다. 따라서 원칙적으로 대상자는 기존의 관직으로 돌아가는 것이 아니라 새로이 관직을 임명 받아야 한다. 부우(父憂)는 관직자의 아버지가, 모우(母憂)는 관직자의 어머니가 사망한 것을 의미한다.

용어 분류 작업 이후에 분류한 용어에 해당하는 실제 사용 용례를 분석하였다. 인사명령에서 사용되는 정보는 이름, 현재 소속 조직명, 현재 직위명, 인사유형(임명, 면직, 견책 등), 새로운 소속 조직명, 새로운 직위명, 새로운 직급명 등이 있다. 그러나 동일한 인사유형에서도 서로 상이한 방식의 사용 용례가 출현한다. 이러한 사용 용례의 유형을 분류하고, 각각의 유형의 실제 사용 용례와 출처를 같이 제시하였다.

표 2-7. 인사운영 용어·용례 고증 예시

(이름)(任)(조직명)(직위명)(敍)(직급명)(직위명)(직봉명)
洪性天 任 官立小學校 教員 敍 判任官 六等 給二級俸[100]

(任)(조직명)(직위명)(敍)(직위)(직위명)(직봉명)(이름)
任 金浦郡公立小學校 教員 敍 判任官 六等 趙寬增[101]

(이름)(이름)(이름)(이름)(任)(조직명)(직위명)(敍)(직급명)(직위명)(직봉명)
元泳義 洪性天 任 官立小學校 教員 敍 判任官 六等 給二級俸[102]

(이전조직)(이전관직명)(이름)(任)(조직명)(직위명)(敍)(직급명)(직위명)
漢城師範學校 教員 朴之陽 任 官立小學校 教員 敍 判任官 六等[103]

(이전조직)(이전관직명)(이름)(이전조직)(이전관직명)(이름)(이전조직)(이전관직명)(이름)(任)(조직명)(직위명)(敍)(직급명)(직위명)
漢城師範學校 教員 朴之陽 漢城師範學校 教員 朴之陽 漢城師範學校 教員 朴之陽 任 官立小學校 教員 敍 判任官 六等[104]

(任)(조직명)(직위명)(敍)(직급명)(직위명)(이전조직 혹은 前)(이전관직명)(이름)
任 官立小學校 教員 敍 判任官 三等 前 教員 韓明教[105]

(前)(이전관직명)(이름)(任)(조직명)(직위명)(敍)(직급명)(직위명)
前 教員 鄭奎鍾 任 豐德郡公立小學校 教員 敍 判任官 六等[106]

예를 들어서, 임명의 경우 가장 일반적으로 사용되는 인사운영 용어이다. 그렇기에 실제 사용 용례의 유형도 다양하다. 우선 일반적인 임명에서는 크게 "(이름)(任)(조직명)(직위명)(敍)(직급명)(직위명)(직봉명)"

100) 구한말 관보, 第一百三十五號.
101) 구한말 관보, 第七百三十八號.
102) 구한말 관보, 第一百三十五號.
103) 구한말 관보, 第三百卄一號.
104) 구한말 관보, 第三百五十一號.
105) 구한말 관보, 第一千四十二號.
106) 구한말 관보, 第一千四百六十號.

의 형태와 "(任)(조직명)(직위명)(敍)(직위)(직위명)(직봉명)(이름)" 형태로 서술한다. 동일한 직위에 여러 명이 임명될 경우에는 "(이름)(이름)(이름)(이름)(任)(조직명)(직위명)(敍)(직급명)(직위명)(직봉명)"의 형태를 보이고 있다. 만약 신규 임명이 아니라 기존 직위가 존재할 경우에는 "(이전조직)(이전관직명)(이름)(任)(조직명)(직위명)(敍)(직급명)(직위명)"의 형태를 가진다. 만약 대량의 기존 직위가 있는 사람이 동일한 직위로 임명될 경우에는 "(이전조직)(이전관직명)(이름)(이전조직)(이전관직명)(이름)(이전조직)(이전관직명)(이름)(任)(조직명)(직위명)(敍)(직급명)(직위명)"의 형태를 보이고 있다. 만약 현재 직위가 존재하지 않더라도, 과거에 직위에 임명된 기록이 있으면, "(任)(조직명)(직위명)(敍)(직급명)(직위명)(이전조직 혹은 前)(이전관직명)(이름)"이나 "(前)(이전관직명)(이름)(任)(조직명)(직위명)(敍)(직급명)(직위명)"의 형태를 보인다.

6. 데이터 처리 방법

본 연구에서 제도-인사 연구를 위하여 《구한말 관보》, 『직원록 자료』, 『한국근현대인물자료』 데이터를 수집하고 고증하였다. 그러나 수집된 데이터는 인간가독형 데이터로 컴퓨터를 통한 처리를 위하여 최소한의 기계가독형 데이터로 전환할 필요가 있다. 따라서 방대한 인간가독형 데이터를 최소한의 기계가독형 데이터로 추출하는 방법에 대해서 서술하고자 한다.

1) 서울대학교 규장각 한국학 연구원의 구한말 관보

구한말 관보는 서울대학교 규장각한국학연구원에 저작권이 귀속되어 있는 비(非)공공데이터이기에 웹서비스를 이용하여 접근할 수밖에 없다. 규장각 한국한연구원의 웹서비스에서 제공하는 구한말 관보는 관보 이미지를 PLAIN TEXT로 서비스하고 있다. 이에 따라서 PLAIN TEXT에서 필요한 정보를 추출하기 위하여 대상 정보 탐구, 정규식 표현식을 통한 문자열 처리, 추출 데이터의 오류에 대한 검토의 과정을 수행하였다.

정규표현식(정규식, 正規表現式, regular expression)은 특정한 규칙을 가진 문자열과 문자열 집합을 표현하는 데 사용하는 형식 언어이다. 일반적인 정규표현식의 표준 문법은 다음의 표에 제시하였다.

표 2-8. 상용 정규표현식 일람

메타문자	설명	예시
.	개행을 제외한 모든 1개의 문자	행복.다 -> 행복하다, 행복했다
₩d	모든 숫자	12₩d4 -> 1234, 1264
₩D	모든 숫자가 아닌 문자	12₩D -> 12월, 12일
₩n	줄 바꿈 문자(개행문자)	1₩n2 -> 1 2
₩t	탭 문자	1₩t2 -> 1 2
₩s	공백 문자	아빠의₩s방 -> 아빠가 방
₩S	공백문자를 제외한 모든 문자	아빠의₩S방 -> 아빠의저방
()	패턴집합	(다..)(하..) -> (다가져)(하자)
+	1번 이상 발생하는 패턴 일치	가나+ -> 가나, 가나나
?	0~1번 발생하는 패턴 일치	가나?다 -> 가다, 가나다
*	0번 이상 발생하는 패턴 일치	가나* -> 가나, 가가나나, 가나나, 가가가가 가나*다 -> 가다, 가나다, 가나나나나다
{N}	N번 반복 패턴 일치	가나{2}다 -> 가나나다

{M, N}	최소 M번, 최대 N번 발생하는 패턴 일치	가나{1,2}다 -> 가나다, 가나나다
[...]	가능 문자열 패턴 일치	가[나다]라 -> 가나다, 가다라
A|B	A 혹은 B 패턴 일치	가|나 -> 가, 나
[.-.]	가능 문자열 범위 패턴 일치	[A-z] -> 모든 로마자 [가-힣] -> 모든 완성형 한글 [一-龥] -> 모든 한자

실제적인 사용 예시를 보면 다음과 같다.

公立普通學校本科副訓導 嚴 星 九命公立慶州普通學校在勤 公立普通學校本科訓導 金 慶 淵命公立尙州普通學校在勤[107]

자연어 상태의 위의 문장을 기계가독형의 데이터로 전환하면 다음과 같다.[108]

표 2-9. 기계가독형으로 전환된 데이터 샘플

公立普通學校	本科副訓導	嚴星九	命在勤	公立慶州普通學校
公立普通學校	本科訓導	金慶淵	命在勤	公立尙州普通學校

관보의 서술은 동일한 성질의 내용에 대해서 고정적인 형식을 반복적으로 사용한다. 자연어 문장의 경우에도 "(조직명)(관직명)(이름)(命)(조직명)(관직명)(在勤)"의 고정적인 패턴을 보인다는 것을 손쉽게 알 수 있다.

인간이 위의 자연어 문장을 데이터로 전환한다면 다음과 같은 A,

107) 구한말 관보, 第四千三百七十四號.

108) 예시는 어디까지나 최소한의 정보 분리를 행한 결과물이며, 완전한 기계가독형 데이터는 아니다.

B, C의 과정을 거치게 된다.

A. 유의미한 내용 판단

문장에서 유의미한 문장요소를 판단하여 추출한다. “공립보통학교본과부훈도(公立普通學校本科副訓導)”라는 말은 “공립보통학교(公立普通學校)”라고 하는 조직명과 “본과부훈도(本科副訓導)”라는 관직명을 포함하고 있다. “엄성구명공립경주보통학교재근(嚴 星 九命公立慶州普通學校在勤)”에서 “엄성구(嚴 星 九)”는 인물명이며, “명(命)”과 “재근(在勤)”은 특정한 의미를 가지는 동사이며, “공립경주보통학교(公立慶州普通學校)”는 조직명이다.

B. 개행

유의미한 문장이 종료된 이후에는 개행을 해서 각각의 열을 독립적인 정보로 만든다. “공립보통학교본과부훈도(公立普通學校本科副訓導) 엄성구명공립경주보통학교재근(嚴 星 九命公立慶州普通學校在勤) 공립보통학교본과훈도(公立普通學校本科訓導) 김경연명공립상주보통학교재근(金 慶 淵命公立尙州普通學校在勤)”에서 “공립보통학교본과부훈도(公立普通學校本科副訓導) 엄성구명공립경주보통학교재근(嚴 星 九命公立慶州普通學校在勤)”과 “공립보통학교본과훈도(公立普通學校本科訓導) 김경연명공립상주보통학교재근(金 慶 淵命公立尙州普通學校在勤)”은 독립적인 정보를 가지는 문장이다. 이에 따라 다음과 같이 작업한다.

公立普通學校本科副訓導 嚴 星 九命公立慶州普通學校在勤
公立普通學校本科訓導 金 慶 淵命公立尙州普通學校在勤

C. 띄어쓰기

유의미한 문장요소 사이에는 띄어쓰기를 한다. "공립보통학교본과부훈도(公立普通學校本科副訓導)"는 "공립보통학교(公立普通學校) 본과부훈도(本科副訓導)"와 같이 조직명과 관직명 사이에 공백을 둔다. "엄성구명공립경주보통학교재근(嚴 星 九命公立慶州普通學校在勤)"에서는 이름인 "엄(嚴) 성(星) 구(九)" 사이에 존재하는 공백을 제거하여 "엄성구(嚴星九)"로 하고, "명(命)"과 "재근(在勤)"을 합쳐서 "명재근(命在勤)"으로 한 이후에 "공립경주보통학교(公立慶州普通學校)"로 한다.

그 결과로 "공립보통학교(公立普通學校) 본과부훈도(本科副訓導) 엄성구(嚴星九) 명재근(命在勤) 공립경주보통학교(公立慶州普通學校)"와 같은 문장이 완성된다.

D. 반복

이제부터 위의 A, B, C의 과정을 지속적으로 문장의 수만큼 반복하게 된다.

그런데 정규식을 활용하게 되면 고정적인 패턴을 가진 문장을 빠른 속도로 처리할 수 있다. 정규식의 처리 과정은 다음과 같은 A, B, C, D의 과정을 거치게 된다.

A. 공백 삭제

```
公立普通學校本科副訓導 嚴 星 九命公立慶州普通學校在勤 公立普通學校本科訓導
金 慶 淵命公立尙州普通學校在勤

찾기 = ₩s
```

```
바꾸기 = “”109)

公立普通學校本科副訓導嚴星九命公立慶州普通學校在勤公立普通學校本科訓導金慶
淵命公立尙州普通學校在勤
```

B. 개행

```
公立普通學校本科副訓導嚴星九命公立慶州普通學校在勤公立普通學校本科訓導金慶
淵命公立尙州普通學校在勤

찾기 = 在勤
바꾸기 = 在勤₩n

公立普通學校本科副訓導嚴星九命公立慶州普通學校在勤
公立普通學校本科訓導金慶淵命公立尙州普通學校在勤
```

C. 띄어쓰기

a. 本科副訓導

```
公立普通學校本科副訓導嚴星九命公立慶州普通學校在勤
公立普通學校本科訓導金慶淵命公立尙州普通學校在勤

찾기 = 本科副訓導
바꾸기 = ₩t本科副訓導₩t

公立普通學校	本科副訓導	嚴星九命公立慶州普通學校在勤
公立普通學校本科訓導金慶淵命公立尙州普通學校在勤
```

109) “”는 어떤 문자도 입력하지 않은 상태를 의미한다.

b. 本科訓導

```
公立普通學校	本科副訓導	嚴星九命公立慶州普通學校在勤
公立普通學校本科訓導金慶淵命公立尙州普通學校在勤

찾기 = 本科訓導
바꾸기 = ₩t本科訓導₩t

公立普通學校	本科副訓導	嚴星九命公立慶州普通學校在勤
公立普通學校	本科訓導	金慶淵命公立尙州普通學校在勤
```

c. 命

```
公立普通學校	本科副訓導	嚴星九命公立慶州普通學校在勤
公立普通學校	本科訓導	金慶淵命公立尙州普通學校在勤

찾기 = 命
바꾸기 = ₩t命₩t

公立普通學校	本科副訓導	嚴星九	命	公立慶州普通學校在勤
公立普通學校	本科訓導	金慶淵	命	公立尙州普通學校在勤
```

d. 在勤

```
公立普通學校	本科副訓導	嚴星九	命	公立慶州普通學校在勤
公立普通學校	本科訓導	金慶淵	命	公立尙州普通學校在勤

찾기 = 在勤
바꾸기 = ₩t在勤

公立普通學校	本科副訓導	嚴星九	命	公立慶州普通學校	在勤
公立普通學校	本科訓導	金慶淵	命	公立尙州普通學校	在勤
```

D. 문장 정리

a. 문장 맨 뒤 "在勤" 삭제

```
公立普通學校    本科副訓導    嚴星九    命    公立慶州普通學校 在勤
公立普通學校    本科訓導      金慶淵    命    公立尙州普通學校 在勤

찾기 = ₩t在勤
바꾸기 = ""110)

公立普通學校    本科副訓導    嚴星九    命    公立慶州普通學校
公立普通學校    本科訓導      金慶淵    命    公立尙州普通學校
```

b. "命"을 "命在勤"으로 변경

```
公立普通學校    本科副訓導    嚴星九    命    公立慶州普通學校
公立普通學校    本科訓導      金慶淵    命    公立尙州普通學校

찾기 = 命
바꾸기 = 命在勤

公立普通學校    本科副訓導    嚴星九    命在勤 公立慶州普通學校
公立普通學校    本科訓導      金慶淵    命在勤 公立尙州普通學校
```

정규식 처리의 과정은 복잡해 보이지만 문장이 특정 패턴을 가지고 있을 때, 유용하게 사용할 수 있다. 특히 연구자가 해당 패턴을 완전히 파악하고, 관련 용어에 대한 정리를 충분히 수행했다면, 컴퓨터 연산을 통하여 자연어 문장을 빠르게 데이터 처리할 수 있다.[111] 다만 관보의 패턴에는 완전한 기계적인 처리를 하는 데 있어 두 가지 장애

110) ""은 어떤 문자도 입력하지 않은 상태를 의미한다.

111) 이 방법은 고문의 기계적인 자동 번역에도 적용 가능하나, 본 연구의 연구 대상이 아니기에 생략한다.

요소가 존재하였다.

첫 번째는 관보 문장의 주술 패턴이 불안정하다는 문제이다.

(이름)(任)(조직명)(관직명)(敍)(관품)(관등)(급봉) 洪性天 任 官立小學校 敎員 敍 判任官 六等 給二級俸[112)] (任)(조직명)(관직명)(敍)(관품)(관등)(급봉)(이름) 任 金浦郡公立小學校 敎員 敍 判任官 六等 趙寬增[113)]

위와 같이 동일한 임명 문장에서 때로는 주어인 "(이름)"이 먼저 오고, 때로는 술어인 "(任)"이 먼저 등장한다. 동일한 문단 내에서도 주어와 술어의 위치가 관보의 편집 페이지 공간에 따라서 다르게 나타나고, RAWDATA가 된 규장각한국학연구원본에서는 편집페이지 공간에 따른 문장기호가 따로 명기되어 있지 않았다. 위의 문제 사항 때문에 필요시 국가도서관본과 규장각한국학연구원본의 관보 이미지를 통하여 RAWDATA를 다시 검토하였다.[114)]

두 번째는 관보 문장의 캐릭터셋(Character Set, 문자 집합)의 문제이다. 캐릭터셋 문제는 크게 문자판독 문제와 UTF-8과 EUC-KR의 캐릭터셋 혼재 문제로 나눌 수 있다.

문자 판독의 문제로는 동일한 인물에 대해서 상이한 이체자가 사용되거나 오탈자가 존재하는 것을 들 수 있다. 예를 들어서 동일 인물에 대해서 "계석붕(桂錫朋)"과 "계석명(桂錫明)"으로 다르게 표시한 것은

112) 구한말 관보, 第一百三十五號.

113) 구한말 관보, 第七百三十八號.

114) 이러한 현상은 규장각한국학연구원본의 RAWDATA를 만드는 과정에서 개행에 대한 문장기호가 있을 경우 자동 처리가 가능한 부분이어서 아쉬움이 남는다.

서로 상이한 작업자가 문자 판독을 달리한 것으로 보인다. 또한 "추용집(萑用集)"과 같은 경우는 전형적인 오탈자의 예이며, "최용집(崔用集)"으로 수정이 필요하다. 이에 따라서 필요시 국립중앙도서관본과 규장각한국학연구원본의 관보 이미지를 통하여 검토하였다.

캐릭터셋의 문제는 규장각한국학연구원본의 RAWDATA에는 UTF-8과 EUC-KR의 문자 집합이 혼재되어 있다는 점이다. 예를 들어서 "이회주(李晦周)"와 "이회주(李晦周)"는 동일한 한자로 보이지만, 실제로는 서로 상이한 캐릭터셋을 사용한 것이다. 그러므로 컴퓨터는 위의 인명 표기만으로는 두 명의 이회주를 서로 다른 사람으로 판단한다.[115] 이에 따라서 수집·정리된 데이터를 일괄적으로 UTF-8으로 변환하고, 캐릭터셋을 통일하였다.

2) 국사편찬위원회의 직원록 자료

직원록 자료는 국사편찬위원회에 귀속되어 있는 공공데이터로, 공공데이터포털을 통하여 직원록 자료의 RAWDATA를 입수하였다. 직원록 자료의 RAWDATA는 "|" 문자로 분리된 TXT 파일이다.

표 2-10. 국사편찬위원회의 직원록 자료 샘플

```
LEVEL_ID|MAIN_TITLE|SERIES_TITLE|PARENT_ID|SEQUENCE|PERIOD|P
OSITION|OFFICIAL_RANK|MERITS|SUBJECT_CLASS|SUBJECT_CLASS_CO
DE
```

115) 앞의 '李'와 뒤의 '李'는 표면상 동일 한자로 보이지만, 각기 "U+674E"와 "U+F9E1"의 상이한 유니코드 값을 가지고 있다. 물론 최근에는 한자문화권에서는 어느 정도 자동 처리를 통하여 다른 값을 지닌 한자도 동일하게 식별하지만, 비한자문화권에서는 서로 상이한 유니코드 값을 가지는 실질적인 동일 한자에 대한 처리가 아직 미흡하기에 주의가 필요하다.

```
jw_1908_0001_0010|李舜應|대한제국 직원록 1908년도|jw_1908_0001|1|1908|
令|판5|9품|궁내부>각릉(各陵)>강릉(康陵, 楊州)|1908-01-001-0001
jw_1908_0001_0020|洪淳參|대한제국 직원록 1908년도|jw_1908_0001|2|1908|
叅奉|판5||궁내부>각릉(各陵)>강릉(康陵, 楊州)|1908-01-001-0001
jw_1908_0002_0010|金弼鉉|대한제국 직원록 1908년도|jw_1908_0002|3|1908|
令|판5||궁내부>각릉(各陵)>건릉(健陵, 水原)|1908-01-001-0002
```

이에 따라서 "|"로 분리된 TXT 파일에서 필요한 정보를 추출하기 위하여 "대상 정보의 탐구", "DBMS 탑재", "데이터 고도화", "데이터 추출"의 과정을 수행하였다.

대상 정보의 탐구는 대상 데이터의 설계를 탐색하는 과정이다. 각각의 컬럼들의 의미와 역할 및 상호 관계를 명확하게 이해하는 것이다. 예를 들어서 LEVEL_ID는 직원록 자료의 실질적인 고윳값이고, 직원록 자료 내부의 고윳값은 SEQUENCE에서 정의하고 있다. MAIN_TITLE은 직원명정보, SERIES_TITLE은 출처정보, POSITION은 관직정보, OFFICIAL_RANK는 관등정보, MERITS는 공훈정보이다. 또한 SUBJECT_CLASS는 소속기관이며, SUBJECT_CLASS_CODE는 소속기관에 해당하는 고윳값이다. 이후 개별 컬럼별 데이터 세부 분석을 수행한다. 예를 들어서 LEVEL_ID 컬럼은 국사편찬위원회의 직원록 자료의 고윳값으로 추정되는 JW, 대상데이터의 연도인 숫잣값 네 자리(1908), 동일 출처 내 소속조직에 따라서 부여된 임시소속조직 고윳값인 숫자 네 자리(0084), 임시소속조직 내 인물별 고윳값인 숫자 네 자리(0010)로 구성되어 있다. 이러한 과정을 대상 RAWDATA의 모든 데이터를 명확하게 이해할 때까지 진행한다.

그 이후 대상 데이터의 처리를 위하여 DBMS에 탑재한다. 본 연구에서는 MSSQL에 대상 데이터를 탑재하였다.[116] DBMS에 데이터를 탑재한 이후, 목표 데이터 추출을 위한 추가적인 데이터 처리가 필요하여 데이터의 고도화 절차를 수행하였다.

이미 연구를 위하여 독자적으로 조직체계에 대한 설계 및 구축이 완료되었기에, 조직의 상하위관계 정보를 포함하고 있는 "SUBJECT_CLASS"의 "궁내부〉각릉(各陵)〉건릉(健陵, 水原)"을 "건릉(健陵)"으로 단순화하였다. 또한 데이터가 명확하게 세분화되어 있지 않은 OFFICIAL_RANK(판3,6급)를 분리하여 "판임관, 3등, 6급"으로 전환하였다. 마지막으로 처리과정의 오류에 대해서 검토하고, 연구에 필요한 학교 관련 데이터만을 추출하여 독립적인 테이블로 관리하였다.

3) 국사편찬위원회의 한국근현대인물자료

한국근현대인물자료는 국사편찬위원회에 귀속되어 있는 공공데이터이다. 본 연구자는 공공데이터포털을 통하여 한국근현대인물자료 RAWDATA를 입수하였다. 한국근현대인물자료의 RAWDATA는 "|" 문자로 된 CSV 파일이다. 그런데 RAWDATA는 실제로는 XML 데이터(LEVEL_XML)와 XML 데이터에서 추출한 고윳값(LEVEL_ID)으로 구성되어 있다.

116) 특정문자(쉼표, 공백, 탭문자, 기타)로 구분된 CSV 혹은 TXT 파일은 어플리케이션의 제약은 받지 않는다. 다시 말해서 MSSQL 이외에 MYSQL, ORACLE은 물론이고, Excel이나 한셀 혹은 기타 문서 편집기에서도 자유롭게 사용이 가능하다.

표 2-11. 국사편찬위원회의 한국근현대인물자료 XML 샘플

LEVEL_ID|LEVEL_XML
im_101_20480| <person id="im_101_20480"><basics><nameList><name lang="
kor">권혁진</name><name lang="chi">權赫晋</name></nameList><nationLis
t><nation>한국인</nation></nationList><ageList><age no="1"><years>45세(19
56년 현재)</years><source>건국십년, 964</source></age></ageList><birthpla
ceList><birthplace no="1"><place>忠淸北道 陰城郡(본적)</place><source>건국
십년, 964</source></birthplace></birthplaceList><addList><address no="1">
<place>忠淸北道 陰城郡 甘谷面</place><source>건국십년, 964</source></addre
ss></addList></basics><family><otherList><other no="1"><p>8人</p><source>
건국십년, 964</source></other></otherList></family><history><schoolingLis
t><school no="1"><p><index type="학교">淸州高普</index> 졸업
<index ty
pe="학교">大邱師範</index> 졸업</p><source>건국십년, 964</source></schoo
l></schoolingList><careerList><career no="1"><p>국민학교 교원 10년 근무
<index type="학교">甘谷中學校</index> 교장</p><source>건국십년, 964</sourc
e></career></careerList><interestList><interest no="1"><p>독서</p><source>
건국십년, 964</source></interest></interestList></history><bibliography><re
ference id="024">대한민국건국십년지</reference></bibliography></person>

이에 따라서 "|"로 분리된 TXT 파일에서 필요한 정보를 추출하기 위하여 대상 정보 탐구, DBMS 탑재, 데이터 추출, 데이터 고도화의 과정을 수행하였다.

대상 정보의 탐구는 대상 데이터의 설계를 탐색하는 과정이다. 이를 위해서는 XML 데이터의 설계구조를 명확하게 이해하여야 한다.[117] DBMS에 탑재하여 본 연구에서 연구범위에 해당하는 인물만을 추출하였다. 그 이후 현재까지 구축된 근현대인물자료의 XML 데이터 설계로는 본 연구에서 필요한 정보를 취득할 수 없기에 정규표현식을 통하여 데이터 고도화 과정을 수행하였다.

117) 세부 설계구조의 탐색은 "제3장. 제도-인사 아카이브 온톨로지 설계"의 "1. 유관 자료 및 데이터 선행모델"에서 다룬다.

> 1906년 9월11일에 <index type="학교">公立鏡城普通學校</index>副敎員으로 敍任되어 判任官七級俸을 受함

위와 같은 문장을 정규 표현식을 통하여 다음과 같이 필요한 정보 요소를 추출하였다.

표 2-12. 한국근현대인물자료 정규표현식 처리 이후의 데이터 스키마 및 샘플

근현대ID	일자	분류	내용	조직	관직	관등01	관등02	대우	관봉	관품	비고
im_114_00717	1906.09.11	任		公立鏡城普通學校	副敎員	判任					

제3장

제도-인사 아카이브 온톨로지 설계

효율적인 온톨로지 설계를 위하여 제도와 인사에 관련된 종이 매체와 디지털 매체의 자료 및 데이터의 모델을 살펴본다. 이를 통해서 도출된 선행 모델과 구한말 관공립학교 제도와 교원의 인사 기록 구조 고증 결과를 바탕으로 구한말 관공립학교 제도와 교원의 인사 기록 온톨로지를 구축한다. 온톨로지의 설계는 크게 인문학 기본 온톨로지, 관공립학교 제도 온톨로지, 인사 기록 온톨로지로 분리하여 설계한 이후에 이를 종합하고 검증한다.

1. 유관 자료 및 데이터 선행모델

1) 종이 매체

종이 매체의 공구서는 종이 매체를 바탕으로 특정 영역의 정보를 효율적으로 전달하기 위하여 발전하였다. 비록 디지털 매체와는 매체적 성격을 달리하고 있지만, 특정 정보에 대한 기술 방식에 대해서는 차용할 수 있는 요소가 있다. 이에 따라서 본 연구에서는 제도와 인사의 관계성 데이터에 직접적인 관련이 있는 공구서(백과사전, 유서, 정서, 표보)[1]를 중심으로 살펴보도록 한다.

백과사전은 각 학문 분야 혹은 특정 학문 분야의 지식을 개술하는 완비된 공구서이다.[2] 백과사전은 항목의 형식으로 각종 지식을 체계적으로 개술하며, 자료의 집성이 아니라는 점에서 유서와 구별된다.[3] 전문적으로 제도를 다루고 있는 사전으로는 중국사 영역에서는 『역대직관표(歷代職官表)』[4], 『중국고대전장제도대사전(中國古代典章制度大辭典)』[5], 『중국역대관제대사전(中國歷代官制大辭典)』[6], 『중국고대직관대사전(中國古代職官大辭典)』[7], 『중국역대관제대사전(中國歷代官制大詞典)』[8], 『중국역대관제(中國歷代官制)』[9] 등이 있으며, 한국사에서 등장하는 많은 제도가 중국의 제도를 참고하였기에 본고에 있어 유의미한 참고 자료라고 할 수 있다.

본 연구의 연구 범위에 직접적으로 관련이 있는 백사사전류 공구서에는 『필수역사용어해설사전』[10]의 부록이 있다. 『필수역사용어해설사전』은 2014년 이은식이 중요한 한국사 용어를 일반인들이 쉽게 이

---

1) 공구서는 통상 어떤 방면의 지식과 자료를 수집해서 특정한 방법에 따라 편집하고 배열하여, 독자가 조사하려는 문제의 답안이나 자료의 실마리를 제공하는 도서이다. 과학기술의 발전과 함께 공구서는 인쇄형과 비인쇄형으로 분류하게 되었다. 인쇄형은 서책식, 기간식, 부록식과 카드식을 포함한다. 비인쇄형은 마이크로필름형, 음성영상형, 기계가독형을 포함한다(조국장·왕장공·강경백(저)/이동철(역), 『문사공구서개론』, 한국고전번역원, 2015, 26~27쪽, 29쪽.). 본 연구에서는 통상적으로 공구서라고 불리는 종이 인쇄형 공구서만을 대상으로 한다.

2) 역사학 관련 백과사전 중 신해혁명까지의 중국사 관련 표제어 5만 여건을 수록한 『中國歷史大辭典』과 역사서에 등장하는 용어를 중심으로 수록한 『二十六史大辭典』에서 제도에 대한 정보를 일부 수록하고 있다.

3) 趙國璋(조국장)·王長恭(왕장공)·江慶柏(강경백)(저)/이동철(역), 『문사공구서개론』, 한국고전번역원, 2015, 195~196쪽.

4) 黃本驥, 『歷代職官表』, 中華書局, 1965.

5) 唐嘉弘, 『中國古代典章制度大辭典』, 中州古籍出版社, 1998.

6) 呂宗力, 『中國歷代官制大辭典』, 北京出版社, 1994.

7) 沈起煒, 徐光烈編, 『中國歷代職官辭典』, 上海辭書出版社, 1992.

8) 徐連達, 『中國歷代官制大詞典』, 廣東教育出版社, 2002.

9) 孔令紀, 『中國歷代官制』, 齊魯書社, 1993.

10) 이은식, 『필수역사용어해설사전』, 타오름, 2014.

해할 수 있도록 편찬한 사전이다. 가나다순으로 용어들을 정리하였고, 부록을 통하여 표보(表譜)의 형식으로 다양한 역사 지식을 기술하고 있다. 다만 기본적으로 일반인을 위한 사전이기에 전문적인 역사 탐구에서는 내용적으로 부족한 측면이 있다.

유서(類書)는 각종 고문헌 속의 자료를 집록하여 내용에 따라 분류하거나 자순과 운부에 따라 수집하여 한 편으로 만들어 검색과 예증을 제공한다.[11] 유서류에서는 제도에 관련된 자료도 집록되어 있기에 제도사의 연구에서 사용할 수 있다. 최근에는 "사료집성"과 "기초자료집"의 이름으로 유서의 전통이 이어지고 있다. 정서(政書)는 기본적으로 유서와 유사하지만, 원시 자료를 발췌한 유서와 다르게 각종 사료를 분야·주제별로 분리하여 제도를 정리한 역사서이기에 과거의 제도 연구의 입문 사료로 활용된다.[12]

본 연구의 연구 범위에 직접적으로 관련이 있는 유서-정서류 공구서에는 『한국교육사료집성』, 『한국근대사 기초자료집』이 있다.

『한국교육사료집성 개화기편』은 1990년도부터 1995년까지 한국정신문화연구원(현재의 한국학중앙연구원)에서 한국 개화기 교육 관련 자료를 집대성하기 위하여 편찬하였다. 당대의 학회, 신문, 관보에서 교육 관련 자료를 추출하여 편년방식으로 편찬하였다. 교육 관련 중요

11) 趙國璋(조국장)·王長恭(왕장공)·江慶柏(강경백)(저)/이동철(역), 『문사공구서개론』, 한국고전번역원, 2015, 28쪽, 193쪽.

12) 중국사의 영역에서는 십통(十通)의 직관 부분이 제도와 직접적인 관계가 있다. 회요(會要)는 단일 왕조에 대한 제도를 개인이 연구하여 편찬한 사료로 분야별로 편을 나누어 서술하였다. 회전(會典)은 단일 왕조에 대한 제도를 일반적으로 관방에서 편찬한 사료로 제도를 중심으로 서술되어 있다. 중국사에서는 정서의 발달로 회전의 편찬이 활발하지 않았기에 소수의 회전만이 존재하고 있다. 그에 반하여 한국사의 영역에서는 『경국대전(經國大典)』, 『속대전(續大典)』, 『대전통편(大典通編)』, 『대전회통(大典會通)』과 같은 회전이 다수 존재한다.

내용으로 목차를 구축하여 사용자의 편의성을 높였다. 단, 출력상태가 문자 식별이 힘들 정도로 좋지 않으며, 인물 및 관직 등에 대한 별도의 색인이 없어 사용자가 필요한 정보를 취득하기가 쉽지 않다.

『한국근대사 기초자료집』은 2010년부터 국사편찬위원회에서 한국 근대사 연구를 위한 기초 자료를 주제별로 정리한 자료집이다. 또한 국사편찬위원회에서는 『한국근대사기초자료집』을 종이매체로 출판하는 동시에 한국사데이터베이스에 디지털로 제공함으로써[13] 사용자의 편의성을 최대한 높였다. 다만 종이매체 출판물을 기본으로 했기에 중요한 관련 자료만을 선별적으로 집록하였고, 디지털 버전도 사실상 디지털에서의 제공 방식에 대한 고민 없이 종이 출력물을 그대로 옮겨 놓았다는 한계를 지닌다.

표보(表譜)는 편년 혹은 표의 형식으로 대상의 변천을 기록하는 공구서이다. 표보는 독립적으로 편찬되기도 하고, 유서 및 정서에 포함되기도 한다. 그 중에서 제도와 직접적인 관계가 있는 분야는 직관표와 직관연표이다. 직관표에서는 일반적으로 표의 형식으로 제도를 표현하고, 부족한 부분을 문자로 서술하여 보완한다. 직관연표에서는 특정 관직에 재직한 인물의 재직 기간을 명기한다.

본 연구의 연구 범위에 직접적으로 관련이 있는 표보류 공구서는 『일본관료제종합사전』이다. 『일본관료제종합사전』[14]은 1868년부터 2000년까지의 주요 관직의 임면변천을 종합하였고, 그에 관련된 제도와 조직에 대한 해설을 서술하였다. 주요 관직의 임면변천에서는 특정 관직을 가진 인물들의 재직 시기를 표로 정리하였다.

---

13) 한국근대사기초자료집, 한국사데이터베이스, 국사편찬위원회, http://db.history.go.kr/item/level.do?itemId=mh

14) 秦郁彦 編, 『日本官僚制總合事典 1868-2000』, 東京大學出版會, 2011.

위에서 소개된 공구서들은 인쇄형 공구서가 구현 가능한 최대한의 효율성을 내재하고 있다. 그러나 인쇄형 공구서가 태생적으로 가지고 있는 한계도 명확하게 나타난다. 예를 들어서 A라는 특정 인물의 행적을 인쇄형 공구서 중 하나인 백과사전에서 찾는다고 가정하자. 백과사전에서는 일반적으로 개괄적인 행적만을 서술하기에 추가적으로 전문 분야 사전을 살펴봐야 한다. 그러나 종종 A는 단일 영역뿐만이 아니라, 다양한 영역에서 활동하였으며 대상 인물을 전방위적으로 탐구하기 위해서는 다양한 전문 분야의 사전을 찾아야 한다. 백과사전과 전문 사전에 서술되어 있지 않거나, 소략되어 서술되어 있는 인물의 탐구를 위해서는 정사뿐만이 아니라, 고문헌과 고문서, 지방지 등 방대한 원문 속에서 대상 인물을 찾아야 한다. 또한, 일반적으로 고대 인물은 일반적인 성명 이외에 아명, 자, 호 등을 여러 가지 가지고 있거나, 피휘나 피화를 위하여 개명을 하기도 하였으므로 이 점 역시 고려해야 한다.

『일본관료제종합사전』을 대상으로 구체적인 문제를 검토하면 다음과 같다.

첫 번째로 대상의 핵심만을 서술하였다. 『일본관료제종합사전』은 비록 752쪽의 방대한 분량을 지니지만 주요 관직으로 판단되는 고위직의 임면 변천에 대해서만 종합하였다. 일반적으로 고위직은 다양한 사료를 통하여 개인 연구자도 비교적 손쉽게 탐구할 수 있는 반면, 정작 하위직은 개인의 힘으로 추적이 힘들다. 그런데 하위직에 대한 연구가 생략되어 있다. 또한 제도와 조직의 해설에서 개괄적인 내용만을 다루고 있으며, 구체적인 제도의 변화 양상에 대한 서술은 소략되어 있다.[15]

두 번째로 대상을 특정 각도로만 서술하였다. 『일본관료제종합사전』

에서는 관직을 중심으로 서술을 전개한다. 따라서 특정관직에 부임한 인물들의 재직연도를 서술하고 있다. 따라서 특정 인물의 관직 역임에 대한 정보나 특정 관등을 기준으로 재직한 인물에 대한 서술과 같이 다양한 각도의 서술이 이루어지지 못하고 있다. 가장 큰 문제는 동일인물에 대한 식별기호가 존재하지 않는다는 것이다. 특정 인물이 개명을 한 경우 동일 인물인지 식별하는 것이 사실상 불가능하다. 설령 개명을 하지 않은 동일 인물이라도 동명이인의 존재 여부를 확인하기 위한 추가적인 절차가 필요하다.

위의 문제점들은 사실상 종이 매체의 한계 속에서 최대한 정보를 집약하여 전달하기 위하여 부득이하게 취한 것이다. 하지만 종이 매체의 한계가 존재하지 않는 디지털 매체에서는 이제 새로운 방안을 찾아야 한다.

2) 디지털 매체

현재 국내외를 막론하고 엄밀한 의미의 디지털 제도사전은 존재하지 않는다. 다만 디지털 인물 사전을 구축하는 과정에서 부분적으로 제도 정보를 구축하고 있을 뿐이다. 이에 본 연구에서는 주요 디지털

---

15) 예를 들어서 한성사범학교의 봉급 제도는 1895년 4월 16일에 반포하고 1895년 4월 19일에 반포하여 1895년 5월 1일에 시행한 한성사범학교직원관등봉급령(漢城師範學校職員官等俸給令)에 의거하여 학교장, 교관, 부교관, 교원, 서기의 관직과 관등에 따른 연봉을 정의하였다. 그런데 1895년 7월 19일에 반포하고, 1895년 7월 22일에 공포하고 1895년 8월 1일에 시행한 한성사범학교교원(漢城師範學校敎員)의 관등봉급(官等俸給)에 관한 건에 의해서 교원의 봉급의 기본 단위가 월급으로 변경된다. 또한 관직과 관등뿐만이 아니라, 관봉을 도입하여 관직-관등-관봉이 상호 연계되어 봉급이 책정된다. 그런데 이러한 세부적인 변화 양상 모두를 종이매체의 제약상 사전에서는 직접적으로 서술하지는 못한다. 따라서 연구자가 직접 사료를 찾아서 비교하거나, 과거의 연구 성과를 별도로 찾아야 한다.

사전과 디지털 아카이브의 제도 정보 구현 방식을 살펴보고 각각의 장단점을 분석하도록 한다.

(1) 디지털 사전

가) 한국역대인물종합정보시스템

한국역대인물종합정보시스템(Korean Historic Figures Database of the Academy of Korean Studies)[16)]은 2005년부터 한국학중앙연구원에서 『한국인물대사전』과 기존에 한국학중앙연구원 자체적으로 제작한 방목데이터를 수정·보완하여 13만 8천여 명의 인물 및 『민족문화대백과사전』의 인물을 포함하여 XML을 기반으로 구축한 한국의 역사 인물에 대한 데이터베이스이다.[17)]

한국역대인물종합정보시스템의 데이터 스키마는 기본적으로 시험정보와 인물정보로 나뉘어 있다. 인물정보는 인명정보, 생·졸년정보, 관력정보, 지리정보, 친족정보로 이루어져 있다. 인명정보는 성, 성

---

16) 한국역대인물종합정보시스템, 한국학중앙연구원, https://people.aks.ac.kr/

17) 한국역대인물종합정보시스템은 와그너 교수로부터 시작되었다. 와그너 교수는 1967년부터 하버드 대학교 옌칭 연구소의 지원 아래, 한국인 동료인 송준호 교수와 함께 문과방목을 디지털 데이터로 편찬하는 문과방목 프로젝트를 시작했다. 문과방목 프로젝트에서는 조선 시대의 14,600명의 문과 합격자와 그의 가까운 친족(부, 조, 외조, 장인)에 관한 데이터(본관, 성씨, 관직, 거주지 등)를 컴퓨터에 입력하고 이를 종합적으로 분석하였다. 프로젝트 초장기에는 직접적인 한자 입력이 힘들었기에 알파벳과 숫자를 조합하여 만든 중국의 전신부호체계를 이용하여 한자를 입력하였다. 1990년대에 들어서서는 기존 영문과 숫자 조합의 데이터를 일괄적으로 한자로 변환한 데이터를 구축하고, 2001년에는 더 나아가 CD-ROM을 제작하였다. 와그너 교수는 1982년 한국학중앙연구원의 국제학술대회에 참가하여 문과방목 프로젝트에 대해서 소개하였다. 와그너 교수의 연구에 자극을 받은 한국학중앙연구원의 이성무 교수는 제자들로 하여금 자체적으로 문과방목뿐만이 아니라, 사마방목, 잡과방목을 디지털 데이터로 구축하여 연구를 진행하도록 하였다. 그 결과물은 한국역대인물종합정보시스템의 토대가 되었다. 다만 와그너 교수의 문과방목 데이터는 CD-ROM 간행의 지연과 데이터상의 몇몇 고증 문제로 인하여 한국역대인물종합정보시스템에는 사용되지 않았다.

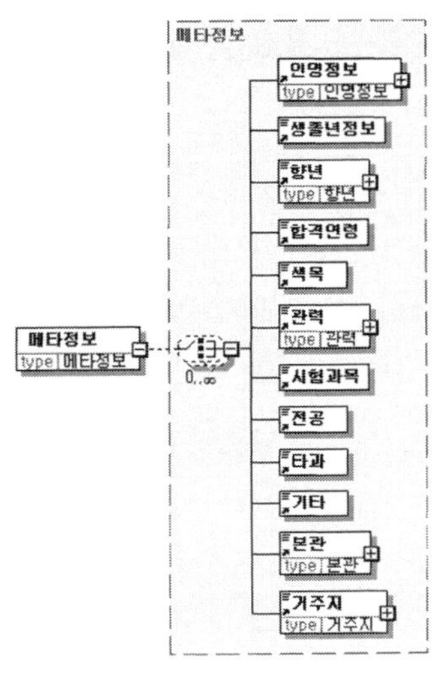

그림 3-1. 한국역대인물종합정보시스템(관인) 체계도

명, 본명, 초명, 개명, 일명, 자, 호, 시호, 봉호, 군호, 묘호, 법명, 기타로 속성을 분류하였다. 생·졸년정보는 생년, 연호, 세기, 졸년으로 하위 엘리먼트를 구성하였다. 관력정보는 전력, 증직, 품계, 관서, 관직, 직력, 봉호, 과거, 타과로 세부 정보를 나누었다. 지리정보는 본관과 거주지 정보를 기술하였다. 친족정보는 방목자료의 특성상 부계자료를 중심으로 속성을 분류하였다.

특히 주목할 부분은 개별 인물에 대한 고유의 식별자에 대해서 UCI(Universal Content Identifier, 국가표준 디지털콘텐츠 식별체계)를 부여하였다는 점이다. 이를 통하여 동명이인, 이명동인에 대한 디지털적인 식별과 처리가 가능하게 되었다.

다만 한국역대인물종합정보시스템은 본질적으로 원문 자료의 디지털화에 초점을 맞추고 있다. 다시 말해서 인물 데이터베이스 구축을 위한 프로젝트가 아니라, 인물 정보를 내포하고 있는 원본 자료를 디지털화한 결과로 인물 데이터베이스의 역할을 어느 정도 수행할 수 있었다는 것에 비교적 가깝다. 그렇기 때문에 방목 정보, 관인 정보, 인물 사전 및 연계된 민족문화대백과사전의 데이터 스키마 간의 간극이 존재한다.

나) 한국근현대인물자료

한국근현대인물자료는 국사편찬위원회에서 한국 근현대에 활동한 인물을 대상으로 35종의 인물 자료를 출처로 하여[18] 46,627명의 인

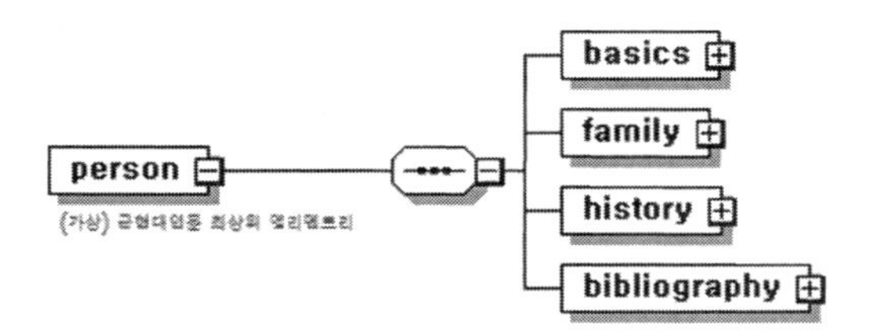

그림 3-2. 한국근현대인물자료 인물 정보 체계도

물 정보를 디지털화한 자료이다. 한국근현대인물자료는 XML 언어를 기반으로 토대 데이터를 구축하였다.

데이터 스키마는 기본정보(이름, 민족구분, 생년월일, 출신지, 현주소), 가족관계(부모, 배우자, 자녀, 선조), 이력(직업, 학력, 경력 및 활동, 종교, 재산, 인물평, 외모, 친구), 참고문헌으로 구성되어 있다.

한국근현대인물자료는 한국 근현대에 활동한 인물이 출현하는 다양한 자료를 통합하여 서비스하고 있기에 사용자들이 대상 시기를 탐구할 때 토대 자료로 유용하게 사용된다. 무엇보다 대상 자료의 출처를 명확하게 표시해 주고 있기에 학술적인 엄밀성의 수요까지 충족하고 있다.

다만 각각의 인물에 대한 고유식별값이 부여되어 있지 않기에 동명

---

18) 〈朝鮮紳士大同譜〉, 〈朝鮮在住內地人 實業家人名辭典 第1編〉, 〈朝鮮紳士寶鑑〉, 〈人物評論眞物歟贋物歟〉, 〈在朝鮮內地人 紳士名鑑〉, 〈京城府町內之人物と事業案內〉, 〈京城市民名鑑〉, 〈大陸自由評論 事業人物號 第8〉, 〈忠北產業誌〉, 〈半島官財人物評論〉, 〈咸鏡南道 事業と人物名鑑〉, 〈全鮮府邑會議員銘鑑〉, 〈朝鮮と三州人〉, 〈國外ニ於ケル容疑朝鮮人名簿〉, 〈始政廿五年紀念 躍進之朝鮮 附 財界人物傳〉, 〈朝鮮功勞者銘鑑〉, 〈朝鮮人事興信錄〉, 〈朝鮮總督府施政二十五周年記念表彰者名鑑〉, 〈大京城公職者名鑑〉, 〈朝鮮의 人物과 事業-湖南編(第1輯)〉, 〈新興之北鮮史〉, 〈事業と鄕人 第1輯〉, 〈(皇紀二千六百年記念)咸南名鑑〉, 〈昭和思想統制史資料〉, 〈朝鮮年鑑(1947年版)〉, 〈朝鮮年鑑 (1948年版)〉, 〈大韓民國人事錄〉, 〈大韓年監(4288年版)〉, 〈大韓民國建國十年誌〉, 〈大韓民國行政幹部全貌(4293年版)〉, 〈(寫眞으로 본)國會20年 -附錄- 歷代國會議員略歷〉, 〈大韓民國人物聯鑑〉, 〈大韓帝國官員履歷書〉, 〈歷代國會議員總覽〉, 〈倭政時代人物史料〉

이인, 이명동인에 대한 식별 및 처리가 사실상 불가능하다.[19] 무엇보다 웹서비스만을 염두에 두고 데이터를 설계하여, 비록 XML로 만들어졌으나 실질적으로는 기계적인 정보 처리가 힘들다.

표 3-1. 기우황(奇宇晃), 한국근현대인물자료, 국사편찬위원회

```
〈careerList〉
〈career no="1"〉
〈p〉
1945년 光州工務出張所長代理, 光州電信電話建設局長, 釜山電信電話建設局長〈br/〉
1955년 서울電信電話建設局長
〈/p〉
〈source〉건국십년, 964〈/source〉
〈/career〉
〈career no="2"〉
〈p〉
해방전 電氣通信主任技術者(無線) 합격〈br/〉
〈index type="단체"〉日本放送協會〈/index〉 技術講習會 수료, 〈index type="단체
"〉日本放送協會〈/index〉 技術研究所 技手〈br/〉
해방후 체신국 光州工務出張所長〈br/〉
1946년 광주전신전화건설국장〈br/〉
1948년 釜山電建局長〈br/〉
1951년 大邱電建局長〈br/〉
1951년 서울전화건설국장(技正)〈br/〉
1956년 체신부 電務局 기계과장〈br/〉
1958년 체신부 電務局 전파관리과장〈br/〉
1956년 미국에서 〈index type="단체"〉ICA〈/index〉修理工場 管理 6개월간 시찰
〈br/〉
1958년 中央電氣試驗所 제3부장(技正)으로 1960년 1월 현재에 이름
〈/p〉
〈source〉행정간부, 305〈/source〉
〈/career〉
〈/careerList〉
```

19) 한국근현대인물자료의 대상이 인물이기에 항목에 대한 고유식별값이 인물에 대한 고유식별값으로 일정 부분 사용 가능하지만, 인물에 대한 관련 인물 정보에서 고유식별값을 사용하지 않기에 사실상 인물에 대한 고유식별값이 없다고 할 수 있다.

위의 내용은 기우황(奇宇晃)[20]의 행적에 대한 XML 원본 내용이다. 웹서비스에서 줄바꾸기(개행) 처리를 하기 위한 HTML 언어인 "〈br/〉"을 사용한 부분만 보아도 기계가독형이 아닌 인간가독형으로 데이터가 구축되어 있다는 것이 명확하다. 비록 전통적인 원본 디지털화 방법론에 따라서 특정 단체에 대해서 태깅을 진행하였지만, 정작 행적 정보에 있어서 가장 중요한 시간값, 대상, 분류에 대한 설계가 이루어져 있지 않다.

A 형

〈career_sub timevalue="1951" timetype="year" targetGroupName="서울전화건설국장" targetGroupId="000001" targetPositionName="技正" TargetPositionId="100002" careertype="재직"〉1951년 서울전화건설국장(技正)〈/career_sub〉

B 형

〈career_sub〉〈time〉1951년〈time〉〈targetGroupName〉서울전화건설국장〈targetGroupName〉(〈targetPositionName〉技正〈/targetPositionName〉)〈/career_sub〉

기본적으로 A형과 같이 대상 정보에 대한 명확한 기계적 가독이 가능하도록 처리하는 것이 이상적이다. 만약 실무적인 한계로 범위를 축소해야 한다면 B형으로 최소한의 모든 유의미한 내용에 대한 식별을 진행하여야 한다.

다) 직원록 자료

직원록 자료는 국사편찬위원회에서 1908년판 『대한제국 직원록』, 1910년부터 1943년까지의 『조선총독부 직원록』, 1952년판 『대한민국

20) 기우황(奇宇晃), im_101_20490, 한국근현대인물자료, 국사편찬위원회.

직원

논리 이름	데이터 타입	널 허용	주석
LEVEL_ID	int	N·N	직원ID
SUBJECT_CODE	nvarchar	N·N	기관ID
MAIN_TITLE	nvarchar	N·N	직원명
SERIES_TITLE	nvarchar	N·N	직원록명
PARENT_ID	int	N·N	페이지번호
SEQUENCE	int	N·N	페이지번호_세부
PERIOD	date	N·N	조사연도
POSITION	nvarchar	N·N	관직
OFFICIAL_RANK	nvarchar	NULL	관등
MERITS	nvarchar	NULL	공훈

기관

논리 이름	데이터 타입	널 허용	주석
SUBJECT_CODE	nvarchar	N·N	기관ID
SUBJECT_CLASS	nvarchar	NULL	기관명

그림 3-3. 직원록 자료 ERD

직원록』을 디지털화한 것이다. 데이터 스키마는 조사시기, 소속[21], 관직, 관등, 공훈, 이름, 참고사항[22]으로 구성되어 있다.[23]

직원록 자료는 대한제국, 조선총독부, 대한민국으로 이어지는 시대의 공공기관 직원들의 명단인 직원록 자료를 디지털화함으로써 사용자들이 손쉽게 해당 시기의 공공기관 소속 직원들을 파악할 수 있도록 하였다.

다만 각각의 인물에 대한 고유식별값이 부여되어 있지 않기에 동명이인, 이명동인에 대한 식별 및 처리가 사실상 불가능하다. 무엇보다 웹서비스만을 염두에 두고 데이터를 설계하여, 비록 RDB로 만들어졌으나 실질적으로는 기계적인 정보 처리가 힘들다.

---

21) 본 DB의 소속 정보는 조사 시기의 제도조직에 의거하여 입력했다.

22) 겸직사항 등은 기본 스키마에 포함되어 있지 않은 사항이다. 주의해야 될 점은 작성원칙에 혼동이 존재한다는 점이다. "교유(敎諭)"이면서 "학교장"인 경우, 일반적으로는 관직에 "교유(敎諭)"가 기입되고, 참고사항에 "학교장"이 기입된다. 그러나 때로는 반대의 경우도 발생한다.

23) 직원록 자료는 공공데이터포털을 통하여 단일 CSV 파일로 제공 받았다. 이에 데이터베이스 구조는 제공 받은 데이터를 토대로 원래의 모습을 추정하여 구성하였다. 따라서 본고의 데이터베이스 구조는 원데이터베이스 구조와 상이할 수 있다.

표 3-2. 직원록 자료 실제 데이터 샘플

LEVEL_ID	MAIN_TITLE	SERIES_TITLE	PERIOD	POSITION	OFFICIAL_RANK	MERITS	SUBJECT_CLASS
jw_1935_5995_0010	伊東良夫	조선총독부및소속관서직원록 1935년도	1935	教諭	7등6급	NULL	지방관서〉함경북도〉공립학교〉나남중학교
jw_1935_5995_0020	須崎正義	조선총독부및소속관서직원록 1935년도	1935	教諭	7	NULL	지방관서〉함경북도〉공립학교〉나남중학교
jw_1935_5995_0060	泉政次郎	조선총독부및소속관서직원록 1935년도	1935	教諭	3등5급	NULL	지방관서〉함경북도〉공립학교〉나남중학교

최초 RDB 설계에서 OFFICIAL_RANK 정보를 하나의 컬럼으로만 설정하였다. 그 결과 "7등6급"의 서로 다른 의미를 갖는 직급 정보들이 동일 컬럼상에 병기되어 출현하였고, "(월수당75)"의 직봉 정보도 동일 컬럼에 출현하고 있다. 당시 제도의 변화에 따라서 변화되는 직원록 포함 정보는 기본적으로 RDB보다는 XML을 토대로 구축되는 것이 보다 합당할 것으로 판단된다.

라) 韓國史上의 官職 官人 DB구축과 官僚制 운영시스템 연구

"韓國史上의 官職 官人 DB구축과 官僚制 운영시스템 연구 - 고조선에서 대한제국까지-"[24]는 정만교가 한국 역사상 관인 명단의 DB 구축을 목표로 하여 2005년 9월부터 2008년 8월까지 수행한 한국연구재단 지원 연구 사업이다. 『삼국사기』, 『고려사』, 『조선왕조실록』을 주 대상 사료로 하고, 『삼국유사』, 『고려사절요』, 『승정원일기』 및 각

24) 정만조·장일규·김두진·지두환·박종기·이선희·이근호·홍영의·이창걸·문창로, 「韓國史上의 官職 官人 DB구축과 官僚制 운영시스템 연구 - 고조선에서 대한제국까지-」, 기초학문자료센터, 2005.

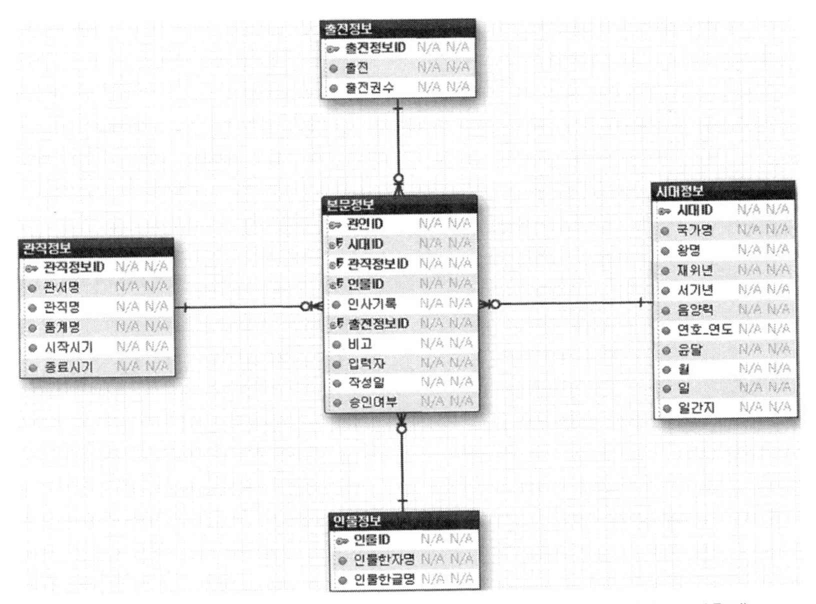

그림 3-4. 韓國史上의 官職 官人 DB구축과 官僚制 운영시스템 데이터 구조(추정)

인물의 문집, 금석문, 관안(官案) 등을 보조 자료로 활용하여 DB를 구축하였다. 그 결과 관인(官人)의 경우 총 63,700명으로, 고대 1,316명, 고려시대 10,484명, 조선시대 51,900명이다. 등록된 관직 정보 수는 총 18,784건으로 고대 1,298건, 고려시대 8,450건, 조선시대 8,951건이다. 각 시대별 출전은 총 132건으로, 고대 12건, 고려시대 15건, 조선시대 105건이다. 이를 바탕으로 삼국시대가 2,982건, 고려시대가 42,494건, 조선시대가 14,040,105건으로 총 14,085,581건의 관직 인사 데이터를 축적하였다.

"韓國史上의 官職 官人 DB구축과 官僚制 운영시스템 연구"는 방대한 인사기록을 입력함으로써, 종래의 불완전한 인물 정보를 보완하고, 추상적인 법제로만 이해되던 인사 제도를 구체적인 자료를 바탕으로 연구할 수 있는 토대를 제공하였다.

다만 해당 데이터는 다른 연구자들에게 비공개되어 다른 연구자에 의한 확장된 연구에 활용되지 못하였다. 그 결과 한국사의 인사제도에 대한 구체적인 방법론 연구를 위한 토대자료가 "韓國史上의 官職官人 DB구축과 官僚制 운영시스템 연구"에 참가한 연구진에게만 독점적으로 귀속되어 제도사 연구의 활성화에 제한적으로만 기여하였다. 또한 구체적인 데이터 설계에서 인사기록을 임명, 재직, 면직, 기타로만 분류하여 구체적인 임명 용어에 대해서 분석하는 것이 제한되었다. 또한 조직 간의 상하위 관계, 승계 및 주소지 정보나 각 직관의 겸직, 직급, 직봉 정보 등 구체적인 제도에 대한 서술은 생략되어 있다.

마) 조선왕조실록 인물부가정보

조선왕조실록 인물부가정보는 국사편찬위원회에서 조선왕조실록에 등장하는 인물 정보 115,871명과 관직재직 정보 336,268건을 대상으로 구축한 데이터이다. 인물 정보는 조선왕조실록에 등장하는 거의 모든 인물의 본명 및 이칭 정보 등으로 구성했다. 관직재직 정보는 현직, 전직1, 전직2(사망상태), 증직으로 구분하여 입력하였다.

조선왕조실록 인물부가정보는 각각의 인물을 식별하고, 식별된 인물에 대한 한국학중앙연구원의 인물 UCI가 있을 경우 UCI 정보를 기술하였다.[25] 이에 따라서 대상 인물에 대한 확장적인 정보를 제공할 수 있는 토대를 만들었다. 다만 관직 기술에 있어서 "형조 참판(刑曹參判)", "사헌부 대사헌(司憲府大司憲)", "대사헌(大司憲)" 등 『조선왕조실록』에 등장하는 관직명에만 한정하여 입력하였다. 조직명과 관직명을

---

25) 다만 전체 115,872명의 인물 중에서 7,815명만이 한국학중앙연구원 인물 UCI가 기술되어 있고, 나머지 108,057명은 UCI가 기술되어 있지 않다.

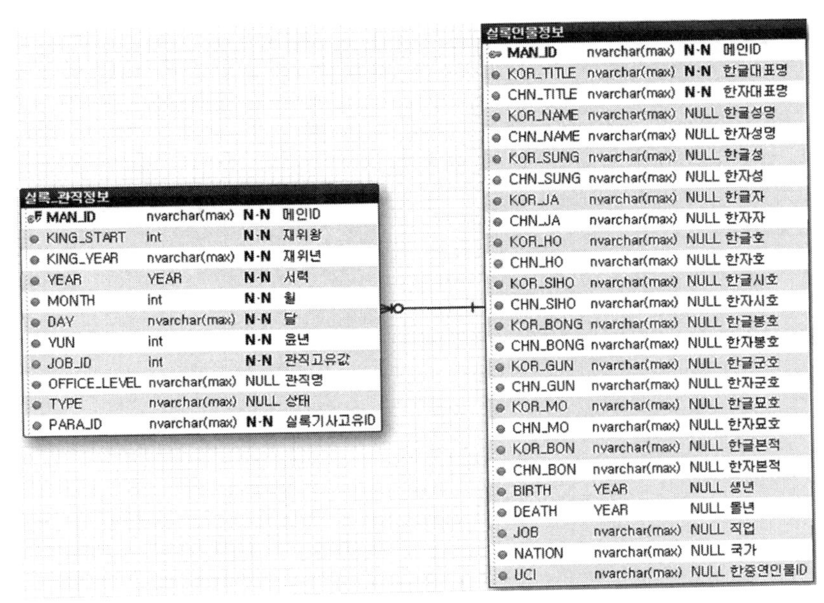

그림 3-5. 조선왕조실록 인물부가정보 ERD

혼용하여 입력하였고, 때로는 조직명을 생략하기도 하며, 한글과 한자를 동일 컬럼 속에서 "( )"로만 분리하고 있어서 데이터의 엄밀성 측면에서 아쉬운 면이 있다.

바) 중국역대인물전기자료 데이터베이스(CBDB)

중국역대인물전기자료 데이터베이스(China Biographical Database (CBDB), 中國歷代人物傳記資料庫)[26]는 미국 하버드 페어뱅크 중국학 연구센터와 타이완 중앙연구원 역사언어연구소 및 중국 북경대학교 중국고대사연구센터가 공동으로 편찬하고 있는 인문학 데이터베이스이다.

---

26) CBDB, Harvard University, http://projects.iq.harvard.edu/cbdb

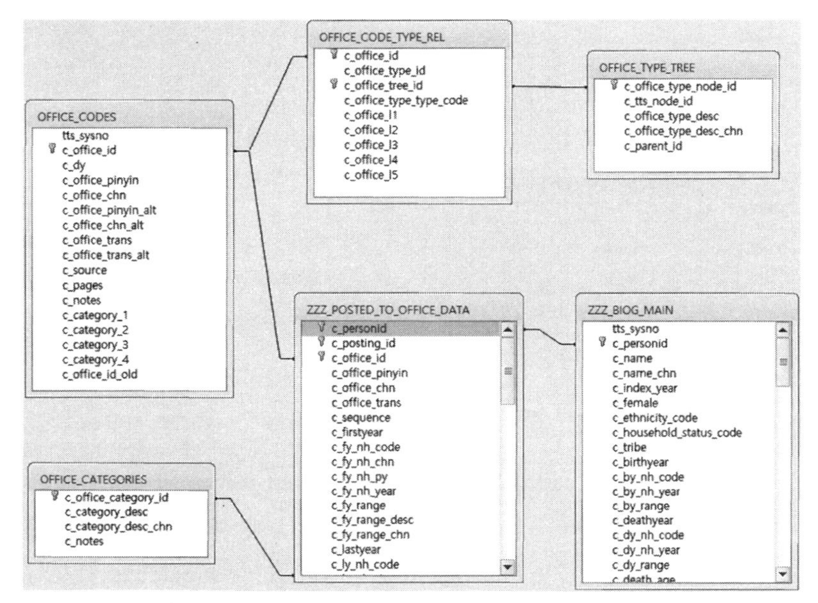

그림 3-6. 중국역대인물전기자료 데이터베이스 중 제도 관련 ERD

7세기~12세기에 중국에서 활동한 인물 360,000명의 생몰년, 출신지, 저작정보 및 관직정보 등을 기본으로 하고, 친인척 관계, 학문 관계, 정치 관계, 군사 관계 등 500여 종으로 세분화된 인물과 인물 사이의 연관 관계에 대해서 기술하였다.

CBDB에서 관직명에는 28,624건을 등록하였고, 영어명, 한문명, 인명, 관직 이칭명, 관직 분류 등의 정보를 입력하였다. 조직에는 1,623건을 등록하였고, 조직 간의 상하위 관계를 설정하였다. 그 뒤에 관직명과 조직을 연결하여 33,018건의 관직의 소속기관 정보를 기술하였다.

CBDB는 인물을 중심으로 한 데이터베이스의 표지석으로 한 인물에 대한 다양한 정보를 제공하고 있다. 임명 방식에 대해서도 90종의

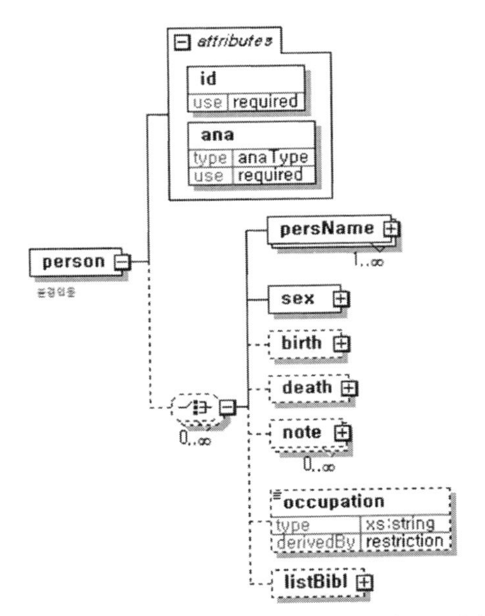

그림 3-7. 불교규범자료 데이터베이스 인물 정보 스키마

상이한 임명 방식에 대한 정보를 제공하고 있으며,[27] 임명 이후의 실제 부임에 대해서도 구체적으로 분류하여[28] 서술하고 있다. 또한 관직의 종류에 대해서도 15종의 분류[29]를 제공하고 있다. 그러나 제도의 부분에서는 비록 조직 간의 상하위 관계를 표시하고 있지만, 상하

27) 正授, 權, 行, 守, 試, 權發遣, 借, 假, 添差, 添差不釐務, 添差仍釐務, 視, 攝, 封, 贈, 累贈, 卒贈, 檢校, 入內, 追封, 追贈, 卒封, 累封, 襲封, 署, 判, 簽書, 權管勾, 致仕, 兼, 恩例, 進階, 表, 蔭襲, 任, 誥贈, 誥封, 授, 充, 遙授, 賜, 改, 特進, 進階, 陞, 追, 援例, 敕封, 贈署, 進, 加, 勅贈, 例授, 選, 調, 降, 補, 差, 歷, 歷陞, 復補, 復除, 謫, 轉, 復稱, 復改, 復, 改補, 起, 調繁, 擬授, 左遷, 超陞, 降陞, 蔭, 復原, 復調, 補陞, 除, 遷, 調補, 降除, 暫擬, 暫, 降補, 考選, 擬, 歷任, 復起, 候選.

28) 赴任, 辭不就, 未赴任而卒, 未赴任而改命, 未赴任.

29) 未詳, 階官, 差遣, 憲官, 勳, 檢校官, 職事官, 散官, 試秩, 爵, 本官, 寄祿官, 祠祿官, 帖職, 兼職差遣.

위 관계 이외의 승계 관계 및 직관에 대한 직급, 직봉 정보는 생략되어 있다.

사) 불교규범자료 데이터베이스(DDBC)

불교규범자료 데이터베이스(佛學規範資料庫, Buddhist Authority Database Project)[30]는 법고불교학원(法鼓佛教學院)에서 제공하고 있는 불교자료를 중심으로 하는 시간과 공간 및 인물의 기초적인 데이터베이스이다. 시간자료 데이터베이스는 진시황(BC 221년 11월 16일)부터 청말(AD 1912년 1월 18일) 사이의 서력과 한중일의 국명, 왕력 및 간지력을 제공하고 있다. 공간자료 데이터베이스는 중국역대 행정지명을 참고하여 22개의 유형으로 총 46,368개의 지명 데이터를 제공하고 있다. 인명자료 데이터베이스에는 불경 관련 인명이 42개의 유형으로 분류되어 제공되고 있는 총 156,841명의 인명 데이터가 담겨 있다.

불교규범자료 데이터베이스에서 주목할 점은 구체적인 관련 자료 연계 타입을 제시하고, 모든 개별 데이터에 대한 출처 정보를 명기하고 있다는 점이다. 대상 인물과 관련된 자료를 단순 나열식으로 제시하는 것이 아니라, 대상 자료가 어떤 의미가 있는지를 표기해 주고 있다. 현재 불교규범자료 데이터베이스에서 제공하는 연결 타입은 다음과 같다.

---

30) 불경규범데이터베이스(佛學規範資料庫, Buddhist Studies Authority Database Project), 법고불교학원, http://authority.dila.edu.tw

표 3-3. 불교규범자료 데이터베이스 연결 타입

birthDeathDateQuote: 생몰년일자 인용
concise: 요약문
disambiguation: 명확화(식별값)
extensive: 상세 서술문
mentionedIn: 언급처
placeOfBurial: 매장지
placeOfOrigin: 출신지
secondaryLit: 관련 연구
worksBy: 창작품

다만 세부 데이터 내역에서 여전히 완전한 기계가독형 설계에서 어긋나는 부분이 발견된다.

표 3-4. 상사(上思), 불교규범자료 데이터베이스

```
<note type="mentionedIn">
  《五燈全書》卷 103(遺失)
  《宗統編年》卷 32(遺失)
  《雨山和尚語錄》卷 20 〈揚州天寧雨山思和尚塔銘〉(遺失)
</note>
```

위의 내용은 A000046의 “상사(上思)”를 언급한 문헌에 대한 정보이다. 언급된 문헌들이 따로 분리되지 못하고 나열식으로 서술되어 있다. 이 경우 컴퓨터가 대상의 문헌명칭, 문헌번호유형, 문헌번호, 현재보존현황의 정보를 식별하는 것이 제한된다.

표 3-5. 상사(上思) 수정 예시

〈note type="mentionedIn" bookName="五燈全書" bookNumberType="卷" bookNumber="103" bookCurrent="遺失"/〉
〈note type="mentionedIn" bookName="宗統編年" bookNumberType="卷" bookNumber="32" bookCurrent="遺失"/〉
〈note type="mentionedIn" bookName="雨山和尚語錄" bookNumberType="卷" bookNumber="20" bookSubTitle="揚州天寧雨山思和尚塔銘" bookCurrent="遺失" /〉

완전한 기계 식별을 위한 데이터가 되기 위해서는 위와 같이 대상 정보를 세분화하여 분류하여야 한다.

아) 디지털 아카이브

한국의 디지털 아카이브는 1995년의 『CD-ROM 국역 朝鮮王朝實錄』을 기점으로 본격적으로 시작되었다. 『CD-ROM 국역 朝鮮王朝實錄』은 세종대왕기념사업회와 민족문화추진회에서 국역한 『朝鮮王朝實錄』을 서울시스템에서 CD-ROM으로 개발한 것으로, 전체 413책에 글자 수는 기사제목을 제외하고 약 2억 1천 만 자에 달하는 방대한 데이터베이스이다.

『원전 朝鮮王朝實錄』은 태조 즉위년(1392)부터 철종 14년(1863)까지 25대 472년 간의 조선 시대 정치·경제·사회·문화·천문·지리·교린(交隣) 등이 수록된 조선 시대 정사(正史)이다. 『원전 朝鮮王朝實錄』은 국사편찬위원회가 표점 작업을 진행하고, (주)서울시스템이 전산화를 담당하여 2002년에 『표점·교감 朝鮮王朝實錄』 CD-ROM으로 간행되었다. 이후 서울시스템에 의해 "korea5000"이란 이름으로 웹DB로 개발되어 유료로 서비스되다가, 2005년 복권기금의 지원을 받은 "조선왕조실록 대국민 온라인 서비스 사업"의 결과로 기존 조선왕조

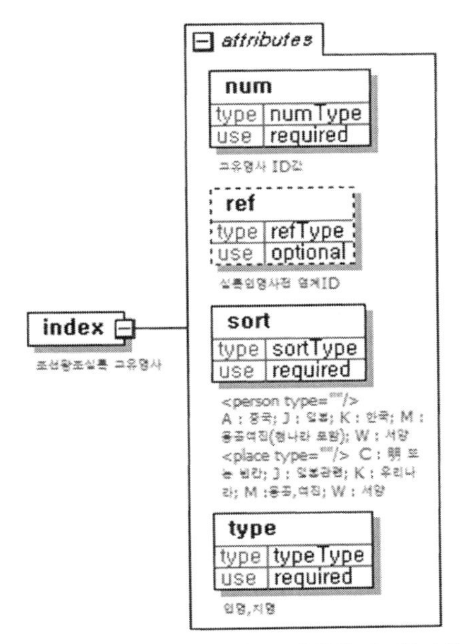

그림 3-8. 디지털 조선왕조실록 고유명사 마크업 스키마

실록 데이터를 통합하여 웹을 통해서 무료로 서비스되고 있다.[31] 『디지털 朝鮮王朝實錄』은 현재 한국의 디지털 아카이브 스키마의 기본형이다. 이후에 이루어진 『디지털 承政院日記』[32]나 『디지털 韓國文集叢刊』[33]의 데이터 스키마는 기본적으로는 『디지털 朝鮮王朝實錄』

31) 조선왕조실록DB, 국사편찬위원회, http://sillok.history.go.kr

32) 『원전 승정원일기』는 조선 시대 왕명 출납 업무를 담당하던 승정원에서 일기 형식으로 기록한 문헌이다. 현재에는 1623년(인조 1)부터 1910년(융희 4)까지의 3,243책이 남아 있다. 『승정원일기』 정보화사업은 현재 3개 기관에 의해 추진되고 있다. 『승정원일기』 원전 텍스트의 전산화는 2001년 국사편찬위원회에 의해 시작된 이래 2010년까지 계속되고 있다. 『승정원일기』 초서 원본 이미지는 규장각에서 디지털화하여 전체 이미지를 서비스하고 있다. 『승정원일기』 국역 작업은 한국고전번역원(민족문화추진회)에 의해 현재까지 진행되고 있으며 국역 텍스트의 전산화 작업도 한국고전번역원에서 진행하고 있다.

의 데이터 스키마와 큰 차이가 없다.

『디지털 朝鮮王朝實錄』에는 인명, 지명, 서명, 연호의 역사 기록 키워드에 대한 마크업이 되어 있다.[34] 이러한 고유명사에 대한 마크업은 초기 조선왕조실록 CD-ROM 구축 당시 중국 이십오사(二十五史)의 표점규칙을 준용한 한문 원전 조선왕조실록의 문장부호와 교감기호를 최대한 디지털로 이식한 것이다. 고유명사에 대한 기존의 표기 방식인 점선 밑줄, 실선 밑줄, 물결선 밑줄을 디지털로 옮긴 것이다. 김현은 점선 밑줄이 그어진 인명을 위주로 하는 자, 호, 시호, 봉작, 능호 등을 "〈u type=1〉해당어〈/u〉"로 마크업하였다.[35] 실선 밑줄은 고유명사를 표기하는 부호로 이와 함께 표시된 국명, 지명, 건물명, 교각명, 절, 창고, 전문, 부족, 연호 등을 "〈u type=2〉해당어〈/u〉" 형식으로 마크업하였다. 물결선 밑줄이 그어진 서명, 편명, 곡명 등은 "〈u type=3〉해당어〈/u〉" 형식으로 마크업하였다.[36]

---

33) 『한국문집총간』은 우리나라 대표적인 역대 문집 663종의 영인 출판물로 민족문화추진회에서 1988년부터 2005년까지 총 350책으로 간행하였다. 『한국문집총간』의 정보화는 2000년 지식정보자원관리사업을 통해 동기관에서 추진하고 있으며 2010년부터는 350책 전체가 전산화되어 서비스되고 있다.

34) 1995년 최초로 CD-ROM으로 간행될 당시에는 SGML 언어로 기술되었다. 차후 XML 언어로 변환되었다. 서비스의 원천데이터는 XML을 RDB에 적재하여 관리한다. 데이터에 대한 수정 및 보완은 XML에서 이루어지고, XML에서 주요 데이터셋을 RDB 형태로 추출하여 효율적인 웹서비스를 제공한다. 『조선왕조실록』에서는 인명 term의 type 속성을 "A"로 지정하였다. 그 이후 해당 인물의 대표명을 r 속성에 기술하였다. a 속성에는 대상 인물의 국적을 표기하고, pid를 통하여 『朝鮮王朝實錄』 내부의 인물 ID 값을 부여하였다. 국적 속성인 a 속성은 한국인명을 K로, 중국인명을 A로, 일본인명을 J로, 만몽여진(청나라 포함)인명은 M으로, 서양인명은 W로 기술하였다. 그 결과 현재 조선왕조실록에서 K는 1,454,237건, A는 72,118건, J는 23,127건, M은 25,999건, W는 722건 출현한 것을 확인하였다.

35) 단, 능호는 지명으로 쓰인 것이 명백할 경우 실선 밑줄 표기를 하였다.

36) 김현, 「〈조선왕조실록〉 전산화(電算化)를 위한 마크업(MarkUp) 규칙」, 『古文研究』, 제9권, 제1호, 1996, 259~260쪽.

이후 김현은 이를 보다 고도화하여 키워드 식별 요소로 인명, 지명, 서명, 연호를 지정하였다. 또한 주석문 표기 요소로 원주, 편찬자주, 교열을 지정하였고, 연관성 표기 요소로 참조, 부출, 시청각을 지정하였다.[37] 마지막으로 시공간 표기 요소로 공간과 시간을 지정하였다. 한국학중앙연구원의 경우, "한국학자료 고유명사 태깅 지침"[38]에 의거하여 인명, 관직명, 나라명, 건물명, 관청명, 지명, 연도, 문헌을 고유명사로 지정하고, 민족문화대백과사전이나 향토문화전자대전 등의 한국학중앙연구원 데이터베이스에서 이에 대한 마크업을 실시하고 있다. 국사편찬위원회가 "한국사데이터베이스 통합 DTD"에 따라, 문중 요소 중에서 키워드 식별 요소로 규정하고 있는 것은 이름, 지명, 관직, 서명, 관서, 단체, 사건, 국명, 연호, 회사, 회사조합, 기타이다. 하지만, 실제적으로 출현하는 것은 이름, 지명, 서명뿐이다.[39] 또한 주석문 처리 요소로 지정되어 있는 것은 교감주, 편자주, 두주, 원주, 탈초주, 난외주, 간주, 각주, 소자쌍행, 번역주, 원저자주, 도말, 낙점, 연문, DB 주석, 악보, 개수전거, 탈자이지만, 실제적으로 출현하는 것은 탈자, 교감주, 연문뿐이다.[40] 한국고전번역원도 천문이나 물명과 같

37) 김현, 「고문헌 자료 XML 전자문서 편찬 기술」, 『고문서연구』, 제29호, 2006, 183~230쪽.

38) 한국학자료 관련 문서 경로, 한국학중앙연구원, http://std.kostma.net/doc/문서경로.htm

39) 정부 3.0에 의거하여, 국사편찬위원회에서 제공한 승정원일기 2015년 12월 11일 데이터를 기준으로, 이름 출현건수는 8,355,228건이고, 지명 출현건수는 1,335,475건이고, 서명은 140,966건이다. 그 외의 키워드 식별 요소는 설계에만 적용되어 있을 뿐, 실제 데이터에는 적용되어 있지 않다.

40) 정부 3.0에 의거, 국사편찬위원회에서 제공한 승정원일기 2015년 12월 11일 데이터를 기준으로, 탈자 출현건수는 83,432건이고, 교감주는 57,903건이고, 연문은 4,857건이다. 그 외의 주석문 처리 요소는 설계상으로만 적용되어 있을 뿐, 실제 데이터에는 적용되어 있지 않다.

은 특별 요소의 실제적인 처리에서는 동일한 현상을 보이고 있다.

각각의 역사 요소의 지정과 활용은 대상 문헌의 특성과 편찬자의 관점 및 프로젝트의 목적 등에 따라 결정된다. 문제는 현실적인 한계로 태깅 요소를 지정하는 편찬자와 역사 요소를 마크업하는 실제 작업자가 일치하지 않으므로 발생한다. 현재 역사 기록 전자문서에 대한 일반적인 처리 프로세스는 텍스트 입력 작업, 텍스트 분석 및 해석 작업, 디지털화의 과정으로 진행되고 있다. 우선 아날로그 혹은 디지털 이미지로 존재하는 대상물을 일반 텍스트(Plain Text)로 옮기는 작업을 수행한다. 일반 텍스트 입력 작업은 석·박사생급의 보조연구원이나 용역 업체를 통하여 처리된다. 그 다음으로 일반 텍스트를 대상으로 대상 텍스트와 프로젝트 수행 목적에 합당한 표점, 주석, 번역 등의 작업을 수행한다. 이는 일반적으로 해당 영역의 박사급 이상의 전문가들에 의해서 수행된다. 그리고 최종적으로 표점, 주석, 번역 등이 수행된 텍스트를 XML이나 RDB 형태로 데이터화하는 작업을 용역 업체를 통하여 수행한다. 문제는 업체에서는 전문가들에 의해서 표시된 내용만을 마크업으로 전환할 수밖에 없다는 점이다.[41] 다시 말해서, 전문가들이 기존의 방식으로 인명, 지명에 대해서 "밑줄" 내지는 "진한 글씨"로 표시한 것을 용역 업체에서 "〈인명〉대상〈/인명〉"의 XML 형식으로 전환할 뿐이다. 비록 대상의 범위와 방식이 조금씩 발달하였지만, 기본적으로는 종이매체의 표기 방법의 변주에 가깝다고 볼 수 있으며, 불완전한 기계가독형 마크업이라고 할 수 있다.

따라서 이에 대한 대안으로 MARKUS를 살펴볼 필요가 있다. MARKUS[42]는 네덜란드 라이덴 대학교(Leiden University)에서 하버

41) 심지어 전문가들에 의한 태깅 대상 처리조차 되지 않고, 용역업체에서 모집한 범인문계 단기 아르바이트생들에 의해서 태깅 대상이 선별되어 처리되는 경우도 비일비재하다.

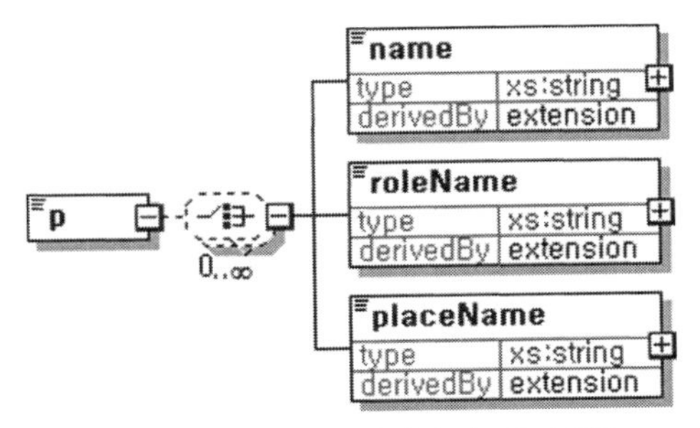

그림 3-9. MARKUS 고유명사 마크업 스키마

드 대학교가 주축이 되어 구축한 CBDB와 CHGIS(China Historical GIS, 中國歷史地理信息系統, 중국역사GIS)[43]를 토대로 역사 기록의 역사 요소를 자동으로 마크업해 주는 서비스이다.

기존에 구축되어 있는 CBDB나 CHGIS 등의 키워드 데이터를 활용하여 인명, 시간, 지명, 관명을 최대한 자동으로 식별하고 관련 정보를 연구자들에게 제공함으로써 보다 정확한 내용의 마크업을 구현하였다. 무엇보다 TEI 데이터 스키마를 활용하여 “〈name type="person" n="fullName" key="70440" ref="http://cbdb.fas. harvard.edu/cbdbapi/person.php?id=70440"〉黃福〈/name〉”의 형식으로 키워드 데이터에 식별값을 부여한다. 이에 따라 MARKUS로 만들어지는 원천텍스트는 원천텍스트 내부의 키워드와 키워드 데이터를 연결하는 통로로 작동한다.

현재 “인물”과 “공간”에 대해서 단순히 대상 객체가 인물 혹은 공간이라고 알려줄 뿐, 대상 객체가 “어떤 인물”인지 혹은 “어떤 공간”인지에 대해서는 서술하지 않고 있다. 예를 들어 “〈인물〉이순신〈/인물〉”과 같은 형식으로 문중 요소를 나타내는 경우가 이와 같다. 이는 “이

42) MARKUS, Universiteit Leiden, http://dh.chinese-empires.eu/beta/
43) CHGIS, Harvard University, http://www.fas.harvard.edu/~chgis/

순신"이 인물이라는 정보만을 알려줄 뿐이다. "이순신"이라는 인물이 우리가 잘 아는 "충무공 이순신"인지, 혹은 역사에서 출현하는 다른 이순신인지는 알지 못한다. 또한 설령 위의 "이순신"이 "충무공 이순신"이라고 하더라도, 컴퓨터는 위의 "이순신"과 "충무공"이 동일 인물이라는 것은 식별하지 못한다.

기존 문중 요소의 문제점을 타파하기 위해서는 대상 객체에 대해서 컴퓨터가 명확하게 대상을 식별할 수 있게 해주는 식별자 속성을 추가하여야 한다.

〈인물 ID="P00001"〉이순신〈/인물〉[44]

식별자는 단일 역사 기록 내부에서만 통일하는 것이 아니라, 다른 역사 기록과의 연계를 위하여 한국 역사요소 통합시스템에서 규정한 고윳값을 활용하여야 한다. 이를 통해서 대상 문중 요소를 완전히 식별하고, 서로 다른 역사 기록의 대상 문중 요소들을 상호 연결할 수 있게 된다.

대상에 대한 서로 다른 이해는 현대 인문학의 기본 인식이다. 그런데 현재까지 디지털화된 역사 기록의 경우, 단일 대상에 대해서 오직 단 하나의 관점만을 반영하고 있다.

역사 기록 전자문서의 마크업 대상은 "인물"과 "공간" 및 "서명"뿐이

44) 본 내용은 인물에 대한 예시이다. 가장 좋은 방법은 역사요소에 대한 통합 식별자 관리 시스템이 존재하고, 모든 대상들은 통합 식별자 관리 시스템에서 부여한 식별자를 사용하는 것이다. 그러나 현재로서는 역사요소에 대한 통합적인 식별자 관리 시스템이 현존하고 있지 않다. 현실적으로 단일 시스템 혹은 사업 안에서만이라도 각각의 대상을 식별할 수 있는 각 시스템과 사업에 최적화된 최소한의 식별자 부여 규칙을 마련한다면 추후 통합 식별자 시스템에 적합한 모델로의 변환이 월등히 용이해질 것이다.

다. 한국학중앙연구원, 국사편찬위원회, 고전번역원이 각각 "관직", "연호", "물명" 등의 다양한 문중 요소를 설계상에서 반영하고 있다. 그러나 이러한 문중 요소들은 각각의 기관 내부의 데이터 안에서조차 적용이 불안정하거나, 설사 적용되었다고 하더라도 수많은 오류를 내포하고 있다.[45)]

또한 현재의 문중 요소 표기는 대체적으로 많이 쓰이는 고유명사에 대한 마크업을 다는 수준에 머무르고 있다. "이두"나 "구결" 및 "비문자기호"[46)] 등 연구자들의 다양한 관점이 요구되는 대상에 대한 작업은 사실상 힘든 상황이다. 개별 연구자들에 의해서 수행되는 다양한 관점의 내용을 처음부터 통일하는 것은 불가능한 일이고, 통일되어서도 안 된다. 각각의 편찬자들이 자신의 의도에 최적화된 마크업을 수행하도록 하고, 그 의도를 통합할 수 있는 방법을 모색하여야 한다.

중요한 것은 "누가", "어떤 내용"을, "어떻게" 분리했느냐는 것이다. 이에 따라서 기본 요소(인물, 공간, 사건, 문헌, 시간)를 제외한, 지나치게 과도하게 분해되어서 접근성을 약화시키는 문중 요소들을 "용어"로 통합하고, "용어"의 필수 속성 정보로 대상 편집자와 편집자가 의도한 분류를 표기하도록 하는 방안을 제안한다.

```
〈용어 편집자="김바로" 식별자="T00001" 분류="비문자기호"〉〈/용어〉
```

---

45) 예를 들어서 "반포초등학교"를 단일 데이터 내부에서도 작업자에 따라서 "〈장소〉반포초등학교〈/장소〉" 혹은 "〈기관〉반포초등학교〈/기관〉"으로 각기 다르게 마크업하는 경우가 있다. "경상북도 좌수영"과 같이 지명과 관직을 동시에 내포하고 있는 경우, 편집자에 따라서 "〈지명〉경상북도〈/지명〉 〈관직〉좌수영〈/관직〉"이나, "〈관직〉경상북도 좌수영〈/관직〉" 등으로 마크업이 통일되지 못하는 경우도 있다.

46) 염효원, 「조선시대 고문서 비문자정보(한자)의 분석 및 전자정보화 방법 연구」, 한국학중앙연구원 한국학대학원 석사학위논문, 2016.

편집자는 대상 내용에 대해서 "용어" 마크업을 한 작업자를 의미한다. 식별자는 편집자가 부여한 대상 용어의 고윳값이다. 분류는 편집자가 판단하여 결정한 대상 용어의 분류이다.

용어 마크업은 개별 연구자의 개별 역사 자료에 대한 관점을 손실 없이 비교적 완전한 데이터로 보존할 수 있게 한다. 모든 편집자의 용어도 최대한 통합시스템을 통하여 관리해야 하며, 일정 이상의 활용도를 보이는 용어 혹은 용어 분류는 추후 통합시스템의 "기본 마크업"으로 사용해야 한다.

하지만 위의 방법을 실행하려면 어디까지나 CBDB와 같은 기본적인 역사 요소 데이터베이스가 우선적으로 존재하여야 한다. 무엇보다 여전히 개별적인 키워드로 천착하게 되고, 원본 사료에 포함된 등장인물 간의 관계 정보, 등장인물의 상태 정보, 등장 사건의 관계 정보 등의 문맥 정보에 대한 기술이 빈약해질 수밖에 없는 한계를 지닌다. 그렇기에 인문학 자료에 포함된 정보를 디지털로 이식할 수 있는 본질적인 해결책이 되지 못한다. 따라서 원본 사료에 포함된 문맥 정보를 기계가독형으로 기술할 수 있는 새로운 방법의 모색이 필요하다.

기존 역사 원천 사료 편찬에서는 원문을 최대한 보존하였다. 심지어 원문에서 오탈자가 의심이 되어도 완벽하게 확정할 수 없는 경우에는 주석으로 처리할 뿐 원문 수정은 하지 않았다. 또한 원문의 문맥 정보에서 추가적인 설명이 필요한 경우에도 원문에 보완을 하는 것이 아니라, 어디까지나 주석으로 처리하였을 뿐이다. 이는 원문 사료를 최대한 보존하는 것을 제1원칙으로 삼았기 때문이다. 이는 디지털 아카이브에서도 동일하게 준용되어야 할 원칙이다. 따라서 디지털 아카이브에서의 문맥 정보는 기존의 주석과 같이 원문과는 독립된 공간에서 서술되어야 한다. 다만 디지털에 최적화된 주석 서술의 형식은 컴퓨터를 통한 데이터 처리를 위하여 인간가독형이 아닌 기계가독형의 형태가 되어야 한다. 또한 기계가독형 중에서도 디지털 아카이브의 특성을 반영하여 비정형데이터 처리를 위하여 활용되는 XML과 혼용될 수 있는 형식이어야 한다. 이에 따른 구체적인 디지털 주석 설계는 XML 모델링에서 상세히 다루도록 하겠다.

2. 제도-인사 온톨로지 설계

1) 학술 설계

(1) 일반 설계

학술적인 모든 정보는 정보의 편찬자와 편찬시기 및 정보 판단의 근거가 반드시 필요하다. 그동안의 인문학 데이터베이스는 단일 기관 혹은 단일 인물에 의해서 대상이 이전되었기 때문에 대부분의 경우 독자적인 편찬자와 편찬시기들이 기록되지 않았다. 그러나 처음부터 공유를 염두에 두고 있는 온톨로지는 기본적으로 특정 정보가 누구에 의해서 언제 편찬이 되었는지 명확하게 표기되어야 한다. 또한 기존 사전에서는 참고문헌을 통하여 개괄적으로 정보 판단의 근거를 밝힌 반면에, 정보의 단위를 세분화한 온톨로지에서는 각각의 대상에 대해서 정보의 판단 근거를 밝힘으로써, 보다 정확한 근거를 제시할 수 있는 토대가 마련되었다. 이를 반영하여 모든 정보에는 편찬자, 편찬시기, 출처, 웹리소스의 정보를 필수적으로 오게 하였다.[47]

47) Bibliographic Ontology를 활용하면 보다 고도화된 출처 정보 온톨로지 구축이 가능하다. 다만 출처 정보는 본 연구의 중점 검토 대상이 아니다. 따라서 본 연구에서는 간단하게 "출처"로만 통괄하여 기술하였다.

편찬자는 특정 자료를 토대로 정보를 추출한 사람을 의미한다. 편찬시기는 편찬자가 특정 자료를 토대로 정보를 추출한 시간을 의미한다. 출처는 특정 자료에 대한 서지정보를 의미한다. 웹리소스는 특정 자료가 웹리소스 형태로 있을 경우 이에 대한 주소값을 의미한다.

예를 들어서 광무 10년 칙령 제44호 보통학교령(普通學校令)[48]을 통하여 보통학교에 관한 제도를 파악할 수 있다. 해당 정보를 통해서 일정한 정보를 추출한다면 그에 해당하는 정보를 기입해 줄 필요가 있다. 만약 "김바로"가 보통학교령(普通學校令)을 통하여 보통학교의 편재에 교원(敎員)이 있다는 정보를 추출하였다고 가정하였을 때, 이를 온톨로지로 표현하면 다음과 같다.

> (敎員) hasCompiler (김바로)
> (Thing)은 (편찬자)가 편찬하였다.
> (Thing) hasCompiler (편찬자)
>
> (敎員) hascompiledTime (2017.03.14)
> (Thing)은 (편찬시기)가 있다.
> (Thing) hascompiledTime (편찬시기)

김바로가 참고한 보통학교령의 서지정보는 "칙령제사십사호(勅令第四十四號), 광무십년팔월이십칠일(光武十年八月二十七日), 보통학교령(普通學校令), 구한말 관보, 제삼천오백사십육호(第三千五百四十六號)"이며, 웹리소스는 "http://e-kyujanggak.snu.ac.kr/home/index.do?idx=06&siteCd=KYU&topMenuId=206&targetId=379&gotourl=http://e-kyujanggak.snu.ac.kr/home/GAN/GAN_SEOJILST.jsp?setid=4

48) 勅令第四十四號, 光武十年八月二十七日, 구한말 관보, 第三千五百四十六號.

69377%5eptype=list%5esubtype=02%5elclass=17289%5emclass=0132%5exmlfilename=GK17289_00I0132_0043.xml"이다. 이를 온톨로지로 표현하면 다음과 같다.

(敎員) hasBibo (勅令第四十四號, 光武十年八月二十七日, 普通學校令, 구한말 관보, 第三千五百四十六號)
(Thing)은 (출처)가 있다.
(Thing) hasBibo (출처)

(교원) hasWebResource (http://e-kyujanggak.snu.ac.kr/home/index.do?idx=06&siteCd=KYU&topMenuId=206&targetId=379&gotourl=http://e-kyujanggak.snu.ac.kr/home/GAN/GAN_SEOJILST.jsp?setid=469377%5eptype=list%5esubtype=02%5elclass=17289%5emclass=0132%5exmlfilename=GK17289_00I0132_0043.xml)
(Thing) 은 (웹리소스)가 있다.
(Thing) hasWebResource (웹리소스)

(2) 시공간 설계

가) 시간 설계

시간은 철학적으로 "과거로부터 현재와 미래로 무한히 연속되는 것으로, 곧 사물의 현상이나 운동, 발전의 계기성과 지속성을 규정하는 객관적인 존재 형식"을 의미한다.[49] 시간의 첫 번째 사전적 의미는 "어떤 시각에서 어떤 시각까지의 사이"이고, 두 번째 의미는 시각으로 "시간의 어느 한 지점"을 의미한다.[50] 두 번째 의미는 우리가 일반적으로 사용하는 시간의 의미이다.

그러나 고정적인 시간인 "시간의 어느 한 지점"을 의미하는 것으로

49) 시간04(時間), 표준국어대사전, 국립국어원.
50) 시각03(時刻), 표준국어대사전, 국립국어원.

보이는 "1982년 11월 4일"도 실제로는 범위적인 시간인 "어떤 시각에서 어떤 시각까지의 사이"를 의미하는 "1982년 11월 4일 00시 00분부터 1908년 11월 4일 23시 59분까지"를 내포하고 있다.

논리적으로 모든 시간은 무한대로 나누어질 수 있다. 그러나 인간의 인식에서는 자의적인 기준으로 고정적인 시간과 범위적인 시간을 자연스럽게 분리·결합한다. 이에 따라, 범위적인 시간은 "시작 시간"과 "종료 시간"을 통하여 기술한다. 그리고 고정적인 시간은 하나의 시간으로 표현하고, 실제적인 처리에서는 필요시에 범위적인 시간으로 전환한다.

(Thing) hasTimeValue DATETIME
(Thing)은 (시간값)을 가진다.

나) 공간 설계

공간은 철학적으로 "시간과 함께 세계를 성립시키는 기본 형식"이며, 물리학적으로는 "물질이 존재하고 여러 가지 현상이 일어나는 장소"를 의미한다.[51] 여기서 공간은 현실공간에 존재하는 실제적인 위치를 지칭한다.[52] 본 연구의 범위에서는 위·경도 정보를 필수적인 공간 정보로 하여 추후 지리정보(GIS) 분석이 가능하도록 한다.[53]

51) 공간05(空間), 표준국어대사전, 국립국어원.

52) 본 연구의 주요 대상은 제도이기에 더 이상의 공간에 대한 탐구는 진행하지 않는다. 하지만 공간은 모든 역사에서 기본적인 행위의 장소이기에 지금까지 다양한 온톨로지가 구축되어 있으며, 모든 인문학 온톨로지 설계에서 반드시 고려해야 한다.

53) The WGS84 Geo Positioning Ontology, http://www.w3.org/2003/01/geo/wgs84_pos#

(Thing) hasSpaceValue (SpaceValue)
(Thing)은 (공간값)을 가진다.

(Thing) hasLatitude
(Thing)은 위도를 가진다.

(Thing) hasLongitude
(Thing)은 경도를 가진다.

(3) 추정 설계

추정은 "미루어 생각하여 판정함"을 의미한다.[54] 인문학 연구에서도 다양한 근거를 통하여 특정한 대상에 대해서 미루어 생각하여 판단하는 행위를 수행한다. 그런데 정작 현재까지의 인문학 데이터에서는 명확하게 판단하지 못하는 내용에 대해서 서술 자체를 하지 않는 경우가 많았다. 특히 시간과 공간에 대해서는 추정을 회피하는 경향성이 두드러졌다. 하지만 추정은 비록 현 단계에서는 완전하지 않은 정보이나, 다양한 정보들의 조합을 통하여 검증이 될 수 있는 가능성이 있다. 따라서 여기서는 완전하지는 않지만, 특정한 근거를 가지고 추정을 할 수 있는 내용을 기술하기 위하여 추정 여부와 추정의 범위를 확정하는 설계를 도입한다.

(Thing) hasEestimation (0 | 1)
(Thing)은 (추정 | 확실)한 추정여부값을 가진다.

(Thing) hasEestimationRangeValue INT
(Thing)은 추정범위 값을 가진다.

54) 추정02(推定), 표준국어대사전, 국립국어원.

(Thing) hasEestimationRangeType String
(Thing)은 추정범위분류값을 가진다.

(Thing) hasTimeEestimation (0 | 1)
(Thing)은 (추정 | 확실)한 시간값을 가진다.

(Thing) hasTimeValue DATETIME
(Thing)은 (시간값)을 가진다.

(Thing) hasTimeEestimationRangeValue INT
(Thing)은 (숫잣값)의 시간추정범위 값을 가진다.

(Thing) hasTimeEestimationRangeType (Year | Month | Day)
(Thing)은 (YYear | Month | Day)의 시간추정범위분류값을 가진다.

(Thing) hasSpaceEestimation (0 | 1)
(Thing)은 (추정 | 확실)한 공간값을 가진다.

(Thing) hasSpaceValue (SpaceValue)
(Thing)은 (공간값)을 가진다.

(Thing) hasEestimationRangeValue INT
(Thing)은 (숫잣값)의 추정범위 값을 가진다.

(Thing) hasSpaceEestimationRangeType (km | m)
(Thing)은 (km | m)의 공간추정범위분류값을 가진다.

예를 들어서, 중화군공립소학교(中和郡公立小學校)는 1895년 7월 19일 칙령 제145호 소학교령(小學校令)[55]에 의거하여, 1902년 10월 28일부터 1902년 12월 28일 사이에 개교했을 것으로 추정된다.[56] 하지만

55) 勅令第一百四十五號, 開國五百四年七月十九日, 구한말 관보, 第一百十九號.

56) 구한말 관보, 第二千三百六十九號에 따르면, 1904년 8월 27일 이근식(李根寔)이 중화군공립소학교의 부교원으로 임용되었다. 따라서 중화군공립소학교의 개교일은 임정렴의 임용일 전후로 한 달을 넘지 않을 것으로 추정된다.

중화군공립소학교는 부교원의 임명과 해임을 반복하면서 1904년 8월 27일부터 1905년 2월 27일 사이에 사실상 폐교한 것으로 추정된다.[57] 중화군공립소학교의 위치는 미상이다.[58] 중화군공립소학교에 대한 내용에서 개교일과 폐교일은 명확하지 않다. 다만 교원의 임명과 해임 기록을 토대로 개교일과 폐교일에 대해 추정할 수 있다. 또한 중화군공립소학교의 위치에 대해 명확한 기록이 남아 있지 않으며, 현재 북한의 영역에 있기에 현지조사조차도 불가능하다. 이를 추정 설계를 적용하여 디지털상에 기술하면 다음과 같다.

```
(중화군공립소학교개교) hasTimeValue 1902-11-28
(중화군공립소학교개교) hasTimeEestimation 1
(중화군공립소학교개교) hasTimeEestimationRangeValue 1
(중화군공립소학교개교) hasTimeEestimationRangeType 달

(중화군공립소학교) hasSpaceValue 중화 중심가
(중화군공립소학교) hasLatitude 38.86235
(중화군공립소학교) hasLongitude 125.80182
(중화군공립소학교) hasSpaceEestimation 1
(중화군공립소학교) hasEestimationRangeValue 800
(중화군공립소학교) hasSpaceEestimationRangeType m
```

2) 제도 설계

제도는 관습이나 도덕, 법률에 의거한 규범이나 사회 구조의 체계

---

57) 구한말 관보, 第二千九百十六號이 중화군공립소학교의 부교원에 임명되었다. 그 이후 중화군공립소학교에 관련된 인사기록은 보이지 않는다. 부교원의 임명과 해임 양상을 고려했을 때 중화군공립소학교는 이근식의 임명일로부터 6개월 이내에 폐교했을 것으로 추정된다.

58) 다만 중화군에 위치한 것은 분명하기에 현재의 중화 중심가(38.86235, 125.80182)로부터 800m 이내에 위치했을 것으로 추정된다.

를 뜻한다. 본 연구에서는 법률에 의거한 체계를 중심으로 다루었다. 제도는 조직, 제도, 인물, 사건으로 구성되는 유기적인 구성체이기 때문에, 제도에 대해서 명확하게 파악하기 위해서는 해당 제도와 관계된 인물과 사건에 대한 정보에 대해서도 명확하게 파악해야 한다.

(제도) hasPart (조직, 제도, 인물)

(1) 조직

조직은 특정한 목적을 달성하기 위하여 여러 개체나 요소를 모아서 체계를 이룬 사람들의 집단[59]이다. 본 연구의 범위에서는 조직에 해당하는 구한말 근대 일반 관공립학교 274건을 중심으로 연구를 수행한다.

조직 간의 관계에는 그 기능과 권한이 이동하는 개명, 개편, 합병 등의 "조직이동 관계", 그 기능과 권한에 따라서 포함되거나 피포함되는 "상하위 관계"가 존재한다. 또한 기능과 권한을 통하여 상호 연계된 "기능연계 관계"가 존재한다.[60] 이에 대해 세부적으로 살펴보면 다음과 같다.

조직은 이칭을 가진다. 비록 관보에서는 비교적 통일적인 명칭을 사용하지만, 동일 시기에 동일 조직에 대해서 서로 다른 조직명을 사용하기도 한다. 예를 들어서 창원부공립소학교(昌原府公立小學校)는 동일 시기에 창원항공립소학교(昌原港公立小學校)와 혼용되어 사용되었다.

59) 조직(組織)2, 표준국어대사전, 국립국어원.

60) 기능연계 관계는 직무에 따라 판단하여야 하는데, 본 연구에서는 근대 학교를 대상으로만 하였기에 유의미한 기능연계 관계가 존재하지 않는다. 이에 따라서 본 연구에서는 조직이동 관계와 상하위 관계만을 탐구하도록 한다.

또한 조직은 조직을 포함한다. 관립한성사범학교(官立漢城師範學校)는 관립한성사범학교부속보통학교(官立漢城師範學校附屬普通學校)를 포함하고 있다. 반대로 조직은 조직에 포함된다. 관립한성사범학교부속보통학교(官立漢城師範學校附屬普通學校)는 관립한성사범학교(官立漢城師範學校)에 포함된다. 조직 간의 포함-피포함 관계는 역(inverse) 관계를 가지고 있다.

(조직) hasGroupAlias (조직)
(조직)은 (조직)의 (이칭)이다.
(昌原府公立小學校) hasGroupAlias (昌原港公立小學校)

(조직) hasGroupPart (조직)
(조직)은 (조직)에 (포함한)다.
(官立漢城師範學校) hasGroupPart (官立漢城師範學校附屬普通學校)

(조직) isGroupPartOf (조직)
(조직)은 (조직)에 (포함된)다.
(官立漢城師範學校附屬普通學校) isGroupPartOf (官立漢城師範學校)

hasPart inverse isPartOf

(조직) succeedTo (조직)
(조직)은 (조직)을 승계한다.

(조직) succeedByLawTo (조직)

(조직)은 (조직)을 법률을 통하여 승계한다.

(조직) succeedByPersonTo (조직)
(조직)은 (조직)을 인물을 통하여 승계한다.

(조직) succeedBySpaceTo (조직)
(조직)은 (조직)을 공간를 통하여 승계한다.

```
succeedTo  isPartOf  succeedByLawTo
succeedTo  isPartOf  succeedByPersonTo
succeedTo  isPartOf  succeedBySpaceTo
```

조직과 관련된 장소로는 소재지가 있다. 예를 들어서 광무 11년 학부령 제5호에는 공립안주보통학교(公立安州普通學校)의 소재지가 평안남도안주(平安南道安州)라고 기술되어 있다.[61]

```
(조직) hasSpaceValue (공간)
(조직)의 소재지는 (공간)이다.
(公立安州普通學校) hasSpaceValue (平安南道安州)

(조직) hasLatitude
(조직)은 위도를 가진다.

(조직) hasLongitude
(조직)은 경도를 가진다.
```

조직은 공식적인 법률에 의거하거나 암묵적인 관례에 따른 제도를 가지고 있다.

```
(조직) has (제도)
```

(2) 제도

제도는 기능과 권한의 수행을 위한 조직의 구체적인 체계를 규정한

61) 學部令第五號, 光武十一年五月一日, 구한말 관보, 第三千七百八十一號.

것이다. 제도는 구조적인 측면에서 직위, 직무, 직급, 직봉으로 구분할 수 있다. 직위는 직무에 따라 규정된 사회적-행정적 위치를 뜻한다. 직무는 담당하는 사무를 의미한다. 직무는 직위에 요구되는 일을 의미한다. 직급은 직무의 종류나 난이도, 책임에 따라 분류된 직무의 등급이다. 직봉은 제도에 의하여 부여되는 현금, 현물을 포함한 물품을 의미한다. 이들에 대해서는 아래에서 좀 더 자세히 살펴볼 것이다.

(제도) hasPart (직위, 직무, 직급, 직봉)

가) 직위

직위는 직무에 따라 규정된 사회적-행정적 위치를 뜻한다. 본 연구에서는 구한말 근대 일반 관공립학교에 포함된 교원의 직위 17건을 중심으로 편찬한다.[62]

직위에는 전임직, 겸임직, 특별전임직이 있다. 전임직이란 해당 직위를 담당하는 인물을 임명하는 것을 의미하며, 일반적으로 직위에 따로 표기를 하지 않을 경우 전임직에 해당한다. 예를 들어서 광무 3년 칙령 제11호 중학교관제(中學校官制)[63]에서는 교관(敎官)을 임명하도록 되어 있는데, 전체 제도에서 특별히 전임직 여부가 언급되어 있지 않기에 전임직에 해당하는 것으로 볼 수 있다.

겸임직은 이미 직위를 가지고 있으면서 다른 직위를 가지고 해당 직무를 수행하는 것을 의미한다. 예를 들어서 융희 원년 칙령 제83호

---

62) 敎官, 副敎官, 敎員, 書記, 副敎員, 敎授, 副敎授, 本科訓導, 本科副訓導, 專科訓導, 專科副訓導, 保姆, 學務委員, 學校長, 學員監, 學監, 敎監.

63) 勅令第十一號, 光武三年四月六日, 구한말 관보, 第一千二百二十八號.

보통학교령중개정건(普通學校令中改正件)[64]에서 학교장(學校長)은 본과훈도(本科訓導)가 겸임한다. 반대로 본과훈도는 학교장으로 겸임된다고 말할 수 있다. 이 둘의 관계는 역관계(inverse relation)이다.

특별전임직은 일반적으로 겸임직 직위이지만 특별한 사정이 있는 경우 전임직으로 임명하는 것을 의미한다. 예를 들어서 융희 원년 칙령 제83호 보통학교령중개정건(普通學校令中改正件)[65]에서는 일반적으로 본과훈도가 학교장을 겸임하도록 하였지만, 특별한 사정이 있는 경우 전임직 교장으로 임명하도록 하였다.

(조직) hasPositon (직위)
(조직)은 (직위)을 편재한다.
(普通學校)는 (教官)을 편재한다.

(직위) isFullTime
(직위)은 (전임)이다.
(教官) isFullTime

(직위) isSpecialFullTime
(직위)은 특별전임이다.
(學校長) isSpecialFullTime

(직위) holdAddPositonBy (직위)
(직위)은 (직위)으로 겸임된다
(學校長) holdAddPdsitonBy (本科訓導)

(직위) holdAddPositionOf (직위)
(직위)은 (직위)가 겸임한다
(本科訓導) holdAddPositionOf (學校長)

64) 勅令第八十三號, 隆熙元年十二月三十日, 구한말 관보, 第三千九百七十四號.
65) 勅令第八十三號, 隆熙元年十二月三十日, 구한말 관보, 第三千九百七十四號.

```
holdAddPositionOf   inverse holdAddPdsitonBy
```

그리고 직위는 일정한 수로 제한되기도 한다. 예를 들어서 개국오백사년 칙령 제79호 한성사범학교관제(漢城師範學校官制)[66]에서 학교장(學校長)은 1인으로, 교관(教官)은 2인 이하로, 부교관(副教官)은 1인으로, 교원(教員)은 3인 이하로, 서기(書記)는 1인으로 규정하고 있다. 또한 때로는 광무 10년 칙령 제45호 학부직할학교직원정원령(學部直轄學校職員定員令)[67]에서와 같이 교관과 부교관을 합쳐서 7인으로 규정하기도 하였다.

```
(직위) hasAmount INT
(직위) hasAmountRule ( = | + | - )
(직위)는 수가 있다.
(직위)는 (동일) (이상) (이하)의 수 규칙이 있다.

(學校長) hasAmount 1
(學校長) hasAmountRule =
(教官) hasAmount 2
(教官) hasAmountRule -
(教官)(副教官) hasAmount 7
(教官)(副教官) hasAmountRule =
```

공훈명은 특별한 직무가 없이 특정 인물에게 부여되는 직위를 의미한다. 공훈명에는 부수적인 물품이 같이 수여되기도 한다. 예를 들어서 송수민(宋壽民)은 공훈 7등을 수여받고, 이와 동시에 팔괘장(八卦章)

66) 勅令第七十九號, 開國五百四年四月十六日, 法規類編 元.

67) 勅令第四十五號, 光武十年九月三日, 구한말 관보, 第三千五百五十三號.

을 수여받았다.[68)]

(인물) hasMerits (공훈명)
(인물) hasMeritsAricle (공훈물품)

나) 직무[69)]

모든 직위는 직위에 해당하는 직무를 가지고 있다. 본 연구에서는 구한말 근대 일반 관공립학교 제도에 출현하는 감독, 보좌, 대리를 대상으로 직무를 편찬하였다.

하나의 직위는 다른 직위를 감독한다. 예를 들어서 광무 3년 칙령 제11호 중학교관제(中學校官制)[70)]에서 학교장(學校長)은 학부대신(學部大臣)의 관리를 받도록 되어 있다. 그리고 학교장은 소속 직원과 학도를 관리하도록 되어 있다. 또한 하나의 직위는 다른 직위를 보좌한다. 예를 들어서 융희 원년 칙령 제83호 보통학교령중개정건(普通學校令中改正件)[71)]에서는 교감이 학교장을 보좌하며, 교감은 교장의 유고시에 그 직위와 직무를 대리할 수 있도록 되어 있다.

(직위) superviseBy (직위)

68) 구한말 관보, 第四千七百六十一號.

69) 구한말 근대학교의 직무 관련 내용에 대한 충분한 용례가 발견되지 않는다. 이는 시기적으로도 직무 규정이 성숙하지 못하였으며, 당대의 직무에 대한 통섭적인 연구도 아직 초보적인 단계에 머무르고 있기 때문이다. 따라서 추후에 학교 이외의 모든 기관의 직무에 대한 분석이 이루어진 이후에나 보다 체계적인 직무 온톨로지의 설계가 가능할 것으로 판단된다.

70) 勅令第十一號, 光武三年四月六日, 구한말 관보, 第一千二百二十八號.

71) 勅令第八十三號, 隆熙元年十二月三十日, 구한말 관보, 第三千九百七十四號.

(직위)은 (직위)에게 감독 받다.
(學校長) superviseBy (學部大臣)

(직위) superviseOf (직위)
(직위)은 (직위)을 감독하다.
(學校長) superviseOf (教官)
(學校長) superviseOf (書記)
(學校長) superviseOf (學徒)

(직위) assistBy (직위)
(직위)은 (직위)에게 보좌를 받다.
(學校長) assistBy (教監)

(직위) assistOf (직위)
(직위)은 (직위)을 보좌하다.
(教監) assistOf (學校長)

(직위) canSubstituteBy (직위)
(직위)은 (직위)에 의해 대리될 수 있다.
(學校長) canSubstituteBy (教監)

(직위) canSubstituteOf (직위)
(직위)은 (직위)을 대리할 수 있다.
(教監) canSsubstituteOf (學校長)

superviseBy inverse superviseOf
assistBy inverse assistOf
canSubstituteBy inverse canSsubstituteOf

다) 직급

모든 직위는 직위에 해당하는 직급 부여 범위를 갖는다. 직급은 직무의 종류나 난이도, 책임에 따라 분류된 직무의 등급이다. 본 연구에서는 구한말 근대 일반 관공립학교에 포함된 직급 22건을 중심으로 편찬하였다.[72] 직급 간에는 상하위 관계가 존재한다. 예를 들어서 칙임관(勅任官)은 주임관(奏任官)보다 직급이 높고, 주임관은 판임관(判任官)보다 직급이 높다. 같은 판임관 내에서도 일등(一等)은 이등(二等)보다 직급이 높다.

예를 들어서 광무 3년 칙령 11호 중학교관제(中學校官制)[73]에서는 학교장(學校長)은 주임관(奏任官)에 임명되며, 교관(敎官)은 주임관(奏任官) 혹은 판임관(判任官)에 임명되며, 서기(書記)는 판임관(判任官)에 임명된다.

(직위) hasPositionRank (직급)
(직위)은 (직급)이 있다.

(學校長) hasPositionRank (奏任)
(敎官) hasPositionRank (奏任)
(敎官) hasPositionRank (判任)
(書記) hasPositionRank (判任)

라) 직봉

직봉은 제도에 따라 부여되는 봉급을 의미한다.[74] 직봉은 일반적으로 각 인물의 직급에 의해서 부여된다. 다만 때로는 동일 직급에서도 직위에 따라 다른 직봉을 부여하기도 한다. 또한 직봉은 월급 기준 혹은 연봉 기준으로 계산된다. 예를 들어서 개국오백사년 칙령 제57호 관등봉급령(官等俸給令)[75]에는 판임관 일등에게는 연봉 500원, 판임관

---

72) 親任, 勅任, 奏任, 判任, 一等, 二等, 三等, 四等, 五等, 六等, 七等, 八等, 一級, 二級, 三級, 四級, 五級, 六級, 七級, 八級, 九級, 十級.

73) 勅令第十一號, 光武三年四月六日, 구한말 관보, 第一千二百二十八號.

74) 조선시대의 직봉은 화폐뿐만이 아니라, 밭이나 쌀과 같은 현물도 포함되었다. 다만 해당 연구 시기에는 화폐만이 존재하기에 현물에 대한 정보 기술은 생략한다.

75) 勅令第五十七號, 官等俸給令, 구한말 관보, 호수 없음.

이등에게는 425원을 규정하였다. 그러나 특별한 경우로 동일 직급임에도 총리대신(總理大臣)에게는 연봉 5,000원을 각부대신에게는 연봉 4,000원을 직봉으로 규정하고 있다.

(직위) hasPositionPay (직위직봉)
(직위)은 (직위직봉)을 가지고 있다.
(總理大臣) hasPositionPay 5000
(度支大臣) hasPositionPay 4500
(學務大臣) hasPositionPay 4500

(직급) hasPositionPay (직급직봉)
(직급)은 (직급직봉)을 가지고 있다.
(判任官)(一等) hasPositionPay 500
(判任官)(二等) hasPositionPay 420

(직봉) hasPositionPayType (월급|연봉)
(직봉)은 (월급) 혹은 (연봉)의 시간유형이 있다.

(3) 인물

인물은 역사의 기본적인 행위 주체이다.[76] 조직과 조직의 제도에 따라서 인물은 특정 사건을 통하여 직무, 직위, 직봉과 관계를 맺는다. 인물은 경우에 따라서 이름을 변경한다. 예를 들어서 구한말 관보 제4576호에는 서성선(徐聖善)이 서성선(徐性善)으로 개명한 사실이 기술되어 있다.[77]

---

76) 본 연구의 주요 대상은 제도이기에 더 이상의 인물에 대한 온톨로지 탐구는 진행하지 않는다. 하지만 인물은 역사에서 기본적인 행위의 주체이기에 지금까지 다양한 온톨로지가 구축되어 있으며, 모든 인문학 온톨로지 설계에서 반드시 심도 깊게 고려해야 한다.

77) 인물도 조직과 같이 이칭을 가지고 있다. 하지만 본 연구의 핵심 대상은 제도이기에 인물에 대한 추가적인 서술은 생략한다.

(인물) PersonRename (인물)
(인물)은 (인물)로 개명했다.
(徐聖善) rename (徐性善)

(인물) hasBirthTime DateTime
(인물)은 (생년)을 가진다.

(인물) hasDeathTime DateTime
(인물)은 (졸년)을 가진다.

인물과 관련된 장소로는 주거지, 출신지가 있다. 예를 들어서 근현대인물자료에서 주영환(朱榮煥)은 "경성부(京城府) 수창동(需昌洞) 165"를 원적지로 가지고 있으며, 그의 현 거주지로 "한성(漢城) 서서(西署) 인달방(仁達坊) 사직동(社稷洞) 제이십팔통(第二十八統) 제칠호(第七戶)"가 기록되어 있다.[78]

(인물) hasHometownAddress (공간)
(인물)의 본적지는 (공간)이다.
(朱榮煥) isHometownAddress (京城府 需昌洞 165)

(인물) hasResidenceAddress (공간)
(인물)의 주거지는 (공간)이다. .
(朱榮煥) hasResidenceAddress (漢城 西署 仁達坊 社稷洞 第二十八統 第七戶)

---

78) 朱榮煥, im_109_02047, 근현대인물자료, 국사편찬위원회.

3) 사건 설계

(1) 사건 설계 일반[79)]

사건은 "분명한 목적이나 동기를 가지고 생각과 선택, 결심을 거쳐 의식적으로 행하는 인간의 의지적인 언행"[80)]의 집합이다. 사건의 최소한의 구성 요소는 주체, 시간, 장소, 행위, 대상이다. 사건의 구조적인 특징은 특정한 시간을 기점으로 행위에 따른 변화가 이루어진다는 것이다. 이를 종합하면 사건은 특정한 시간과 장소를 기점으로 특정 대상이 또 다른 특정 대상으로 변화된다고 정의할 수 있다.[81)]

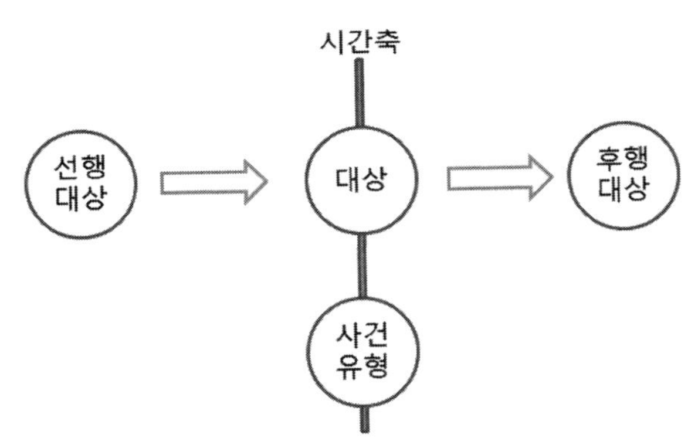

그림 3-10. 사건 온톨로지 개념도

---

79) 사건 온톨로지는 시간 경과를 묘사하여야 한다. 그런데 만약 개별 사건 유형을 오브젝트 프로퍼티로 사용하게 된다면, 현재의 OWL의 한계상 공백 노드를 사용하여야 한다. 무엇보다 각각의 새로운 사건 유형에 따라서 그에 대응하는 각각의 오브젝트 프로퍼티를 만들어야 한다. 사건 온톨로지는 아직 연구가 진행 중인 인문학 온톨로지 설계 영역이기에 추후의 확장성을 생각하여 최대한 간단한 틀로 설계하였다.

80) 행위(行爲), 표준국어대사전, 국립국어원.

81) 기존의 온톨로지에서 준용되는 Event는 대부분이 단발성의 사건을 서술하기 위하여 설계되었다. 따라서 변화에 대한 서술이 불가능하거나, 우회적으로만 가능하다. 이에 따라서 새로운 변화를 기술할 수 있는 사건 온톨로지를 새로이 구축하였다; The Event Ontology, http://purl.org/NET/c4dm/event.owl

(사건) hasObject (Thing)
(사건)의 대상은 (Thing) 이다.
(사건) hasPreObject (Thing)
(사건)의 선행 대상은 (Thing)이다.
(사건) hasPostObject (Thing)
(사건)의 후행 대상 은 (Thing) 이다.
(사건) hasEventType (사건유형)
(사건)의 사건유형은 (사건유형)이다.

본 연구와 직접적인 관련이 있는 사건에는 "조직 변화에 관한 사건(조직 관련 사건)", "제도 변화에 관한 사건(제도 관련 사건)", "인물과 제도 간의 상호 관계에 관한 사건(인사운영 관련 사건)"이 있다.

(2) 조직 관련 사건

조직 관련 사건은 조직의 변화 사건, 조직과 제도 간의 변화 사건으로 구분된다. 조직의 변화 사건에는 설립, 폐지, 개명, 개편, 합병, 분리가 있다. 조직은 다른 이름으로 개명하기도 한다. 예를 들어서 광무 10년 학부령 제1호(光武十年學部令第一號)에 따라 관립주동보통학교(官立鑄洞普通學校)는 관립인현보통학교(官立仁峴普通學校)로 개명하였다.[82] 또한 단순히 이름이 변경되는 것이 아니라, 제도 자체가 변경되는 개편이 있다. 예를 들어서 회양군공립소학교(淮陽郡公立小學校)는 1906년 8월 27일 칙령 제44호 보통학교령(普通學校令)[83]의 하위령인 1906년 9월 1일 학부령 제27호[84]에 따라 공립회양보통학교(公立淮陽普通學校)로 개편되었다.[85] 그리고 조직과 조직 간의 합병이 있기도 하다. 관립양

82) 學部令第一號, 光武十一年一月四日, 구한말 관보 第三千六百六十四號.
83) 勅令第四十四號, 光武十年八月二十七日, 구한말 관보, 第三千五百四十六號.
84) 學部令第二十七號, 光武十年九月一日, 구한말 관보, 第三千五百四十九號.

사동보통학교(官立養士洞普通學校)와 관립양현동보통학교(官立養賢洞普通學校)는 광무 11년 학부령 제6호(光武十一年學部令第六號)에 따라 관립어의동보통학교(官立於義洞普通學校)로 합병되었다.[86] 반대로 조직은 분리되어 서로 다른 조직이 되기도 한다.[87]

(光武十年學部令第一號001) hasPreObject (官立鑄洞普通學校)
(光武十年學部令第一號001) hasPostObject (官立仁峴普通學校)
(光武十年學部令第一號001) hasEventType (rename)

(光武十年學部令第六號001) hasPreObject (淮陽郡公立小學校)
(光武十年學部令第六號001) hasPostObject (公立淮陽普通學校)
(光武十年學部令第六號001) hasEventType (restructure)

(光武十一年學部令第六號001) hasPreObject (官立養士洞普通學校)
(光武十一年學部令第六號001) hasPreObject (官立養賢洞普通學校)
(光武十一年學部令第六號001) hasPostObject (官立於義洞普通學校)
(光武十一年學部令第六號001) hasEventType (merge)

(3) 제도 관련 사건

조직과 제도 간의 변화사건에는 조직, 직위, 직급, 공훈, 직봉, 전임, 수, 감독 등에 대해서 신규, 폐지, 변경의 유형이 있다. 예를 들어서 융희 3년 칙령 제8호 학부직할학교직원정원령(개정)(學部直轄學校職員定員令(改正))[88]에 의거하여, 관립한성사범학교(官立漢城師範學校)는 교수(敎授)와 부교수(副敎授)를 모두 합쳐서 14명으로 편성하였다. 그런데 융희 4년 칙령 제16호 학부직할학교직원정원령(개정)(學部直轄學

85) 學部令第二十七號, 光武十年九月一日, 구한말 관보 第三千五百四十九號.
86) 學部令第六號, 光武十一年六月二十二日, 구한말 관보 第三千八百五號.
87) 본 연구의 연구 범위에서는 조직 분리의 실례가 등장하지 않았다.
88) 勅令第八號, 隆熙三年二月四日, 구한말 관보, 第四千二百九十九號.

校職員定員令(改正))[89]에 의거하여 관립한성사범학교는 교수와 부교수를 모두 합쳐서 15명으로 인원수를 변경하였다.

(직위) hasUnionAmount (직위)
(직위)는 직위 수의 합집합으로 계산되는 (직위)을 가지고 있다.
(教授) hasUnionAmount (教授) +(副教授)
(副教授) hasUnionAmount (教授) +(副教授)

(隆熙四年勅令第十六號學部直轄學校職員定員令改正001) hasObject (官立漢城師範學校)
(隆熙四年勅令第十六號學部直轄學校職員定員令改正001) hasObject (教授) +(副教授)
(隆熙四年勅令第十六號學部直轄學校職員定員令改正001) hasPreObject 14
(隆熙四年勅令第十六號學部直轄學校職員定員令改正001) hasPostObject 15
(隆熙四年勅令第十六號學部直轄學校職員定員令改正001) hasPostObject (教授) +(副教授)
(隆熙四年勅令第十六號學部直轄學校職員定員令改正001) hasEventType (positonAmountChange)

(4) 인사운영 관련 사건

인물과 제도 간의 상호 관계에 관한 사건은 통용적인 인사운용을 뜻한다. 인사운용은 임명[90], 면직[91], 인사[92] 등[93]으로 분류할 수 있다. 임명은 유형별로 일반임명, 겸직, 대리, 수여, 이동으로 분류된다. 면직은 자원면직과 강제면직 및 특별면직으로 구분된다. 인사는 승

89) 勅令第十六號, 隆熙四年二月二十二日, 구한말 관보, 第四千六百十號.
90) 任, 兼任, 起復行公, 代, 代任, 命, 命在勤, 囑託, 受勅, 受牒, 贈, 勳.
91) 免, 免本官, 免本任, 免本官并兼官, 依願免本官, 依願免兼任, 依願免本官并兼官, 解, 解任, 解囑, 依願解囑, 解兼官, 解兼任, 身故, 死去, 父憂, 母憂.
92) 陞, 陞俸, 責, 譴責, 減俸, 罰俸, 免懲戒.
93) 그 외에 문맥 단위에서 판단을 해야 하는 현직(現職), 전직(前職) 등이 있다.

진, 견책, 감봉 등이 있다. 그 외에 현직과 전직 등의 기타 인사운용 관련어가 있다.

예를 들어서 1896년 5월 7일 한성사범학교(漢城師範學校) 교원(敎員) 박지양(朴之陽)은 관립소학교(官立小學校) 교원(敎員)으로 임명되었고, 직급은 판임(判任)관이며 육등(六等)이었다.[94] 이를 온톨로지로 표현하면 다음과 같다.

(1896.05.07朴之陽任) hasObject (朴之陽)
(1896.05.07朴之陽任) hasPreObject (漢城師範學校)
(1896.05.07朴之陽任) hasPreObject (官立小學校)
(1896.05.07朴之陽任) hasPostObject (敎員)
(1896.05.07朴之陽任) hasPostObject (判任)
(1896.05.07朴之陽任) hasPostObject (六等)
(1896.05.07朴之陽任) hasEventType (任)

(5) 사건 유형 설계

사건 유형 설계는 사건 유형 간의 상위어, 하위어, 유사동의어 설정을 통하여 유형 간의 체계를 구축하는 것을 뜻한다. 예를 들어서 면직(免)에는 스스로 원하여 면직을 하는 자의면직과 특정 사유로 본인의 의지와 상관없이 진행되는 타의면직이 있다. 타의면직에는 상위 관직에서 주로 사용되는 면본관(免本官)과 하위관직에서 주로 사용되는 면본임(免本任)이 있다. 면본임(免本任)은 1905년 이후 해임(解任)으로 대체되었으며, 따라서 면본임(免本任)과 해임(解任)은 동일한 사건 유형에 대한 시대에 따라 다른 표현으로 정의할 수 있다. 이외에도 사건 유형에는 겸임직에서 면직이 되는 면겸관(免兼官)과 본직과 겸임직에

94) 구한말 관보, 第三百卄一號.

서 동시에 면직이 되는 면본관병겸관(免本官并兼官)이 있다. 이를 온톨로지로 표현하면 다음과 같다.

```
(사건유형) hasBT (사건유형)
(사건유형)의 상위어는 (사건유형)이다.
(타의면직) hasBT (免)
(免本官) hasBT (타의면직)
(免本任) hasBT (타의면직)

(사건유형) hasNT (사건유형)
(사건유형)의 하위어는 (사건유형)이다.
(사건유형) hasNT (사건유형)
(免) hasNT (타의면직)
(타의면직) hasNT (免本官)
(타의면직) hasNT (免本任)

(사건유형) hasUF(사건유형)
(사건유형)의 유사동의어는 (사건유형)이다.
(免本任) hasUF (解任)
```

4) 공리 설계

가) 재직기간

재직기간은 일반임명의 날짜 값과 일반임명에 대한 해임의 날짜 값 사이의 값이다. 일반임명에는 임(任), 대(代), 대임(代任), 촉탁(囑託), 수칙(受勅), 수첩(受牒)이 있고, 일반임명에 대한 해임으로는 면(免), 면본관(免本官), 면본임(免本任), 면본관병겸관(免本官并兼官), 의원면본관(依願免本官), 의원면겸임(依願免兼任), 의원면본관병겸관(依願免本官并兼官), 해(解), 해임(解任), 해촉(解囑), 의원해촉(依願解囑), 신고(身故), 사거(死去)가 있다.

재직기간 공리
(免, 免本官, 免本任, 免本官并兼官, 依願免本官, 依願免兼任, 依願免本官并兼官, 解, 解任, 解囑, 依願解囑, 身故, 死去) DATETIME - (任, 代, 代任, 囑託, 受勅, 受牒) DATETIME = Term Of Office

나) 기관 존속 기간

기관 존속 기간은 기관의 시작일로부터 기관의 종료일까지의 기간이다. 기관의 시작일은 본 연구에서는 "개교"로, 기관의 종료일은 본 연구에서는 "폐교"로 나타냈다.[95)]

기관 존속기간 일반 공리
(기관종료) hasTimeValue - (기관시작) hasTimeValue = Term of Institution

단, 기관의 시작일 혹은 종료일이 추정값인 경우, 기본값은 추정값의 중간값으로 하고, 최대 존속 기간과 최소 존속 기간을 필요시 출력하였다.

기관 존속기간 추정 공리
기관 최대 존속기간
((기관종료) hasTimeValue - {if has hasTimeEestimation 1 then (hasTimeEestimationRangeValue+hasTimeEestimationRangeType)}) - ((기관시작) hasTimeValue + {if has hasTimeEestimation 1 then (hasTimeEestimationRangeValue+hasTimeEestimationRangeType)}) = Max Term of Institution

95) 본 연구의 대상 범위는 학교였기에 기관의 시작과 종료에 대한 내용으로 "개교"와 "폐교"만이 있다. 하지만 차후에 대상 범위를 확장하면 "설치", "개설", "폐쇄", "폐치" 등 다양한 내용들을 추가하여야 한다.

```
기관 최소 존속기간
((기관종료) hasTimeValue + {if has hasTimeEestimation 1 then (hasTimeEesti
mationRangeValue+hasTimeEestimationRangeType)}) - ((기관시작) hasTimeV
alue - {if has hasTimeEestimation 1 then (hasTimeEestimationRangeValue+h
asTimeEestimationRangeType)}) = Max Term of Institution
```

다) 월급-연봉 전환 공리

월급은 매달 받는 직봉이며, 연봉은 매년 받는 직봉이다. 월급을 연봉으로 전환하려면, 월급값에 "12"를 곱한다. 연봉을 월급으로 전환하려면 연봉값을 "12"로 나눈다.

```
월급에서 연봉으로의 전환 공리
if hasPositionPayType=월급 then
hasPositionPay * 12 = 연봉값

연본에서 월급으로의 전환 공리
if hasPositionPayType=연봉 then
hasPositionPay / 12 = 월급값
```

5) 설계 확장 검증

구축된 온톨로지의 확장 가능성을 검증하기 위하여 학교제도와 교원의 인사운영 이외에도 이를 적용할 수 있는지 확인한다.

(1) 구한말 관보

구한말 관보에 등장하는 교원이 아닌 다른 직위의 인사 운영에 설계 확장 검증을 적용해 보았다.

■ 원문

主殿院 主事 沈雨澤 任 主殿院 電務課 技師 敍 奏任官 四等 ……以上九月八日[96)]
(조직) (직위) (이름) (任) (조직) (조직) (직위) (敍) (직급) (직급)

■ 원문출처

구한말 관보, 第三千二百四十二號, 光武九年九月十二日 火曜, 議政府官報課, GK17289_00I0121, http://e-kyujanggak.snu.ac.kr/home/index.do?idx=06&siteCd=KYU&topMenuId=206&targetId=379&gotourl=http://e-kyujanggak.snu.ac.kr/home/GAN/GAN_SEOJILST.jsp?ptype=list^subtype=01^lclass=1895^mclass=10^xmlfilename=GK17289_00I0005_0005.xml^nav=6

■ 제도 온톨로지

(主殿院) hasPart (電務課)
(主殿院) hasPositon (主事)
(主殿院) hasPositon (主事)
(電務課) hasPositon (技師)

■ 인사운용 온톨로지

(19050912심우택임명_01) hasObject (沈雨澤)
(19050912심우택임명_01) hasPreObject (主殿院)
(19050912심우택임명_01) hasPreObject (主事)
(19050912심우택임명_01) hasPostObject (主殿院)
(19050912심우택임명_01) hasPostObject (電務課)
(19050912심우택임명_01) hasPostObject (技師)
(19050912심우택임명_01) hasPostObject (奏任官)

96) 구한말 관보, 第三千二百四十二號.

(19050912심우택임명_01) hasPostObject (四等)
(19050912심우택임명_01) hasEventType (任)
(19050912심우택임명_01) hasTimeValue 1905-09-08

■ 학술기본 온톨로지
(19050912심우택임명_01) hasCompiler (김바로)
(19050912심우택임명_01) hascompiledTime 2017-03-14
(19050912심우택임명_01) hasBibo (구한말 관보, 第三千二百四十二號, 光武九年九月十二日 火曜, 議政府官報課, GK17289_00I0121)
(19050912심우택임명_01) hasWebResource (http://e-kyujanggak.snu.ac.kr/home/index.do?idx=06&siteCd=KYU&topMenuId=206&targetId=379&gotourl=http://e-kyujanggak.snu.ac.kr/home/GAN/GAN_SEOJILST.jsp?ptype=list^subtype=01^lclass=1895^mclass=10^xmlfilename=GK17289_00I0005_0005.xml^nav=6)

위의 과정을 통해 설계된 온톨로지가 동일 시기의 교육기관이 아닌 다른 제도 및 제도의 인사 운영에서도 정상적으로 작동하고 있는 것을 확인하였다.

(2) 조선왕조실록

확장성의 추가 검증을 위하여 조선시대의 인사 운영을 적용해 보았다. 조선왕조실록의 기사 중에서 임명, 해임, 전임이 복잡하게 엮여 있는 기사를 선정하였다.

■ 원문
議政府參政申箕善奏: "即接軍部照會, 則'江原道巡察使韓鎭昌, 現帶官房長之任, 而當此軍制改正之時, 諸般事務, 非該員, 莫可酬應'云矣。 往役雖屬緊急, 軍務之浩穰, 亦不可不念。 江原道巡察使之任, 特爲遞解, 其代以忠清道巡察使金星圭移差, 忠清道巡察使之代, 正三品李始榮差下, 竝令不日登程何如?" 制曰: "依奏。 當此民志未靖之時, 巡察使之尙多未赴, 何其漫漶? 極爲駭歎。 竝爲嚴飭, 使之刻期登程。"

■ 원문 출처

조선왕조실록 1254년 10월 29일 4번째 기사(http://sillok.history.go.kr/id/kza_14110029_004)

■ 인사운용 온톨로지

(19041029한진창해임_01) hasObject (韓鎭昌)
(19041029한진창해임_01) hasPreObject (江原道巡察使)
(19041029한진창해임_01) hasPreObject (官房長)
(19041029한진창해임_01) hasEventType (遞解)
(19041029한진창해임_01) hasTimeValue 1904-10-29

(19041029김성규임명_01) hasObject (金星圭)
(19041029김성규임명_01) hasPreObject (忠清道巡察使)
(19041029김성규임명_01) hasPreObject (官房長)
(19041029김성규임명_01) hasPostObject (江原道巡察使)
(19041029김성규임명_01) hasPostObject (官房長)
(19041029김성규임명_01) hasEventType (移差)
(19041029김성규임명_01) hasTimeValue 1904-10-29

(19041029이시영임명_01) hasObject (李時榮)
(19041029이시영임명_01) hasPreObject (正三品)
(19041029이시영임명_01) hasPostObject (忠清道巡察使)
(19041029이시영임명_01) hasPostObject (官房長)
(19041029이시영임명_01) hasEventType (移差)

(19041029이시영임명_01) hasTimeValue 1904-10-29

■ 학술기본 온톨로지
(19041029한진창해임_01) hasCompiler (김바로)
(19041029한진창해임_01) hascompiledTime (2017.03.14)
(19041029한진창해임_01) hasBibo (조선왕조실록 고종실록 44권 고종 41년 10월 29일 양력 4번째 기사)
(19041029한진창해임_01) hasWebResource (http://sillok.history.go.kr/id/kza_14110029_004)

위와 같이 조선왕조실록 기사의 내용도 디지털상으로 옮길 수 있다. 다만 인사운용의 사유에 대해 기술할 방법이 없다. 이 부분을 해결하기 위해서는 역사 기록에 등장하는 다양한 사유들에 대한 추가적인 온톨로지 연구가 필요하다.

(3) 선생안

다음으로 조선시대의 이력서라고 불리는 선생안에 설계한 온톨로지를 적용하였다.

■ 원문
方泰智【士貞 甲辰】溫陽人 英宗朝丁卯醫科 丙戌入仕 正 享年五十八 父世範 祖震奭 曾祖以週 外祖全州金有鉉 妻父河東鄭和敬 祖文偉 曾祖世豪 外祖溫陽鄭義浡.

■ 원문출처
내의선생안(內醫先生案), 한의학고전DB, 1.253, https://www.mediclassics.kr/books/167/volume/1

■ 인사운용 온톨로지
(1766방태지임명_01) hasObject (方泰智)
(1766방태지임명_01) hasPostObject (內醫院)
(1766방태지임명_01) hasEventType (入)
(1766방태지임명_01) hasTimeValue 1766-01-01

(1766방태지임명_02) hasObject (方泰智)
(1766방태지임명_02) hasObject (內醫院)
(1766방태지임명_02) hasObject (正)
(1766방태지임명_02) hasEventType (歷任)
(1766방태지임명_02) hasStartTimeValue 1775-01-01
(1766방태지임명_02) hasStartTimeEestimation (1)
(1766방태지임명_02) hasEndTimeValue 1781-12-31
(1766방태지임명_02) hasEndTimeEestimation (1)

■ 학술기본 온톨로지
(1766방태지임명_01) hasCompiler (안상우)
(1766방태지임명_01) hascompiledTime (2010)
(1766방태지임명_01) hasBibo (내의선생안(內醫先生案), 한의학고전DB, 1.253, https://www.mediclassics.kr/books/167/volume/1)
(1766방태지임명_01) https://www.mediclassics.kr/books/167/volume/1)

인사 관련 정보를 선생안의 구조에도 인사제도 온톨로지의 형식으로 큰 어려움 없이 기술 가능하였다. 다만 인물의 생물학적 배경(혈연, 본적 등)과 인사 정보는 구한말 인사기록에 등장하지 않는 형식이기에 현재의 인사 제도 온톨로지에서는 제외되어 있다. 추후에 인사 정보를 다루기 위한 온톨로지 연구가 필요하다고 판단된다.

제4장

제도-인사 아카이브 데이터 모델링

이번 장에서는 구한말 관공립학교 제도와 교원의 인사 기록 온톨로지를 바탕으로 구한말 관공립학교 제도와 교원의 인사기록 데이터를 시맨틱웹으로 구현할 수 있는 RDF 데이터 모델, 기존 디지털 아카이브에 사전 정보를 추가할 수 있도록 설계된 XML 데이터 모델을 각기 모델링한다.

1. RDF 데이터 모델링[1)]

RDF(Resource Description Framework)는 웹상에 있는 자원의 정보를 표현하기 위한 규격이다. 상이한 메타데이터 간의 어의(語義), 구문 및 구조에 대한 공통적인 규칙을 지원한다. RDF는 웹상에 존재하는 기계 해독형(machine-understandable) 정보를 교환하기 위하여 월드 와이드 웹 컨소시엄에서 제안한 것이다. RDF의 목적은 메타데이터 간의 효율적인 교환 및 상호호환이다. 메타데이터의 교환을 위해서 명확하고 구조화된 의미 표현을 제공해 주는 공통의 기술언어로 XML(eXtensible Markup Language)을 사용하기도 한다.[2)] 온톨로지는

1) RDF 데이터 모델링의 최종 결과물은 http://dh.aks.ac.kr/~ddokbaro/ontology/personsystem.owl 를 참조.

현실세계의 디지털 구현을 위한 최대한의 개념과 기술을 제공하고 있는 데 비해, RDF는 온톨로지를 바탕으로 실제 디지털에서 온톨로지의 개념을 구현하는 데 중점을 두고 있다.

RDF로 구현된 데이터는 링크드 오픈 데이터(Linked Open Data: LOD)로 구현 가능하다. "Linked Open Data"는 "Linked Data"와 "Open Data"의 합성어이다. "Open Data"는 "가용성과 접근성(Availability and Access)"[3], "재사용과 재배포(Reuse and Redistribution)"[4], "모두의 참여(Universal Participation)"[5]의 세 가지 조건을 만족하여야 한다.[6] "Linked Data"는 서로 다른 출처의 데이터들을 HTTP, RDF, URIs와 같은 웹 표준을 활용하여 컴퓨터가 읽고 처리할 수 있는 방식(machine readable and processable)으로 연결하는 것을 의미한다.[7]

예를 들어서 "서울 열린데이터 광장 LOD 서비스"[8]에서는 현재 서울에 존재하는 초등학교에 대한 정보를 제공하고 있다. 이곳에서 정보가 제공되는 학교 중 서울교동초등학교는 구한말에 설립된 관립교

---

2) RDF, 위키백과, https://ko.wikipedia.org/wiki/RDF

3) 가용성과 접근성을 만족하기 위해서는 편리하게 수정 가능한 형태의 데이터로 제공하여야 한다. 이는 데이터를 인터넷을 통하여 다운로드 받아서 적당한 비용으로 원천데이터를 변환하거나 가공하여 새로운 형태로의 생산이 가능하도록 하기 위함이다.

4) 재사용과 재배포를 만족하기 위해서는 데이터를 수정하거나, 다른 데이터와 조합하여 생산하고 재배포를 할 수 있는 데이터 형태 및 관련 저작권을 비롯한 법제도적 조항이 있어야 한다.

5) 모두의 참여를 만족하기 위해서는 모든 사람이 사용·재사용·재배포를 할 수 있도록 상업적 제한이 없거나 연구적 목적에 한정하여 제약이 없어야 한다.

6) Open Knowledge Foundation, "Open Data Handbook Documentation", 2012, http://opendatahandbook.org/en/

7) Christian Bizer, Tom Heath, Tim Berners-Lee, "Linked Data - The Story So Far", http://tomheath.com/papers/bizer-heath-berners-lee-ijswis-linked-data.pdf

8) 서울 열린데이터 광장 LOD 서비스, http://lod.seoul.go.kr

동보통학교가 지금까지 이어져서 현재의 학교가 된 것이다. 본인이 설계한 인사제도 LOD에서는 관립교동보통학교의 한글 이름과 한자 이름 및 근무하였던 교원들의 정보가 기록되어 있다. 그리고 서울 열린데이터 광장 LOD[9] 서비스의 "교동초등학교"[10] 항목에는 한국어, 영어, 중국어 학교명과 현재의 행정주소 정보가 기입되어 있다.

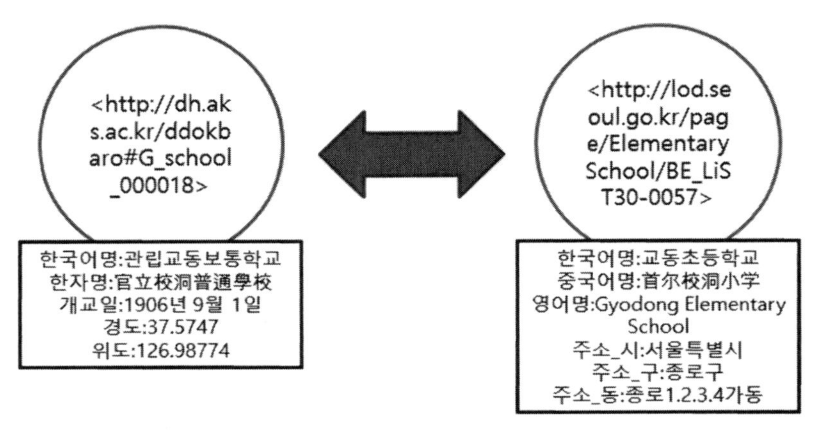

그림 4-1. 인사제도 LOD와 서울 열린데이터 광장 LOD의 연결 개념도

본 온톨로지에서는 시험적으로 "현재의 학교"[11]라는 연결점을 만들어서 인사제도 LOD와 서울시 LOD를 연결하였다. 이러한 연결 정보를 통해서 서울시 LOD는 인사제도 LOD로부터 자동적으로 교동초등

9) "서울 열린데이터 광장 LOD"는 이하에서 "서울시 LOD"로 기술하였다.

10) 서울교동초등학교, 서울 열린데이터 광장 LOD 서비스, http://lod.seoul.go.kr/page/ElementarySchool/BE_LiST30-0057

11) "현재의 학교(hasCurrentSchool)"는 구한말 관보에 출현하는 학교와 그 학교에서 승계되어 지금까지 유지되는 학교를 연결시킨다. 예를 들어서 관립교동보통학교는 지금까지 다양한 개명과 개편을 거쳐서 지금의 교동초등학교가 되었다. "현재의 학교(has-CurrentSchool)"를 통해 관립교동보통학교와 교동초등학교를 연결지어 볼 수 있다.

학교의 과거 학교명과 직원이력 및 경위도 좌표를 확보할 수 있다. 반대로 인사제도 LOD에서는 서울시 LOD에서 제공하는 정보를 토대로 현재 학교의 영어 표기 정보와 법정 주소를 손쉽게 확보할 수 있다. 또한 개별적인 정보의 수정을 실시간으로 피드백 받을 수 있다. 예를 들어서 현재의 교동초등학교가 이전을 한다면 그에 대한 정보를 따로 수집할 필요가 없이 해당 정보를 관리하는 서울시 LOD가 이전된 주소를 업데이트하여 해당 정보를 실시간으로 적용할 수 있다.

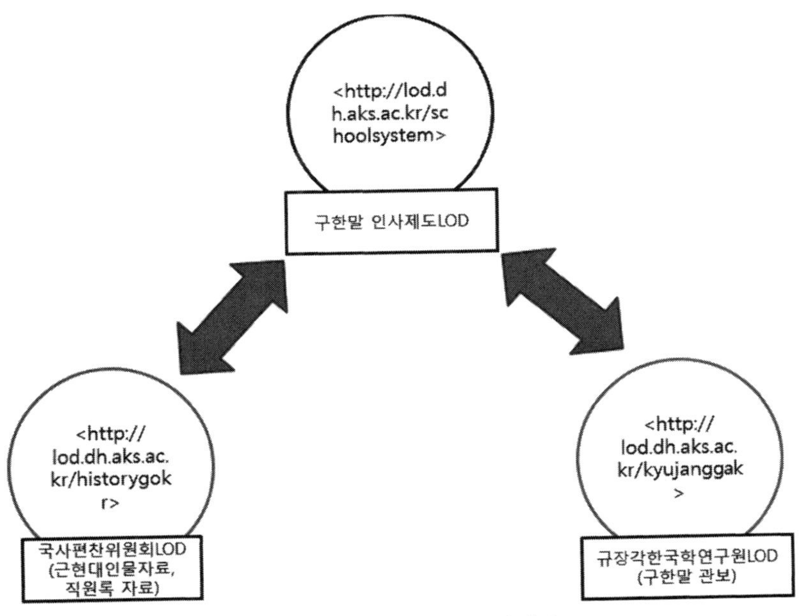

그림 4-2. 가상 인문학 LOD 연결 개념도

위의 서울 열린데이터 광장 LOD와 같은 LOD는 현실적으로 기관들에게 다양한 이점을 부여한다. 무엇보다 기관들이 정보를 책임지고 관리할 수 있다는 큰 장점이 있다. 그동안 기관들이 정보의 공개를 기피한 것은 무엇보다 자신들의 정보가 자유롭게 돌아다닐 경우, 타인에 의해서 원본 정보가 훼손되어 사용자들에게 잘못된 정보가 전달될 우려가 있기 때문이었다. 하지만 LOD 시스템에서는 어디까지나 담당 기관이 책임을 지고 자신의 데이터를 지속적으로 유지·관리를 할 수가 있다. 이는 정보의 소유를 통한 힘과 정보의 전달을 통한 힘을 동시에 얻을 수 있게 한다.

이와 같은 배경하에 본 연구에서는 인문학 데이터의 LOD 구축의 효과와 특징을 재현하고자, 서울대학교 규장각한국학연구원과 국사편찬위원회에서 각각 구한말 관보 LOD와 근현대인물자료 LOD를 서비스하고 있다고 가정하였다. 그리고 설계한 인사제도 온톨로지를 중심으로 양 기관의 정보를 상호 연결하는 데 초점을 맞추었다.

1) 클래스 설계

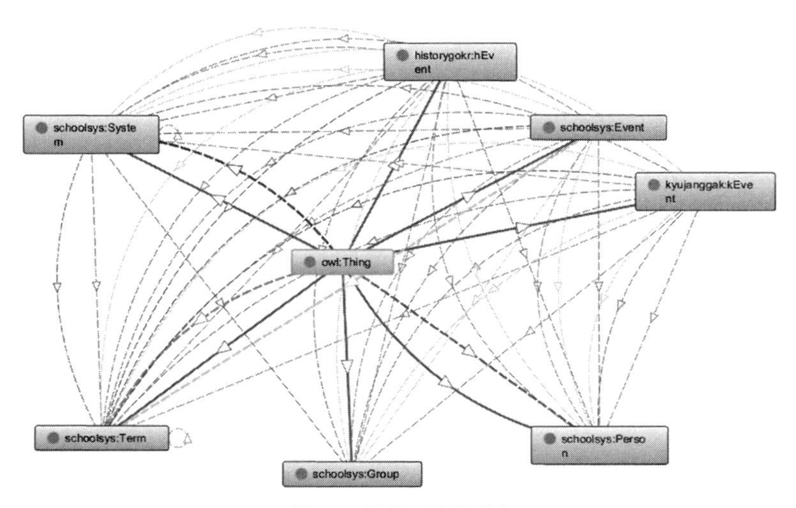

그림 4-3. 클래스 설계 개념도

표 4-1. 클래스 설계 명세표

Prefix	Class Name	클래스 명칭	설명
schoolsys	System	제도	본 클래스는 제도에 관한 정보이다.
schoolsys	Term	용어	본 클래스는 용어(직품, 직위 등)에 관한 정보이다.
schoolsys	Event	사건	본 클래스는 제도에 관한 사건 정보이다.
schoolsys	Group	조직	본 클래스는 조직(학교 등)에 관한 정보이다.
schoolsys	Person	인물	본 클래스는 인물(교원 등)에 관한 정보이다.
historygokr	hEvent	국편사건	본 클래스는 가상으로 국사편찬위원회에서 인사 관련 사건에 관한 LOD를 구축한 경우를 가정하여 만들어졌다.
kyujanggak	kEvent	규장각사건	본 클래스는 가상으로 규장각에서 인사 관련 사건에 관한 LOD를 구축한 경우를 가정하여 만들어졌다.

클래스 설계는 최소한의 필요 요소를 중심으로 최대한 집약적으로 대상을 모사할 수 있도록 이루어졌다. 이를 위하여 인사 운용에 관한 사건은 온톨로지에서 설계한 사건 모델을 차용하여 다루었다. 또한 제도에 관련된 사항도 시간에 따른 변화상 서술을 제외한 사건 모델의 변형 모델을 사용하여 처리하였다. 온톨로지에서 설계한 학술 모델과 추론 모델은 그대로 준용하였다.

2) 클래스 간 관계 설계[12)]

RDF 모델 설계의 중점은 RDF와 RDF를 통한 LOD 서비스를 통하여 무한한 연결을 지원하는 것에 두었다. 이를 위하여 데이터 속성의 설정

12) 그림 4-4. RDF 전체 연결망 개념도는 온톨로지 시각화툴인 WebOWL을 통하여 시각화하였다. http://visualdataweb.de/webvowl/#iri=http://dh.aks.ac.kr/~ddokbaro/ontology/personsystem.owl

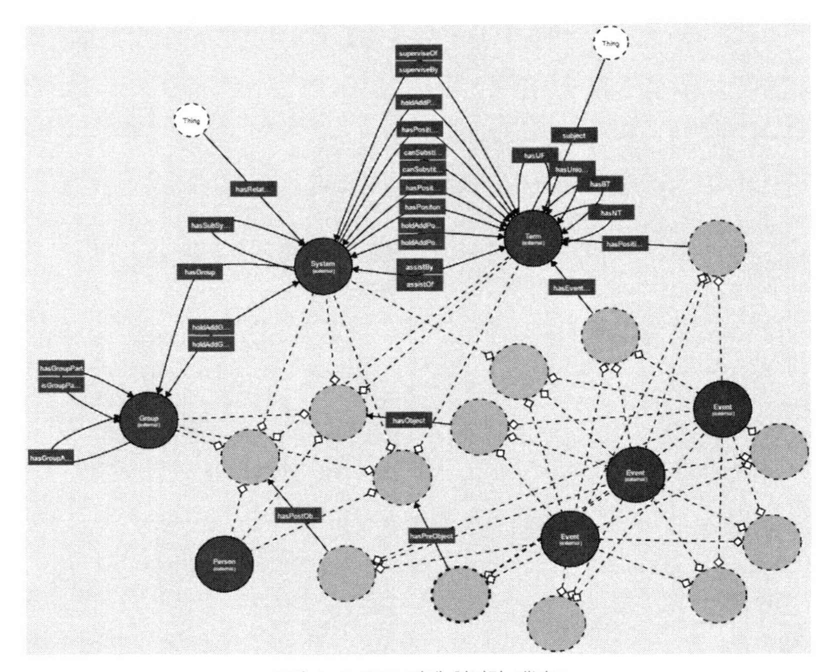

그림 4-4. RDF 전체 연결망 개념도

을 최대한 지양하였다.[13] 전체적인 RDF 모델의 구조는 크게 공통 영역, 제도 영역, 인사운용 영역으로 구분된다. 공통 영역에는 집필자, 집필일자, 근거(전통형 출처표기, URL표기)를 중심으로 하는 학술 모델, 그리고 100% 확정적이지는 않지만 다양한 근거를 통하여 특정한 대상에 대해서 미루어 짐작할 수 있는 사항을 기록하는 추정 모델이 있다. 제도 영역은 제도의 세부 내용을 기술하는 곳으로 제도 모델이 사용되

13) 가부 판단의 'boolean', 경위도 값의 'float', 직위수량이나 직봉 등의 일반숫잣값을 나타내는 'int', 날짜와 시간에 쓰이는 'dateTime'과 같은 숫잣값, 그리고 출처 표기(전통형 출처표기, URL표기)와 지명정보에 사용되는 문자값 정도만을 데이터 속성으로 정의하였다.

었다. 인사운용 영역은 실제적인 임명, 해임 등의 인사 사건과 제도의 변화를 기술하는 곳으로 사건 모델이 사용되었다. 마지막으로 전체적으로 다양한 이칭의 처리를 위하여 이칭 모델을 사용하였다.

(1) 학술모델

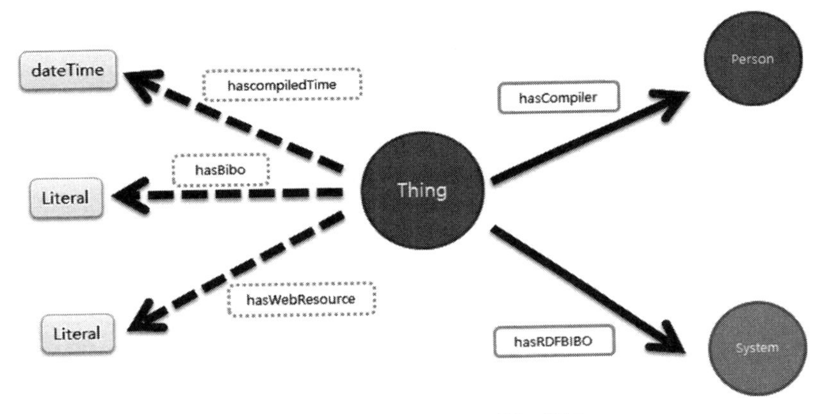

그림 4-5. 학술 모델 RDF 모델링 개념도

학술 모델은 온톨로지 설계의 학술 기본 설계를 준용하였다. 편찬자, 편찬일자를 기본으로 입력하고, 해당 정보의 근거가 되는 출처 정보를 전통적인 인문학 출처 표기 방법으로 기록하거나, 해당 URL을 입력하도록 하였다.

이름	Class: schoolsys:Person
설명	"본 클래스는 인물(교원 등)에 관한 정보이다." @ko
라벨	"Person" @en "인물" @ko
URI	http://dh.aks.ac.kr/ontologies/personnelmatters/schoolsystem#Person

Properties	schoolsys:hasCompiler Range schoolsys:Person schoolsys:hasEventObject Range schoolsys:Person schoolsys:hasEventPostObject Range schoolsys:Person schoolsys:hasEventPreObject Range schoolsys:Person

이름	Class: schoolsys:System
설명	"본 클래스는 제도에 관한 정보이다." @ko
라벨	"System" @en "제도" @ko
URI	http://dh.aks.ac.kr/ontologies/personnelmatters/schoolsystem#System
Properties	schoolsys:hasSubSystem Domain schoolsys:System schoolsys:hasSystemObject Domain schoolsys:System schoolsys:hasSystemType Domain schoolsys:System schoolsys:hasEventObject Range schoolsys:System schoolsys:hasEventPostObject Range schoolsys:System schoolsys:hasEventPreObject Range schoolsys:System schoolsys:hasSubSystem Range schoolsys:System schoolsys:hasPositionAmount Domain schoolsys:System schoolsys:hasPositionPay Domain schoolsys:System

이름	Object Property: schoolsys:hasRDFBIBO
설명	"본 오브젝트 프로퍼티는 근거값 중에서 RDF로 등록된 정보(법령)을 연결한다" @ko
라벨	"hasRDFBIBO" @en "RDF출처정보" @ko
URI	http://dh.aks.ac.kr/ontologies/personnelmatters/schoolsystem#hasRDFBIBO
Domain	owl:Thing
Range	schoolsys:System

이름	Object Property: schoolsys:hasCompiler
설명	"본 오프젝트 프로퍼티는 편찬자를 연결한다." @ko
라벨	"Compiler" @en

	"편찬자" @ko
URI	http://dh.aks.ac.kr/ontologies/personnelmatters/schoolsystem#hasCompiler
Domain	owl:Thing
Range	schoolsys:Person

이름	Data Property: schoolsys:hasBibo
설명	"본 데이터 프로퍼티는 모든 내용의 근거값을 연결한다." @ko
라벨	"Bibliography" @en "문헌출처정보" @ko
URI	http://dh.aks.ac.kr/ontologies/personnelmatters/schoolsystem#hasBibo
Domain	owl:Thing
Range	rdfs:Literal

이름	Data Property: schoolsys:hascompiledTime
설명	"본 데이터 프로퍼티는 모든 내용의 편찬시간을 연결한다." @ko
라벨	"Compiled Time" @en "편찬시간" @ko
URI	http://dh.aks.ac.kr/ontologies/personnelmatters/schoolsystem#hascompiledTime
Domain	owl:Thing
Range	xsd:dateTime

이름	Data Property: schoolsys:hasWebResource
설명	"본 데이터 프로퍼티는 모든 내용의 근거URL값을 연결한다." @ko
라벨	"Web Resource" @en "웹리소스" @ko
URI	http://dh.aks.ac.kr/ontologies/personnelmatters/schoolsystem#hasWebResource
Domain	owl:Thing
Range	rdfs:Literal

(2) 추정 모델

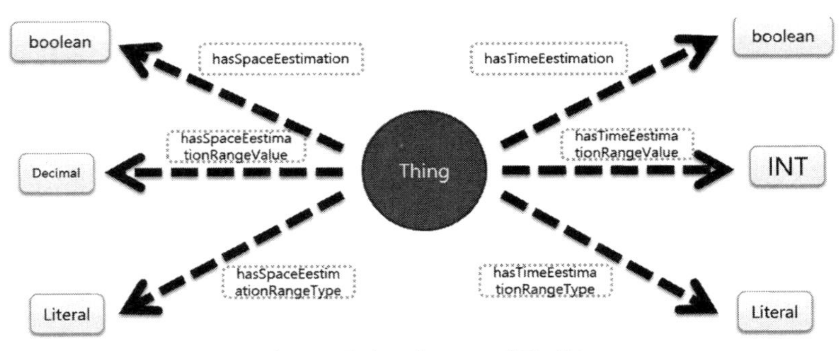

그림 4-6. 추정 모델 RDF 모델링 개념도

추정 모델은 온톨로지 설계의 추정 설계를 준용하였다. 이에 따라서 단순히 추정 여부를 판단하는 수준에서 멈추지 않고, 구체적인 추정 범위 값과 범위타입을 정의하여, 추정들의 축적을 통하여 후속 연구가 보다 원활하도록 하였다.

이름	Data Property: schoolsys:hasTimeEstimation
설명	"본 데이터 프로퍼티는 모든 내용의 시간추정여부를 판단한다." @ko
라벨	"Estimation Judgment about Time" @en "시간추정판단" @ko
URI	http://dh.aks.ac.kr/ontologies/personnelmatters/schoolsystem#hasTimeEstimation
Superproperties	schoolsys:hasEstimation
Domain	owl:Thing
Range	xsd:boolean

이름	Data Property: schoolsys:hasTimeEstimationRangeValue
설명	"본 데이터 프로퍼티는 모든 내용의 시간추정범위 값을 입력한다." @ko

라벨	rdfs:label "Time Estimation Range Value" @en rdfs:label "시간추정범위 값" @ko
URI	http://dh.aks.ac.kr/ontologies/personnelmatters/schoolsystem#hasTimeEstimationRangeValue
Domain	owl:Thing
Range	xsd:int

이름	Data Property: schoolsys:hasTimeEstimationRangeValue
설명	"본 데이터 프로퍼티는 모든 내용의 시간추정범위타입(일, 월, 년)을 입력한다." @ko
라벨	"Time Estimation Range Type" @en "시간추정범위유형" @ko
URI	http://dh.aks.ac.kr/ontologies/personnelmatters/schoolsystem#hasTimeEstimationRangeType
Domain	owl:Thing
Range	rdfs:Literal

이름	Data Property: schoolsys:hasSpaceEstimation
설명	"본 데이터 프로퍼티는 모든 내용의 공간추정여부를 판단한다." @ko
라벨	"Estimation Judgment about Space" @en "공간추정판단" @ko
URI	http://dh.aks.ac.kr/ontologies/personnelmatters/schoolsystem#hasSpaceEstimation
Superproperties	schoolsys:hasEstimation
Domain	owl:Thing
Range	xsd:boolean

이름	Data Property: schoolsys:hasSpaceEstimationRangeValue
설명	"본 데이터 프로퍼티는 모든 내용의 공간추정범위 값을 입력한다." @ko
라벨	"Space Estimation Range Value" @en "공간추정범위 값" @ko

URI	http://dh.aks.ac.kr/ontologies/personnelmatters/schoolsystem#hasSpaceEstimationRangeValue
Domain	owl:Thing
Range	xsd:int

이름	Data Property: schoolsys:hasSpaceEstimationRangeValue
설명	"본 데이터 프로퍼티는 모든 내용의 공간추정범위타입(m, KM)을 입력한다." @ko
라벨	"Space Estimation Range Type" @en "공간추정범위유형" @ko
URI	http://dh.aks.ac.kr/ontologies/personnelmatters/schoolsystem#hasSpaceEstimationRangeType
Domain	owl:Thing
Range	rdfs:Literal

(3) 사건 모델

사건 모델은 본 RDF 모델의 핵심이다. 사건의 기본 정보인 주체, 대상, 시간, 공간[14]을 기반으로, 사건 발생 시점을 기준으로 이전 대상과 이후 대상을 서술하여 변화 양상을 기술하였다. 또한 주체, 대상 및 사건 양태를 개별적인 속성(Property)으로 서술하지 않고, 개별 객체로 등록하고 해당 객체와 연결함으로써 사용자의 자율성 및 설계 최적화를 지향하였다.

14) 공간에 대한 설계 중에서 지명값의 경우는 현재 간략하게 string으로 처리하였다. 그런데 현재 한국에서 보편적으로 사용되고 있는 공간값 설계에는 Juso Ontology (http://rdfs.co/juso/)가 있다. Juso Ontology를 활용하면 다른 LOD와의 연계가 더욱 수월하다. 그러나 본 연구의 핵심 대상은 제도와 인사이며, 대상 공간에는 북한이 포함되어 있기에 간략하게 string으로 처리한다. 이는 Juso Ontology가 남한 주소에만 최적화되어 있고, 북한의 행정구역에는 적합하지 않기 때문이다.

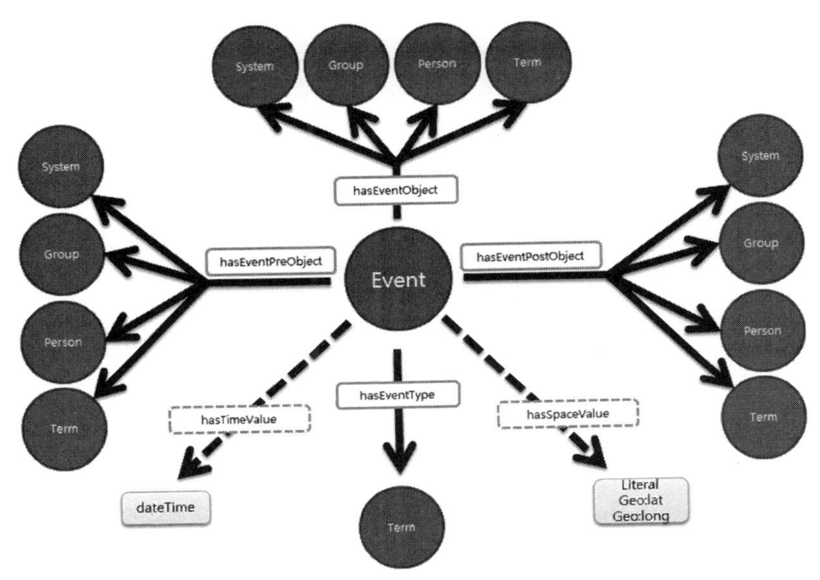

그림 4-7. 사건 모델 RDF 모델링 개념도

이름	Class: schoolsys:Event
설명	"본 클래스는 역사 사건 정보이다." @ko
라벨	"Historical Event" @en "역사사건" @ko
URI	http://dh.aks.ac.kr/ontologies/personnelmatters/schoolsystem#Event
Properties	schoolsys:hasEventObject Domain schoolsys:Event schoolsys:hasEventPostObject Domain schoolsys:Event schoolsys:hasEventPreObject Domain schoolsys:Event schoolsys:hasEventType Domain schoolsys:Event

이름	Class: schoolsys:System
설명	"본 클래스는 제도에 관한 정보이다." @ko
라벨	"System" @en "제도" @ko

URI	http://dh.aks.ac.kr/ontologies/personnelmatters/schoolsystem#System
Properties	schoolsys:hasSubSystem Domain schoolsys:System schoolsys:hasSystemObject Domain schoolsys:System schoolsys:hasSystemType Domain schoolsys:System schoolsys:hasEventObject Range schoolsys:System schoolsys:hasEventPostObject Range schoolsys:System schoolsys:hasEventPreObject Range schoolsys:System schoolsys:hasSubSystem Range schoolsys:System schoolsys:hasPositionAmount Domain schoolsys:System schoolsys:hasPositionPay Domain schoolsys:System

이름	Class: schoolsys:Group
설명	"본 클래스는 조직(학교 등)에 관한 정보이다." @ko
라벨	rdfs:label "Group" @en rdfs:label "조직" @ko
URI	http://dh.aks.ac.kr/ontologies/personnelmatters/schoolsystem#Group
Properties	schoolsys:hasEventObject Range schoolsys:Group schoolsys:hasEventPostObject Range schoolsys:Group schoolsys:hasEventPreObject Range schoolsys:Group schoolsys:hasSystemObject Range schoolsys:Group schoolsys:hasCurrentSchool Domain schoolsys:Group

이름	Class: schoolsys:Person
설명	"본 클래스는 인물(교원 등)에 관한 정보이다." @ko
라벨	"Person" @en "인물" @ko
URI	http://dh.aks.ac.kr/ontologies/personnelmatters/schoolsystem#Person
Properties	schoolsys:hasCompiler Range schoolsys:Person schoolsys:hasEventObject Range schoolsys:Person schoolsys:hasEventPostObject Range schoolsys:Person schoolsys:hasEventPreObject Range schoolsys:Person

이름	Object Property: schoolsys:hasEventObject
설명	"본 오브젝트 프로퍼티는 사건의 주체를 연결한다." @ko
라벨	"Event Object" @en "사건주체" @ko
URI	http://dh.aks.ac.kr/ontologies/personnelmatters/schoolsystem#hasEventObject
Domain	historygokr:hEvent kyujanggak:kEvent schoolsys:Event
Range	schoolsys:Group schoolsys:Person schoolsys:System schoolsys:Term

이름	Class: schoolsys:Term
설명	rdfs:comment "본 클래스는 용어(직품, 직위 등)에 관한 정보이다." @ko
라벨	"Term" @en "용어" @ko
URI	http://dh.aks.ac.kr/ontologies/personnelmatters/schoolsystem#Term
Properties	schoolsys:hasUnionAmount Domain schoolsys:Term schoolsys:hasEventObject Range schoolsys:Term schoolsys:hasEventPostObject Range schoolsys:Term schoolsys:hasEventPreObject Range schoolsys:Term schoolsys:hasEventType Range schoolsys:Term schoolsys:hasSystemObject Range schoolsys:Term schoolsys:hasSystemType Range schoolsys:Term schoolsys:hasUnionAmount Range schoolsys:Term rdf:subject Range schoolsys:Term

이름	Object Property: schoolsys:hasEventPreObject
설명	"본 오브젝트 프로퍼티는 사건의 이전 대상를 연결한다." @ko
라벨	"Event Pre Object" @en "이벤트 변화전 대상" @ko

URI	http://dh.aks.ac.kr/ontologies/personnelmatters/schoolsystem#hasEventPreObject
Domain	historygokr:hEvent kyujanggak:kEvent schoolsys:Event
Range	schoolsys:Group schoolsys:Person schoolsys:System schoolsys:Term

이름	Object Property: schoolsys:hasEventPostObject
설명	"본 오브젝트 프로퍼티는 사건의 이후 대상를 연결한다." @ko
라벨	"Event Post Object" @en "이벤트 변화후 대상" @ko
URI	http://dh.aks.ac.kr/ontologies/personnelmatters/schoolsystem#hasEventPostObject
Domain	historygokr:hEvent kyujanggak:kEvent schoolsys:Event
Range	schoolsys:Group schoolsys:Person schoolsys:System schoolsys:Term

이름	Object Property: schoolsys:hasEventType
설명	"본 오브젝트 프로퍼티는 인사 관련 사건(인사운용, 학교이력 등)을 연결한다." @ko
라벨	"Event Type" @en "이벤트 유형" @ko
URI	http://dh.aks.ac.kr/ontologies/personnelmatters/schoolsystem#hasEventType
Domain	historygokr:hEvent kyujanggak:kEvent schoolsys:Event

Range	schoolsys:Term

이름	Data Property: schoolsys:hasTimeValue
설명	"본 데이터 프로퍼티는 모든 내용의 시간값을 입력한다." @ko
라벨	"Time Value" @en "시간값" @ko
URI	http://dh.aks.ac.kr/ontologies/personnelmatters/schoolsystem#hasTimeValue
Domain	owl:Thing
Range	xsd:dateTime

이름	Data Property: schoolsys:hasSpaceValue
설명	"본 데이터 프로퍼티는 모든 내용의 공간값을 입력한다." @ko
라벨	"Space Value" @en "공간값" @ko
URI	http://dh.aks.ac.kr/ontologies/personnelmatters/schoolsystem#hasSpaceValue
Domain	owl:Thing
Range	rdfs:Literal

이름	Data Property: geo:long
설명	"The WGS84 longitude of a point (decimal degrees)." @en "WGS84의 경도 값을 입력한다" @ko
라벨	"longitude (WGS84)" @en "경도(WGS84)" @ko
URI	http://www.w3.org/2003/01/geo/wgs84_pos#long
Domain	owl:Thing
Range	xsd:float

이름	Data Property: geo:lat
설명	"The WGS84 latitude of a point (decimal degrees)." @en "WGS84의 위도 값을 입력한다" @ko

라벨	"latitude (WGS84)" @en "위도(WGS84)" @ko
URI	http://www.w3.org/2003/01/geo/wgs84_pos#lat
Domain	owl:Thing
Range	xsd:float

(4) 제도 모델

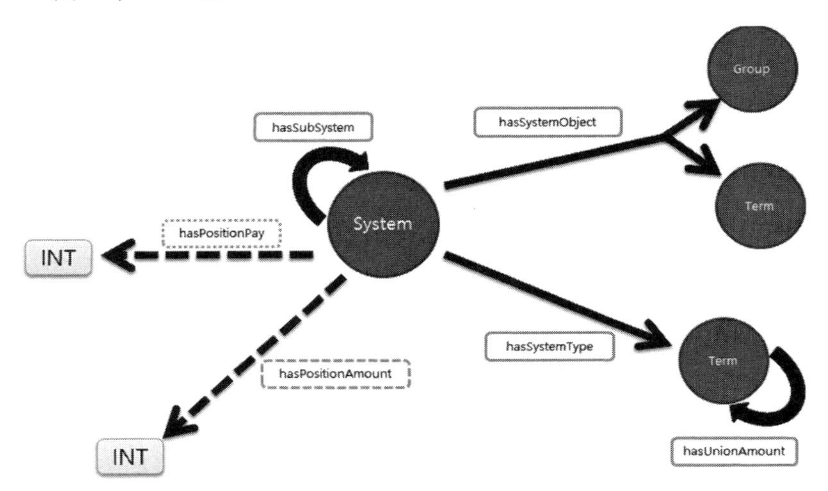

그림 4-8. 제도 모델 RDF 모델링 개념도

제도 모델은 제도의 구체적인 내용을 서술하기 위하여 작성되었다. 사건 모델에서 시간의 변화 양상을 제외한 축소 모델이 바로 제도 모델이다. 제도의 변화는 사건 모델을 통하여 서술하였고, 제도 모델에서는 제도 그 자체의 내용만을 기술하였다.

이름	Class: schoolsys:System
설명	"본 클래스는 제도에 관한 정보이다." @ko

라벨	"System" @en "제도" @ko
URI	http://dh.aks.ac.kr/ontologies/personnelmatters/schoolsystem#System
Properties	schoolsys:hasSubSystem Domain schoolsys:System schoolsys:hasSystemObject Domain schoolsys:System schoolsys:hasSystemType Domain schoolsys:System schoolsys:hasEventObject Range schoolsys:System schoolsys:hasEventPostObject Range schoolsys:System schoolsys:hasEventPreObject Range schoolsys:System schoolsys:hasSubSystem Range schoolsys:System schoolsys:hasPositionAmount Domain schoolsys:System schoolsys:hasPositionPay Domain schoolsys:System

이름	Class: schoolsys:Term
설명	rdfs:comment "본 클래스는 용어(직품, 직위 등)에 관한 정보이다." @ko
라벨	"Term" @en "용어" @ko
URI	http://dh.aks.ac.kr/ontologies/personnelmatters/schoolsystem#Term
Properties	schoolsys:hasUnionAmount Domain schoolsys:Term schoolsys:hasEventObject Range schoolsys:Term schoolsys:hasEventPostObject Range schoolsys:Term schoolsys:hasEventPreObject Range schoolsys:Term schoolsys:hasEventType Range schoolsys:Term schoolsys:hasSystemObject Range schoolsys:Term schoolsys:hasSystemType Range schoolsys:Term schoolsys:hasUnionAmount Range schoolsys:Term rdf:subject Range schoolsys:Term

이름	Class: schoolsys:Group
설명	"본 클래스는 조직(학교 등)에 관한 정보이다." @ko
라벨	rdfs:label "Group" @en rdfs:label "조직" @ko
URI	http://dh.aks.ac.kr/ontologies/personnelmatters/schoolsystem#Gr

	oup
Properties	schoolsys:hasEventObject Range schoolsys:Group schoolsys:hasEventPostObject Range schoolsys:Group schoolsys:hasEventPreObject Range schoolsys:Group schoolsys:hasSystemObject Range schoolsys:Group schoolsys:hasCurrentSchool Domain schoolsys:Group

이름	Object Property: schoolsys:hasSystemObject
설명	"본 오브젝트 프로퍼티는 시스템의 대상(조직, 고유명사)을 연결한다." @ko
라벨	"System Object" @en "시스템 대상" @ko
URI	http://dh.aks.ac.kr/ontologies/personnelmatters/schoolsystem#hasSystemObject
Domain	schoolsys:System
Range	schoolsys:Group schoolsys:Term

이름	Object Property: schoolsys:hasSystemType
설명	"본 오브젝트 프로퍼티는 시스템의 사건(직제정보, 조직변경)을 연결한다." @kr
라벨	"System Type" @en "시스템 유형" @ko
URI	http://dh.aks.ac.kr/ontologies/personnelmatters/schoolsystem#hasSystemType
Domain	schoolsys:System
Range	schoolsys:Term

이름	Object Property: schoolsys:hasSubSystem
설명	"본 오브젝트 프로퍼티는 제도정보의 세부내용을 연결한다." @ko
라벨	"Sub System" @en "하위제도" @ko
URI	http://dh.aks.ac.kr/ontologies/personnelmatters/schoolsystem#ha

	sSubSystem
Domain	schoolsys:System
Range	schoolsys:System

이름	Object Property: schoolsys:hasUnionAmount
설명	"본 오브젝트 프로퍼티는 제도정보의 직원수량 합집합 정보의 세부내용을 연결한다." @ko
라벨	"Union Amount" @en "직원수량합" @ko
URI	http://dh.aks.ac.kr/ontologies/personnelmatters/schoolsystem#hasUnionAmount
Domain	schoolsys:Term
Range	schoolsys:Term

이름	Data Property: schoolsys:hasPositionAmount
설명	"본 데이터 프로퍼티는 모든 내용의 직위수량를 입력한다." @ko
라벨	"Position Amout" @en "직위수량" @ko
URI	http://dh.aks.ac.kr/ontologies/personnelmatters/schoolsystem#hasPositionAmount
Domain	schoolsys:System
Range	xsd:int

이름	Data Property: schoolsys:hasPositionPay
설명	"본 데이터 프로퍼티는 모든 내용의 직봉를 입력한다." @ko
라벨	"Position Pay" @en "직봉" @ko
URI	http://dh.aks.ac.kr/ontologies/personnelmatters/schoolsystem#hasPositionPay
Domain	schoolsys:System
Range	xsd:int

(5) 이칭 모델

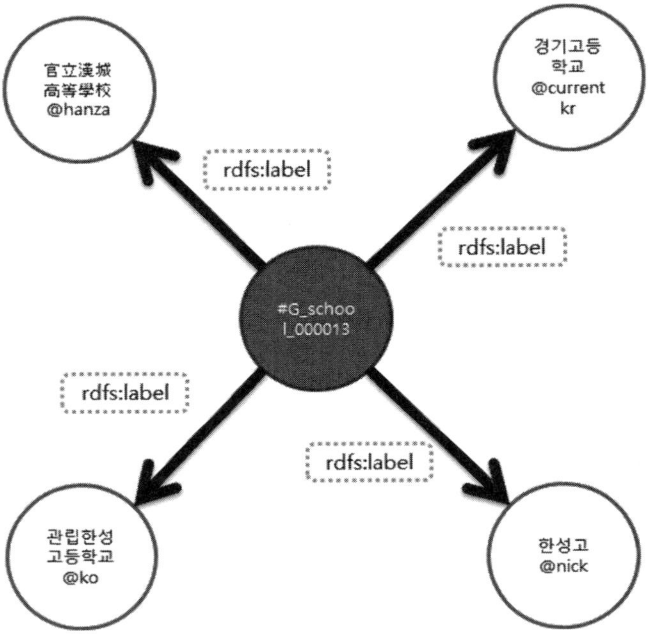

그림 4-9. 이칭 처리를 위한 RDF label 개념도

이칭 모델은 이칭을 처리하기 위하여 기존에 존재하는 RDFS:LABEL[15]의 언어표기(language-tagged)를 활용하였다. 동일한 대상에 대한 다양한 명칭은 언제나 상존하고 있다. 인명의 경우에는 성, 성명, 본명, 초명, 개명, 일명, 자, 호, 시호, 봉호, 군호, 묘호, 법명 등의 다양한 명칭이 존재한다. 이를 Object Property 혹은 Data Property를 통하여 처리할 수도 있다. 그런데 언어표기가 BCP47[16] 규칙에 적합(well-formed)한 경우에는 사용자가 임의적으로 언어 값을

---

15) RDFS:LABEL, RDF Schema 1.1, https://www.w3.org/TR/rdf-schema/
16) BCP47, https://tools.ietf.org/html/bcp47

지정할 수 있다. 이를 응용하여 언어 값 대신에 이칭분류값을 대입하여 동일 객체에 대한 다양한 이칭 표기에 적용하면 보다 깔끔한 데이터 설계가 가능하다.

2. XML 데이터 모델링

XML(Extensible Markup Language)은 W3C에서 개발하였고, 다른 특수한 목적을 갖는 마크업 언어를 만드는 데 사용하도록 권장하는 다목적 마크업 언어이다. XML에서는 문서가 사람과 기계 모두가 읽을 수 있는 형식을 갖도록 규정하고 있다. W3C가 만든 XML 1.0 Specification과 몇몇 다른 관련 명세들은 모두 자유 개방형 표준에서 정의되었다.[17)]

XML은 RDB에 비하여 비정형데이터를 효율적으로 다룰 수 있다. 이에 따라서 현재 인문학 아카이브의 데이터는 기본적으로 XML 형태로 구축되고 있다. 그러나 해당 XML은 원문에 대한 마크업만을 수행하고 있으며, 원문에서 추출된 인문학 지식 요소에 대한 추가적인 처리는 수행하고 있지 않다. 물론 디지털 백과사전의 편찬자가 각각의 아카이브에서 인문학의 지식요소를 처리하고 연결할 수도 있다. 하지만 원문에 대해서 가장 완전히 파악하고 있는 아카이브 구축자가 직접 해당 아카이브의 내용에서 지식 요소를 추출해야 보다 완전한 인문학 데이터를 구축할 수 있다.

가장 좋은 것은 RDF 방식으로 지식 자원을 구성하여 언제든지 다른 자원과 연결할 수 있는 LOD 서비스를 구현하는 것이다. 그러나 현

17) XML, 위키백과, https://ko.wikipedia.org/wiki/XML

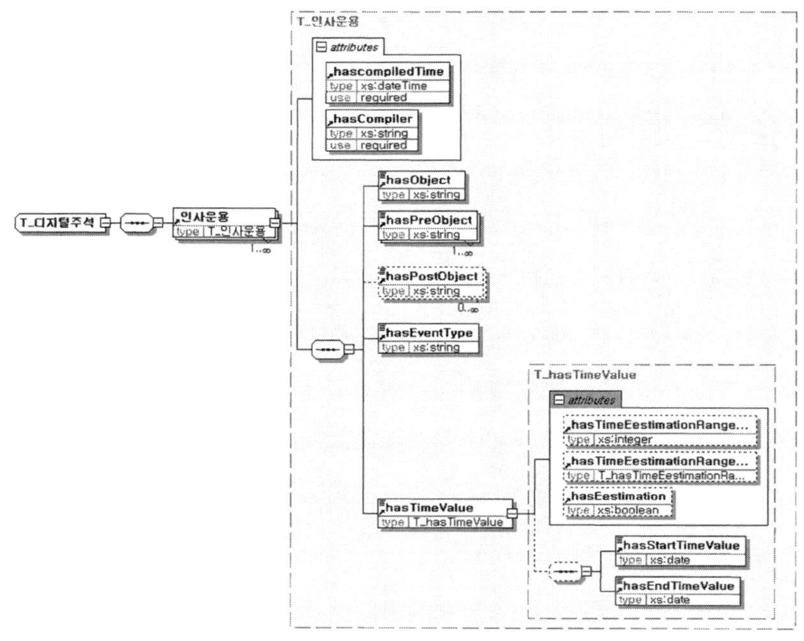

그림 4-10. 인사운용 XML 모델링 전체 체계도

실적으로 RDF의 구현은 대량의 자원이 투입되어서 전체적인 온톨로지 및 유관 시스템을 구축한 이후에나 가능하다. 따라서 아카이브를 구축하는 작업자들이 조금씩이나마 현재의 시스템을 기반으로 RDF를 구현할 수 있도록 최대한 단순한 형태의 인사 기록에 대한 XML 설계를 진행한다.[18]

또한 XML 설계는 전통적인 주석에 대한 새로운 발전 방향을 모색한다는 목적도 포함하고 있다. 기존의 주석은 "낱말이나 문장의 뜻을

18) 제도는 개별 인문학 자료에서 다루는 것보다는 전문적이고 포괄적인 연구를 통한 온톨로지를 구축하여 관리할 필요가 있다. 따라서 본 장에서는 인물의 임명, 해임, 승진, 처벌 등의 인사 기록에 대한 설계만을 진행한다.

쉽게 풀이하는 글"[19])로 정의된다. 실제의 주석에서는 인문학 자료에 등장하는 주요 단어에 대해서 풀이하거나, 간략한 관련 부가 정보를 제공하는 수준으로 작업을 진행하였다. 그런데 이러한 작업은 인간을 위하여 "낱말이나 문장의 뜻을 쉽게 풀이하는" 행위이다. 디지털 시대에는 인간이 아닌 기계를 위하여 "낱말이나 문장의 뜻을 쉽게 풀이하는" 행위가 필요하다. 따라서 인문학 자료의 원문을 재구성하여 기계 가독형 데이터로 만드는 작업의 수행이 필요하다.

■ complexType T_인사운용

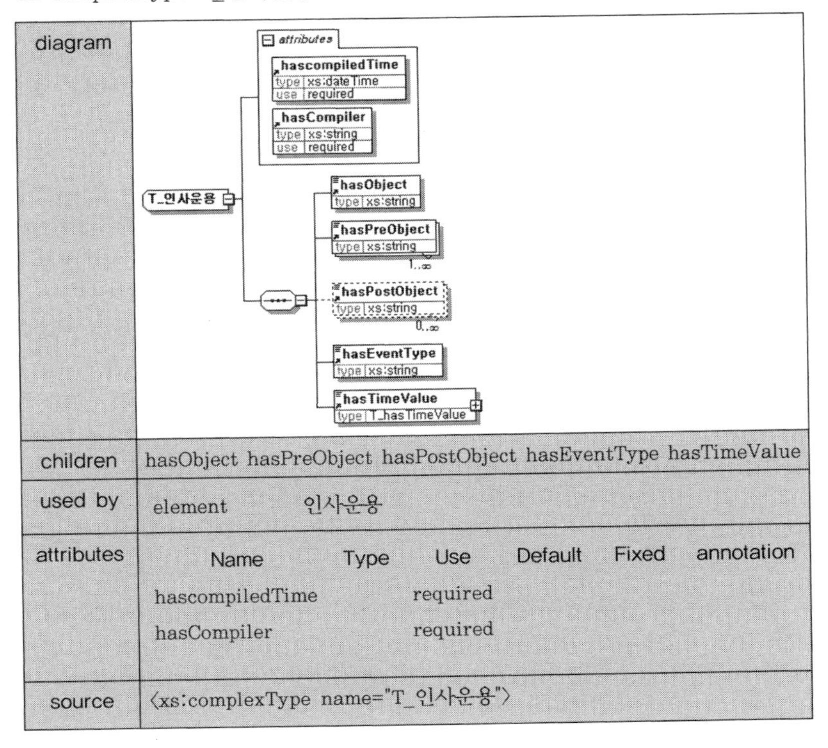

diagram	
children	hasObject hasPreObject hasPostObject hasEventType hasTimeValue
used by	element 인사운용
attributes	Name: hascompiledTime, Use: required Name: hasCompiler, Use: required
source	<xs:complexType name="T_인사운용">

Name	Type	Use	Default	Fixed	annotation
hascompiledTime		required			
hasCompiler		required			

19) 주석07(註釋), 표준국어대사전, 국립국어원.

```
  <xs:sequence>
          <xs:element ref="hasObject"/>
          <xs:element ref="hasPreObject" maxOccurs="unbounded"/>
          <xs:element ref="hasPostObject" minOccurs="0" maxOccurs="unbounded"/>
          <xs:element ref="hasEventType"/>
          <xs:element ref="hasTimeValue"/>
  </xs:sequence>
  <xs:attribute ref="hascompiledTime" use="required"/>
  <xs:attribute ref="hasCompiler" use="required"/>
</xs:complexType>
```

■ complexType T_hasTimeValue

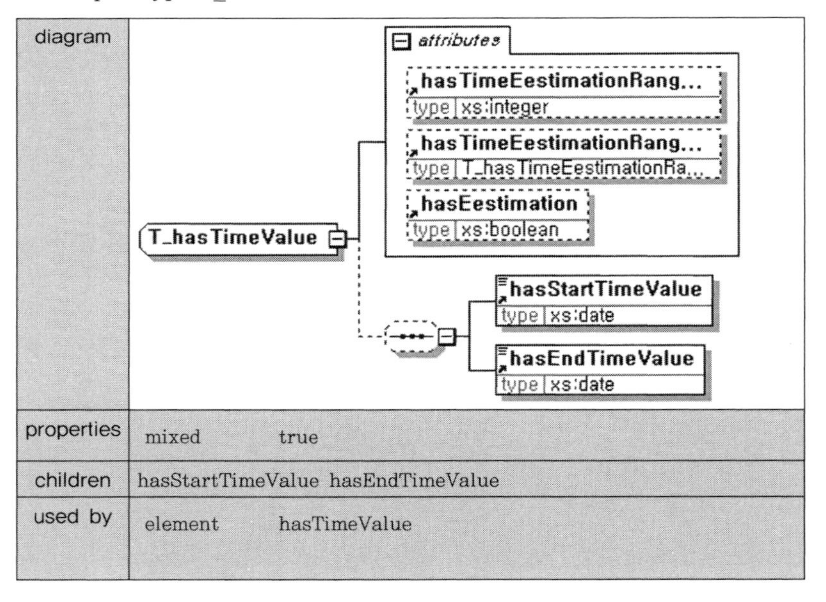

properties	mixed true
children	hasStartTimeValue hasEndTimeValue
used by	element hasTimeValue

attributes	Name	Type	Use	Default	Fixed	annotation
	hasTimeEestimationRangeValue					
	hasTimeEestimationRangeType					
	hasEestimation					
source	〈xs:complexType name="T_hasTimeValue" mixed="true"〉 〈xs:sequence minOccurs="0"〉 〈xs:element ref="hasStartTimeValue"/〉 〈xs:element ref="hasEndTimeValue"/〉 〈/xs:sequence〉 〈xs:attribute ref="hasTimeEestimationRangeValue"/〉 〈xs:attribute ref="hasTimeEestimationRangeType"/〉 〈xs:attribute ref="hasEestimation"/〉 〈/xs:complexType〉					

■ simpleType T_hasTimeEestimationRangeType

type	restriction of xs:string
properties	base xs:string
used by	attribute hasTimeEestimationRangeType
facets	Kind / Value / annotation enumeration Year enumeration Month enumeration Day
source	〈xs:simpleType name="T_hasTimeEestimationRangeType"〉 〈xs:restriction base="xs:string"〉 〈xs:enumeration value="Year"/〉 〈xs:enumeration value="Month"/〉 〈xs:enumeration value="Day"/〉 〈/xs:restriction〉 〈/xs:simpleType〉

표 4-2. XML형 디지털 주석 예시

```
〈?xml version="1.0" encoding="UTF-8"?〉
〈디지털주석 xmlns:xsi="http://www.w3.org/2001/XMLSchema-instance" xsi:
noNamespaceSchemaLocation="file:///C:/Users/ddokb/Desktop/testxml.xsd
"〉
        〈인사운용 hasCompiler="홍길동" hascompiledTime="2017-03-14T00:0
0:00+09:00"〉
                〈hasObject〉韓鎭昌〈/hasObject〉
                〈hasPreObject〉江原道巡察使〈/hasPreObject〉
                〈hasPreObject〉官房長〈/hasPreObject〉
                〈hasEventType〉遞解〈/hasEventType〉
                〈hasTimeValue〉1904-10-29〈/hasTimeValue〉
        〈/인사운용〉
        〈인사운용 hasCompiler="홍길동" hascompiledTime="2016-03-14T00:0
0:00+09:00"〉
                〈hasObject〉金星圭〈/hasObject〉
                〈hasPreObject〉忠淸道巡察使〈/hasPreObject〉
                〈hasPreObject〉官房長〈/hasPreObject〉
                〈hasPostObject〉江原道巡察使〈/hasPostObject〉
                〈hasPostObject〉官房長〈/hasPostObject〉
                〈hasEventType〉="移差〈/hasEventType〉
                〈hasTimeValue hasEestimation="1" hasTimeEestimationRangeValu
e="3" hasTimeEestimationRangeType="Month"〉1900-10-29〈/hasTimeValue〉
        〈/인사운용〉
        〈인사운용 hasCompiler="유관순" hascompiledTime="2011-03-14T00:0
0:00+09:00"〉
                〈hasObject〉李時榮〈/hasObject〉
                〈hasPreObject〉正三品〈/hasPreObject〉
                〈hasPostObject〉忠淸道巡察使〈/hasPostObject〉
                〈hasPostObject〉官房長〈/hasPostObject〉
                〈hasEventType〉="移差〈/hasEventType〉
                〈hasTimeValue hasEestimation="1"〉
                〈hasStartTimeValue〉1904-10-29〈/hasStartTimeValue〉
                        〈hasEndTimeValue〉1905-01-01〈/hasEndTimeValue〉
                〈/hasTimeValue〉
        〈/인사운용〉
〈/디지털주석〉
```

제5장

제도-인사 아카이브의 활용

구축된 제도-인사 아카이브가 인문학 연구에 활용될 수 있도록 하기 위한 시각화 방법론과 새로운 인문학 연구 모델을 앞에서 제시하였다.

아카이브의 실제 사용 단계는 아카이브에 있는 정보를 질의하는 질의 단계와 질의의 결과를 탐색하는 결과 탐색 단계로 볼 수 있다. 그 중에서 일반 사용자들의 사용 빈도가 높은 결과 탐색 단계에서의 시각화를 위하여, 기존의 종이 매체와 디지털 매체의 제도-인사 관련 시각화 방안에 대해서 살펴보고 각각의 장단점을 분석하였다. 그 결과를 바탕으로 효과적으로 사용자들에게 필요한 정보를 전달할 수 있는 "정보 전달형 시각화" 모델을 제시하였다.

또한 일반 사용자들이 간단한 키워드 검색에만 의존하고, 질의 언어를 통한 정보 질의에 어려움을 겪는 현상이 보이는 질의 단계에서의 문제를 해결하기 위하여, 데이터 질의 언어(SPARQL)의 질의 구성 요소들을 시각적으로 표상화하는 방식으로 질의를 구성하여 데이터 자체에 대한 접근성을 고려한 "데이터 접근형 시각화" 모델을 제안하였다.

마지막으로 제도-인사 아카이브를 통하여 실제 인문학 연구에서 활용할 수 있는 새로운 연구 모델로 데이터 분석 중심의 "의원면직과 보직 이동" 모델과 개별 인물 중심의 "인물 탐구"의 모델을 서술하였다.

1. 유관 시각화 선행 연구

데이터 시각화는 데이터 내용, 데이터 분석 결과, 데이터 해석 결과를 쉽게 이해할 수 있도록 시각적으로 표현하여 전달하는 모든 과정을 의미한다. 데이터 시각화는 디지털 데이터가 2D, 3D, VR, AR 등의 다양한 표현양식에 의해 시각화되는 방법을 연구하는 새로운 방식의 시각화이다. 그러나 데이터 시각화가 전통적인 종이매체에서의 시각화와 완전히 분리되어 있는 것은 아니다. 전통적인 시각화는 비록 종이 매체의 한계 속에서 진행되었지만, 그 한계 내에서 최대한으로 대상을 가장 쉽고 정확하게 사용자들에게 전달하고자 하였다. 예를 들어서 논문의 인용표기는 종이 매체에서 내용의 원래 출처를 사용자들이 가장 쉽고 정확하게 파악할 수 있는 방법으로 발달하였다. 데이터 시각화는 대상을 가장 쉽고 정확하게 사용자들에게 전달하고자 한다는 점에서 전통적인 시각화와 크게 다르지 않다. 다만, 디지털 매체상에서 종이 매체의 제약으로 처리 불가능했던 다양한 시각화 방안이 적용 가능하게 되었다는 점이 차이점이라 할 수 있다.[1)]

디지털 매체상의 시각화는 종이 매체상의 시각화와 대비하여 '다양성'과 '확장성' 및 '재사용성'이 보장받는다. '다양성'은 여러 관점을 모두 지원할 수 있는 가능성을 의미한다. 종이 매체에서는 지면의 제약으로 창작자가 중시하는 하나의 관점으로 대상을 서술하였고, 그 외의 관점은 시각화되지 못하였기에 대상의 평면적인 모습만을 보여주었다. 그러나 디지털에서는 지면의 제약이 없기에 다양한 관점을 모두 지원하여 대상을 다양한 측면에서 전면적으로 접근할 수 있다.

---

1) 줄리 스틸·노아 일린스키, 『아름다운 시각화』, 인사이트, 2012; 네이선 야우, 『비주얼라이즈 디스』, 에이콘출판, 2012; 서은경, 「정보시각화에 대한 스킴모형별 비교 분석」, 『한국문헌정보학회지』, 第36권, 第4호, 2002.

'확장성'은 기존에 출력된 시각화에서 특정 대상이 추가적으로 확장되는 것을 의미한다. 종이 매체에서는 이미 시각화된 대상에서의 추가적인 확장은 불가능했다. 그러나 디지털 매체에서는 상호작용을 통하여 특정 대상에 대한 추가적인 탐색을 위한 확장을 지원한다.

마지막으로 '재사용성'은 시각화된 특정 요소의 재사용 가능성을 의미한다. 종이 매체에서는 이미 출력된 특정 대상 요소를 중심으로 다시 시각화를 할 방법이 없다. 그러나 디지털 매체에서는 이미 시각화된 특정 요소를 중심으로 추가적인 작업을 할 수 있다. 따라서 특정 대상의 특성과 사용자의 목적에 따라서 다양한 시각화 방법이 연구되고 있다.[2)]

인문학 분야의 시각화는 실제 프로젝트에서의 구현을 목적으로만 수행되었으며, 인문학 정보 그 자체에 대한 시각화 연구는 그다지 많지 않다. 다만 인문학 정보의 속성상 크게 시간 시각화, 공간 시각화, 그리고 네트워크 시각화에 대한 관심이 비교적 높다.

시간은 인문학을 포함한 모든 정보의 시각화에서 기본적으로 포함되는 속성이다. 이에 따라서 시간 시각화에 대한 내용은 거의 모든 연구에서 거론되고 있다. 그 중에서 특히 시간을 중심으로 시각화 방법론을 전개한 논문들은 대체로 포괄적인 시간에 대한 시각화 방법[3)]보

2) 현재 범용적인 시각화 방법은 다음과 같다.
시간 시각화: 막대그래프(Column Chart), 누적막대그래프(Stacked Column Chart), 점그래프(Dot plot).
분포 시각화: 파이차트(Pie Chart), 도넛차트(Donut Chart), 트리맵(Tree Map).
관계 시각화: 스케터 플롯(Scatter plot), 버블차트(Bubble chart), 히스토그램(histogram).
비교 시각화: 히트맵(heat map), 스타차트(Star Chart), 평행좌표계(Parallel Coordinates), 다차원 척도법(multi-dimensional scaling method; MDS).
공간 시각화: 버블차트(Bubble chart), 히트맵(heat map), 파이차트(Pie Chart), 네트워크 시각화 융합.

다는 특정한 주제와 목적에 합당한 시간 시각화 방법을 연구하였다.[4)]

공간 시각화는 특히 "전자문화지도"의 이름으로 문화, 사상, 역사, 지리, 민속 등의 다양한 분야의 자료를 시간, 공간, 주제의 입체 구조 속에 배열하는 문화지도의 형태로 발전하였다. 특히 2002년에 시작된 "조선시대 전자문화지도와 문화 연구" 프로젝트[5)]는 시공간 정보에 대해서 기계가독형 데이터베이스를 설계하고,[6)] 이를 바탕으로 인구, 경지면적, 사찰, 장시(場市), 교통로, 민요 등 총 22개 영역의 데이터를 구축하였다. 그뿐만이 아니라, 완성된 "조선시대 전자문화지도"를 토대로 문화현상의 시공간적 변이 양상을 파악하기 위한 인문학적 탐구를 진행하였다.[7)] 그 이후 개인이 행하는 연구의 한계로 특정 지역과 주제만을 대상으로 하는 전자문화지도 관련 연구가 다수 진행되었다.[8)] 최근에는 전자문화지도가 문학계에서 문학 속에 등장하는 공간

---

3) 이병학, 「시간적 순서에 기준한 정보 시각화 인터페이스 개발에 관한 연구」, 『한국디자인학회 봄국제학술발표대회 논문집 2009』, 2009; 한석원, 「시간 관련 데이터 시각화의 정보디자인에 관한 연구 – 주기적, 순환적 시간을 중심으로 –」, 『조형미디어학』, 제18권, 제1호, 2015; 전혜연, 「효과적인 역사 지식 시각화 방안 연구 – 뉴미디어의 역사 지식 시각화 그래픽을 중심으로」, 『Journal of Integrated Design Research』, 제15권, 제4호, 2016.

4) 김영찬·이강준, 「3D역사연표개발을 위한 인터페이스 디자인 제안」, 『디지털디자인학연구』, 제16권, 제1호, 2016; 박정원, 「중국 시간지식정보 큐레이팅(Curating) 전략」, 『중국지식네트워크』, 제6권, 2015; 최은림, 「시간의 흐름에 따라 변화하는 정보의 시각화 연구 : 경복궁 사례를 중심으로」, 『디지털디자인학연구』, 제11권, 제3호, 2011.

5) 김홍규 등, 「조선시대 전자문화지도와 문화 연구」, 기초학문자료센터, 2002; 신항수, 「역사학의 새로운 과제와 전자문화지도」, 『민족문화연구』, 제38권, 2003; 김종혁, 「디지털시대 인문학의 새 방법론으로서의 전자문화지도」, 『국학연구』, 제12권, 2008.

6) 권순회, 「조선시대 전자문화지도 Dataset 구현 방안」, 『민족문화연구』, 제38권, 2003; 김종혁, 「고려대학교 민족문화연구원 개발 문화·역사지도의 DB 구조」, 『대한지리학회 학술대회논문집』, 대한지리학회, 2013.

7) 허용호, 「전자문화지도 연구에서 민속 데이터베이스의 구축과 활용」, 『비교민속학』, 제31권, 2006; 유호진, 우응순, 「누정제영(樓亭題詠)의 시공간적 분포와 그 의미」, 『민족문화연구』, 제40권, 2004.

적 배경을 시각화하는 방법으로 활용되고 있다.[9]

시간이나 공간은 거의 모든 정보에 기본적으로 내재되어 있는 것이다. 그러하기에 비록 시간의 시각화를 중심으로 한 연구라도 공간에 대한 시각화가 포함되어 있으며, 공간의 시각화를 중심으로 한 연구라도 시간에 대한 시각화가 포함되어 있다.[10]

네트워크 시각화는 인물 간의 관계 네트워크를 중심으로 연구가 진행되었다. 네트워크 시각화는 네트워크 연결형 시각화와 네트워크 분석형 시각화로 구분된다. 네트워크 연결형 시각화는 시각화 대상에서 인물 간의 관계를 직접 정의한 소규모 데이터를 바탕으로 네트워크를 그리는 형태의 시각화[11]이다. 네트워크 분석형 시각화는 인물 간의 관계를 방대한 데이터를 바탕으로 네트워크 분석을 한 결과를 시각화

---

8) 변지선, 「서울지역 마을굿 전자문화지도의 구축과 활용방안」, 『한국민속학』, 제45권, 제1호, 2007; 최필진, 「GIS를 이용한 향토문화 전자지도 서비스 방안 연구 : 한국향토문화전자대전 중심으로」, 단국대학교 석사학위논문, 2010; 김동훈, 「중국 조선족전자문화지도 제작 연구 : 연변조선족자치구 용정시를 중심으로」, 한국외국어대학교 박사학위논문, 2012; 강지훈, 「해외지역 연구를 위한 전자문화지도에 관한 연구」, 부산외국어대학교 박사학위논문, 2013; 고윤하, 「서울 북촌 전자문화지도 개발 연구」, 한국학중앙연구원 한국학대학원 석사학위논문, 2014; 강지훈·김희정, 「디지털인문학과 전자문화지도 : 도서 지중해 여성의 전자문화 지도 구현」, 『지중해지역연구』, 제17권, 제2호, 2015.

9) 이형대, 「기행가사 기반의 전자문화지도 구축과 그 활용 방안」, 『오늘의 가사문학』, 제7권, 2015; 신춘호, 「'17C 역사소설 공간' 전자문화지도 구축 방안 시고」, 『글로벌문화콘텐츠』, 제20호, 2015; 권혁래·김사현, 「나선정벌 서사의 시각화 콘텐츠 제작 방안 모색」, 『열상고전연구』, 제50집, 2016; 구지현·서소리, 「한중교류 척독의 시각화 방안 시론」, 『열상고전연구』, 제50집, 2016.

10) 우태희, 「시간 및 공간적 정보 연계를 바탕으로 한 정보 시각화 시스템 디자인」, 국민대학교 석사학위논문, 2013.

11) 이형대, 「기행가사 기반의 전자문화지도 구축과 그 활용 방안」, 『오늘의 가사문학』, 제7권, 2015; 신춘호, 「'17C 역사소설 공간' 전자문화지도 구축 방안 시고」, 『글로벌문화콘텐츠』, 제20호, 2015; 권혁래·김사현, 「나선정벌 서사의 시각화 콘텐츠 제작 방안 모색」, 『열상고전연구』, 제50집, 2016; 구지현·서소리, 「한중교류 척독의 시각화 방안 시론」, 『열상고전연구』, 제50집, 2016.

하는 시각화[12]이다.

2. 유관 시각화 선행 모델

1) 종이 공구서의 시각화

현대적인 개념의 데이터 시각화는 아니지만, 종이 공구서에서도 정보를 효율적으로 사용자들에게 전달하기 위하여 다양한 시각화 방법이 시도되었다. 그 중에서 인사 제도와 관련된 상용 방법에는 체계도, 제도표, 관인 임면 변천표가 있다. 아래에서 체계도의 예로 "조선총독부 및 소속 관서 분과 일람"을, 제도표의 예로 "조선시대 동반 관직표"를, 관인 임면 변천표의 예로 "조선총독부 주요 관인 임면 변천표"를 살펴볼 것이다.

(1) 조선총독부 및 소속 관서 분과 일람 - 『최근조선사정요람』[13]

조선총독부 및 소속 관서 분과 일람에서는 1911년 11월 1일을 기준으로 한 조선총독부의 제도를 체계도로 보여주고 있다. 체계도 형식의 시각화는 사용자들이 손쉽게 조직 간의 위계 관계를 파악할 수 있도록 한다. 다만 해당 조직의 구체적인 직위나 직위에 재임했던 인물에 대한 정보를 파악하기 위해서는 관련 사료, 연구서, 공구서를 참고

---

12) 徐永明, 中國古典文學探究的幾種可視化途徑 - 以湯顯祖研究爲例, 浙江大學學報(人文社會科學版), 2016(Yongming XU, Some Visualization Approaches to the Study of Classical Chinese Literature: A Case Study on Tang Xianzu, JOURNAL OF ZHEJIANG UNIVERSITY, 2016); 노선, 「조선왕조실록 분석을 위한 인물중심의 데이터 시각화」, 중앙대학교 석사학위논문, 2014.

13) 朝鮮總督府(편), 『最近朝鮮事情要覽』, 1912.

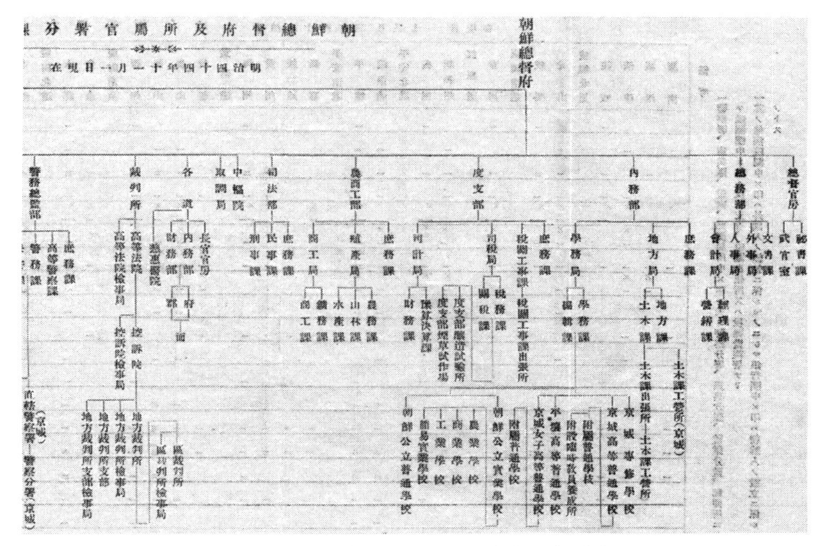

그림 5-1. 조선총독부 및 소속 관서 분과 일람

하여야 한다.

(2) 조선시대 동반 관직표 - 『필수역사용어해설사전』[14)]

조선시대 동반 관직표에서는 조선시대의 동반 관직에 대해서 조직명을 기준으로 각 조직에 소속된 직위와 직품 그리고 해당 직위의 편재 인원을 기술하였다. 관직표의 형식은 사용자들이 손쉽게 전체적인 제도와 직위 및 직품 간의 상관관계를 파악할 수 있도록 한다. 다만 특정 시점을 기준으로 집필할 수밖에 없기에 시대의 변화에 따른 변화 양상을 서술하지 못한다. 이로 말미암아 연구자가 부분적인 변화를 파악하기 위해서는 관련 사료, 연구서, 공구서를 참고하여야 한다.

---

14) 이은식, 『필수역사용어해설사전』, 타오름, 2014, 453쪽.

조선시대(朝鮮時代) 동반(東班-文官) 관직표(官職表)

(※ 서반직, (雜)잡직, (兼)겸직, 숫자는 정원, ×무정원)

官衙名 관아명	正1品	從1品	正2品	從2品	正3品 堂上	正3品 堂下	從3品	正4品	從4品	正5品	從5品	正6品	從6品 叅上	正7品 叅下	從7品	正8品	從8品	正9品	從9品
宗親府 종친부	大君× 대군 君× 군	君× 군	君× 군	君× 군	都正× 도정	正× 정	副正× 부정	守× 수	副守× 부수	令× 영	副令× 부령	監× 감							
								典籤1 전첨		典簿1 전부									
忠勳府 충훈부	君× 군	君× 군	君× 군	君× 군					經歷1 경력		都事1 도사								
儀賓府 의빈부	尉× 위	尉× 위	尉× 위	尉× 위	副尉× 부위	僉尉× 첨위	僉尉× 첨위		經歷1 경력		都事1 도사								
敦寧府 돈녕부	領事1 영사	判事1 판사	知事1 지사	同知事1 동지사	都正1 도정	正1 정	副正× 부정		僉正2 첨정		判官2 판관	主簿2 주부			直長2 직장		奉事2 봉사		참봉2 叅奉
奉朝賀 봉조하						正一品 정1품 功臣 공신	從一品 종1품 功臣 공신	正二品 정2품 功臣 공신	從二品 종2품 功臣 공신	正三品 정3품 功臣 공신									
									正一品 정1품 功臣 嫡長 공신 적장		從一品 종1품 功臣 嫡長 공신 적장	正二品 정2품 功臣 嫡長 공신 적장	從二品 종2품 功臣 嫡長 공신 적장	正三品 정3품 功臣 嫡長 공신 적장					
									正一品 정1품 凡人 범인					從一品 종1품 凡人 범인	正二品 정2품 凡人 범인		從二品 종2품 凡人 범인	正三品 정3품 凡人 범인	
議政府 의정부	領議政 영의정 1 左議政 좌의정 1 右議政 우의정 1	左贊成 좌찬성 1 右贊成 우찬성 1	左參贊 좌참찬 1 右參贊 우참찬 1					舍人2 사인		檢詳1 검상						司錄2 사록			

그림 5-2. 조선시대 동반 관직표

(3) 조선총독부 주요 관인 임면 변천표 –『일본관료제종합사전』[15]

『일본관료제종합사전』에서는 특정 직위를 중심으로 해당 직위를 역임한 인물들의 이름과, 임명일, 퇴직일 정보를 시각화하였다. 이러한 방식의 시각화를 통해 사용자들은 손쉽게 특정 직위에 재임하였던 인물의 정보를 알 수 있다. 다만 특정 인물에 대한 보다 상세한 관력 정보나 조직위계 혹은 직품에 따른 인물 정보를 원한다면 관련 사료,

15) 秦郁彦(편), 『日本官僚制總合事典 1868-2000』, 東京大學出版會, 2011.

22 朝鮮総督府

A 本 府

朝鮮総督（韓国統監）

氏名	就任	退任
[韓国統監]		
伊藤 博文	明38.12.21—	明42. 6.14
曾禰 荒助	42. 6.15—	43. 5.30
寺内 正毅(兼)	43. 5.30—	43.10. 1
[朝鮮総督]		
寺内 正毅(兼)	43.10. 1—	44. 8.30
寺内 正毅	44. 8.30—	大5.10.14
長谷川好道	大5.10.14—	8. 8.12
斎藤 実	8. 8.13—	昭2.12.10
宇垣一成(代)	昭2. 4.15—	2.10. 1
山梨 半造	2.12.10—	4. 8.17
斎藤 実	4. 8.17—	6. 6.17
宇垣 一成	6. 6.17—	11. 8. 5
南 次郎	11. 8. 5—	17. 5.29
小磯 国昭	17. 5.29—	19. 7.22
阿部 信行	19. 7.24—	20. 9.28

氏名	就任	退任
[統監府外務部長]		
小松 緑	42.12.23—	43.10. 1
[朝鮮総督府総務部外事局長]		
小松 緑	43.10. 1—	45. 3.31

学務局長

氏名	就任	退任
[内務部学務局長]		
関屋貞三郎	明43.10. 1—	大6.10. 8
関屋貞三郎(兼)	大6.10. 8—	8. 8.20
[学務局長]		
柴田善三郎	8. 8.20—	11.10.16
長野 幹	11.10.16—	13.12. 1
李 軫鎬	13.12.12—	昭4. 1.19
松浦鎮次郎	昭4. 2. 1—	4.10. 4
武部 欽一	4.10. 9—	6. 6.27
牛島 省三	6. 6.27—	6. 9.23
林 茂樹	6. 9.23—	8. 8. 4
渡辺豊日子	8. 8. 4—	11. 5.21
富永 文一	11. 5.21—	12. 7. 3
塩原時三郎(心)	12. 7. 3—	12.12. 1
塩原時三郎	12.12. 1—	16. 3.26
真崎 長年	16. 3.26—	17.10.23
大野 謙一	17.10.23—	19. 8.17
武永 憲樹	19. 8.17—	☆

그림 5-3. 조선총독부 주요 관인 임면 변천표

연구서, 공구서를 추가적으로 찾아야 한다.

종이 공구서들은 종이 매체의 한계 안에서 특정 목적에 부합하는 가장 효율적인 시각화를 연구하였다. 그러나 현재에는 종이 매체의 한계가 사라진 디지털 시대에 걸맞는 새로운 시각화 방법론들이 모색되고 있다.

2) 디지털 매체의 시각화

디지털 매체에서의 시각화는 전통적인 시각화 방법을 준용하면서 디지털에서 사용 가능한 하이퍼링크와 멀티미디어를 통한 직관적인

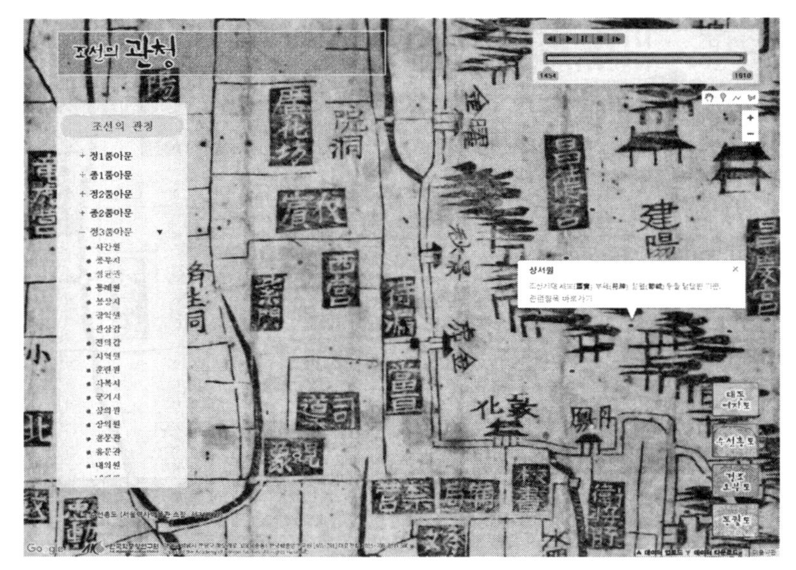

그림 5-4. 조선왕조실록 전문사전

시각화 방법을 제시하고 있다. 고지도나 전자지도를 바탕으로 관련 정보를 시각화하거나, 하이퍼링크를 통하여 간편하게 지식의 확장을 모색하거나, 디지털 분석 기법을 도입하여 분석 결과를 실시간으로 사용자에게 전달하는 것이 바로 이에 해당한다.

(1) 조선왕조실록 전문사전[16)]

조선왕조실록 전문사전은 2007년부터 한국학중앙연구원과 세종대왕기념사업회에서 조선왕조실록을 대상으로 공동으로 편찬하고 있는 한국 최초의 인터넷 전서사전(專書事典)이다. 조선왕조실록의 테마서비스[17)]에서는 관청의 위치를 대동여지도(大東輿地圖), 수선총도(首善總

16) 조선왕조실록 전문사전, 한국학중앙연구원, http://encysillok.aks.ac.kr/

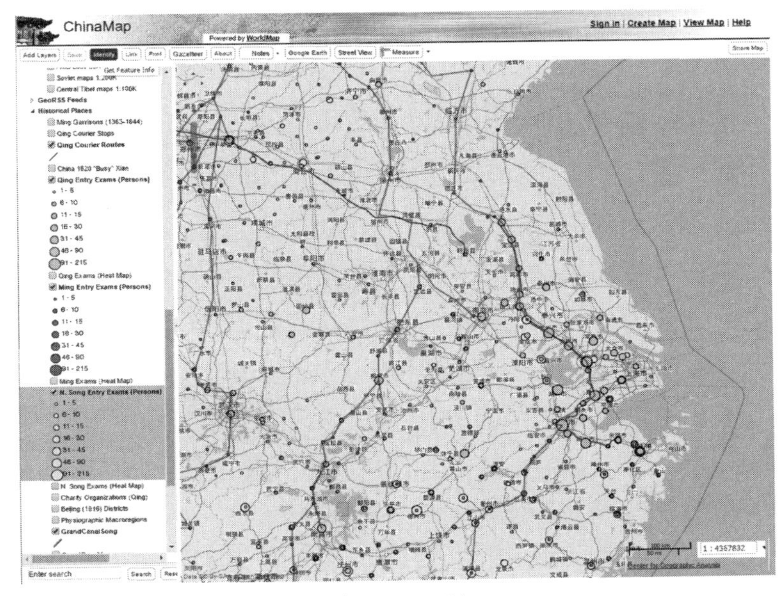

그림 5-5. WorldMap

圖), 경조오부도(京兆五部圖), 동궐도(東闕圖) 위에 표시하고, 시간 경과에 따른 관청의 존폐를 추적하기 위하여 타임슬라이드 기능을 구현하였다.

대동여지도를 비롯한 고지도를 Google Map API를 통하여 구현함으로써, 현대 지도 정보 서비스에서 활용 가능한 시각화 기능들을 구현하고 있다. 또한 사용자가 지도상에 직접 자신이 원하는 새로운 테마 지도를 구축하고 다운로드할 수 있도록 하여, 구축된 서비스가 사용자들의 수요에 따라서 다양하게 재활용될 수 있게 하였다. 다만 시각화 부분에 있어 단순한 점과 선을 이용하고 있기에 시각적으로 단조

17) 조선의 관청, 조선왕조실록 전문사전, 한국학중앙연구원, http://encysillok.aks.ac.kr/Theme/GwanCheong

롭다. 또한 사용자 지향 UI에 대한 연구와 반영이 미진하다.

(2) WorldMap[18]

WorldMap은 하버드대학교에서 인문학을 구성하는 핵심 데이터인 공간정보를 디지털 기술을 통해서 분석하고 지리정보 시각화를 통한 교육을 행하기 위한 온라인 기반 플랫폼이다. 사용자는 자신이 보유하고 있는 지리정보를 포함한 자료를 WorldMap 시스템에 업로드한 뒤, 지리정보시스템을 통한 분석과 시각화를 온라인에서 수행할 수 있다. 또한 다른 사람이 올린 데이터를 재활용하여 자신만의 온라인 지도를 구축할 수 있다.[19]

WorldMap의 시각화는 그 목적상 범용적으로 전자지도에서 활용 가능한 점, 선, 면을 기반으로 하고 있다. 따라서 특별히 화려한 시각화를 선보일 수는 없지만, 사용자들이 자신의 데이터를 바탕으로 자신만의 테마지도를 구축할 수 있다는 장점을 지닌다. 다만 보다 다양한 방식의 시각화 방식의 개발이 지연되는 것이 한계이다.

(3) 불교 전기 문학(佛教傳記文學) 시각화[20]

불교 전기 문학 시각화는 법고불교학원(法鼓佛教學院)에서 불교 전기 문학 데이터베이스를 토대로 불경규범데이터베이스[21]와 연동하여,

---

18) WorldMap, Harvard University, http://worldmap.harvard.edu/

19) 김현·김바로, 「미국 인문학재단(NEH)의 디지털인문학 육성 사업」, 『인문콘텐츠』, 제34호, 2014, 37쪽.

20) 불교 전기 문학(佛教傳記文學) 시각화, 법고불교학원, http://dev.dila.edu.tw/biographies/

21) 불경규범데이터베이스(佛學規範資料庫, Buddhist Studies Authority Database Project)는 2008년 법고불교학원(法鼓佛教學院)에서 한국, 중국, 일본의 연호를 서력

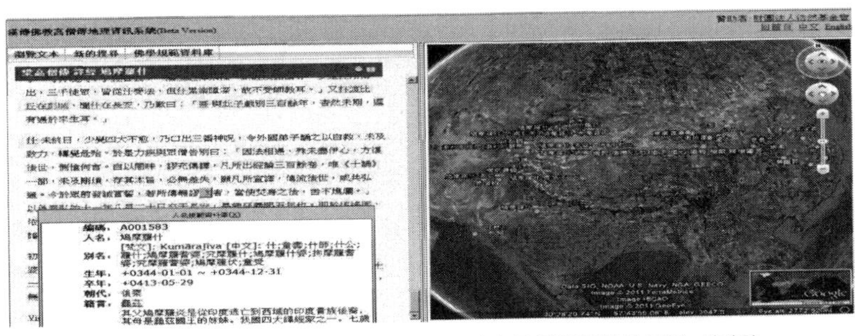

그림 5-6. 지리정보형 시각화 – 불교 전기 문학(佛敎傳記文學) 시각화

지리정보형 시각화, 네트워크형 시각화, 타임테이블형 시각화를 구현한 것이다. 불교 전기 문학은 역대 『고승전(高僧傳)』의 인물 2,143명, 『비구니전(比丘尼傳)』의 인물 116명, 『명승전초(名僧傳抄)』의 인물 36명, 『거사전(居士傳)』의 인물 301명 및 『보속고승전(補續高僧傳)』의 인물 609명, 총 3,200여명을 토대로 TEI/XML 형태로 구축한 데이터베이스이다.

지리정보형 시각화는 불교 전기의 원문과 지도로 구성된다. 불교 전기의 원문에서는 인물과 지명에 표시가 되어 있다. 인물을 클릭하면 불경규범 데이터베이스의 인물정보를 출력한다. 지명을 클릭하면 불경규범 데이터베이스의 지명규범 데이터베이스를 토대로 오른쪽의 지도에서 지명의 실제 위치로 이동한다.

네트워크형 시각화에서는 불교 전기 문학 내의 인물 간의 관계를 네

과 연결하는 시간규범데이터베이스, 불교 관련 인물 36,384명의 정보를 모은 인명규범데이터베이스, 불경에 등장하는 지명 58,760개의 정보를 모은 지명규범데이터베이스를 통합하여 관리하는 서비스이다. 모든 데이터는 공개되어 있으며, 저작권 표시와 동일조건 변경 허락을 조건으로 재활용이 가능하다. 불경규범데이터베이스(佛學規範資料庫, Buddhist Studies Authority Database Project), 법고불교학원, http://authority.dila.edu.tw/

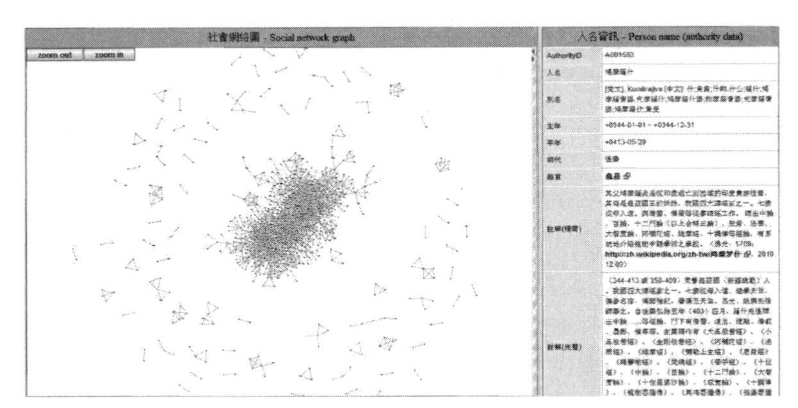

그림 5-7. 네트워크형 시각화 - 불교 전기 문학(佛敎傳記文學) 시각화

트워크 그래프 형식으로 시각화하였다. 시각화된 네트워크에서 특정한 인물(점)을 누르면 불경규범 데이터베이스의 인물정보를 표시한다.

타임테이블형 시각화는 불교 전기 내 인물의 생졸년을 기반으로 시각화한 것이다. 타임테이블에서 특정 인물을 선택하면 해당 인물에 대한 정보, 같은 시기 인물 타임테이블 시각화, 관련 인물 네트워크 시각화 및 해당 인물 출현 문헌을 볼 수 있다.

불교 전기 문학(佛敎傳記文學) 시각화는 불교 전기를 활용하여 다양한 방식의 시각화 방안을 제시하고 있다. 특히 디지털 아카이브 성격의 불교 전기 문학은 기존에 구축된 디지털 사전 성격의 불경규범데이터베이스와의 연계를 통하여 사용자들에게 불교 전기 문학의 다양한 정보들을 입체적으로 전달하고 있다. 다만 서비스상의 추가적인 발전과 유지 관리가 아쉽다.

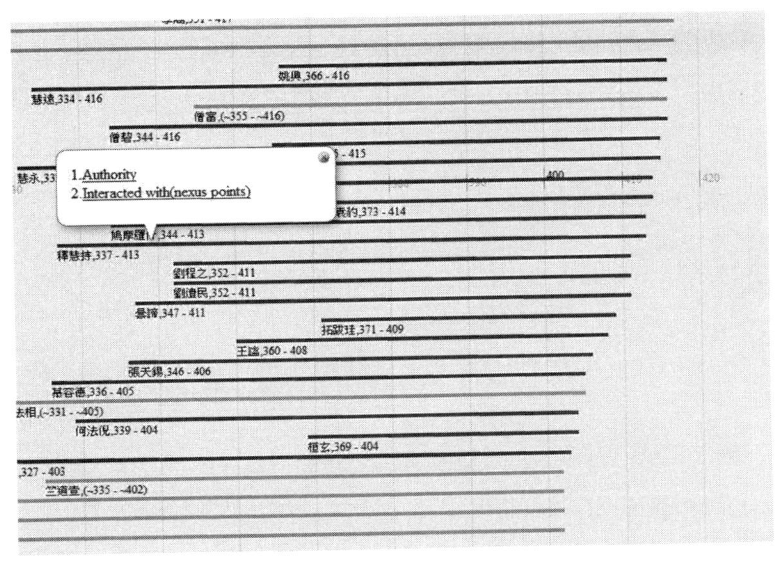

그림 5-8. 타임테이블형 시각화 - 불교 전기 문학(佛敎傳記文學) 시각화

(4) 청대 타이완 문관관직표 검색 시스템(清代臺灣文官官職表查詢系統)22)

청대 타이완 문관관직표 검색 시스템은 2010년 국립타이완대학교(國立臺灣大學) 컴퓨터정보공학연구소(資訊工程研究所)의 "디지털아카이브와 자동추론실험실(數位典藏與自動推論實驗室)"에서 구축하였다. 강희 23년(1684)부터 광서 21년(1895)까지의 타이완의 문관에 대한 자료를 인명과 관직 그리고 시간을 중심으로 검색할 수 있는 시스템이다.

---

22) 청대 타이완 문관관직표 검색 시스템(清代臺灣文官官職表查詢系統), 국립타이완대학교, http://ctb.digital.ntu.edu.tw

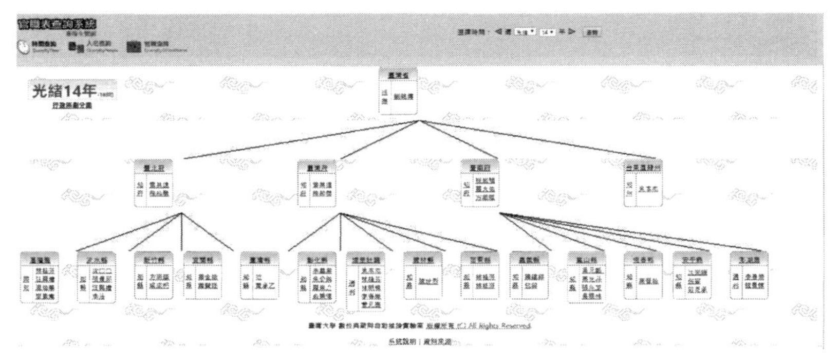

그림 5-9. 시간 검색. 청대 타이완 문관관직표 검색 시스템

"시간 검색"은 시간을 중심으로 한 검색으로 특정 연도를 기준으로 관직의 상하위 관계와 함께 해당 관직에 재직 중인 인물의 정보를 보여준다.

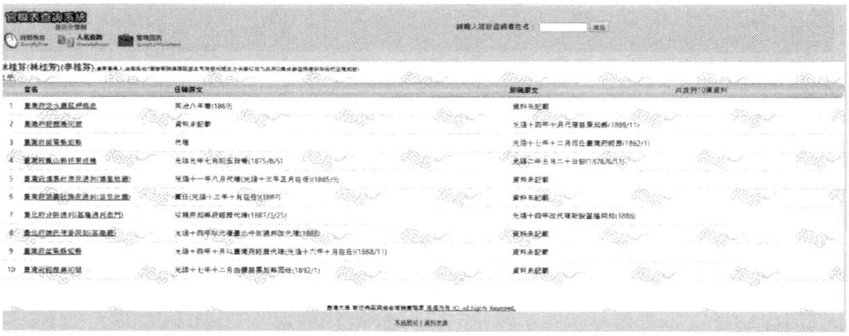

그림 5-10. 인명 검색. 청대 타이완 문관관직표 검색 시스템

"인명 검색"에서는 인물을 중심으로 특정 인물이 역임한 관직의 임명 자료와 파면 자료를 보여준다.

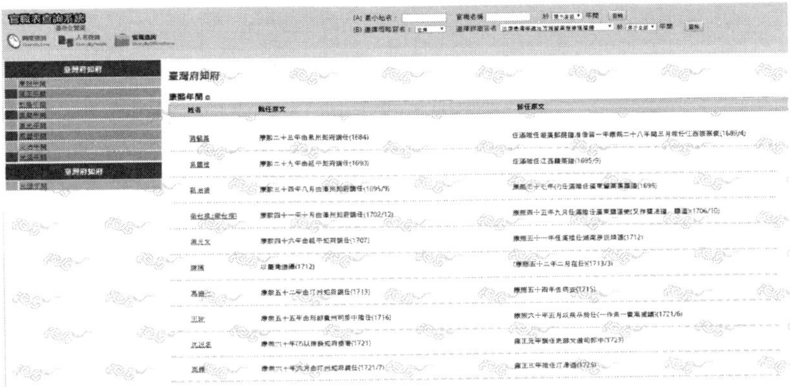

그림 5-11. 관직 검색, 청대 타이완 문관관직표 검색 시스템

"관직 검색"에서는 관직을 중심으로 특정 관직을 역임한 모든 인물과 각 인물의 임명 자료와 파면 자료를 보여준다.

"시간 검색"과 "인명 검색" 그리고 "관직 검색"의 정보들은 상호 연계하고 있다. 만약 특정 시대의 관직을 재직 중인 인물을 보다가 해당 인물의 관직 경력이 궁금하다면, 해당 인물의 이름을 클릭하는 것만으로도 해당 인물의 관력 정보를 알 수 있다. 또한 관력 정보를 보다가 특정 관직에 재직한 다른 사람들이 알고 싶다면, 해당 관직을 클릭하는 것만으로 특정 관직을 역임했던 모든 인물에 대해서 알 수 있다.

기존에 종이 공구서에서 편찬자의 편찬 목적에 따라서 선택할 수밖에 없었던 시각화 방법론을 디지털 시스템을 활용하여 사용자의 사용 목적에 따라서 시각화 방식을 선택할 수 있도록 하였다. 다만 사료의 한계로 인하여 "일(日)" 단위가 아닌 "연(年)" 단위가 시간 검색의 기준이 된다는 점과 전통적인 시각화 방법이 아닌 네트워크형 시각화 혹은 지리정보형 시각화에 대한 추가적인 제공이 없다는 점이 아쉽다.

직위	직급	봉급	급여구분	출처
學校長	奏任/一等/	1600	연봉	1895년漢城師範學校職員官等俸給令
學校長	奏任/二等/	1400	연봉	1895년漢城師範學校職員官等俸給令
學校長	奏任/三等/	1200	연봉	1895년漢城師範學校職員官等俸給令
學校長	奏任/四等/	1000	연봉	1895년漢城師範學校職員官等俸給令
學校長	奏任/五等/	800	연봉	1895년漢城師範學校職員官等俸給令
學校長	奏任/六等/	600	연봉	1895년漢城師範學校職員官等俸給令
敎官	奏任/一等/	1600	연봉	1895년漢城師範學校職員官等俸給令
敎官	奏任/二等/	1400	연봉	1895년漢城師範學校職員官等俸給令
敎官	奏任/三等/	1200	연봉	1895년漢城師範學校職員官等俸給令
敎官	奏任/四等/	1000	연봉	1895년漢城師範學校職員官等俸給令
敎官	奏任/五等/	800	연봉	1895년漢城師範學校職員官等俸給令
敎官	奏任/六等/	600	연봉	1895년漢城師範學校職員官等俸給令
副敎官	判任/一等/	500	연봉	1895년漢城師範學校職員官等俸給令
副敎官	判任/二等/	420	연봉	1895년漢城師範學校職員官等俸給令
副敎官	判任/三等/	360	연봉	1895년漢城師範學校職員官等俸給令
副敎官	判任/四等/	300	연봉	1895년漢城師範學校職員官等俸給令
副敎官	判任/五等/	240	연봉	1895년漢城師範學校職員官等俸給令
副敎官	判任/六等/	180	연봉	1895년漢城師範學校職員官等俸給令
副敎官	判任/七等/	150	연봉	1895년漢城師範學校職員官等俸給令
副敎官	判任/八等/	120	연봉	1895년漢城師範學校職員官等俸給令
敎員	判任/一等/	500	연봉	1895년漢城師範學校職員官等俸給令
敎員	判任/二等/	420	연봉	1895년漢城師範學校職員官等俸給令
敎員	判任/三等/	360	연봉	1895년漢城師範學校職員官等俸給令
敎員	判任/四等/	300	연봉	1895년漢城師範學校職員官等俸給令
敎員	判任/五等/	240	연봉	1895년漢城師範學校職員官等俸給令
敎員	判任/六等/	180	연봉	1895년漢城師範學校職員官等俸給令
敎員	判任/七等/	150	연봉	1895년漢城師範學校職員官等俸給令
敎員	判任/八等/	120	연봉	1895년漢城師範學校職員官等俸給令
書記	判任/一等/	500	연봉	1895년漢城師範學校職員官等俸給令
書記	判任/二等/	420	연봉	1895년漢城師範學校職員官等俸給令
書記	判任/三等/	360	연봉	1895년漢城師範學校職員官等俸給令
書記	判任/四等/	300	연봉	1895년漢城師範學校職員官等俸給令
書記	判任/五等/	240	연봉	1895년漢城師範學校職員官等俸給令
書記	判任/六等/	180	연봉	1895년漢城師範學校職員官等俸給令
書記	判任/七等/	150	연봉	1895년漢城師範學校職員官等俸給令
書記	判任/八等/	120	연봉	1895년漢城師範學校職員官等俸給令

그림 5-12. 1895년 한성사범학교 교원 급여표의 예

3. 제도-인사 데이터의 시각화

앞서서 유관 시각화 선행 모델에 대해 살펴보았다. 여기에서는 제도와 인사운영 데이터를 토대로 사용자들에게 제도 관련 정보를 효율적으로 전달할 수 있는 시각화 방안을 제시한다. 제도 데이터의 시각화는 크게 표형, 체계형, 타임테이블형, 네트워크형, 공간정보형으로 구분할 수 있다.

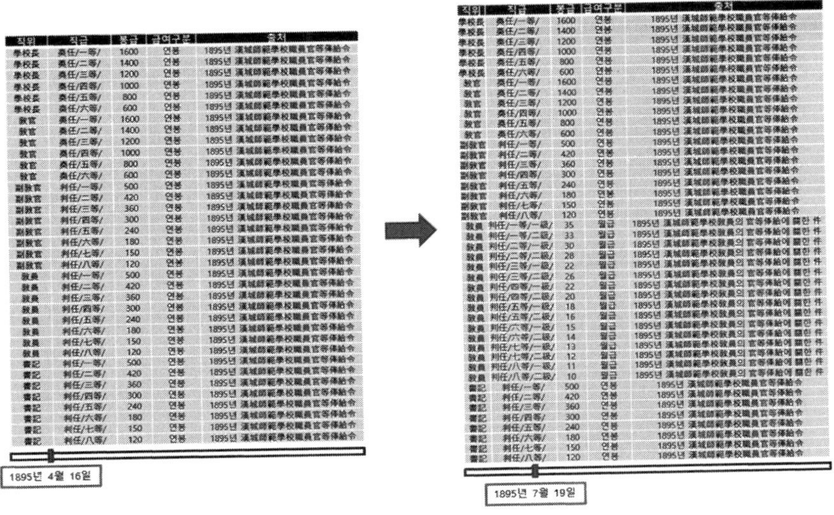

직위	직급	봉급	급여구분	출처
學校長	奏任/一等/	1600	연봉	1895년 漢城師範學校職員官等俸給令
學校長	奏任/二等/	1400	연봉	1895년 漢城師範學校職員官等俸給令
學校長	奏任/三等/	1200	연봉	1895년 漢城師範學校職員官等俸給令
學校長	奏任/四等/	1000	연봉	1895년 漢城師範學校職員官等俸給令
學校長	奏任/五等/	800	연봉	1895년 漢城師範學校職員官等俸給令
學校長	奏任/六等/	600	연봉	1895년 漢城師範學校職員官等俸給令
敎官	奏任/一等/	1600	연봉	1895년 漢城師範學校職員官等俸給令
敎官	奏任/二等/	1400	연봉	1895년 漢城師範學校職員官等俸給令
敎官	奏任/三等/	1200	연봉	1895년 漢城師範學校職員官等俸給令
敎官	奏任/四等/	1000	연봉	1895년 漢城師範學校職員官等俸給令
敎官	奏任/五等/	800	연봉	1895년 漢城師範學校職員官等俸給令
敎官	奏任/六等/	600	연봉	1895년 漢城師範學校職員官等俸給令
副敎官	判任/一等/	500	연봉	1895년 漢城師範學校職員官等俸給令
副敎官	判任/二等/	420	연봉	1895년 漢城師範學校職員官等俸給令
副敎官	判任/三等/	360	연봉	1895년 漢城師範學校職員官等俸給令
副敎官	判任/四等/	300	연봉	1895년 漢城師範學校職員官等俸給令
副敎官	判任/五等/	240	연봉	1895년 漢城師範學校職員官等俸給令
副敎官	判任/六等/	180	연봉	1895년 漢城師範學校職員官等俸給令
副敎官	判任/七等/	150	연봉	1895년 漢城師範學校職員官等俸給令
副敎官	判任/八等/	120	연봉	1895년 漢城師範學校職員官等俸給令
敎員	判任/一等/	500	연봉	1895년 漢城師範學校職員官等俸給令
敎員	判任/二等/	420	연봉	1895년 漢城師範學校職員官等俸給令
敎員	判任/三等/	360	연봉	1895년 漢城師範學校職員官等俸給令
敎員	判任/四等/	300	연봉	1895년 漢城師範學校職員官等俸給令
敎員	判任/五等/	240	연봉	1895년 漢城師範學校職員官等俸給令
敎員	判任/六等/	180	연봉	1895년 漢城師範學校職員官等俸給令
敎員	判任/七等/	150	연봉	1895년 漢城師範學校職員官等俸給令
敎員	判任/八等/	120	연봉	1895년 漢城師範學校職員官等俸給令
書記	判任/一等/	500	연봉	1895년 漢城師範學校職員官等俸給令
書記	判任/二等/	420	연봉	1895년 漢城師範學校職員官等俸給令
書記	判任/三等/	360	연봉	1895년 漢城師範學校職員官等俸給令
書記	判任/四等/	300	연봉	1895년 漢城師範學校職員官等俸給令
書記	判任/五等/	240	연봉	1895년 漢城師範學校職員官等俸給令
書記	判任/六等/	180	연봉	1895년 漢城師範學校職員官等俸給令
書記	判任/七等/	150	연봉	1895년 漢城師範學校職員官等俸給令
書記	判任/八等/	120	연봉	1895년 漢城師範學校職員官等俸給令

1895년 4월 16일

직위	직급	봉급	급여구분	출처
學校長	奏任/一等/	1600	연봉	1895년 漢城師範學校職員官等俸給令
學校長	奏任/二等/	1400	연봉	1895년 漢城師範學校職員官等俸給令
學校長	奏任/三等/	1200	연봉	1895년 漢城師範學校職員官等俸給令
學校長	奏任/四等/	1000	연봉	1895년 漢城師範學校職員官等俸給令
學校長	奏任/五等/	800	연봉	1895년 漢城師範學校職員官等俸給令
學校長	奏任/六等/	600	연봉	1895년 漢城師範學校職員官等俸給令
敎官	奏任/一等/	1600	연봉	1895년 漢城師範學校職員官等俸給令
敎官	奏任/二等/	1400	연봉	1895년 漢城師範學校職員官等俸給令
敎官	奏任/三等/	1200	연봉	1895년 漢城師範學校職員官等俸給令
敎官	奏任/四等/	1000	연봉	1895년 漢城師範學校職員官等俸給令
敎官	奏任/五等/	800	연봉	1895년 漢城師範學校職員官等俸給令
敎官	奏任/六等/	600	연봉	1895년 漢城師範學校職員官等俸給令
副敎官	判任/一等/	500	연봉	1895년 漢城師範學校職員官等俸給令
副敎官	判任/二等/	420	연봉	1895년 漢城師範學校職員官等俸給令
副敎官	判任/三等/	360	연봉	1895년 漢城師範學校職員官等俸給令
副敎官	判任/四等/	300	연봉	1895년 漢城師範學校職員官等俸給令
副敎官	判任/五等/	240	연봉	1895년 漢城師範學校職員官等俸給令
副敎官	判任/六等/	180	연봉	1895년 漢城師範學校職員官等俸給令
副敎官	判任/七等/	150	연봉	1895년 漢城師範學校職員官等俸給令
副敎官	判任/八等/	120	연봉	1895년 漢城師範學校職員官等俸給令
敎員	判任/一等/一級/	35	월급	1895년 漢城師範學校敎員의 官等俸給에 關한 件
敎員	判任/一等/二級/	33	월급	1895년 漢城師範學校敎員의 官等俸給에 關한 件
敎員	判任/二等/一級/	30	월급	1895년 漢城師範學校敎員의 官等俸給에 關한 件
敎員	判任/二等/二級/	28	월급	1895년 漢城師範學校敎員의 官等俸給에 關한 件
敎員	判任/三等/一級/	22	월급	1895년 漢城師範學校敎員의 官等俸給에 關한 件
敎員	判任/三等/二級/	26	월급	1895년 漢城師範學校敎員의 官等俸給에 關한 件
敎員	判任/四等/一級/	22	월급	1895년 漢城師範學校敎員의 官等俸給에 關한 件
敎員	判任/四等/二級/	20	월급	1895년 漢城師範學校敎員의 官等俸給에 關한 件
敎員	判任/五等/一級/	18	월급	1895년 漢城師範學校敎員의 官等俸給에 關한 件
敎員	判任/五等/二級/	16	월급	1895년 漢城師範學校敎員의 官等俸給에 關한 件
敎員	判任/六等/一級/	15	월급	1895년 漢城師範學校敎員의 官等俸給에 關한 件
敎員	判任/六等/二級/	14	월급	1895년 漢城師範學校敎員의 官等俸給에 關한 件
敎員	判任/七等/一級/	13	월급	1895년 漢城師範學校敎員의 官等俸給에 關한 件
敎員	判任/七等/二級/	12	월급	1895년 漢城師範學校敎員의 官等俸給에 關한 件
敎員	判任/八等/一級/	11	월급	1895년 漢城師範學校敎員의 官等俸給에 關한 件
敎員	判任/八等/二級/	10	월급	1895년 漢城師範學校敎員의 官等俸給에 關한 件
書記	判任/一等/	500	연봉	1895년 漢城師範學校職員官等俸給令
書記	判任/二等/	420	연봉	1895년 漢城師範學校職員官等俸給令
書記	判任/三等/	360	연봉	1895년 漢城師範學校職員官等俸給令
書記	判任/四等/	300	연봉	1895년 漢城師範學校職員官等俸給令
書記	判任/五等/	240	연봉	1895년 漢城師範學校職員官等俸給令
書記	判任/六等/	180	연봉	1895년 漢城師範學校職員官等俸給令
書記	判任/七等/	150	연봉	1895년 漢城師範學校職員官等俸給令
書記	判任/八等/	120	연봉	1895년 漢城師範學校職員官等俸給令

1895년 7월 19일

그림 5-13. 한성사범학교 교원 급여표 타임 슬라이드의 예

1) 표형 시각화

표형 시각화는 전통적인 시각화 방식으로 대상을 테이블 형식으로 표현하는 것이다. 표형 시각화는 특정 대상의 내용을 파악하기 위하여 표의 형태로 시각화하는 방법으로 디지털에서도 인간가독형 시각화에 유효하게 사용될 수 있는 시각화 방안이다.

다만, 디지털에서는 기존 종이매체의 표형 시각화에서는 불가능한 두 가지 요소가 추가 가능하다. 첫 번째는 하이퍼링크를 통한 특정 대상으로의 전환이다. 예를 들어서 1895년 한성사범학교 교원 급여표를 보다가 "교관"에 대해서 궁금해진다면 곧장 "교관"에 대한 정보로 이동할 수 있다. 두 번째는 타임 슬라이드를 이용한 시간의 시각화이다. 모든 대상은 시간의 흐름에 따라서 변화한다. 그러나 기존 종이매체에서는 지면의 제약으로 인하여 가장 중요하다고 판단되는 특정 시점

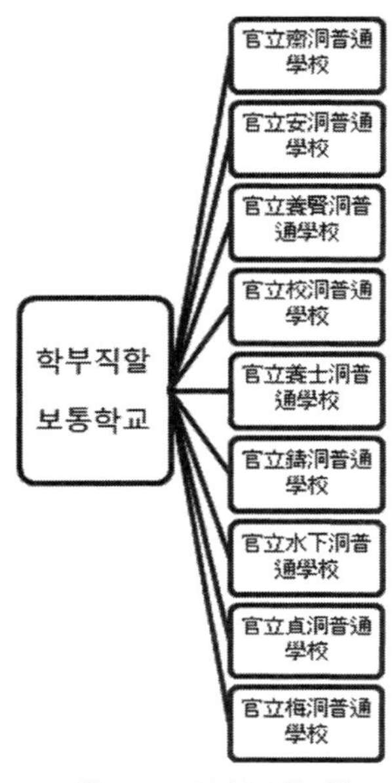

그림 5-14. 1901년 9월 1일 학부직할보통학교 체계도의 예

만을 선택해서 시각화하였다. 그러나 디지털매체에서는 특정 시점을 사용자가 직접 선택 및 변경할 수 있도록 할 수 있다.

한 예를 들어서 1895년 4월 16일 칙령 제80호 한성사범학교직원관등봉급령(漢城師範學校職員官等俸給令)[23]에 규정된 한성사범학교 직원의 봉급은 1895년 7월 19일 칙령 제147호 "한성사범학교 교원의 관등봉급에 관한 건(漢城師範學校教員의 官等俸給에 關한 件)"[24]에 의하여 변경되었다. 두 법령의 발행 사이에 일어난 변화는 교원의 직봉이 직급을 기준으로 하여 월급으로 책정되었다는 점이다. 그 외의 직위에 대한 직봉 변화는 없다. 만약 해당 내용을 종이 매체에서 표시한다면, 지면의 제약으로 인하여 이러한 미세한 변화는 생략하거나 소략할 것이다. 그러나 디지털에서는 특정한 날짜에 해당하는 직위별 직봉을 모두 파악할 수 있다.

2) 체계형 시각화

체계형 시각화는 전통적인 시각화 방식으로 대상이 상하위 관계 혹은 포함 관계를 가지고 있을 때에 활용할 수 있다. 체계형 시각화는 조직 간의 상하위 관계, 조직과 직위의 포함 관계, 조직과 인물의 포함 관계 등에 사용할 수 있다. 체계형 시각화는 특정 대상의 체계를

---

23) 勅令第八十號, 開國五百四年四月十六日, 法規類編 元.

24) 勅令第一百四十七號, 開國五百四年七月十九日, 구한말 관보, 第一百十九號.

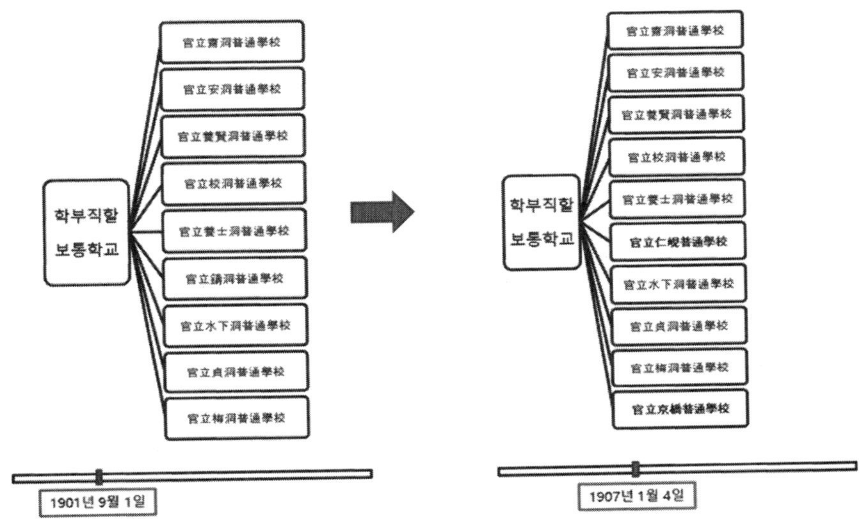

그림 5-15. 학부직할보통학교 체계도 타임 슬라이드의 예

파악하기 위하여 체계의 형태로 시각화하는 방법으로 디지털에서도 인간가독형 시각화에서 유효하게 사용될 수 있는 시각화 방안이다.

다만 디지털에서는 기존 종이매체의 체계형 시각화에서는 불가능한 두 가지 요소가 추가 가능하다. 첫 번째는 하이퍼링크를 통한 특정 대상으로의 전환이다. 예를 들어서 1901년 9월 1일의 학부직할보통학교 체계도를 보다가 "관립주동보통학교"에 대해서 궁금해진다면 곧장 "관립주동보통학교"에 대한 정보로 이동할 수 있다. 두 번째는 타임 슬라이드를 이용한 시간의 시각화이다. 모든 대상은 시간의 흐름에 따라서 변화한다. 그러나 기존 종이매체에서는 지면의 제약으로 인하여 가장 중요하다고 판단되는 특정 시점만을 선택해서 시각화하였다. 그러나 디지털매체에서는 특정 시점을 사용자가 직접 선택 및 변경할 수 있도록 할 수 있다.

1901년 9월 1일의 학부직할보통학교는 관립제동보통학교, 관립안동보통학교, 관립양현동보통학교, 관립교동보통학교, 관립양사동보통학교, 관립주동보통학교, 관립주하동보통학교, 관립정동보통학교, 관립매동보통학교로 총 9개 학교이다. 그러나 1907년 1월 4일에는 학부직할보통학교의 통합, 개명 등의 사유로 관립제동보통학교, 관립안동보통학교, 관립양현동보통학교, 관립교동보통학교, 관립양사동보통학교, 관립인현보통학교, 관립수하동보통학교, 관립정동보통학교, 관립매동보통학교, 관립경교보통학교의 총 10개 학교로 변화하였다. 과거에는 이러한 변화 양상을 파악하기 위해서는 관련 법령과 학교 연혁을 모두 조사하여야 했다. 그러나 디지털에서는 기존에 구축된 데이터를 활용하여 특정한 날짜의 필요한 정보를 손쉽게 파악할 수 있다.

3) 통계형 시각화

통계형 시각화는 표형 시각화의 응용형이다. 통계형 시각화는 표형 시각화와 같이 특정 대상의 내용을 파악하기 위하여 표의 형태로 시각화하는 방법으로 디지털에서도 인간가독형 시각화에 유효하게 사용할 수 있는 시각화 방안이다. 다만 통계형 시각화는 표형 시각화와는 다르게 특정한 대상을 파악하기 위하여 일정한 체계에 따라 그 대상을 숫자로 나타내는 것을 의미한다. 특정한 대상을 숫자로 파악하기 때문에 기존 통계학의 시각화 방법론을 활용한 다양한 그래프로의 전환이 용이하다.

표 5-1. 관립학교와 공립학교의 승진 인사기록 비교(통계표)의 예시

	공립	관립	총합계
1896	2	9	11
1897	2	15	17
1898	3	13	16
1899	14	22	36
1900	25	48	73
1901	8	12	20
1902	10	21	31
1903	20	20	40
1904	9	16	25
1905	7	7	14
1906	0	31	31
1907	2	5	7
1908	57	30	87
1909	56	26	82
1910	24	3	27
총합계	239	278	517

위의 통계표는 관립학교와 공립학교 교원들의 연도별 승진(陞敍) 기록을 수치화하여 표기한 것이다. 종이매체를 바탕으로 한 연구에서는 승진 인사기록의 비교를 위해서는 필요한 모든 승진 기록을 하나하나 조사하여 수치를 기록하여야만 했다. 그러나 디지털에서는 기존에 구축된 데이터를 통하여 간단하게 필요한 정보를 취득할 수 있다.

위는 관립학교와 공립학교의 승진 인사 기록을 꺾은 선형 그래프로 표시한 것이다. 해당 그래프를 통하여, 1907년 이전에는 관립학교의 승진이 공립학교에 비하여 전 시기에 걸쳐서 압도적으로 높다는 사실을 직관적으로 파악할 수 있다. 그리고 1907년 이후에는 공립학교의 승진이 급상승하여 관립학교보다 많아졌다는 것을 알 수 있다. 또한

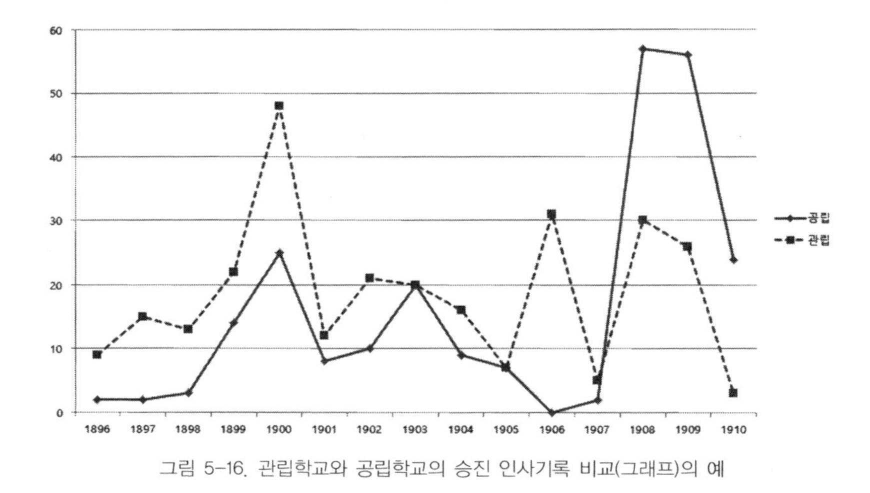

그림 5-16. 관립학교와 공립학교의 승진 인사기록 비교(그래프)의 예

1900년과 1908년에 다른 연도에 비하여 비교적 승진 기록이 많음을 한눈에 파악할 수도 있다. 이처럼 통계수치는 기존의 데이터 시각화 기법을 통하여 손쉽게 시각화될 수 있다. 그래프를 통하여 통계표에서는 쉽게 눈에 들어오지 않았던 내용을 보다 직관적으로 파악할 수 있다.

4) 타임테이블형 시각화

타임테이블형 시각화는 대상이 시간값을 포함하고 있을 때에 활용할 수 있다. 타임테이블형 시각화는 시간 고정과 대상 고정으로 시각적 분류를 할 수 있다. 시간 고정은 시간을 고정하고, 시간의 흐름에 따른 대상의 변화상을 살펴보는 것이다. 대상 고정은 특정한 대상을 고정하고, 대상의 변화 양상에 따른 시간의 흐름을 살펴보는 것이다.

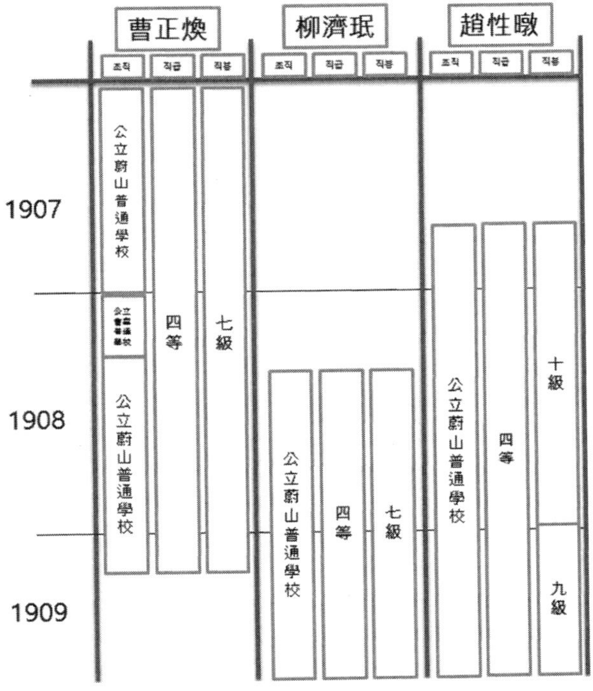

그림 5-17. 시간 고정 타임테이블형 시각화의 예

위는 시간 고정 타임테이블형 시각화의 예로, 연도를 기준으로 조정환, 유제민, 조성돈의 소속조직, 직급, 직봉을 비교하고 있다. 시간 고정은 이와 같이 일반적인 인물 비교 연구를 위하여 필요한 시간의 흐름에 따른 인물 간의 변화 양상을 직관적으로 파악하기에 수월한 시각화이다.

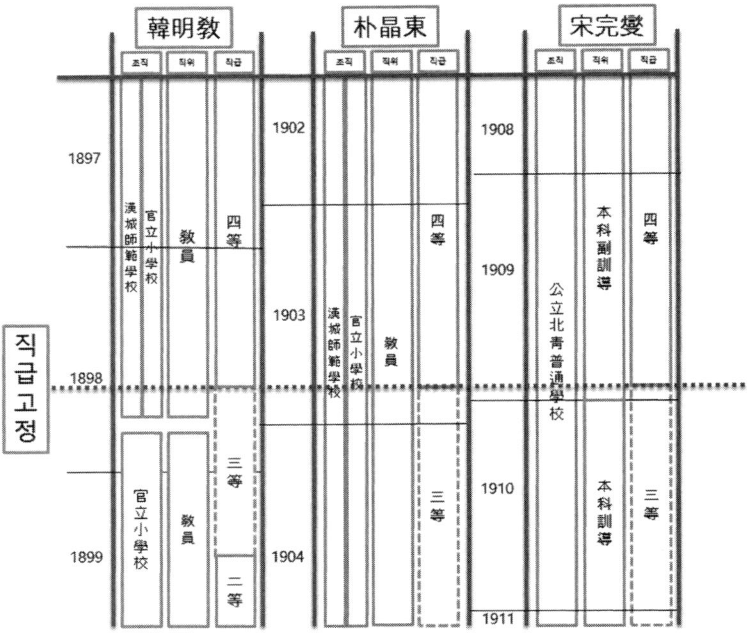

그림 5-18. 직급 고정 타임테이블형 시각화의 예

다음으로는 직급 고정 타임테이블형 시각화의 예이다. 이를 통해 한명교, 박창동, 송완섭이 직급 "삼등"이 된 시점을 기준으로 직급, 연도, 조직, 직위를 비교할 수 있다. 한명교는 비교적 초기에 교원이 되었기에 중앙의 업무를 수행하며 빠른 승진의 기회를 누릴 수 있었다. 박창동은 한명교에 비해서는 비교적 느린 속도로 승진을 하였다. 송완섭은 본과부훈도에서 본과훈도로 직위가 승진하면서 동시에 직급도 승진하였다.

이처럼 때에 따라서는 시간이 아닌 특정 직급에 도달한 시기를 기준으로 비교 분석을 수행할 필요가 발생한다. 종이 매체를 바탕으로 한 연구에서는 다른 기준을 반영한 연구를 위해서 관련 자료를 처음부터 다시 수집해야 하거나, 수집한 자료를 완전히 새로 배치해야 한다. 그러나 디지털에서는 기존에 구축된 데이터를 바탕으로 간단하게 필요한 방식으로 재배치하여 비교할 수 있다.

5) 네트워크형 시각화

네트워크형 시각화는 데이터 간의 모든 관계를 시각화하는 일반 네트워크형 시각화와 네트워크 분석의 결과를 시각화하는 네트워크 분석형 시각화로 구분된다.

(1) 일반 네트워크형 시각화

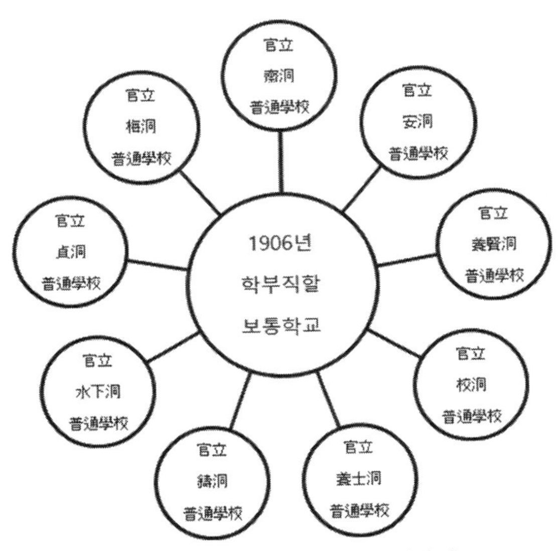

그림 5-19. 일반 네트워크형 시각화의 예

일반 네트워크형 시각화는 대상 데이터로 존재하는 모든 관계를 시각적으로 표현하기에 대상에 대한 종합적인 탐색에 용이하다. 그러나

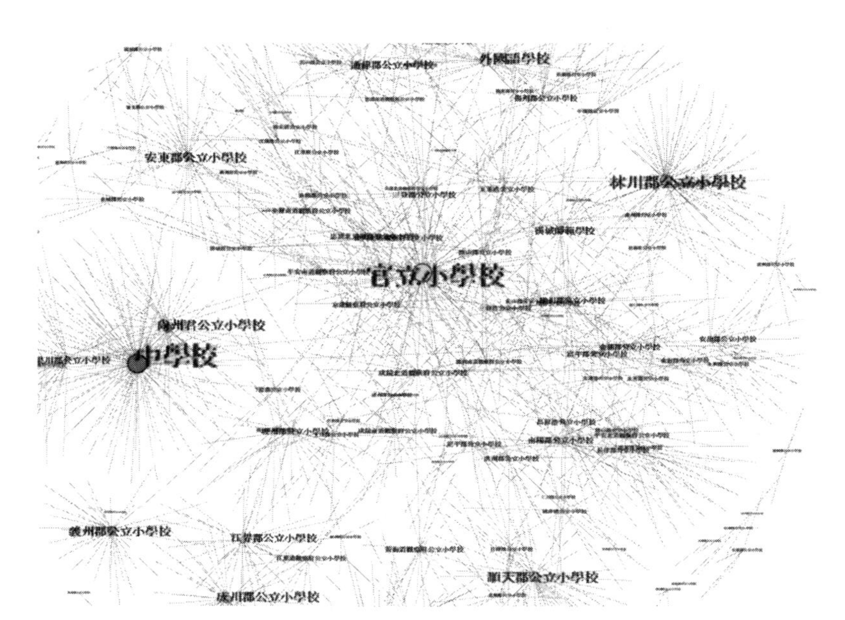

그림 5-20. 조직-인물 간 네트워크(1895~1905)의 예

방대한 데이터상의 모든 관계를 표시하게 되면 오히려 방대함에서 오는 혼란을 야기하기도 한다. 예를 들어서 위의 그림은 1906년 9월 1일 학부령 제24호[25]에 따른 학부직할보통학교를 일반 네트워크로 시각화한 것이다. 그런데 만약 학부직할보통학교가 아닌 수백 개에 이르는 보통학교를 일반 네트워크로 그리게 되면, 인간이 읽을 수 없을 정도로 복잡한 형태의 시각화가 도출될 뿐이다. 이에 따라서 일반 네트워크형 시각화는 연결된 대상이 10개 이하로 통제가 된 상황에서만 제한적으로 사용하는 것이 합당하다.

---

25) 學部令第二十四號, 光武十年九月一日, 구한말 관보 第三千五百四十九號.

(2) 네트워크 분석형 시각화

네트워크 분석형 시각화는 네트워크 분석 방법론을 적용하여 도출한 결과를 시각화하는 것이다. 네트워크 분석형 시각화는 대상 데이터에서 최대 2개의 특정 데이터 범주를 선택하고, 특정 데이터 범주 내에서의 네트워크를 분석하기에 특정 대상에 대한 직관적이고 정확한 네트워크 분석이 가능하다.[26] 네트워크 분석형 시각화에서는 기계적인 분석 결과를 점과 선의 요소에 대한 크기, 색, 굵기의 변화로 시각화한다.

위의 조직-인물 간 네트워크는 1895년부터 1905년 사이의 학교와 교원 간의 관계를 "임명" 기록을 통하여 파악한 것이다. 관립소학교가 네트워크의 중심에 놓여 있으며, 안동군공립소학교나 임천군공립소학교와 같은 지방중심학교가 주변에 있는 것을 알 수 있다. 다만 네트워크를 분석할 때, 중학교를 대상으로 하는 경우에는 데이터에 대한 통제가 필요하다. 중학교에서는 관립소학교 이상의 임명 기록이 발생하는데, 이러한 임명 기록의 대부분은 명예직을 수여 받은 것이다. 따라서 실제적인 당시의 교원 운용에 대해서 파악하기 위해서는 데이터 단계에서 중학교의 실제 임명과 명예직 임명에 대한 데이터 통제를 수행하여야 한다.

6) 공간정보형 시각화

공간정보형 시각화는 대상이 공간값을 포함하고 있을 때에 활용할 수 있다. 공간정보의 시각화 요소는 점으로 표현되는 '포인트(point)',

---

26) 그러나 특정 데이터를 선택한 시점에서 전면적인 데이터 탐색이 아닌 편린적인 분석이 된다는 점은 반드시 주의해야 한다.

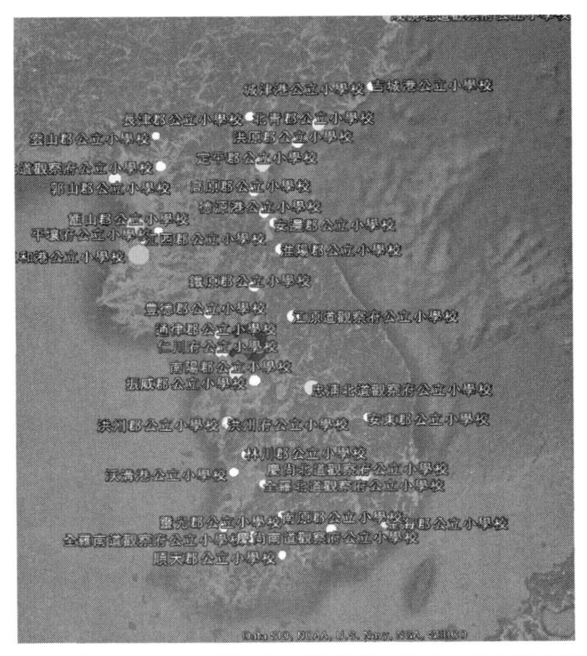

그림 5-21. 학교 소재지의 직원 임명 버블맵(1895.08.06.~1906.08.16.)의 예

선으로 표현되는 ‘라인(line)’, 면으로 실현되는 ‘폴리곤(polygon)’을 기본으로 하여, ‘히트맵(heat map)’, ‘버블맵(bubble map)’, 기타 멀티미디어 효과를 추가할 수 있다. 또한 시간정보의 타임라인(timeline)과 상호연결정보의 네트워크가 공간정보값과 연계되어 지도상에 표시되기도 한다.

(1) 일반 공간정보형 시각화

옆의 지도는 일반 공간정보형 시각화를 행한 결과물이다. 조직-인사 아카이브의 학교 위치 정보를 바탕으로 1895년 8월 6일부터 1906년 8월 16일 사이의 학교의 직원 임명 횟수를 대상으로 임명 횟수에 비례하여 빨간색의 농도가 짙은 큰 원으로 표현하였다. 위의 버블맵을 통하여 당시의 학교가 수도권에 집중되어 있음을 직관적으로 알 수 있다. 또한 현재의 북한 지역은 해안 및 국경선 지역을 중심으로 학교가 배치되어 있다는 것을 확인할 수 있다. 그리고 강원도의 영동 지방이 사실상 교육 체계에서 배제되어 있음을 볼 수 있다.

(2) 공간정보형+네트워크형 통합 시각화

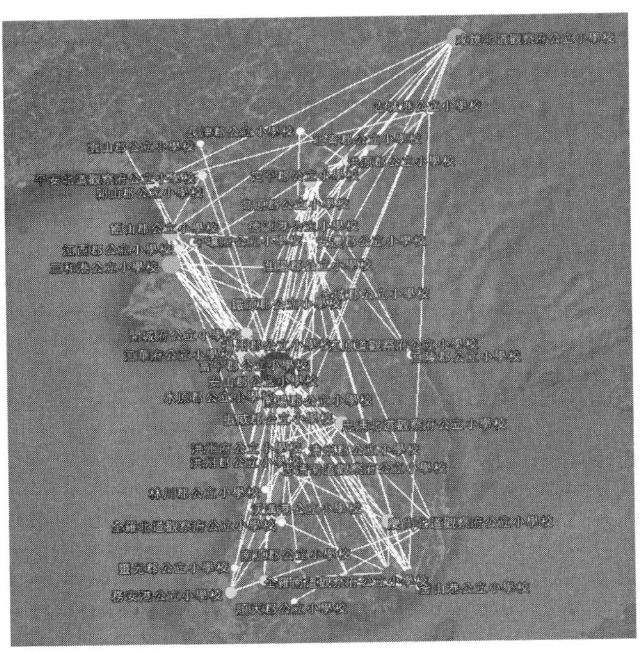

그림 5-22. 학교 소재지의 직원 임명 버블맵 및 인사이동(1895.08.06.~1906.08.16.)의 예

오른쪽의 지도는 학교 소재지의 직원 임명 버블맵(1895.08.06.~1906.08.16.)을 바탕으로 학교 간 직원의 보직 이동횟수를 화살표의 굵기로 표시한 것이다. 대부분의 교원 이동이 수도권을 중심으로 이루

어지고 있음을 일목요연하게 파악할 수 있다. 또한 10년이 넘는 기간을 대상으로 한 분석임에도 불구하고 상호간의 이동이 생각보다 적다는 측면에서 실제적으로 교원의 이동이 생각보다 빈번하게 이루어지지 않는다는 점 역시 직관적으로 알 수 있다.

4. 블록조합형 질의 언어

1) 현행 데이터 질의 모델

종이매체에서의 공구서의 기능은 연구자의 조사와 독서의 편의를 제공하는 것이다. 따라서 일정한 방법에 따라 편집을 해야 하고 사용할 때에는 동일한 방법으로 조사해야 한다. 조사하는 데 있어 적합한 배열법을 배열 검색법이라고 한다. 배열 검색법은 크게 두 가지로 살펴볼 수 있다. 하나는 한자를 조사와 검색의 단위로 삼아 한자에 일정한 배열 방법을 규정하는 것으로 검자법이라고 한다. 통용되는 검자법에는 부수법[27], 필획법[28], 음서법[29], 번호검자법[30] 등이 있다. 다른 하나의 배열 검색법은 자료의 내용에 따라 배열하는 것이다. 이것

---

27) 부수법은 정통적인 공구서 배열법으로 부수를 이용하여 대상 한자를 찾는 방법이다.

28) 필획법은 한자 필획 수가 적은 것부터 많은 것까지의 순서에 따라 배열하는 방법이다. 획수가 서로 같은 글자는 부수에 따라 배열하기도 하고, 필획의 필형에 따라 배열하기도 한다.

29) 음서법은 한자의 독음에 따라 배열순서를 규정하는 배열법이다. 주요 음서법에는 운부법과 한어병음법이 있다.

30) 번호검자법은 한자의 각종 필형 혹은 부수를 숫자로 나타내고 아울러 이에 근거해 순서대로 배열하는 방법이다. 공구서에서 상용하는 번호법에는 사각번호법과 중국자기힐법이 있다. 사각번호법은 한자의 네 개의 각의 필형에 근거해 번호를 확정하고 아울러 작은 것부터 큰 것까지의 순서대로 배열하는 검자법이다. 중국자기힐법은 전 하버드 연경학사 인득편찬처에서 60여가지 색인을 편찬하는 데 사용했던 번호법이다.

그림 5-23. 국립중앙도서관 상세검색

은 분류법[31], 주제법[32], 시서법[33], 지서법[34] 등을 포함한다. 어떠한

31) 분류법은 지식 단위 혹은 문헌을, 내용의 성격이나 학문 분야의 체계에 따라 분류하여 구성하고 아울러 순서를 배열하는 방법이다. 대표적인 분류법으로는 경사자집의 전통 시대의 분류가 있으며, 현대에는 도서관에서 준용하는 도서분류법이 통용된다.

32) 규범화된 명사와 구를 표지로 하여 문헌의 중심 내용을 색인 처리한 배열법이다. 이렇게 문헌의 중심 내용을 개괄하고 색인 처리와 문헌의 검색에 사용되는 규범화된 단어를 주제어라고 한다. 주제어를 배열할 때에는 첫 글자의 한어병음자모 혹은 필획의 순서로 배열한다. 주제법은 상용되는 배열법의 하나이지만, 문사공구서에서는 많이 사용하지 않아 소수의 주제색인과 일부 보조색인에서만 이 배열법을 채택한다.

33) 시서법은 사물이나 사건이 발생하고 발전한 시간 순서에 따라 배열하는 방법이다. 표보류 공구서에서는 대다수가 이런 배열법을 채택하는데, 예컨대 역사사건을 기재하는 중대사연표는 편년에 따라 기술한다. 인물 자료를 조사하는 일부 공구서들은 인물의 생졸년에 따라 차례대로 배열한다.

배열법이든 모두 한계를 지니므로 공구서는 대부분 특정한 배열법을 중심으로 하되, 다른 검색 방법을 보충하여 독자가 사용하기 편하도록 하고 있다.

디지털 매체에서는 일반적인 검색 방법인 키워드 검색법만으로도 종이 공구서에서 제공하는 어떠한 검색법보다 빠르고 효율적으로 대상 정보를 획득할 수 있다. 현재의 키워드 검색 방법은 다양한 조건부여 기능과 검색 정확도 향상 알고리즘 등을 통한 정확도 향상을 모색하고 있다.[35] 또한 출력 결과를 사용자에게 보다 효율적으로 전달하기 위한 시각화 방안도 연구가 되고 있다.[36]

이는 본질적으로는 "키워드"를 통하여 원하는 정보를 획득할 수 있게 하려는 것이지만, 인문학의 복잡한 질문에 대응하기에는 본질적인 한계를 가진다. 우선 데이터 자체가 기계가독형이 아니기 때문에 컴퓨터를 통한 문맥정보의 분석에는 한계가 있다. 또한 설령 RDF,

---

34) 지서법은 일정한 시기의 행정구역 순서에 따라서 배열하는 방법이다. 지리자료를 조사하는 공구서는 많은 경우 이 방법으로 배열한다.

35) 박진석·양기철·오정진, 「시맨틱 웹 기반 박물관 유물 검색을 위한 온톨로지 설계 및 구현」, 『한국콘텐츠학회 종합학술대회 논문집』, 제2권, 제2호, 2004; 백승재·천현재·이홍철, 「문화재 정보의 온톨로지 기반 검색시스템」, 『한국컴퓨터정보학회 논문지』, 제10권, 제3호, 2005; 김상균·박동훈·김안나·오용택·김지영·예상준·김철·장현철, 「한의 온톨로지 기반 시맨틱 검색 시스템」, 『한국콘텐츠학회』, 제12권, 제12호, 2012; 오성균·김병곤, 「온톨로지를 이용한 웹문서의 시맨틱 검색」, 『한국디지털콘텐츠학회 논문지』, 제15권, 제5호, 2014; 마진·박민재·최영근·이종숙, 「개념망 기반의 지식 시각화를 위한 검색 시스템 설계」, 『한국정보과학회 2015 한국컴퓨터종합학술대회 논문집』, 2015.

36) 김민영, 「웹 검색 엔진의 정보시각화 인터페이스 평가요소에 관한 연구」, 중앙대학교 석사학위논문, 2002; 최재원, 「텍스트기반 검색과 시각화 브라우저 기반 검색의 비교연구」, 연세대학교 석사학위논문, 2005; 이명진·이기준·박상언·홍준석·김우주, 「시맨틱 웹 포털에서의 검색과 시각화 방법 연구」, 2008 지식정보산업연합학회 창립기념 학술대회, 2008; 지혜성·박기남·임희석, 「지식 표상 방법을 이용한 정보 검색 시각화 도구 개발」, 『디지털융복합연구』, 제10권, 제9호, 2012.

XML, RDB 형태의 기계가독형 데이터라도 대상 데이터 스키마를 명확하게 이해하고, SPARQL, XQuery, SQL과 같은 전문적인 질의 언어를 습득하여야 효과적으로 사용할 수 있다.

표 5-2. 국립중앙도서관 LOD SPARQL 예시

```
prefix dcterms: <http://purl.org/dc/terms/>
prefix rdfs: <http://www.w3.org/2000/01/rdf-schema#>
prefix nlon: <http://lod.nl.go.kr/ontology/>
select ?s ?label where {
  ?s rdf:type <http://purl.org/ontology/bibo/Book>.
  ?s dcterms:creator <http://lod.nl.go.kr/resource/KAC200108733>.
  ?s rdfs:label ?label
} limit 500
국립중앙도서관 LOD - 현진건이 저작한 도서 500개
```

그런데 일반 사용자들은 생소한 영어 질의어 문법과 기호로 인해 질의 언어를 통한 데이터 접근을 힘들어한다. 오해하지 말아야 할 부분은 일반 사용자들이 정확하게 파악하지 못하는 것은 어디까지나 데이터 구조나 질의 언어라는 점이다. 대부분의 사용자들은 자신이 질의하려는 내용을 완전히 파악하고 있으며, 본인의 일상 언어에서는 충분히 이를 표현할 수 있다. 따라서 일반 사용자에게 적합한 현행 질의 언어와 일상 언어의 중간 층위의 UI를 개발하고 제공한다면 일반 사용자들의 점진적인 데이터 접근과 처리에 기여할 수 있을 것으로 판단된다.

이에 따라서 기존의 SPARQL에 시각화 요소를 추가하여 최대한 사용자의 편의성을 증진시킬 수 있는 노력이 이루어지고 있다. OpenLink Software의 iSPARQL[37]이나, 솔트룩스(saltlux)의 SPARQL Builder[38)]

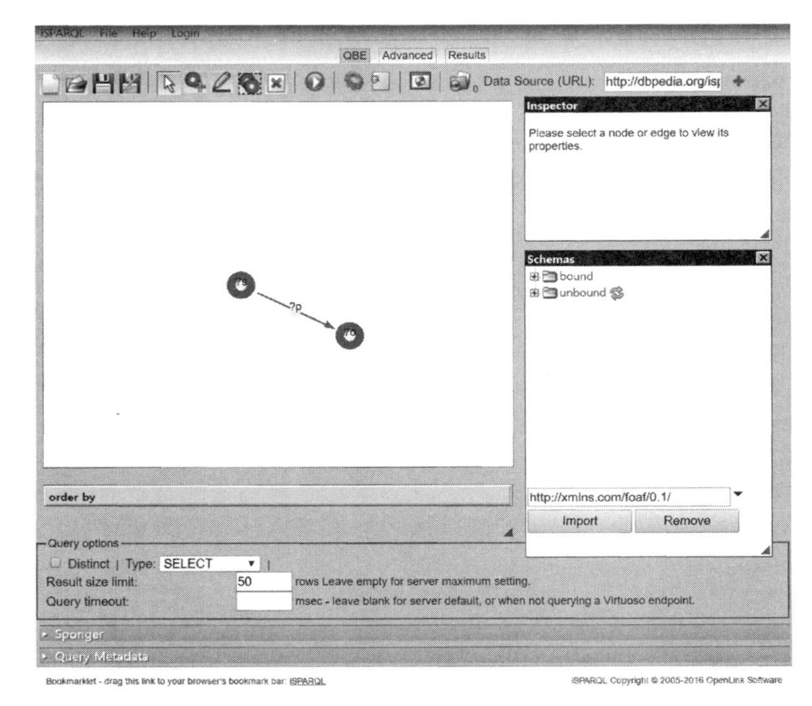

그림 5-24. iSPARQL, OpenLink Software

모두가 데이터의 Prefix를 보여주고, 데이터 스키마(Class와 Properties)의 정보를 동시에 보여주어 사용자들이 손쉽게 데이터를 탐색할 수 있도록 하였다.

그러나 일반 사용자는 Prefix, Class, Properties에 대한 개념조차 없는 상태이기에 여전히 추가적인 RDF 데이터 구조와 SPARQL에 대한 지식 습득이 없이는 접근이 쉽지 않다. 설령 기초적인 지식이 있더라도 각각의 온톨로지의 구조가 서로 상이하기에 해당 데이터 구조에

37) iSPARQL, OpenLink Software, http://dbpedia.org/isparql/

38) SPARQL Builder, 솔트룩스, http://data.visitkorea.or.kr/SPARQLBuilder/

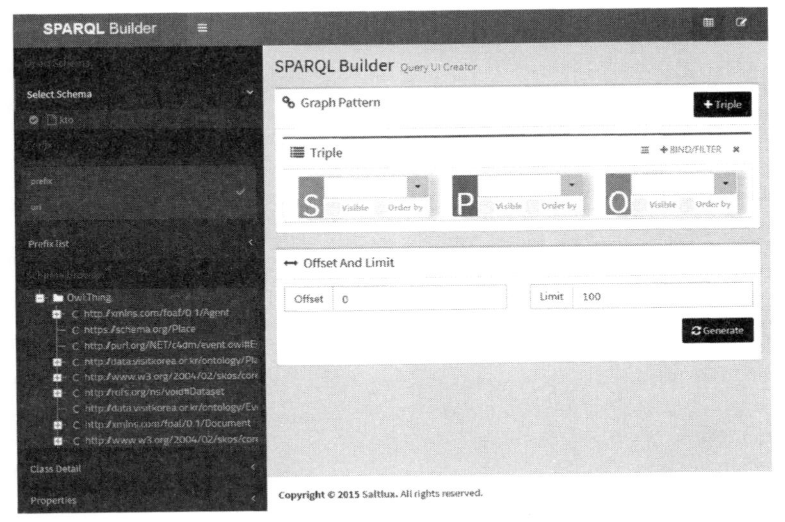

그림 5-25. SPARQL Builder, 솔트룩스

대한 지식 습득까지 필요하다.

본고에서는 데이터 검색만큼이나 복잡한 프로그래밍을 어린이들에게 교육하기 위해서 제작된 스크래치(Scratch)[39]와 MIT APP INVENTOR[40]의 방법론을 차용하였다. 스크래치와 MIT APP INVENTOR는 복잡한 코딩 언어를 조작, 논리, 연산, 데이터 등의 유형으로 분류하여 퍼즐블록화하였다. 이를 통해서 구조가 복잡하고 수많은 텍스트로 이루어져 있는 코딩 언어를 즉시적으로 인지하고 조합할 수 있도록 하였다. 이해와 조작이 어렵지 않아 현재 이 두 가지는

39) 스크래치(Scratch)는 아이들에게 그래픽 환경을 통해 컴퓨터 프로그래밍에 관한 경험을 쌓게 하기 위한 목적으로 설계된 교육용 프로그래밍 언어 및 환경이다. Scratch 웹사이트, https://scratch.mit.edu/

40) MIT APP INVENTOR는 오픈소스로 만들어진 간단한 안드로이드용 어플리케이션 개발 및 교육용 웹 어플리케이션이다. MIT APP INVENTOR 홈페이지, http://appinventor.mit.edu

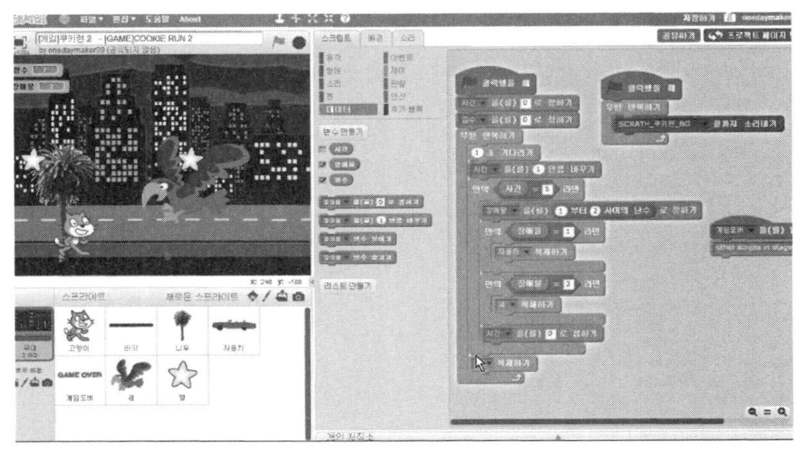

그림 5-26. 스크래치(Scratch)

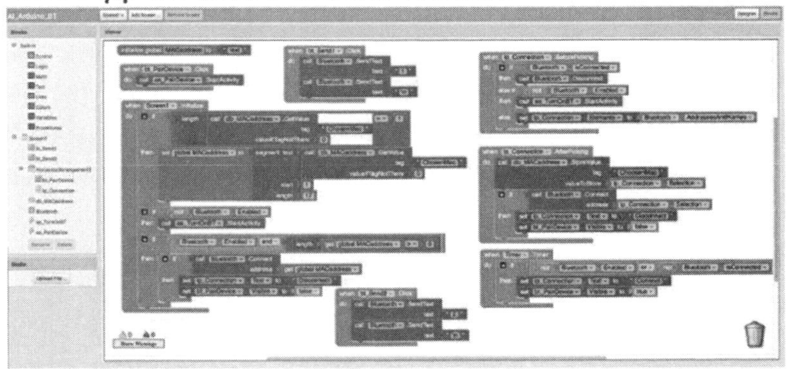

그림 5-27. MIT APP INVENTOR

전세계의 수많은 아이들의 코딩 교육의 기본 교재로 활용되고 있다. 해당 방법을 검색 명령어에 적용하여 퍼즐블록화한다면 일반인도 손쉽게 복잡한 검색을 수행할 수 있다.

다만 스크래치와 MIT APP INVENTOR는 프로그래밍 언어와 프로세스를 블록 시각화한 것이다. 그러므로 질의에 대한 블록 시각화를 위해서는 질의 언어와 프로세스에 대한 연구가 필요하다.

2) 현행 질의 언어 분석

질의 언어(query language)는 대상 설정, 출처 설정, 조건 설정, 출력 설정으로 구성된다.

대상 설정은 출력하기를 원하는 대상을 지정하는 것이다. 일반적으로 SPARQL(SPARQL Protocol and RDF Query Language)[41]에서 질의 언어는 모두 "select" 명령어로 표현된다.

```
인물명, 조직명, 관직명을 출력하라.
select 인물명, 조직명, 관직명
```

출처 설정은 데이터 소스를 지정하는 것이다. 일반적으로 SPARQL에서는 "prefix"를 명령어로 가진다.

```
한국학중앙연구원의 데이터를 사용하라.
prefix: 한국학중앙연구원
```

조건 설정은 사용자가 설정한 제한 조건을 기술한다. 일반적으로 SPARQL에서는 "where"로 표현된다. 조건 설정에서 상용되는 관련 개념에는 "and", "or", "=", "!", "〈", "〉", "like"가 있다.

41) SPARQL Query Language for RDF, W3C Recommendation 15 January 2008, https://www.w3.org/TR/rdf-sparql-query/

```
직위명이 교관인 사람만 출력하라.
where {?s ?OfficePosition "교관"}
```

```
직급이 삼급 이상인 사람만 출력하라.
where {?s OfficeRank ?OfficeRank
            FILTER (?OfficeRank > 3)
         }
```

```
직위명이 교관이며, 동시에 삼급 이상인 사람만 출력하라.
where {?s ?OfficePosition "교관"
           ?s OfficeRank ?OfficeRank
            FILTER (?OfficeRank > 3)}
```

출력 설정은 데이터가 출력되는 형태를 지정한다. 현재의 질의 언어의 출력 형태는 RAWDATA의 형태로 고정되어 있기에 출력 데이터의 양을 제한하는 수준에 그친다. 일반적으로 SPARQL에서는 "limit"을 해당 명령어로 가진다.

```
100건의 데이터를 출력하라.
limit 100
```

이처럼 질의 언어의 출력 설정은 매우 빈약하다.[42] "키워드 검색"도 결국 데이터 목록을 나열하는 정도가 대부분이다. 결국 "키워드 검색"이나 "질의 언어" 모두가 특정한 결과 출력 방식을 강요하고 있다.

---

42) 물론 SPARQL Endpoint는 html, rdf, xml 등의 다양한 출력 양식을 선택할 수 있다. 하지만 본질적으로 RAWDATA이기에 RAWDATA에 대한 접근이 힘든 일반 사용자에게는 사실상 특정한 결과 방식이 강요되고 있는 것과 같다.

그런데 현재 다양한 데이터 시각화 방법론들에 대한 연구 결과가 이미 나왔거나 이에 대한 연구가 진행되고 있다. 우선 범용적으로 사용 가능한 시각화 방법론으로는 네트워크 시각화가 있고, 지리정보 포함 데이터에 적용 가능한 지리정보 시각화 및 시간 정보 포함 데이터에 적용 가능한 타임라인 시각화가 있다. 또한 각 데이터 및 데이터 간의 연결관계의 특성에 최적화된 시각화 방법론뿐만이 아니라, 종이 매체 시절부터 검증된 시각화 방법론도 상존하고 있다. 이에 따라서 다양한 시각화 방법을 데이터 검색의 층위에서 설정할 필요가 있다.

마지막으로 질의 언어가 복잡해지는 원인은 데이터의 구조를 이해하여야만 다양한 객체와 객체의 관계에 대해서 알 수 있다는 것이다. 또한 설령 데이터의 구조를 이해하여도 구조에 상응하는 데이터 연결을 위해서는 복잡한 질의 명령을 입력해야 한다. 이러한 "연결"을 간략화한다면 사용자들의 접근성이 향상될 것이다. 이에 "연결 설정"에 대한 고려가 필요하다.

3) 블록조합형 질의 언어

(1) 대상 블록

대상은 파란색 블록으로 표현되며 사용자들이 본인이 원하는 대상을 입력 혹은 검색-선택한다. 대상으로는 최소한 한 개가 필요하다.

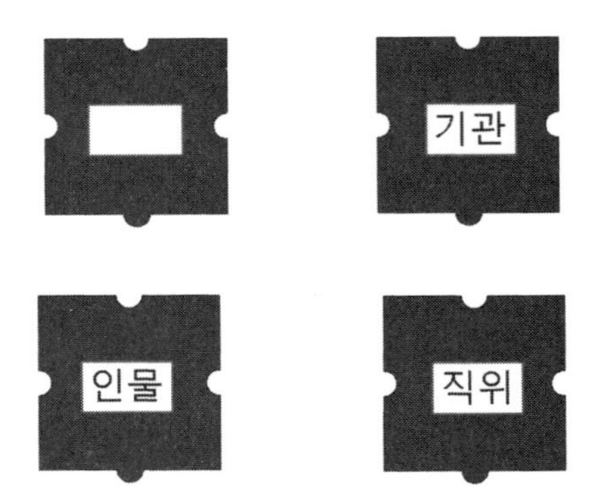

그림 5-28. 대상 블록의 예

표 5-3. 대상 블록 정보 요약

분류	내용
필수/생략	필수, 최소 1개 이상
색상	파란색(#3232FF)
비고	세부 대상 선택은 키워드 검색법을 활용
SPARQL 대응	preix, select, where

SPARQL 예시	// 기관(학교)를 선택하시오
	PREFIX rdfs: 〈http://www.w3.org/2000/01/rdf-schema#〉
	select ?grouptemp
	where {
	?grouptemp **rdf:type** schoolsys:Group .
	}

(2) 연결 블록

대상 간의 연결 층위는 하늘색으로 표시되며 사용자들은 본인이 원하는 연결을 입력 혹은 검색-선택한다. 연결은 단일 대상에 대한 정보를 출력할 때에만 생략 가능하다. 단일 대상에 대한 정보의 출력은 해당 대상에 관한 모든 자료를 출력하는 것을 기본값으로 한다.

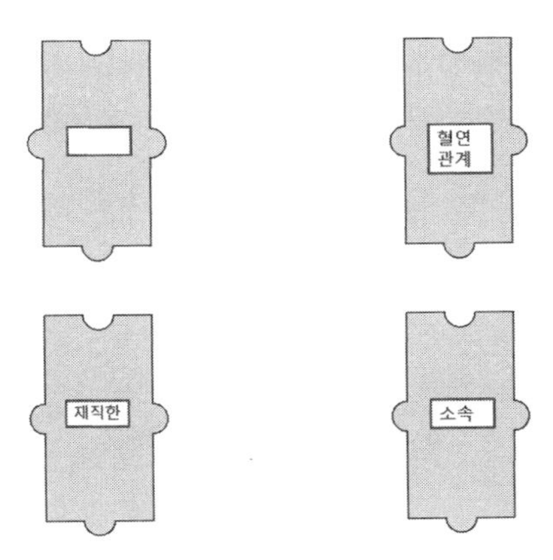

그림 5-29. 연결 블록의 예

표 5-4. 연결 블록 정보 요약

분류	내용
필수/생략	생략가능 / 생략시 모든 연결가능 정보
색상	하늘색(#50D6FF)
비고	세부 대상 선택은 키워드 검색법을 활용
SPARQL 대응	where, FILTER

SPARQL 예시	// "재직한" 조직을 찾아라
	where {
	?grouptemp **rdf:type** schoolsys:Group .
	}
	FILTER (REGEX(?TERM, "임명") || (REGEX(?TERM, "해임") || (REGEX(?TERM, "인사행정"))
	}

(3) 출처 블록

대상의 출처 층위는 보라색으로 표시된다. 사용자들은 본인이 원하는 출처를 입력 혹은 검색-선택한다. 사용자들은 특정한 출처에서 나오는 결과값만을 원하는 경우가 있다. 예를 들어서 모든 역사 시대의 인물이 아닌, 근현대 인물자료에서 나오는 인물만을 알고 싶어 하기도 한다. 혹은 한국학중앙연구원에서 제작한 데이터에 등장하는 특정 인물만을 알고 싶어 할 수도 있다. 대상의 출처는 생략 가능하며, 생략할 경우 기본값은 검색 가능한 모든 데이터이다.

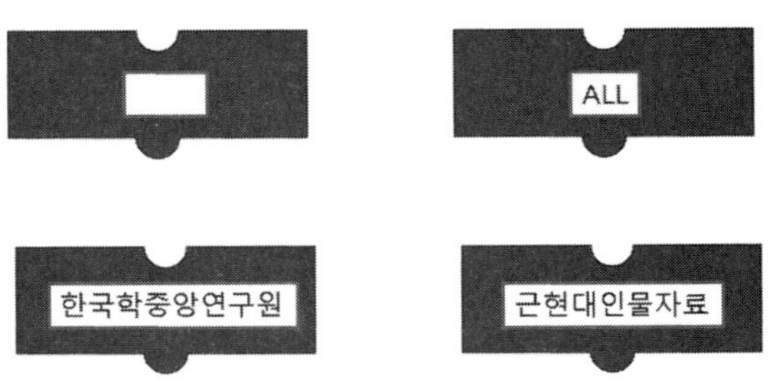

그림 5-30. 출처 블록의 예

표 5-5. 출처 블록 정보 요약

분류	내용
필수/생략	생략가능/생략시 지원가능한 모든 데이터 출처
색상	보라색(#9400d3)
비고	세부 대상 선택은 키워드 검색법을 활용
SPARQL 대응	prefix
SPARQL 예시	// "제도-인사 아카이브"와 "국사편찬위원회"에서 찾아라 **PREFIX** schoolsys: 〈http://dh.aks.ac.kr/ontologies/personnelmatters/schoolsystem#〉 **PREFIX** historygokr: 〈http://dh.aks.ac.kr/ontologies/personnelmatters/historygokr#〉

(4) 조건 블록

대상을 제한하는 조건 정보는 노란색, 구체적인 세부값은 보라색, 연산기호는 연두색으로 표시된다. 사용자들은 본인이 원하는 조건을 입력 혹은 검색-선택한다. 조건은 생략 가능하며, 생략할 경우 기본값은 검색 가능한 모든 데이터이다.

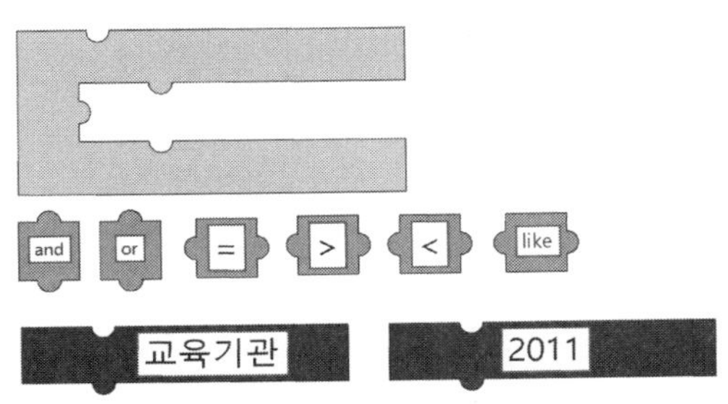

그림 5-31. 조건 블록의 예

실제 조건은 노란색의 조건틀과 보라색의 세부값과 연두색의 연산값이 조합되어 완성된다. 예를 들어서 "교육기관이면서 2011년 이후"라는 조건은 다음과 같이 조합된다.

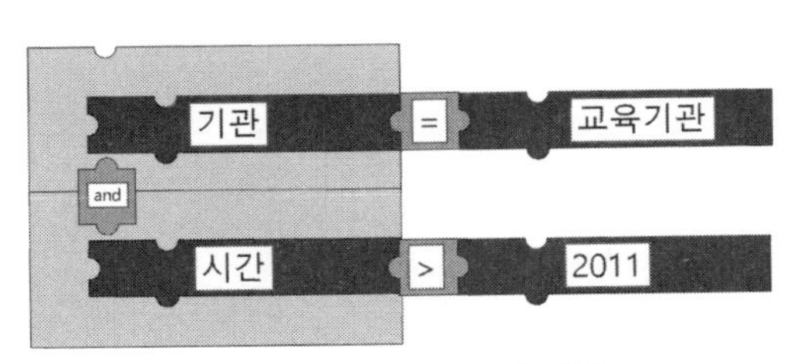

그림 5-32. 조건 블록 조합 샘플

표 5-6. 조건 블록 정보 요약

분류	내용
필수/생략	생략가능
색상	조건틀=노란색(#FF8200) / 조건대상=보라색(#9400d3) / 조건기호=연두색(#6DD6D)
비고	세부 대상 선택은 키워드 검색법을 활용

SPARQL 대응	FILTER
SPARQL 예시	// "교육기관"이면서, 2011년 이후의 조직을 찾아라. ?schooltemp rdf:subject ?subjecttemp . ?subjecttemp rdfs:label ?subjectname . **FILTER** regex(str(?subjectname),"교육기관") **FILTER** (?time > "20111-01-01T09:00:00+09:00"^^xsd:dateTime)

(5) 출력 블록

대상의 출력 방식을 선택하는 출력 정보는 녹색으로 표시된다. 사용자들은 본인이 원하는 출력 방법을 입력 혹은 검색-선택한다. 기본 출력 방식에는 데이터 출력, 네트워크형 시각화, 타임라인형 시각화, 지리정보형 시각화, 계층형 시각화가 있다. 출력 방식은 생략될 수 있으며, 이 경우 기본값은 범용성의 확보를 위해서 일반적으로 해당 데이터를 출력한다. 이러한 시각화 모듈은 대상 데이터에 대한 다양한 시각화 방법을 지원하기 위하여 사용자의 시각화 모듈 추가를 지원하는 것이다.

표 5-7. 출력 블록 정보 요약

분류	내용
필수/생략	생략가능 / 생략시 RAWDATA
색상	녹색(#006400)
비고	세부 대상 선택은 키워드 검색법을 활용
SPARQL 대응	없음
SPARQL 예시	없음

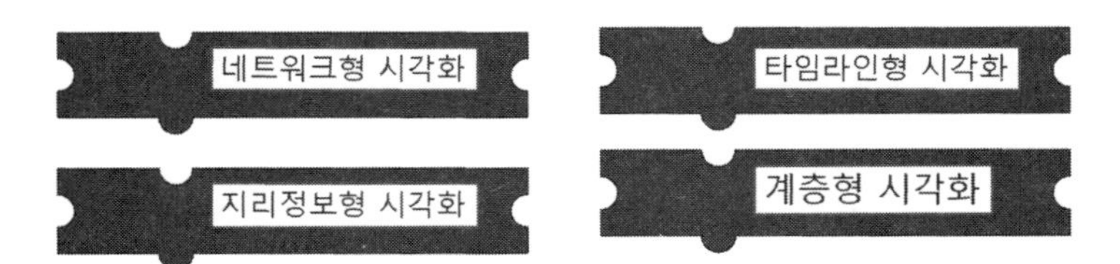

그림 5-33. 출력 블록의 예

(6) 블록 조합 구조

블록 조합은 전체적으로 “대상” 층위를 중심으로 대상과 대상을 연결하는 “연결” 층위가 배치되는 구조를 가진다. “출처” 층위는 “대상-연결” 층위의 상단에 배치되며, “조건” 층위는 “대상” 층위의 하단에 배치된다. 마지막으로 “출력” 층위는 조합의 최상단에 위치한다.

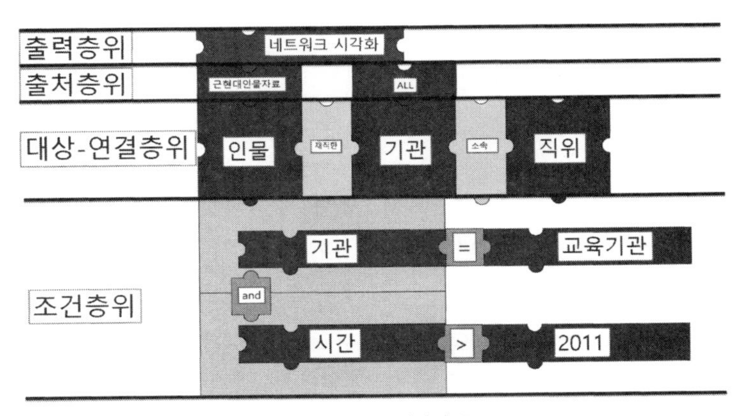

그림 5-34. 블록 질의의 구조

(7) 블록 조합 순서

사용자의 블록 질의 프로세스로는 “대상-연결” 층위, “출처” 층위, “조건” 층위, “출력” 층위의 순서를 권장한다. 다만 최초의 “대상-연결” 층위를 제외하면 사용자의 사유방식에 따라서 자유롭게 층위의 추가 · 삭제 · 변경이 가능하다.

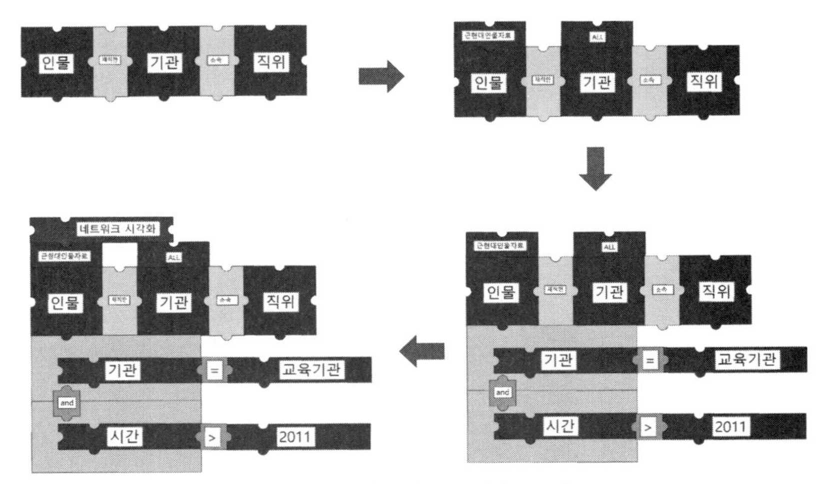

그림 5-35. 사용자의 블록 질의 프로세스

5. 제도-인사 아카이브의 활용 모델

제도-인사 아카이브의 실제 연구에서의 활용 방안을 제시하기 위하여, "의원면직과 보직이동의 사례"와 "인물 탐구"를 서술하였다. "의원면직과 보직이동의 사례"는 네트워크 분석 방법을 중심으로 방대한 데이터를 컴퓨터를 통하여 분석하는 방법을 제안하고 있다. "인물 탐구"에서는 인문학 연구의 요구에 부합하는 SPARQL 검색을 중심으로 방대한 데이터에서 다양한 각도로 인물들의 정보를 획득하는 방법을 제시하고자 한다.

1) 의원면직과 보직이동의 사례

구한말 교원의 의원면직(依願免官)을 통하여 당시의 교원 운영의 실제를 살펴보도록 하겠다. 해임 중에서도 의원면직은 교원 스스로가

청원하여 면직되는 것이다. 교원의 잘못으로 인하여 실행되는 면직(免職)에 비하여 비교적 교원 스스로의 생각과 당시의 시대 상황을 반영한다고 할 수 있다.

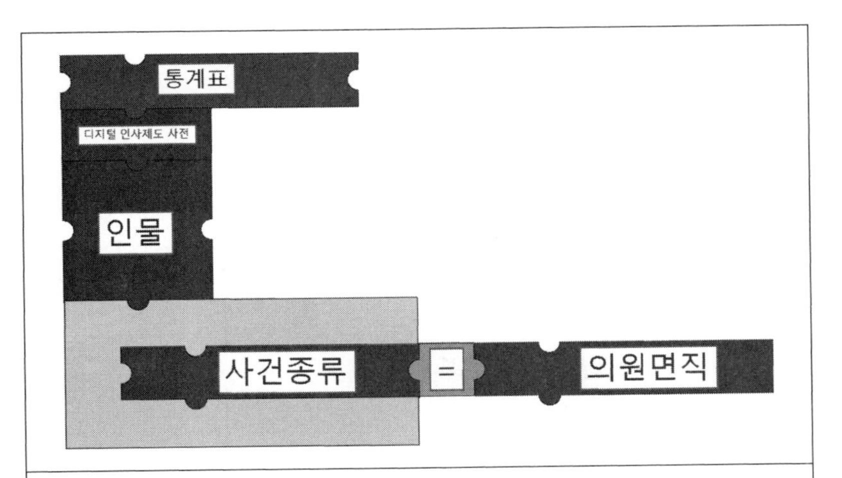


```
PREFIX schoolsys: 〈http://dh.aks.ac.kr/ontologies/personnelmatters/school
system#〉
PREFIX historygokr: 〈http://dh.aks.ac.kr/ontologies/personnelmatters/hist
orygokr#〉
PREFIX kyujanggak: 〈http://dh.aks.ac.kr/ontologies/personnelmatters/kyuj
anggak#〉
PREFIX owl: 〈http://www.w3.org/2002/07/owl#〉
PREFIX rdf: 〈http://www.w3.org/1999/02/22-rdf-syntax-ns#〉
PREFIX xsd: 〈http://www.w3.org/2001/XMLSchema#〉
PREFIX xml: 〈http://www.w3.org/XML/1998/namespace〉
PREFIX rdfs: 〈http://www.w3.org/2000/01/rdf-schema#〉

select (count(distinct *) AS ?CNT) ?time
where {
?eventtemp rdf:type kyujanggak:Event.
?eventtemp schoolsys:hasEventObject ?objecttemp .
?objecttemp rdf:type schoolsys:Person .
```

```
?objecttemp rdfs:label ?personobj.
FILTER(LANGMATCHES(LANG(?personobj), "ko-hanza"))
?eventtemp schoolsys:hasEventType 〈http://dh.aks.ac.kr/ontologies/person
nelmatters/schoolsystem#C_PM_0006〉 .
?eventtemp schoolsys:hasTimeValue ?time
} group by ?time
```

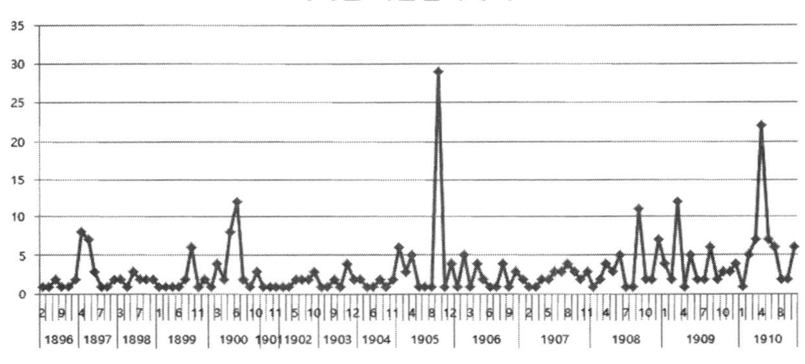

그림 5-36. 1896년부터 1910년까지의 시기별 의원면직자 수

시기별 통계표를 보면 대부분의 시기에 매달 의원면직자 수가 5명이 되지 않는 것을 알 수 있다. 그런데 1900년 5월, 1905년 10월, 1910년 4월에 교원의 의원면직자가 급증하였다.

(1) 1900년 의원면직

1900년의 의원면직은 명예식 수여 절차로 발생한 의원면직이다. 1900년의 모든 의원면직자들은 중학교 교관으로 임명되었던 사람들이다. 그런데 의원면직자들은 대부분이 임명일로부터 10일 이내에 의원면직을 하고 있다.

관립중학교는 1899년 4월 4일 칙령 제11호 중학교관제(中學校官制)[43]

에 의거하여 설치되었다. 최초의 교원 임용은 1899년 4월 25일 구품(九品) 민달식(閔達植)을 주임관 오등으로 중학교 교관에 임명한 것이며 이는 중학교의 발전에 힘을 주었다.[44] 그러나 1900년 중반까지 아직 신축 교사가 완성되어 있지 않았고,[45] 1900년 9월 13일이 되어서야 학생을 모집하기 시작하였다.[46] 따라서 실제적인 수업이 이루어지지 않고 있었음에도 불구하고, 수많은 중학교 교관이 임명되고 자원면직하는 것은 명예직 수여의 성격을 지니는 것으로 보인다.[47] 1904년부터는 중학교 교관을 대상으로 한 직접적인 명예직 수여가 이루어졌다.[48] 1904년 9월 21일부터 1906년 1월 22일까지 총 77건의 명예직 수여가 발생하였다. 그 중에서 학생에 대한 명예직 수여는 총 73건으로 1904년 4월 2일 칙령 제40호 각학교졸업인취용규칙(各學校卒業人取用規則)에 의거한 형식적인 중학교 교관으로의 취임이다.[49] 하지만 학생이 아닌 인물에 대해서도 총 4건의 명예직 수여가 이루어졌다.[50]

---

43) 勅令第十一號, 光武三年四月六日, 구한말 관보, 第一千二百二十八號.

44) 勅令第十一號, 光武三年四月四日, 구한말 관보, 第一千二百四十七號; 신사보감, 한국근현대인물자료, 국사편찬위원회.

45) "(建校加額)中學校建築費八千元을 支撥얏더니 該額이 不足야 該校長이 學部에 請求얏더라", 《황성신문》, 1900년 4월 21일자.

46) "官立中學校學員勸赴廣告 ●學部에셔 中學校學員을 勸入니 願學人은 九月二十五日(陰曆閏八初二日)內로 稟請証을 本部로 來呈고 右定日에 躬進야 應試 事 試驗科目 一漢文讀書作文 一國文讀書作文 年齡은 十七歲以上으로 二十五歲 지 保證人은 京城內住居 身分的確者로고 稟請証紙 學部 로셔 購用 事", 《황성신문》, 1900년 9월 13일자.

47) 古川 昭(후루카와 아키라)(저)/이성옥(역), 『구한말 근대학교의 형성』, 경인문화사, 2006, 181~182쪽.

48) 직접적인 명예직 수여는 1904년 9월 21부터 1906년 1월 22일까지 총 77건 발생했다.

49) 古川 昭(후루카와 아키라)(저)/이성옥(역), 『구한말 근대학교의 형성』, 경인문화사, 2006, 185~189쪽.

50) 학생이 아닌 인물이면서 명예직 수여를 받은 자는 다음과 같다. 고사인(故士人) 최봉진(崔鳳鎭), 고진사(故進士) 허권(許權), 고사인(故士人) 박도흠(朴道欽), 고사인(故士人) 오건영(吳健泳).

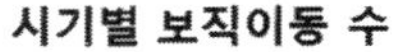

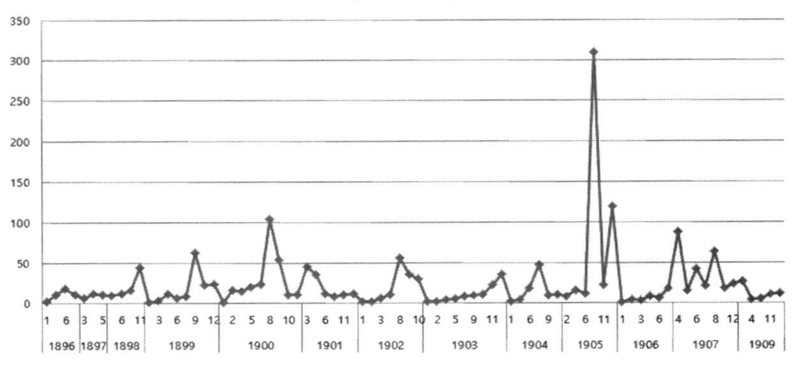

그림 5-37. 1896년부터 1909년 사이의 시기별 보직 이동 수

(2) 1905년 의원면직

1905년의 의원면직은 봉급 감액에 따른 항의성 의원면직이다. 1905년 9월 학부는 교사들의 봉급을 감액하는 일을 의결하였다. 이에 따라서 월급 30원과 25원을 받던 사람은 20원으로, 20원을 받던 사람은 15원으로 감액하였다. 그리고 이에 반발하여, 교관 50여명[51]이 일제히 사퇴하였다.[52] 또한, 학생들과 사회여론도 단순히 교원들의 감봉

---

51) 그러나 실제로 관보를 통해서 정식으로 의원면직된 교원의 수는 10월 한 달 동안 28명이었다. 구체적으로는 관립소학교에서 13명이, 중학교에서 3명이, 지방학교에서 11명이 의원면직하였다.

52) "各學校閉鎖 昨日 學部에셔 各學校 教官을 會同고 該部大臣 李完用氏가 各學校 教官의 俸給減額事로 已爲三十元 二十五元俸給者를 二十元으로 二十元俸給者 十五元으로 減額하얏스니 諒此奉職이 可也라 諸教官이 其事由의 不然을 十分 辨論하고 但以俸給의 多少로만 退去이 아니라 都是學部의 教官待遇가 甚爲妥當치 못으로 我教官 五十餘名은 一齊自退다 고 各自散歸얏 特히 法語學校와 中學校 其中에 不參고 小學校教員中에도 宋淳榮 金炳天 南明植 三人은 依減奉行이라 얏 該各學校가 自昨日로 一同閉鎖고 學員이 或泣或歎而散去라 니 大抵 今番에 以猝然減俸事로 學部의 措處가 眞皆是國家의 教育을 爲하야 斷行 事인지 未知커이와 自昨日爲始야 如干 零星 學校가 一齊閉撤하고 學員이 盡爲退散이라 니 嗚乎時事를 可知로다", 《황성신문》, 1905년 9월 29일자.

문제가 아니라, 국가의 미래를 좌우하는 교육에 대한 홀대에 대해서 “학부를 폐지할지언정 학교를 폐지해서는 안 된다.”[53]라고 하며 강력하게 반발하였다. 결국 1905년 11월 1일에 추가로 교육 예산을 배정받고 나서야 1905년 의원면직 사태가 종결될 수 있었다.[54]

그런데 일련의 사건에서 의원면직과 동시에 보직이동 명령이 예외적으로 많아진다. 1896년부터 1909년 사이의 보직 이동 수를 살펴보면, 대부분 매달 50여회에도 미치지 못하는 보직 이동 수를 보여준다. 그런데 1905년 6월부터 11월 사이에만 이례적으로 높은 보직 이동 명령 수를 보여주고 있다. 그런데 이 시기의 보직이동은 질적으로도 이전의 보직 이동과는 완전히 다른 양상을 보이고 있다.

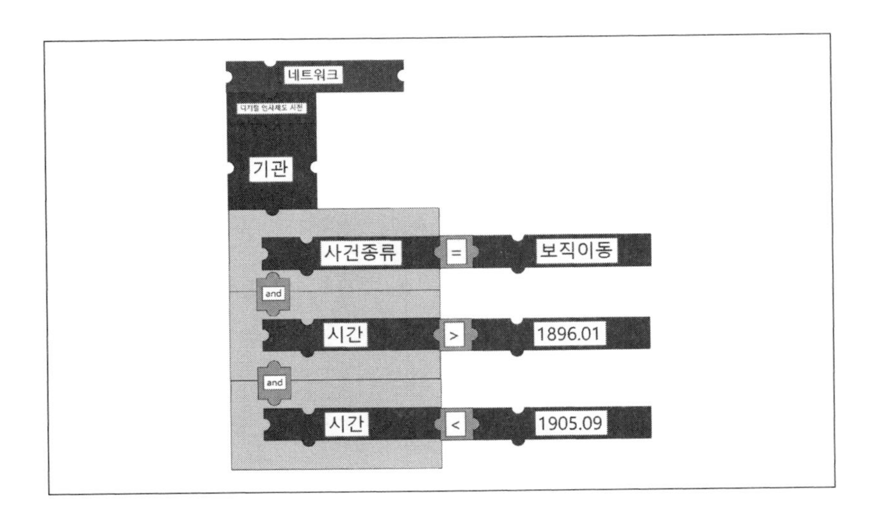

53) “學部 廢止언뎡 學校 不可廢”, 《황성신문》, 1905년 10월 6일자.

54) “學部에셔 度支部에 照會 內槪에 弊部所管高等小學校敎師室修繕費와 該校費品을 從略打筭 爲五百四十五元八十二戔五里이오니 該費額을 會議에 提出와 預算外支出라얏더라”, 《황성신문》, 1905년 11월 1일자.

```
PREFIX schoolsys: <http://dh.aks.ac.kr/ontologies/personnelmatters/school
system#>
PREFIX historygokr: <http://dh.aks.ac.kr/ontologies/personnelmatters/hist
orygokr#>
PREFIX kyujanggak: <http://dh.aks.ac.kr/ontologies/personnelmatters/kyuj
anggak#>
PREFIX owl: <http://www.w3.org/2002/07/owl#>
PREFIX rdf: <http://www.w3.org/1999/02/22-rdf-syntax-ns#>
PREFIX xsd: <http://www.w3.org/2001/XMLSchema#>
PREFIX xml: <http://www.w3.org/XML/1998/namespace>
PREFIX rdfs: <http://www.w3.org/2000/01/rdf-schema#>

select ?preschool ?postschool ?time
where {
?eventtemp rdf:type kyujanggak:Event.
?eventtemp schoolsys:hasEventPreObject ?preobjecttemp .
?preobjecttemp rdf:type schoolsys:Group .
?preobjecttemp rdfs:label ?preschool.
FILTER(LANGMATCHES(LANG(?preschool), "ko-hangul"))
?eventtemp schoolsys:hasEventPostObject ?postobjecttemp .
?postobjecttemp rdf:type schoolsys:Group .
?postobjecttemp rdfs:label ?postschool.
FILTER(LANGMATCHES(LANG(?postschool), "ko-hangul"))
?eventtemp schoolsys:hasEventType <http://dh.aks.ac.kr/ontologies/person
nelmatters/schoolsystem#C_PM_0001> .
?eventtemp schoolsys:hasTimeValue ?time
FILTER ( ?time > "1896-01-01T09:00:00+09:00"^^xsd:dateTime )
FILTER ( ?time < "1905-09-01T09:00:00+09:00"^^xsd:dateTime )
}
```

그림 5-38. 1896년부터 1905년 10월 사이의 보직 이동 네트워크

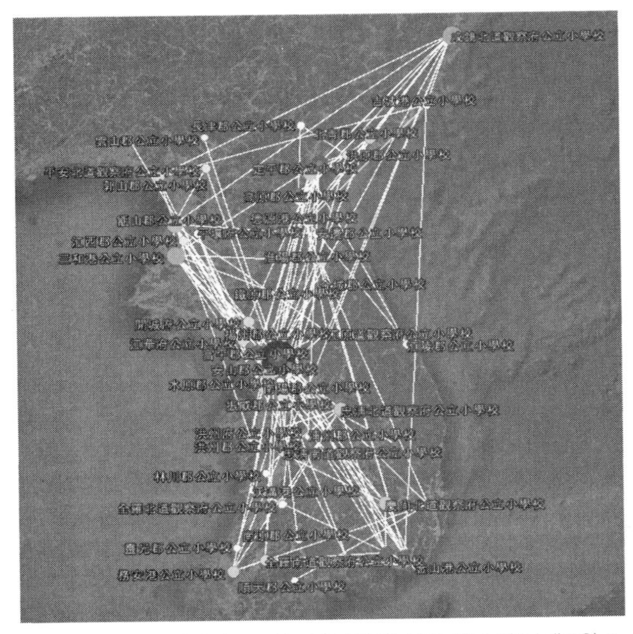
그림 5-39. 1896년부터 1905년 10월 사이의 보직 이동 지도+네트워크

표 5-8. 1896년부터 1905년 10월 사이의 보직 이동 네트워크 분석 결과

ID	degree	closenesscentrality	betweennesscentrality
官立小學校	31	0.301136364	1284.159788
漢城師範學校	17	0.236607143	330
咸鏡北道觀察府公立小學校	14	0.378571429	1065.208534
中學校	14	0.18128655	72
三和港公立小學校	13	0.286486486	474.434606
咸鏡南道觀察府公立小學校	11	0.368055556	561.9488885
甑山郡公立小學校	10	0.266331658	358.7900719
外國語學校	10	0.214532872	114
定平郡公立小學校	8	0.30994152	334.3391152
忠淸北道觀察府公立小學校	8	0.323170732	318.4713033

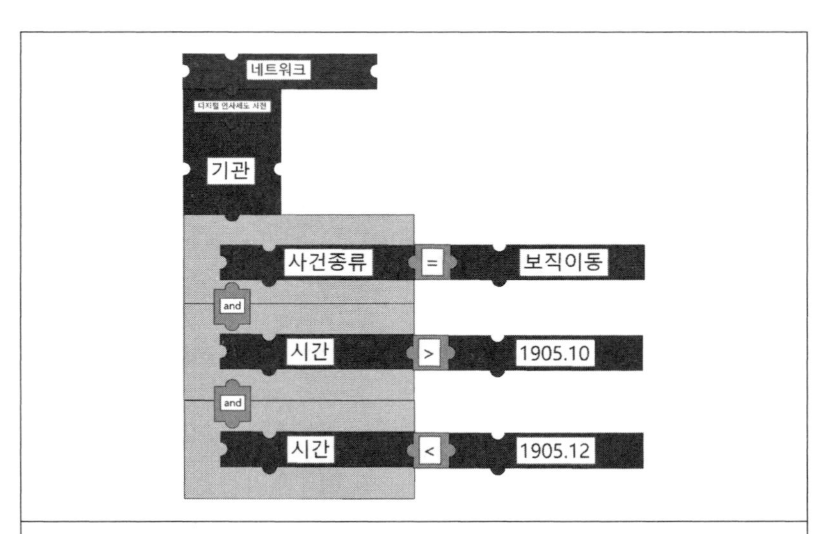

PREFIX schoolsys: 〈http://dh.aks.ac.kr/ontologies/personnelmatters/schoolsystem#〉
PREFIX historygokr: 〈http://dh.aks.ac.kr/ontologies/personnelmatters/historygokr#〉
PREFIX kyujanggak: 〈http://dh.aks.ac.kr/ontologies/personnelmatters/kyujanggak#〉

```
PREFIX owl: <http://www.w3.org/2002/07/owl#>
PREFIX rdf: <http://www.w3.org/1999/02/22-rdf-syntax-ns#>
PREFIX xsd: <http://www.w3.org/2001/XMLSchema#>
PREFIX xml: <http://www.w3.org/XML/1998/namespace>
PREFIX rdfs: <http://www.w3.org/2000/01/rdf-schema#>

select ?preschool ?postschool ?time
where {
?eventtemp rdf:type kyujanggak:Event.
?eventtemp schoolsys:hasEventPreObject ?preobjecttemp .
?preobjecttemp rdf:type schoolsys:Group .
?preobjecttemp rdfs:label ?preschool.
FILTER(LANGMATCHES(LANG(?preschool), "ko-hangul"))
?eventtemp schoolsys:hasEventPostObject ?postobjecttemp .
?postobjecttemp rdf:type schoolsys:Group .
?postobjecttemp rdfs:label ?postschool.
FILTER(LANGMATCHES(LANG(?postschool), "ko-hangul"))
?eventtemp schoolsys:hasEventType <http://dh.aks.ac.kr/ontologies/person
nelmatters/schoolsystem#C_PM_0001> .
?eventtemp schoolsys:hasTimeValue ?time
FILTER ( ?time > "1905-10-01T09:00:00+09:00"^^xsd:dateTime )
FILTER ( ?time < "1905-12-01T09:00:00+09:00"^^xsd:dateTime )
 }
```

1905년 10월 이전의 보직 이동은 비록 가장 많은 교원 수를 가지고 있는 관립소학교를 중심으로 하고 있지만, 지방과 지방 사이의 보직 이동도 상당량 발생하고 있다. 이러한 네트워크 분석 결과는 "그림 5-38. 1896년부터 1905년 10월 사이의 보직 이동 네트워크"와 "그림 5-39. 1896년부터 1905년 10월 사이의 보직 이동 지도+네트워크"의 시각화를 통해서도 직관적으로 파악할 수 있다. 또한 "표 5-7. 1896년부터 1905년 10월 사이의 보직 이동 네트워크 분석 결과"로도 관립소학교의 degree가 "31"로 가장 많기는 하지만, 한성사범학교와 함경북도관찰부공립소학교, 중학교, 삼화강공립소학교도 각각 "17", "14",

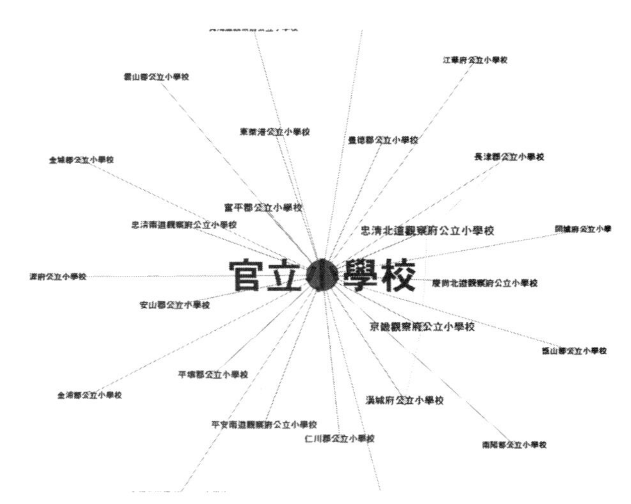

그림 5-40. 1905년 10월부터 1905년 12월 사이의 보직 이동 네트워크

"14", "13"으로 비교적 높은 수치를 보이고 있다. 또한 closeness centrality, betweenness centrality도 비록 관립소학교를 중심으로 하고 있지만, 다른 학교들도 일정 이상의 수치를 보이고 있다.

표 5-9. 1905년 10월부터 1905년 12월 사이의 보직 이동 네트워크 분석 결과

ID	degree	closenesscentrality	betweennesscentrality
官立小學校	39	1	324.3333
忠淸北道觀察府公立小學校	5	0.53125	16
京畿觀察府公立小學校	4	0.53125	0.666667
漢城府公立小學校	3	0.515152	0
富平郡公立小學校	3	0.515152	0
豊德郡公立小學校	2	0	0
平壤郡公立小學校	2	0	0
忠淸南道觀察府公立小學校	2	0.515152	0
平安南道觀察府公立小學校	2	0.515152	0
東萊港公立小學校	2	0.515152	0

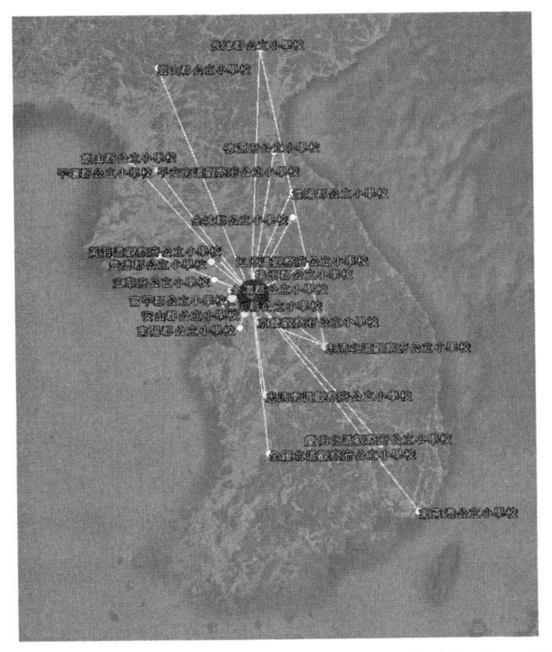

그림 5-41. 1905년 10월부터 1905년 12월 사이의 보직 이동 지도+네트워크

그런데 1905년 10월부터 12월 사이의 보직 이동은 사실상 관립소학교와 지방학교와의 1:1 보직 이동이다. 이러한 네트워크 분석 결과는 "그림 5-40. 1905년 10월부터 1905년 12월 사이의 보직 이동 네트워크"와 "그림 5-41. 1905년 10월부터 1905년 12월 사이의 보직 이동 지도+네트워크"의 시각화를 통해서도 직관적으로 파악할 수 있다. 또한 "표 5-8. 1905년 10월부터 1905년 12월 사이의 보직 이동 네트워크 분석 결과"도 관립소학교의 degree가 "39"로 압도적으로 많으며, 관립소학교 다음으로 degree가 많은 충청북도관찰부공립소학교나 경기관찰부공립소학교는 각기 "5"와 "4"로 상대적으로 저조한 수치를 보이고 있다. 또한 closeness centrality, betweenness centrality를 통

하여 판단하여도 관립소학교만이 네트워크의 중심 역할을 담당하고 있다는 것이 명확하게 보이고 있다. 이와 같은 기형적인 보직 이동 현상은 1905년 교육 예산 파동에 참가한 교원들에 대한 인사 보복 조치에서 기인한 것으로 판단된다.

공식적으로 의원면직을 한 교원에 대한 인사 보복 조치도 차등적으로 이루어졌다. 오랜 시간 교원으로 복무를 하거나 실력을 인정받은 교원[55]은 그나마 1905년 10월 내에 즉시적으로 재임명되었다.[56] 하지만 남은 20여명에 대해서는 사실상 복직 조치를 취하지 않았다. 예를 들어, 김봉진(金鳳鎭)은 1906년 9월 11일에나 부교원으로 복귀를 하였다. 실력을 인정받아서 부교원에서 교원까지 되었던 양대록(楊大祿)도 1906년 9월 29일에야 교원으로 복귀할 수 있었다. 하지만 나머지 교원에 대한 관공립학교 교원 임명 기록은 보이지 않는다.[57]

(3) 1910년 의원면직

마지막으로 1910년 4월에 대량으로 교원들이 의원면직을 한다. 이러한 현상은 1910년 3월 11일 학부고시 제4호 '한성 내에 재한 관립보통학교를 공립보통학교로 개칭'[58]에 의거하여 관립보통학교가 공립보통학교로 전환된 것에 대한 반발로 보인다. 실제로 관립학교와 공립학교의 교원에 대한 대우에는 상당한 차이가 있었다.

1896년부터 1904년까지는 공립 대비 관립의 승진 비율이 높았다. 특히 이 시기 관립학교는 사범학교, 중학교, 사범학교부속학교 그리고

---

55) 李教承, 李容遠, 尹輔榮, 沈承弼, 柳春熙, 鄭崙源, 李元圭, 朴稚祥.

56) 다만 급봉은 초봉인 8급으로 떨어졌다.

57) 관공립학교로 복귀하지 못한 나머지 교원은 사립학교로 유입되었을 것으로 추정된다.

58) 學部告示第四, 隆熙四年三月十一日, 구한말 관보, 第四千六百二十六號.

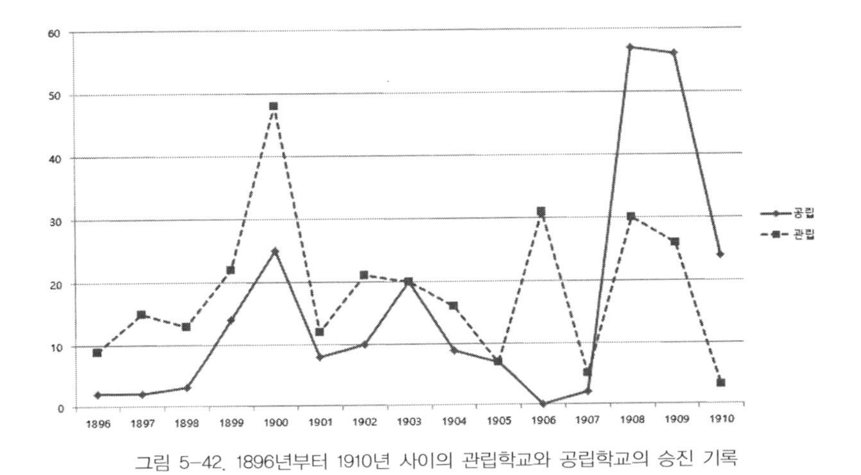

그림 5-42. 1896년부터 1910년 사이의 관립학교와 공립학교의 승진 기록

4개의 소학교로 총 7개 학교밖에 존재하지 않았다는 점을 생각하면 관립학교가 압도적으로 승진의 기회가 많았다. 1905년부터 1907년 6월까지 지속된 공립학교의 암흑기에도 관립학교는 안정성을 기반으로 승진이 이루어졌다. 이러한 현상은 1906년 8월 27일 칙령 제44호 보통학교령(普通學校令)[59]으로 인하여 지방에 신규 학교가 대량으로 설립되고, 이에 따른 신규 교원의 유입으로 인하여 공립학교의 승진 수가 관립학교의 승진 수를 추월하였다. 그러나 교원 수 대비 승진률을 고려하면 관립학교에서의 승진이 여전히 더 유리하다고 할 수 있다.

실제 정책적으로도 1899년 7월 25일 학부령 제10호의 '관립 각 학교 교관 교원의 포증급승급규칙(官立各學校敎官敎員의 褒證及陞級規則)'에서는 진급이나 졸업에서 담당 학생의 1/3이 통과하는 포증을 2회 하면 승진을 할 수 있는 기회를 주었다. 그런데 처음에는 오직 관립학교에만 적용을 하였다. 1904년 2월 25일 학부령 제15호 '관립 각 학교

59) 勅令第四十四號, 光武十年八月二十七日, 구한말 관보, 第三千五百四十六號.

교관 교원의 포증급승급규칙(官立各學校教官教員의 褒證及陞級規則)' 반포 후에나 공립학교 교원, 부교원 및 사립학교 교사에게도 포증을 통한 승급의 기회를 부여하는 차등적인 대우를 하였다.

2) 인물 탐구

제도-인사 아카이브는 교원의 견책(譴責), 감봉(減俸), 벌봉(罰俸)[60], 면본관(免本官)과 같은 인사 처벌은 물론이고, 부우(父憂)와 모우(母憂)와 같은 교원 부모의 사망, 신고(身故)나 조고(遭故)와 같은 교원의 사망[61] 등의 다양한 정보를 제공하고 있다. 아래에서는 제도-인사 아카이브가 제공하는 다양한 인사 정보를 바탕으로 교원 생활 중에서 부모를 모두 여의었던 눈물의 교원 원영의(元泳義)와 성과제 승진을 2번이나 한 능력 교원 황한동(黃漢東), 그리고 면직만 2번을 당했던 문제 교원 전덕룡(田德龍)의 삶을 재구성한다.

(1) 원영의(元泳義)

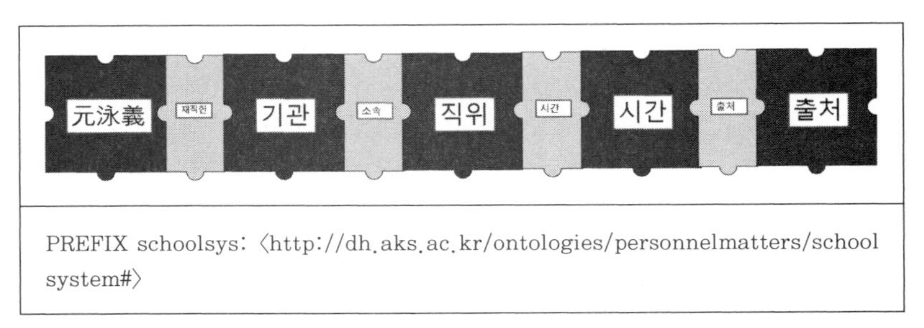

PREFIX schoolsys: 〈http://dh.aks.ac.kr/ontologies/personnelmatters/schoolsystem#〉

60) 감봉과 벌봉은 모두가 급여의 일부를 줄이는 인사 처벌이다. 1900년 이전에는 기본적으로 벌봉을 사용하였고, 그 이후에는 기본적으로 감봉을 사용하였다.

61) 신고는 모든 상황에서 사용되었다. 다만 조고는 1900년 7월 24일 이전에 직급이 부여되지 않는 임시직인 부교원(副教員)에게만 사용되었다. 하지만 1901년 6월 12일부터는 부교원과 학무위원의 사망에 신고를 사용하게 되었다.

```
PREFIX historygokr: <http://dh.aks.ac.kr/ontologies/personnelmatters/hist
orygokr#>
PREFIX kyujanggak: <http://dh.aks.ac.kr/ontologies/personnelmatters/kyuj
anggak#>
PREFIX owl: <http://www.w3.org/2002/07/owl#>
PREFIX rdf: <http://www.w3.org/1999/02/22-rdf-syntax-ns#>
PREFIX xsd: <http://www.w3.org/2001/XMLSchema#>
PREFIX xml: <http://www.w3.org/XML/1998/namespace>
PREFIX rdfs: <http://www.w3.org/2000/01/rdf-schema#>
select ?eventtemp ?persontempname ?eventtypetempname ?schooltempname
?time ?webre
where {
?persontemp rdf:type schoolsys:Person .
?persontemp rdfs:label ?persontempname
FILTER regex( str(?persontempname ),"元泳義" )
?eventtemp schoolsys:hasEventObject ?persontemp .
?eventtemp schoolsys:hasEventType ?eventtypetemp .
?eventtypetemp rdfs:label ?eventtypetempname .
FILTER(LANGMATCHES(LANG(?eventtypetempname ), "ko-hanza"))
?eventtemp schoolsys:hasEventPostObject ?schooltemp .
?schooltemp rdf:type schoolsys:Group .
?schooltemp rdfs:label ?schooltempname .
FILTER(LANGMATCHES(LANG(?schooltempname ), "ko-hanza"))
?eventtemp schoolsys:hasTimeValue ?time .
?eventtemp schoolsys:hasWebResource ?webre .
} order by ?time
```

표 5-10. 원영의 인사 기록 쿼리 결과물 예시

사건ID	사건 분류	대상 학교	대상 직위	대상 직급	사건 발생일
E_kyujanggak_edu_000008	任	官立小學校	教員	判任官六等	1895-08-12
E_kyujanggak_edu_000010	給俸	官立小學校	教員	二級	1895-08-12
E_kyujanggak	起復行公	官立小學校	教員		1896-03

_edu_000062					-28
E_kyujanggak _edu_000120	陞敍	官立小學校	教員	二級	1896-09 -15
E_kyujanggak _edu_000335	任	漢城師範學校	教員	判任官 三等	1898-08 -29
E_kyujanggak _edu_000413	起復行公	漢城師範學校	教員		1899-03 -14
E_kyujanggak _edu_003417	依願免本官	官立小學校	教員		1905-10 -18
E_kyujanggak _edu_006001	囑託	官立齋洞普通學校	學務委員		1909-04 -26

원영의(元泳義)는 1852년 11월 27일 태어났다.[62] 원주(原州) 원씨이며, 아버지는 가정대부(嘉善大夫) 동지중추부사(同知中樞府事)를 지낸 원휘(元暉)이다.[63] 위정척사파인 유중교(柳重教)[64]에게 한문을 수학하였다. 1891년 12월에 관학유생 응제에 입격하였고, 이에 1892년 별시 문과 초시 응시를 허가 받았다.[65] 그러나 방목자료에는 원영의가 나오지 않고, 관원이력에서도 기술되지 않은 것으로 보아서 과거 합격에 실패한 것으로 추정된다. 1894년 4월 9일 식년시(式年試)를 마지막으로 과거시험이 폐지됨에 따라서 방황의 시간을 보냈을 것으로 생각된다.

그러다 1895년 4월 1일 사범학교에 입학하고, 8월 1일에 속성과특별시험에서 우등으로 졸업하였다.[66] 그런데 한성사범학교가 공식적

62) 김영한(金甯漢), 『承訓郎師範教官璋隱元先生行狀』, 1947. 최미경, 「元泳義의 『小學漢文讀本』 研究」, 성균관대학교 석사학위논문, 1999, 5쪽에서 재인용.

63) 『관원이력』 23책 617쪽.

64) 김영한(金甯漢), 『承訓郎師範教官璋隱元先生行狀』, 1947. 최미경, 「元泳義의 『小學漢文讀本』 研究」, 성균관대학교 석사학위논문, 1999, 5쪽에서 재인용.

65) 『승정원일기』 1892년 3월 14일 20번째 기사.

으로 개교한 것은 1895년 5월 1일이고, 원영의가 교육 받은 사범학교는 1895년 4월 16일 칙령 제79호 한성사범학교관제(漢城師範學校官制)[67]가 공포되기 전인 1894년 가을에 개교한 "사범학교"이며, 공개적인 모집의 과정이 아니라 각 아문의 추천을 받아서 모집한 학생들이었다.[68] 원영의는 원주 원씨 집안의 연줄을 통하여 한성사범학교에 입학을 했던 것으로 보인다.[69]

표 5-11. 부모 사망과 복귀명령 간의 소요기간표

이름	부모사망정보	복귀명령정보	소요기간
元泳義	아버지(1896년 2월 5일)	1896년 3월 28일	2달
元泳義	어머니(1899년 2월 10일)	1899년 3월 14일	1달
李晩奎	아버지(1903년 9월 13일)	1904년 3월 16일	6달
朴治勳	아버지(1904년 10월 11일)	1905년 1월 12일 1905년 6월 1일	3달 9달
閔觀鉉	어머니(1904년 10월 11일)	1905년 1월 12일 1905년 6월 1일	3달 9달
李敎承	어머니(1905년 8월 14일)	1905년 11월 13일	3달
朴稚祥	아버지(1906년 1월 13일)	1906년 2월 13일	1달
姜興秀	어머니(1906년 12월 9일)	1907년 1월 22일	1달

66) 『관원이력』 23책 617쪽.

67) 勅令第七十九號, 開國五百四年四月十六日, 法規類編 元.

68) 임후남, 「개명관료(開明官僚)로서의 근대교원」, 『아시아교육연구』, 제4권, 제1호, 2003, 114~115쪽.

69) 정확한 입학 경위를 알기 위해서는 원주 원씨 족보 자료와 사제(동문) 관계에 대한 아카이브를 구축하여 상호 연계하여야 한다. 본 연구에서는 개인 연구의 한계상 이를 생략하였다. 다만 입학 경위에 있어 가문 이외에 학연이 크게 작용하기도 하는데, 원영의의 스승이었던 유중교는 『조선왕조실록』 1882년 9월 26일 5번째 기사와 같이 서양 학문에 대해서 비판적인 입장이었다. 그러한 유중교가 근대학교 교원을 양성하는 사범학교에 제자인 원영의를 추천했을 것으로는 보이지 않는다.

한성사범학교를 졸업하고 1895년 8월 12일 관립소학교에 판임관 육등 교원으로 임명되었고, 그의 직봉은 이급이었다.[70] 그런데 교원으로 임명된 지 반년이 되기도 전인 1896년 2월 5일 아버지가 사망하였다.[71] 이에 따라서 원영의는 장례를 치르기 위하여 고향으로 돌아갔다. 그러나 한 달이 조금 넘은 1896년 3월 28일 보직으로 돌아올 것[起復行公]을 명령 받는다.[72]

당시에 부모 사망으로 인한 휴직 일수는 한 달에서 세 달 사이로 추정된다. 다만 명확한 휴직 일수 규정이 없었기에 필요에 따라서 여섯 달까지 휴직 일수가 부여되기도 하였고, 교원들도 명령을 받고도 복귀하지 않아서 다시 복귀를 명령해야 되는 경우도 발생하였다.

아버지의 상을 마치고 다시 관립소학교로 복귀한 원영의는 승진을 계속하며 1898년 8월 5일 판임관 삼등까지 승진하였다.[73] 그러다 1898년 8월 29일 한성사범학교로 보직을 이동하였다. 하지만 채 1년이 지나기 전에 1899년 2월 10일 어머니가 사망하였다.[74] 하지만 이번에도 한 달이 조금 지난 시점인 1899년 3월 14일 복귀를 명령 받았다.[75]

복귀 이후 1899년 8월 7일에는 다시 관립소학교로 보직을 명령 받았다.[76] 이후 관립소학교에서 학생들을 가르치며 판임관 일등까지 승진하였다.[77] 그러나 1905년 10월 18일 교원 직봉 감액에 따라 항의로 의원면직하였다.[78]

---

70) 구한말 관보, 第一百三十五號.
71) 『관원이력』 23책 617쪽.
72) 구한말 관보, 第二百八十五號.
73) 구한말 관보, 第一千二十二號.
74) 『관원이력』 23책 617쪽.
75) 구한말 관보, 第一千二百八號.
76) 구한말 관보, 第一千三百三十五號.
77) 구한말 관보, 第一千三百三十五號.

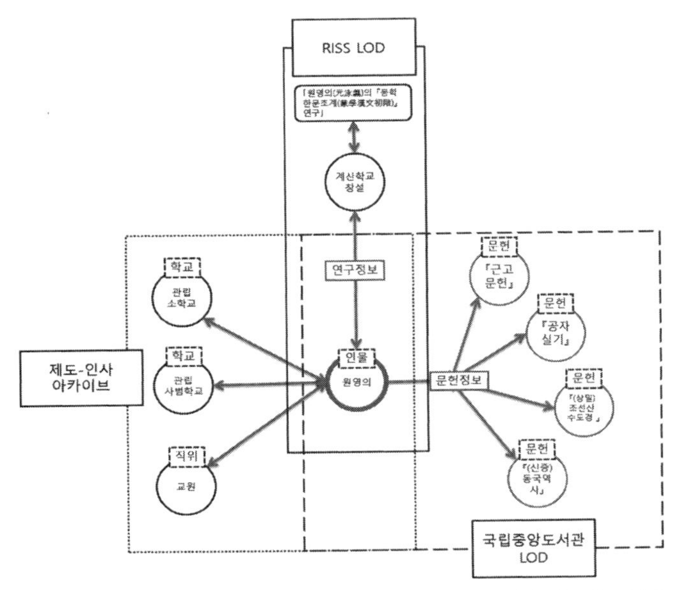

그림 5-43. 국립중앙도서관 LOD, RISS LOD와의 연계를 통한 원영의 인물정보 확장 개념도

의원면직 이후에는 1906년에 휘문의숙에서 『(신증)동국역사((新訂)東國歷史)』[79]를 출간한다. 그 밖에도 원영의는 활발한 집필 활동을 하여, 『공자실기(孔子實紀)』[80], 『(상밀)조선산수도경((詳密)朝鮮山水圖經)』[81], 『근고문선(近古文選)』[82] 등을 저술하였다.[83] 그리고 계산학교(桂山學

78) 구한말 관보, 第三千二百七十七號.

79) 元泳義, 柳 瑾, 『(新訂)東國歷史』, 徽文義塾, 1906.

80) 元泳義, 『孔子實紀』, 青邱學會本部, 1921.

81) 元泳義, 『(詳密)朝鮮山水圖經』, 光東書局, 1911.

82) 元泳義, 『近古文選』, 東美書市, 1918.

83) 현재 국립중앙도서관은 국립중앙도서관 LOD를 운영하고 있다. 국립중앙도서관 LOD는 서명, 저자명, 출판사 등의 모든 서지 정보를 기술하고 있다. 그러나 근대 이전의 저자에 대해서는 인물 식별이 되어 있지 않은 경우가 많다. 만약 제도-인사 아카이브를 통하여 확립된 인물 정보와 국립중앙도서관의 저자 정보를 상호 연계한다면, 제도-인사 아카이브로서는 각 인물들의 저작물 정보를 자동으로 연계할 수 있으며, 국립

校)를 창설하여 교원 생활을 했다.[84)85)] 그 이후 관공립기관에서 교원으로 부임하지는 않았지만, 대한자강회(大韓自強會), 대한협회(大韓協會), 기호흥학회(畿湖興學會), 대동학회(大東學會), 교남교육회잡지(嶠南教育會雜誌) 등에서 활동하였다.

그런데 갑작스럽게 1909년 4월 26일 관립제동보통학교(官立齋洞普通學校)의 학무위원(學務委員)으로 촉탁 받았다.[86)] 이는 이만규(李晚奎)와의 인연이 작용한 것으로 추정된다. 이만규는 1895년 11월 3일 관립소학교 교원에 임명되었고, 1897년 3월 18일에는 한성사범학교의 교원으로 임명되었다가, 1898년 11월 8일에는 관립소학교 교원으로 다시 임명되었다. 그 이후 1904년 6월 27일에는 관립농상공학교 교관으로 영전을 하며, 1906년 5월 31일에는 학부 시학관에까지 올라간다.[87)] 그런데 이만규와 원영의는 1895년 11월 3일부터 1895년 11월 3일까지 관립소학교에서, 1898년 8월 29일부터 1898년 11월 8일까지, 1899년 8월 7일부터 1904년 6월 27일까지 같은 직장에서 근무를 하였다. 5년 이상 같은 곳에서 근무를 한 인연과 명예직인 학무위원에 원영의가 촉탁되는 일이 연관이 있을 가능성이 있다. 물론 설령 동일 오

중앙도서관 LOD는 제도-인사 아카이브를 통하여 저자의 활동 사항을 자동으로 연계할 수 있다.

84) 김영주, 「원영의(元泳義)의 『몽학한문초계(蒙學漢文初階)』 연구」, 『한문교육연구』, 제47권, 2016, 251쪽.

85) 본 연구는 관보에 나오는 인사 운용 사건만을 수집하였기에 공직이 아닌 사립에 대한 조사가 부족하다. 추후 사립 학교 자료를 수집하여 보충할 필요가 있다. 또한 한국교육학술정보원(KERIS)은 RISS(Research Information Sharing Service) LOD를 운영하고 있다. RISS LOD는 비록 현재는 단행본 정보만 제공하고 있지만, 조만간 학위논문, 학술논문 등에 대한 모든 학술 정보로 확장할 것으로 판단한다. 이에 따라서 추후 제도-인사 아카이브와 RISS LOD와 상호 연계한다면, 제도-인사 아카이브 데이터의 근거 자료로서 학술 정보를 활용할 수 있다.

86) 구한말 관보, 第四千三百七十四號.

87) 『관원이력』 1책 10쪽.

랜 시간 같이 한다고 무조건 가까운 관계가 아닐 수도 있으나, 어느 정도의 추론은 가능하다고 판단한다.

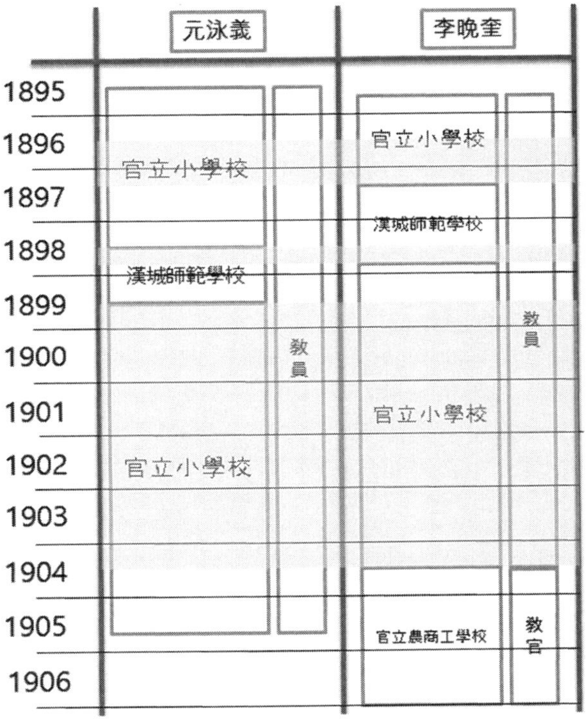

元泳義
李晚奎
1895
1896
1897
1898
1899
1900
1901
1902
1903
1904
1905
1906
官立小學校
漢城師範學校
官立小學校
教員
官立小學校
漢城師範學校
官立小學校
教員
官立農商工學校
教官

그림 5-44. 원영의와 이만규의 임용기록 비교

(2) 황한동(黃漢東)

황한동(黃漢東)[88]은 상주(尙州) 황씨 20세손으로 아버지는 황상호(黃商浩)[89]이고, 할아버지는 황석필(黃錫弼)이다. 2명의 남동생이 있는데

88) "官立小學校 教員 黃漢東의 漢字는 瀝字로 改正 事", 구한말 관보, 第四千二百六十一號에 따라, 1902년 4월 1일 황한동(黃漢東)에서 황력동(黃瀝東)으로 개명하였다.

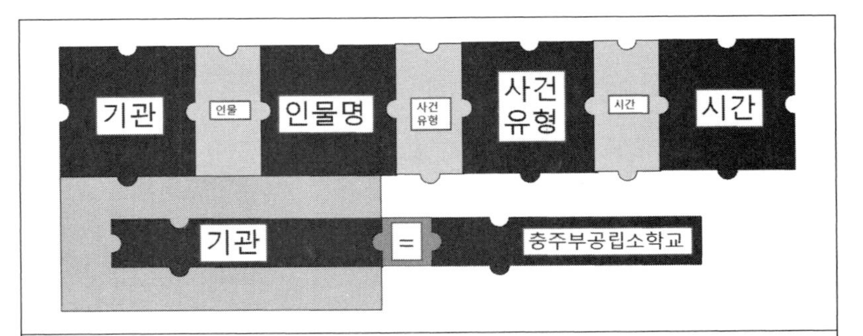


```
#충주부공립소학교와 관련된 모든 이벤트 내용
PREFIX schoolsys: <http://dh.aks.ac.kr/ontologies/personnelmatters/school
system#>
PREFIX historygokr: <http://dh.aks.ac.kr/ontologies/personnelmatters/hist
orygokr#>
PREFIX kyujanggak: <http://dh.aks.ac.kr/ontologies/personnelmatters/kyuj
anggak#>
PREFIX owl: <http://www.w3.org/2002/07/owl#>
PREFIX rdf: <http://www.w3.org/1999/02/22-rdf-syntax-ns#>
PREFIX xsd: <http://www.w3.org/2001/XMLSchema#>
PREFIX xml: <http://www.w3.org/XML/1998/namespace>
PREFIX rdfs: <http://www.w3.org/2000/01/rdf-schema#>
select  ?time ?persontempname ?preobjecttempname  ?eventtypetempname
?postobjecttempname
where {
?eventtemp rdf:type kyujanggak:Event.
?eventtemp schoolsys:hasEventObject ?persontemp .
?persontemp rdf:type schoolsys:Person .
?persontemp rdfs:label ?persontempname .
FILTER(LANGMATCHES(LANG(?persontempname ), "ko-hanza"))
?eventtemp schoolsys:hasEventType ?eventtypetemp .
?eventtypetemp rdfs:label ?eventtypetempname .
FILTER(LANGMATCHES(LANG(?eventtypetempname ), "ko-hanza"))
OPTIONAL {?eventtemp schoolsys:hasEventPostObject ?postobjecttemp .
?postobjecttemp rdf:type schoolsys:Group .
```

89) 황상호(黃商浩)는 초명이며, 나중에 황종우(黃宗愚)로 개명하였다.

```
?postobjecttemp rdfs:label ?postobjecttempname.
FILTER(LANGMATCHES(LANG(?postobjecttempname), "ko-hanza"))}
OPTIONAL {?eventtemp schoolsys:hasEventPreObject ?preobjecttemp .
?preobjecttemp rdf:type schoolsys:Group .
?preobjecttemp rdfs:label ?preobjecttempname .
FILTER(LANGMATCHES(LANG(?preobjecttempname ), "ko-hanza"))}
FILTER ( regex( str(?postobjecttempname),"忠州府公立小學校" ) || regex( str
(?postobjecttempname),"忠清北道觀察府公立小學校" ) || regex( str(?postobjec
ttempname),"公立忠州普通學校" ) || regex( str(?preobjecttempname),"忠州府公
立小學校" ) || regex( str(?preobjecttempname ),"忠清北道觀察府公立小學校" )
|| regex( str(?preobjecttempname),"公立忠州普通學校" ) )
?eventtemp schoolsys:hasTimeValue ?time.
} order by ?time
```

나이가 높은 순서대로 황제동(黃濟東)과 황윤동(黃潤東)이다. 자식은 모두 5명으로, 아들인 황노완(黃魯完), 황노관(黃魯寬), 황노경(黃魯京), 황노충(黃魯忠)과, 딸인 황귀남(黃貴男)이 있었는데, 딸은 송백헌(宋伯憲)과 결혼하였다.[90]

황한동은 1895년 10월 15일 한성사범학교 속성과 제1회 졸업시험에서 합격하였다.[91] 1896년 1월 28일 신설 학교인 충주부공립소학교 판임관 육등 교원에 임명되었고, 직봉은 이급이었다.[92] 하지만 반년만인 1896년 9월 15일 의원면직하였다.[93] 그리고 바로 그 다음날인 9월 16일 경기관찰부공립소학교에 동일 직위와 직급으로 임명되었다.[94] 따라서 황한동은 충주부공립소학교 근무에 대한 불만이 있어, 다른 곳으

90) 황씨 족보 (黃氏 族譜), http://hwang.ne.kr
91) 구한말 관보, 第一百九十二號.
92) 구한말 관보, 第二百三十六號.
93) 구한말 관보, 第四百卅二號.
94) 구한말 관보, 第四百卅三號.

로의 보직 이동을 요청하기 위한 의원면직을 했을 것으로 추정된다.

실제로 충주부공립소학교는 그다지 인기가 있는 근무지가 아니었던 것으로 보인다.

표 5-12. 충주부공립소학교(충청북도관찰부공립소학교) 인사 기록 쿼리 결과물 예시

사건ID	대상 인물	사건 분류	대상 학교	사건 발생일
E_kyujanggak_edu_000037	黃漢東	任	忠州府公立小學校	1896-01-28
E_kyujanggak_edu_000040	黃漢東	給俸	忠州府公立小學校	1896-01-28
E_kyujanggak_edu_000119	黃漢東	依願免本官	忠州府公立小學校	1896-09-15
E_kyujanggak_edu_000125	梁柱星	任	忠清北道觀察府公立小學校	1896-09-16
E_kyujanggak_edu_000127	梁柱星	給俸	忠清北道觀察府公立小學校	1896-09-16
E_kyujanggak_edu_000236	梁柱星	依願免本官	忠清北道觀察府公立小學校	1897-05-15
E_kyujanggak_edu_000244	朴齊賢	任	忠清北道觀察府公立小學校	1897-05-15
E_kyujanggak_edu_000260	朴齊賢	依願免本官	忠清北道觀察府公立小學校	1897-06-16
E_kyujanggak_edu_000263	徐廷達	任	忠清北道觀察府公立小學校	1897-06-16
E_kyujanggak_edu_000472	徐廷達	免本官	忠清北道觀察府公立小學校	1899-06-27
E_kyujanggak_edu_000473	尹貞圭	任	忠清北道觀察府公立小學校	1899-06-27
이하 생략				

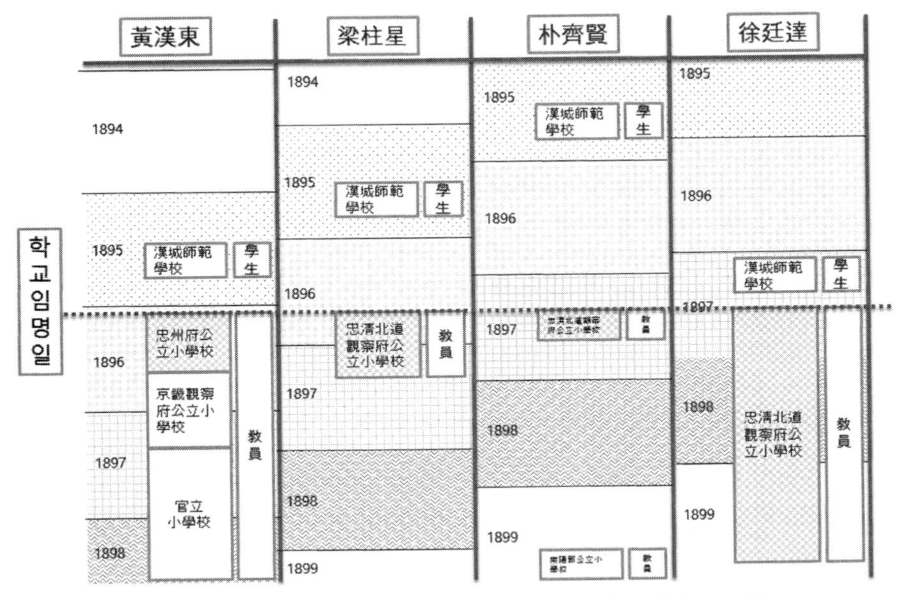

그림 5-45. 충청북도관찰부공립소학교 임용 교원의 이력 비교(임명일 기준)

황한동의 의원면직을 기점으로 충주부공립소학교는 충청북도관찰부공립소학교로 개명하였고, 양주성(梁柱星)을 교원으로 임명하였는데,[95] 양주성은 1년을 채우지 않고 의원면직을 한다.[96] 또한 그 후임으로 1897년 5월 15일에 임명된 박제현(朴齊賢)[97]도 한 달이 되지 않은 시점인 1897년 6월 16일에 의원면직을 한다.[98] 박제현은 실제로 아예 근무지에 가지 않았거나, 근무지에 갔더라도 곧장 의원면직 신청을 했으리라 추정된다. 그 후임으로 1897년 6월 16일에 서정달(徐廷

95) 구한말 관보, 第四百卌三號.
96) 구한말 관보, 第六百卌九號.
97) 구한말 관보, 第六百卌九號.
98) 구한말 관보, 第六百六十六號.

達)[99]을 임명하였다. 하지만 결국 1899년 6월 27일에 "근무지 이탈"로 서정달은 면직을 당하게 된다.[100] 이에 충청남도관찰부공립소학교(忠淸南道觀察府公立小學校)를 안정적으로 운영하고 있는 윤정규(尹貞圭)를 충청북도관찰부공립소학교로 보직이동시켰다.[101] 또한 더욱 안정성을 향상하기 위하여 부교원을 고용하기 시작하였다.

한편 황한동은 경기관찰부공립소학교도 마음에 들지 않았는지 역시 1년을 채우지 못하고 1897년 4월 8일 의원면직하였다.[102] 하지만 이 역시 부임지 변경을 요청하는 의원면직으로 보이며, 실제로 의원면직 당일 황한동은 관립소학교 판임관 육등 교원에 임명되었다.[103] 하지만 의원면직이 반드시 부임지 변경을 위한 행위는 아니었다. 실제로 의원면직을 하고 관공립학교를 떠난 원영의 등의 사례가 있다. 또한 부임지 변경을 위한 의원면직이더라도 능력에 따라서 재고용 되지 않았을 것으로 추정되는 양주성(梁柱星)도 있다. 그런데 황한동은 의원면직을 통한 보직 변경을 시도할 수 있을 정도로 두드러지는 능력이 있었던 것으로 보인다. 실제 그 이후 관립소학교에서 성과제인 포증이도(褒證二度)에 의거하여, 두 번이나 직봉이 오를 정도로 뛰어난 능력을 발휘하게 된다.

당시 교원은 일종의 성과제인 1899년 7월 25일 학부령 제10호의 '관립 각 학교 교관 교원의 포증급승급규칙(官立各學校教官教員의 褒證及

99) 구한말 관보, 第六百七號.

100) "免本官 忠淸北道觀察府公立小學校 教員 徐廷達 右는 忠淸北道觀察使 報告를 據ᄒᆞᆫ즉 該員이 受由歸家ᄒᆞ야 久不還任ᄒᆞ니 事合免官이라ᄒᆞ기 免本官 事", 구한말 관보, 第一千三百號.

101) 구한말 관보, 第一千三百號.

102) 구한말 관보, 第六百七號.

103) 구한말 관보, 第六百七號.

陞級規則)'에 따라서 진급이나 졸업에서 담당 학생의 1/3이 통과하는 포증을 2회 하면 승진을 할 수 있는 기회를 주었다. 이런 성과제 승진 제도를 통하여 황한동은 1900년 10월 10일 직봉이 이급으로 올랐고,[104] 1902년 8월 22일 다시 직봉이 일급으로 올랐다.[105]

한편 황한동은 1901년 6월 12일 시종원(侍從院) 분주사(分主事)로 임명되었다.[106] 그러나 2일 만인 1901년 6월 14일에 시종원 분주사에서 해임되었다. 이 때에 1900년 11월 16일부터 시종원 분주사였던 안영상(安榮商)도 같이 해임되었다.

그런데 이 둘의 아버지 역시 대한제국 황실의 직속 기관에서 근무한 기록이 발견이 된다. 황한동의 아버지인 황상호(黃商浩)는 1902년 10월 1일 혜민원(惠民院)에 판임관 육등 주사(主事)로 임명되었다.[107] 안영상의 아버지인 안광직(安光植)은 장사랑(將仕郎)으로 예빈부(禮賓府) 참봉(參奉) 자리에 있었다.[108] 이처럼 교원 중에서도 상주 황씨나 순흥 안씨처럼 전통적인 명문가의 후손들은 대한제국 황실의 의례에도 참가했던 것으로 보인다.

1902년 4월 1일 황한동(黃漢東)에서 황력동(黃瀝東)으로 개명하였다.[109] 그 이후 1903년 1월 14일까지 황력동의 이름으로 관립소학교 교원으로 판임관 이등까지 승진을 한다.[110] 그런데 그 이후 1908년 9월 1일까지의 인사기록이 나타나지 않는다.

---

104) 구한말 관보, 第一千七百四號.
105) 구한말 관보, 第二千二百八十七號.
106) 구한말 관보, 第一千九百一十三號.
107) 구한말 관보, 第二千三百廿二號.
108) 『관원이력』 24책 625쪽.
109) 구한말 관보, 第四千二百六十一號.
110) 구한말 관보, 第二千四百十一號.

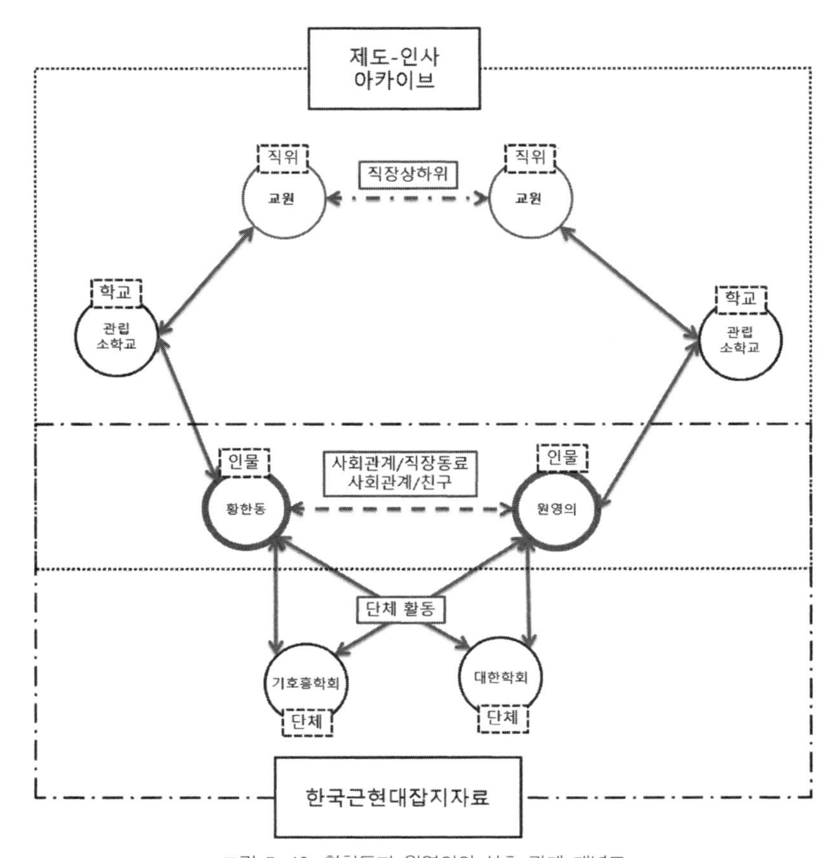

그림 5-46. 황한동과 원영의의 상호 관계 개념도

다만 1908년 9월 1일에 전 교원으로 관립매동보통학교에 황한동(黃漢東)의 이름으로 판임관 삼등으로 본과훈도 겸 학교장으로 임명되었다. 급봉은 육급이었다.[111] 이를 통해서 보았을 때, 1903년부터 1908년 사이에 황력동에서 다시 황한동으로 개명을 한 것으로 추정할 수 있다. 또한 기록상 "전 교원"이었던 점을 미루어보았을 때 교원직에서

111) 구한말 관보, 第四千百六十九號.

물러났던 것으로 보인다. 구체적으로 교원에서 물러난 시기는 기록이 없기에 명확하게 파악할 수는 없지만, 1905년 9월에 교원 감봉 사태가 있었으므로 1905년 10월경으로 추정할 수 있다.

황한동과 원영의(元泳義)는 1897년 4월 8일부터 1898년 8월 29일 사이, 1899년 8월 7일부터 1905년 10월 18일 사이에 관립소학교에서 같이 근무하였다. 또한 황한동과 원영의 모두 1908년에 애국계몽운동 계열의 단체인 기호흥학회(畿湖興學會)[112]와 대한협회(大韓協會)[113]에 참가한 기록이 있다. 오랜 시간 같이 근무하였으며, 사상적으로 동일한 행동을 진행한 황한동과 원영의였기에 1905년 10월 18일 원영의가 교원 감봉 사태에서 원영의가 의원면직을 했을 때, 황한동도 같이 의원면직을 했을 가능성이 높다.[114]

의원면직 이후부터 1908년 9월 1일에 관립매동 보통학교로 복귀하기 전에 황한동이 참가한 기호흥학회의 목표와 원영의의 사학계열에서의 행적을 고려하였을 때, 황한동은 사립학교에서 교육을 진행하였을 가능성이 높을 것으로 추정된다.[115] 또한 황한동은 1910년 4월 30일 사립보통학교용의 『漢文初學』[116] 4책을 출판하였다.[117]

---

112) 《기호흥학회월보》, 제1호, 1908년 8월 25일 및 《기호흥학회월보》, 제3호, 1908년 10월 25일자.

113) 《대한협회회보》, 제9호, 1908년 12월 25일.

114) 현재의 제도-인사 아카이브에는 학회의 참여와 같은 사회적인 활동에 대한 데이터가 존재하지 않는다. 따라서 연구자가 직접 해당 내용을 조사하여 인물의 사회 활동에 대한 추정을 행하였다. 추후 제도-인사 아카이브의 대상 범위가 확장하여 학회를 비롯한 사설 단체에서의 행적으로 확대된다면, 디지털 기술을 활용하여 손쉽게 인간관계를 파악할 수 있을 것이다.

115) 현재 추정으로 생각되는 부분은 추후 사립학교 관련 임면직 기록이 보충되면 완전한 고증이 가능할 것으로 생각한다.

116) 黃漢東, 『漢文初學』, 廣文堂, 1910.

117) 국사편찬위원회, 『한국사 45 - 신문화운동 Ⅰ』, 국사편찬위원회, 2000.

(3) 전덕룡(田德龍)

전덕룡(田德龍)은 1874년 8월 20일에 출생하였다.[118] 전덕룡은 담양 전씨 남원파이며, 평양에서 태어난 것으로 추정된다.[119] 1899년 4월 8일 관립한성사범학교 제4회 졸업시험에서 합격하였다.[120] 1899년 6월 16일 평양군공립소학교(平壤郡公立小學校)의 판임관 육등의 직급으로 교원에 임명되었다.[121] 1900년 9월 26일에는 판임관 오등의 직급으로 승진하였다. 그러나 1901년 3월 15일 학생 인원을 속여서 보고하였기에 면직 처분을 받았다.[122] 하지만 1901년 5월 16일에 사면 처분을 받았다.[123] 실제로 1906년 6월 1일 이사범(李錫範)의 면직처분 이후에는 다시 사면을 받고 복귀하는 일이 반복되고 있었다. 예를 들어서 서정달(徐廷達)은 1899년 6월 27일에 면직처분을 받았지만,[124] 1900년 3월 7일에 면직처분이 해제되었다.[125] 그리고 김성진(金聲鎭)

---

118) 전덕룡(田德龍), 한국역대인물 종합정보시스템.

119) 전응룡(田應龍), 『국조방목(國朝榜目)』(규장각한국학연구원[奎貴 11655])과 전건하(田健夏), 『국조방목(國朝榜目)』(규장각한국학연구원[奎貴 11655]) 및 전용하(田龍夏), 『숭정기원후사정묘식년사마방목(崇禎紀元後四丁卯式年司馬榜目)』(국립중앙도서관[일산古6024-56]) 등 당시 방목자료에 출현하는 담양 전씨 남원파는 본관은 남원으로 되어 있으나, 거주지는 모두 평양(平壤)으로 되어 있다.

120) 구한말 관보, 第一千二百卌四號.

121) 구한말 관보, 第一千二百九十一號.

122) "免本官 平壤府公立小學校教員 田德龍 右는 該府尹 彭翰周의 査報를 據훈즉 該員이 學員의 姓名을 偷錄報部라 ᄒᆞ엿기 是以로 免本官", 구한말 관보, 第一千八百三十七號.

123) "免懲戒 前教員 田德龍 右는 該員이 平壤府公立小學校 教員 在任時에 學員의 姓名을 偷錄報部라 ᄒᆞ얏기 免本官ᄒᆞ엿더니 追究情跡에 容有可恕이 기로 免懲戒", 구한말 관보, 第一千八百三十七號.

124) "免本官 忠清北道觀察府公立小學校 教員 徐廷達 右는 忠清北道觀察使報告를 據훈 즉 該員이 受由歸家ᄒᆞ야 久不還任ᄒᆞ니 事合免官이라ᄒᆞ기 免本官 事", 구한말 관보, 第一千三百號.

125) "免懲戒 前 忠清北道觀察府公立小學校 教員 徐廷達 右는 該員이 受由歸家ᄒᆞ야 久不還任이기 免本宮ᄒᆞ얏더니 欽奉光武四年 陰曆正月二十五日 頒詔ᄒᆞ와 免懲戒", 구한말 관보, 第一千五百十七號.

은 1901년 3월 15일에 면직처분을 받았지만,[126] 15일 만인 1901년 4월 1일에 다시 복귀하였다.[127] 이러한 현상은 당시 학교 대비 부족했던 교원 수가 원인으로 아무리 면직 처분을 했어도 어쩔 수 없이 복귀를 시켜야 했을 것으로 추정된다.

그리고 1901년 7월 13일 평안북도관찰부공립소학교에서의 기존의 관품을 유지하며 판임관 오등으로 교원에 임명되었다.[128] 그러나 1902년 1월 29일 교육 태도의 문제로 5일 감봉의 처분을 받았다.[129] 또 1903년 2월 19일에도 교육태도의 문제로 다시 한 달간 감봉 처분을 받았다.[130] 그 결과 1904년 9월 30일에나 판임관 사등으로 승진을 하였다.[131]

당시 일반적으로 1년 주기로 한 개 등급씩 승진을 하고 있었다. 만약 전덕룡이 정상적으로 승진을 했다면, 1904년 9월 30일에는 판임관 이등이 되어 있었어야 했다. 하지만 전덕룡은 감봉 2회의 처분을 받았기에 인사 평가에서 누락이 되어 승진이 보류되고 있었다. 실제로 황태성(黃台性), 송원섭(宋元燮), 조근하(趙瑾河)는 감봉을 받아서 승진이 1년 지연되었다. 그리고 감봉 1회에 견책 1회를 받은 한병수(韓炳洙)도

126) "免本官 官立小學校 敎員 金聲鎭 右ᄂᆞᆫ 該員이 不由本部ᄒᆞ고 擅自下鄕ᄒᆞᆫ 章程을 違越ᄒᆞ미니 是以로 免本官", 구한말 관보, 第一千八百三十七號.

127) "免懲戒 前 敎員 金聲鎭 右ᄂᆞᆫ 該員이 官立小學校 敎員 在任時에 不由本部ᄒᆞ고 擅自下鄕이기 免本官ᄒᆞ얏더니 追究情跡에 容有可恕이기로 免懲戒", 구한말 관보, 第一千八百五十一號.

128) 구한말 관보, 第一千九百四十號.

129) "平安北道觀察府公立小學校 敎員 田德龍 右ᄂᆞᆫ 該員이 冬期放學日限이 太早ᄒᆞ고 開學日을 亦定太晩ᄒᆞᆫ 敎育上에 不勤케ᄒᆞ미기 是以로 五個日 減俸에 處ᄒᆞᆫ 事", 구한말 관보, 第二千一百十一號.

130) "平安北道觀察府公立小學校 敎員 田德龍 右ᄂᆞᆫ 該員이 多月曠校ᄒᆞᆫ 職務上에 漫漶ᄒᆞ미라 是以로 一個月 減俸에 處ᄒᆞᆫ 事", 구한말 관보, 第二千四百四十二號.

131) 구한말 관보, 第二千九百四十七號.

승진이 1년 지연되었다. 이는 감봉과는 달리 견책은 승진에 영향을 미치지 않았기 때문이다. 당시 견책 1회를 받은 박치훈(朴治勳)과 장연필(張然弼) 모두 정상적으로 승진을 하였다.

전덕룡은 1905년 4월 24일에는 강의를 하지 않고 마음대로 서울에 올라왔기에 1개월 감봉이 되었다.[132] 하지만 감봉 처분에도 불구하고 지속적으로 정상적인 수업을 진행하지 않았기에 결국 1905년 8월 14일에 또 다시 면직이 되었다.[133] 1905년 12월 27일에 사면되었다.[134]

결국 자신의 최초 부임지인 평양군공립소학교(平壤郡公立小學校)에서 개명된 평안남도관찰부공립소학교로 1906년 4월 11일에 판임관 육급의 직품으로 복귀한다.[135] 평안남도관찰부공립소학교는 1906년 8월 27일 칙령 제44호 보통학교령(普通學校令)[136] 및 1906년 9월 1일 학부령 제27호[137]에 의거하여, 평양군공립소학교(平壤郡公立小學校)와 합병하여 공립평양보통학교로 개편하였다. 전덕룡은 1906년 9월 26일에 공립평양보통학교의 학교장을 겸직하게 된다.[138]

그런데 돌연 1908년 12월 21일에 공립평양보통학교의 본과훈도에서 주임관 사등의 관품인 영원군(寧遠郡) 군수로 영전을 한다.[139] 면직

132) "平安北道觀察府公立小學校 教員 田德龍 右는 該員이 無由曠校ᄒᆞ고 擅自上京ᄒᆞ야 以致教課停廢이기 姑先一個月減俸에 處ᄒᆞᆫ 事", 구한말 관보, 第三千一百二十三號.

133) "免本官 平安北道觀察府公立小學校 教員 田德龍 右는 平安北道觀察使 李根豐의 報告를 據ᄒᆞᆫ즉 該員이 長臥其家ᄒᆞ야 一不視學을 一省共知 則留一日이면 添一日之害에 士論紛紜이라ᄒᆞ얏기 免本官", 구한말 관보, 第三千二百十九號.

134) "免懲戒 前教員 田德龍 右는 該員이 平安北道觀察府公立小學校 教員 在任時長 臥其家ᄒᆞ야 一不視學ᄒᆞ얏기 免本官ᄒᆞ얏더니 追究情形에 容有可恕이기 免懲戒", 구한말 관보, 第三千三百三十六號.

135) 구한말 관보, 第三千四百廿七號.

136) 勅令第四十四號, 光武十年八月二十七日, 구한말 관보, 第三千五百四十六號.

137) 學部令第二十七號, 光武十年九月一日, 구한말 관보, 第三千五百四十九號.

138) 구한말 관보, 第三千五百七十號.

처분 2회, 감봉 3회의 문제 교원인 전덕룡은 가문의 힘을 통하여 교원의 자리를 보전하였을 뿐만이 아니라, 오히려 판임관 육급에서 주임관 사등의 군수에 임명될 수 있었던 것으로 추정된다.

전덕룡의 친척인 전건하(田健夏)는 1887년 과거에 급제[140]한 이후에, 승정원의 정칠품 관직인 가주서에 임명되었다. 이후 전적(典籍), 정언(正言), 장령(掌令) 등의 관직을 거치며 1893년부터 1897년 사이에 관직에서 물러나서 평양으로 돌아왔을 것으로 추정된다. 하지만 관직에 있던 시절 왕과 지근거리에 있었기에 평안남도관찰사 심종순(沈鍾舜)과의 충돌에서도 그 영향력을 발휘하였다.[141] 따라서 전덕룡의 면직이나 감봉의 인사 처분을 해결하고, 전덕룡이 평양 인근의 학교에만 부임하는 데 일정한 역할을 했을 것으로 판단된다.

또한 전덕룡이 영원군 군수로 영전했을 때 평안남도관찰사는 1908년 5월 13일에 임명된 이진호(李軫鎬)[142]였다.[143] 그런데 이진호는 1891년에 오위에서 각 부를 통솔하던 종육분 서반 무관직의 부장이었다.[144] 그런데 전덕룡의 친척인 전용하(田龍夏)가 1891년 7월 29일부터 동일 시기에 오위장으로 있었다.[145] 이진호에게 있어서 전용하는 직속 상관이었던 것이다. 비록 1895년을 마지막으로 더 이상 전용하에 대한 기록이 보이지는 않지만 전용하와 이범래가 지속적으로 교류하였을 가능성이 높다.[146]

---

139) 구한말 관보, 第四千二百六十一號.

140) 전건하(田健夏), 『국조방목(國朝榜目)』(규장각한국학연구원[奎貴 11655]).

141) 『승정원일기』 1897년 9월 22일 11번째 기사.

142) 친일인명사전편찬위원회, 『친일인명사전3 ㅇ~ㅎ』, 민족문제연구소, 2009, 162~165쪽.

143) 『승정원일기』 1908년 5월 13일 3번째 기사.

144) 『승정원일기』 1891년 2월 18일 14번째 기사.

145) 『승정원일기』 1891년 7월 29일 32번째 기사.

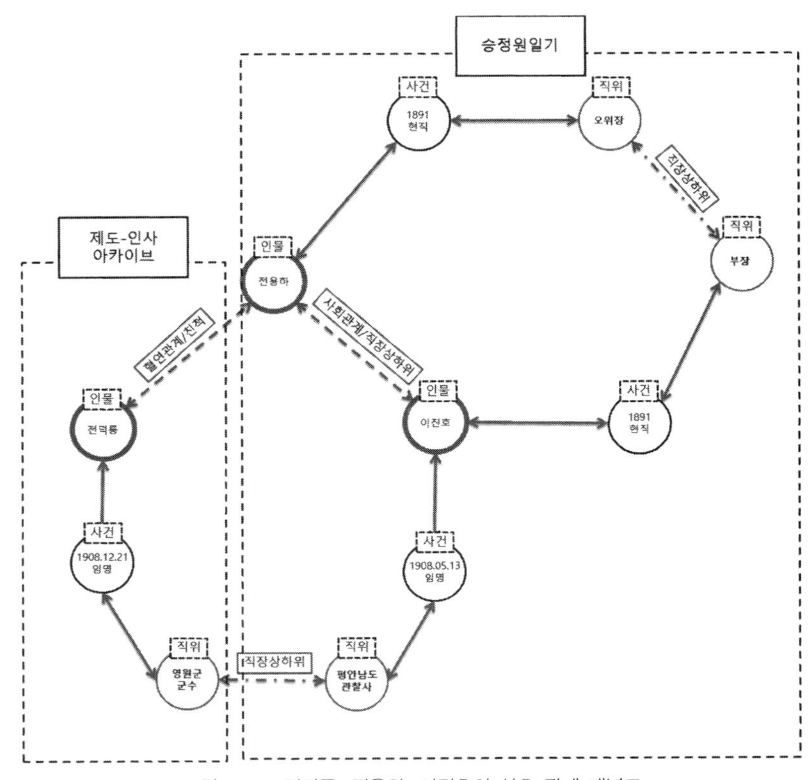

그림 5-47. 전덕룡, 전용하, 이진호의 상호 관계 개념도

전덕룡은 가문과 이범래의 비호 아래, 1910년 2월 3일에는 용강군 군수로 임명되었고,[147] 1910년 10월 1일 한일 병탄 조약 이후에도 용

146) 현재의 제도-인사 아카이브에는 구한말 교원의 인사운용 기록만이 존재한다. 전건하와 이범래 그리고 전용하의 인사기록 및 혈연정보가 기존 아카이브에는 포함되어 있지 않기에 연구자가 직접 해당 사료를 찾아야 했다. 추후 제도-인사 아카이브의 대상 범위를 모든 시대의 인사 운영 기록으로 확대하고, 또한 족보 데이터가 연계된다면, 디지털 기술을 활용하여 자동적으로 가족과 같은 혈연 관계 정보와 동일 직장 근무의 사회 관계 정보를 토대로 복잡한 인간 관계에 대한 분석을 손쉽게 수행할 수 있을 것이다.

강 군수로 유임이 되었다. 그는 일제강점기의 대표적인 친일파로서 "田原德龍"으로 창씨개명을 하며,[148] 1942년 6월 3일부터는 조선총독부 중추원 참의까지 역임하였다.[149]

147) 『승정원일기』 1909년 12월 24일 2번째 기사.

148) 친일인명사전편찬위원회, 『친일인명사전 3 ㅇ~ㅎ』, 민족문제연구소, 2009, 388~389쪽.

149) 『朝鮮總督府及所屬官署職員錄』1942년본, 국사편찬위원회.

제6장
결론

본 연구는 제도와 인사의 관계성 데이터 아카이브 구축 및 활용 방법론을 제시하는 데 목적이 있다. 이를 위하여 대상 자료 분석 및 고증, 온톨로지 설계 및 검증, 데이터 모델링, 시각화 모델 제시의 과정을 수행하였다.

구한말 관공립학교의 제도와 교원의 인사 기록을 명확하게 이해하기 위하여 토대 자료인《구한말 관보》,『직원록 자료』,『한국근현대인물자료』와 구한말 관공립학교에 관한 연구를 정리하고, 학교(관립학교, 공립학교)와 제도(직위, 직급, 직봉), 인사운영 용어에 대한 전통적인 고증을 수행하였다. 고증의 결과물을 최소한의 기계가독형 데이터로 규격화하기 위하여, 정보를 분절하여 추출하고, "학술", "제도", "사건" 등으로 개념화된 틀을 제시하였다.

제도-인사 온톨로지를 설계하기 위하여, 기존 종이 공구서(백과사전, 유서, 정서, 표보) 및 주요 디지털 사전과 디지털 아카이브의 제도 정보 구현 방식을 살펴보고 각각의 장단점을 분석하였다. 기존 종이 및 디지털 공구서의 장단점과《구한말 관보》,『직원록 자료』,『한국근현대인물자료』에서 추출하여 개념화한 내용을 융합하여 제도-인사 온톨로지를 설계하고 검증하였다. 검증이 완료된 제도-인사 온톨로지를 바탕으로 하여, 시맨틱웹으로 구현할 수 있는 RDF 데이터 모델과 기존 디지털 아카이브에 사전 정보를 추가할 수 있도록 설계된 XML 데이터 모델을 각기 모델링하였다.

마지막으로 구축된 데이터가 인문학 연구에 활용될 수 있도록 하기 위한 시각화 방법론을 제시하였다. 기존의 종이 매체와 디지털 매체에서의 제도-인사 관련 시각화 방안에 대해서 살펴보고 각각의 장단점을 분석하였다. 그 결과를 바탕으로 정보전달형 시각화 모델들과 데이터접근형 시각화 모델인 블록조합형 시각화를 제시하고, 실제 인문학 연구에서 활용할 수 있는 예시를 구현하였다.

본 연구의 핵심 결과를 요약하면 다음과 같다.

첫째, 구한말 관공립학교의 제도와 교원의 인사 기록을 분석하여, 제도와 인사의 관계성 데이터 아카이브에 적용 가능한 온톨로지를 구축하였다. 특히 낱낱의 제도와 교원의 인사 기록을 분석하고, 해당 분석 결과를 바탕으로 바텀업 방식의 프로세스를 통하여 실제 역사 기록을 온전히 반영하는 온톨로지를 구축하였다.

둘째, 인문학 연구의 특질을 반영하여 인문학 정보의 온톨로지를 구축하기 위한 "학문 필수 요소"를 제시하였다. 다양한 연구자들의 동일한 대상에 대한 서로 다른 출처와 판단의 결과를 데이터의 형태로 구축 가능하게 하였다. 또한 기존 인문학에서 소략되었던 "추정"의 개념을 강조하여, 설령 완벽하게 대상을 파악하지 못하더라도 근사치를 제공하여 지속적인 연구를 위한 토대를 제공할 수 있도록 하였다.

셋째, 인문학 정보의 "사건"에 대한 온톨로지 모형을 제시하였다. 인문학에서 등장하는 복합적인 지식 정보인 "사건"을 특정 시점을 기준으로 한 선후 변화 개념으로 디지털에 최대한 모사하였다.

넷째, 구축된 온톨로지를 다양한 데이터 모델에 적용하는 방법을 제시하였다. 동일한 온톨로지를 바탕으로 시맨틱웹을 구현할 수 있는

RDF 데이터 모델, 기존 디지털 아카이브에 사건 정보를 추가할 수 있도록 설계된 XML 데이터 모델을 각기 모델링하였다.

다섯째, 제도와 인사의 관계성 데이터 아카이브의 데이터를 사용자들이 손쉽게 사용할 수 있는 시각화 방안을 제시하였다. 종이 사전에서는 구현이 어려웠거나 불가능했던 다양한 인사 제도에 관한 시각화 방안을 제시하였다. 또한 사용자들의 데이터로의 직접적인 접근을 수월하게 하기 위하여 블록조합형 질의 언어를 제시하였다.

현재 본 연구는 개인연구의 한계로 인하여 다음과 같은 내용을 처리하지 못하였으며, 향후 지속적인 연구를 통하여 미비점을 보완할 예정이다.

양적인 범위의 측면에서 1) 연구의 대상 범위를 모든 관공립학교와 사립학교는 물론이고, 학교 이외의 내부, 외부, 탁지부, 군부, 법부 등의 모든 기관으로 확대할 예정이다. 2) 시간적으로 구한말 시대 이외에, 《일제강점기 관보》, 《대한민국 관보》, 『韓國史上의 官職 官人 DB 구축과 官僚制 운영시스템 연구』 성과물, 『선생안(先生案)』, 『정사책(政事册)』 등을 통하여 한국사 전반으로 범위를 확장할 필요가 있다. 3) 공간적으로 한반도에 국한되지 않고, 인물 교류가 활발한 근대 이후를 중심으로 중국, 타이완, 일본, 미국의 한인 경력 정보도 포괄할 예정이다.

질적인 범위의 측면에서는 1) 인물 기본 정보의 차원에서 경력 정보 이외에, 이칭, 생몰년, 혈연, 지연, 학력 등을 "역대인물종합정보시스템", "한국족보자료시스템" 등을 통하여 온톨로지 설계 내용을 확장할 필요가 있다. 2) 인물 정보 이외에 인물 정보와 연계되어 역사 연구의 기본이 되는 시간 정보와 공간 정보에 대해서도 지속적인 관심을 경주할 계획이다. 시간 정보에 있어서는 연호(年號)와 간지(干支) 및 "조선중기" 등의 개념적인 시간 정보와 기계처리가 가능한 서력 정보를 "불경규범데이터베이스(佛學規範資料庫, Buddhist Studies Authority Database Project)", "한국천문연구원 음양력데이터" 등을 바탕으로 역사시간정보 LOD를 구축하여야 한다. 또한 공간 정보는 역사지리학계와의 지속적인 연계를 통하여 한국형 CHGIS(China Historical GIS, 中國歷史地理信息系統, 중국역사GIS) 구축에 지원을 할 예정이다. 3) 인물, 시간, 공간의 정보가 조합되어 발생하는 사건의 범주도 인사운용 이외의 다양한 사건들로 확장할 것이며, 학교 운동회, 교원 감봉 정책 발표, 한일 병탄 조약 등 다양한 역사적 사건에 대한 온톨로지 설계 확장 및 데이터 구축 등의 작업을 지속적으로 진행할 예정이다.

활용적인 측면에서 1) 개인 혹은 기관들이 손쉽게 인문학 온톨로지 및 LOD를 구축하거나, 기존 LOD에 정보를 추가할 수 있는 프로세스를 연구하여, 인문학 LOD의 확장을 위한 근본적인 방법론을 모색할 필요가 있다. 2) 개념적으로 제시한 시각화 방법을 실제로 적용할 예정이다. 특히 블록조합형 질의 언어는 인문학 연구자와 일반인들의 디지털 자료로의 접근점이 되는 만큼 실제 구현을 위한 연구를 지속할 예정이다.

참고문헌

1. 자료

《구한말 관보》, 관보DB, 서울대학교 규장각한국학연구원, http://kyu.snu.ac.kr/home/GAN/GAN_MAINLIST.jsp

《구한말 관보》, 구한국 관보, 국립중앙도서관, http://www.nl.go.kr/nl/search/search_wonmun.jsp?detailSearch=true&offer_dbcode_2s=CH43&wonmunTabYn=Y

『직원록 자료』, 직원록 자료DB, 한국사데이터베이스, 국사편찬위원회, http://db.history.go.kr/item/level.do?itemId=jw

『조선왕조실록』, 조선왕조실록DB, 국사편찬위원회, http://sillok.history.go.kr

『승정원일기』, 승정원일기DB, 국사편찬위원회, http://sjw.history.go.kr

『일성록』, 일성록DB, 규장각한국학연구원, http://kyujanggak.snu.ac.kr/home/sub_index.jsp?ID=ILS

『한국근현대인물자료』, 한국근현대인물자료, 한국사데이터베이스, 국사편찬위원회, http://db.history.go.kr/item/level.do?itemId=im

《황성신문》, 고신문 아카이브, 한국언론진흥재단, http://www.bigkinds.or.kr

공공기관의 정보공개에 관한 법률, 법률 제14185호, 2016.5.29., 일부개정.

공공데이터의 제공 및 이용 활성화에 관한 법률, 법률 제13723호, 2016.1.6., 일부개정.

저작권법, 법률 제14634호, 2017.3.21., 일부개정.

2. 단행본

강용중 · 김기혁 · 김종혁 · 김지영 · 김현 · 도원영 · 박승범 · 박재연 · 박찬규 · 신상현 · 양창진 · 윤승준 · 장선우 · 정명현 · 정철, 『한국학 사전 편찬 방법론의 모색』, 지식과교양, 2013.

김현 · 임영상 · 김바로, 『디지털 인문학 입문』, HUEBOOKs, 2016.

박득준, 『조선근대교육사』, 한마당, 1989.

안기성, 『韓國近代教育法制硏究』, 고려대학교민족문화연구소, 1984.

양평초등학교 총동문회, 『양평초등학교 발자취 100년사 보유편』, 2014.

이만규, 『(다시 읽는) 조선교육사』, 살림터, 2010.

이수상, 『네트워크 분석 방법론』, 논형, 2013.
이은식, 『필수역사용어해설사전 』, 타오름, 2014.
장덕삼, 『한국교육사』, 동문사, 2003.
친일인명사전편찬위원회, 『친일인명사전3 ㅇ~ㅎ』, 민족문제연구소, 2009
한국데이터베이스진흥원, 『데이터 분석 전문가 가이드』, 한국데이터베이스진흥원, 2014.
한국데이터베이스진흥원, 『데이터 아키텍처 전문가 가이드』, 한국데이터베이스진흥원, 2013.
한기언·이계학·이길상, 『한국교육사료집성:개화기편 4』, 한국정신문화연구원, 1993.
허경진·구지현, 『조선시대 표류노드 시각망 연구일지』, 보고사, 2016.

네이선 야우(저), 송용근(역), 『비주얼라이즈 디스』, 에이콘출판, 2012.
줄리 스틸·노아 일린스키(편), 김진홍(역) 『아름다운 시각화』, 인사이트, 2012.
古川 昭(후루카와 아키라)(저)/李成鈺(이성옥)(역), 『구한말 근대학교의 형성』, 경인문화사, 2006.
稻葉繼雄(이나바 쯔기오)(저)/홍준기(역), 『구한말 교육과 일본인』, 온누리, 2006.
趙國璋(조국장)·王長恭(왕장공)·江慶柏(강경백)(저)/이동철(역), 『문사공구서개론』, 한국고전번역원, 2015.
齊藤孝(사이토 타카시)(저)/최석두·한상길(역), 『온톨로지 알고리즘 기록·정보·지식의 세계 Ⅰ·Ⅱ』, 경인문화사, 2008.

矢野桂司·中谷友樹·河角龍典·田中覺 編, 『京都の歴史GIS』, ナカニシヤ出版, 2011.
赤間亮·富田美香 編, 『イメージデータベースと日本文化研究』, ナカニシヤ出版, 2010.
秦郁彦 編, 『日本官僚制總合事典 1868-2000』, 東京大學出版會, 2011.
川嶋將生·赤間亮·矢野桂司·八村廣三郎·稻葉光行 著, 『日本文化デジタル·ヒューマニティーズの現在』, ナカニシヤ出版, 2009.
八村廣三郎·田中弘美 編, 『デジタル·アーカイブの新展開』, ナカニシヤ出版, 2012.
富田美香·木立雅朗·松本郁代·杉橋隆夫 編, 『京都イメージ―文化資源と京都文化』, ナカニシヤ出版, 2012.
稻葉光行 編, 『デジタル·ヒューマニティーズ研究とWeb技術』, ナカニシヤ出版, 2012.

孔令紀, 『中國歷代官制』, 齊魯書社, 1993.

唐嘉弘, 『中國古代典章制度大辭典』, 中州古籍出版社, 1998.
戴逸, 『二十六史大辭典』, 吉林人民出版社, 1993.
徐連達, 『中國歷代官制大詞典』, 廣東教育出版社, 2002.
沈起煒, 徐光烈編, 『中國歷代職官辭典』, 上海辭書出版社, 1992.
項潔 編, 『從保存到創造 : 開啟數位人文研究』, 國立臺灣大學出版中心, 2011.
____ 編, 『數位人文研究的新視野 : 基礎與想像』, 國立臺灣大學出版中心, 2011.
____ 編, 『數位人文在歷史學研究的應用』, 國立臺灣大學出版中心, 2011.
____ 編, 『數位人文要義 : 尋找類型與軌跡』, 國立臺灣大學出版中心, 2012.
____ 編, 『數位人文 : 在過去、現在和未來之間』, 國立臺灣大學出版中心, 2016.
____ 編, 『數位人文研究與技藝』, 國立臺灣大學出版中心, 2014.
呂宗力, 『中國歷代官制大辭典』, 北京出版社, 1994.
鄭天挺·譚其驤 主編, 『中國歷史大辭典』, 上海辭書出版社, 2010.
黃本驥, 『歷代職官表』, 中華書局, 1965.

Anne Burdick, Johanna Drucker, Peter Lunenfeld, Todd Presner, Jeffrey Schnapp, *Digital Humanities*, The MIT Press, 2012.
David M. Berry, *Understanding Digital Humanities*, Palgrave Macmillan, 2012.
Matthew K. Gold, *Debates in the Digital Humanities*, Univ Of Minnesota Press, 2012.
Susan Schreibman, *Ray Siemens, and John Unsworth*, *A Companion to Digital Humanities*, Blackwell Publishing, 2004.

3. 보고서

겨레문화유산연구원, 『서울 종로구 통의동 2-1번지 근린생활시설 부지내 유적 문화재 시발굴조사 완료 약보고서』, 2013.
재단법인 한강문화재연구원, 『연합뉴스 사옥 재건축부지 내 문화재 지표조사 보고서』, 2011.

4. 학위논문

강지훈, 「해외지역 연구를 위한 전자문화지도에 관한 연구」, 부산외국어대학교 박사학위논문, 2013.
고윤하, 「서울 북촌 전자문화지도 개발 연구」, 한국학중앙연구원 한국학대학원 석사학위논문, 2014.
구영옥, 「한국 고문서의 기술요소 선정과 고문서 XML DTD 설계」, 숙명여자대학교 석사학위논문, 2003.
권태윤, 「舊韓末의 教育制度 變遷에 관한 硏究」, 한국교원대학교 석사학위논문, 1995.
길민정, 「한말 · 일제초 인천지역 초등교육의 도입과 전개 : 인천사립영화학교와 인천공립보통학교를 중심으로」, 인하대학교 석사학위논문, 2011.
김광규, 「日帝强占期 朝鮮人 初等教員 施策 硏究」, 서울대학교 박사학위논문, 2013.
김동훈, 「중국 조선족전자문화지도 제작 연구 : 연변조선족자치구 용정시를 중심으로」, 한국외국어대학교 박사학위논문, 2012.
김민영, 「웹 검색 엔진의 정보시각화 인터페이스 평가요소에 관한 연구」, 중앙대학교 석사학위논문, 2002.
김사현, 「문화유적 안내 정보 모델 연구」, 한국학중앙연구원, 한국학대학원 석사학위논문, 2016.
김하영, 「門中古文書 디지털 아카이브 구현 연구」, 한국학중앙연구원 한국학대학원 석사학위논문, 2015.
김현승, 「〈문효세자 보양청계병〉 복식 고증과 디지털 콘텐츠화」, 단국대학교 석사학위논문, 2016.
김현종, 「조선시대 교통로 복원과 공간 데이터베이스 설계 - 경기도 광주부를 중심으로 -」, 한국학중앙연구원 한국학대학원 석사학위논문, 2016.
노선, 「조선왕조실록 분석을 위한 인물중심의 데이터 시각화」, 중앙대학교 석사학위논문, 2014.
李元必, 「日帝下의 教員養成制度 硏究」, 부산대학교 박사학위논문, 1987.
문경실, 「진단보조시스템을 위한 한의학 온톨로지 설계 및 구축」, 동서대학교 석사학위논문, 2009.
박순, 「고전문학 자료의 디지털고전문학 자료의 디지털 아카이브 편찬 연구 -누정기(樓亭記) 자료를 중심으로-」, 연세대학교 박사학위논문, 2017.
朴永奎, 「植民地朝鮮における教員養成に關する硏究」, 九州大學 박사학위논문, 2005.
박혜진, 「1910 · 1920년대 공립보통학교 교원의 업무와 지위」, 숙명여자대학교 석사학위논문, 2001.
백상호, 「구한말 신교육제도 도입에 관한 연구」, 전주대학교 석사학위논문, 2000.
서보원, 「舊韓末 教員養成과 教員의 社會的 地位에 關한 硏究」, 한국교원대학교 석사학위논문, 1996.

서소리, 「문화유산 지식 정보 데이터 모델 연구 : 불탑 지식 정보망을 중심으로」, 한국학중앙연구원 한국학대학원 석사학위논문, 2014.

서태정, 「한말·일제하 평택지역 근대학교의 설립과 성격」, 수원대학교 석사학위논문, 2010.

손성희, 「官立漢城高等女學校의 設立過程과 敎科課程 硏究」, 이화여자대학교 석사학위논문, 2005.

안홍선, 「경성사범학교의 교원양성교육 연구」, 서울대학교 석사학위논문, 2004.

염효원, 「조선시대 고문서 비문자정보(한자)의 분석 및 전자정보화 방법 연구」, 한국학중앙연구원 한국학대학원 석사학위논문, 2016.

우태희, 「시간 및 공간적 정보 연계를 바탕으로 한 정보 시각화 시스템 디자인」, 국민대학교 석사학위논문, 2013.

이현실, 「온톨로지 기반 한의학 처방 지식관리시스템 설계에 관한 연구」, 중앙대학교 박사학위논문, 2003.

임후남, 「대한제국기 초등교원의 양성」, 서울대학교 박사학위논문, 2002.

정명수, 「舊韓末 學校 體育 制度에 관한 硏究 : 1895~1910년을 中心으로」, 조선대학교 석사학위논문, 1981.

정형진, 「한말 일제기의 광주·전남지역 근대 학교 연구」, 전남대학교 석사학위논문, 1998.

정환석, 「한국 기록문화유산 정보시각화 연구 방안 : 천문류초, 천상열차분야지도 중심으로」, 한국외국어대학교 석사학위논문, 2009.

조연수, 「조선시대 화기 정보 모델 연구」, 한국학중앙연구원, 한국학대학원 석사학위논문, 2015.

조정규, 「전라북도 근대체육·스포츠의 도입과 전개 : 1900~1949년 간 학교체육활동 중심으로」, 전북대학교 석사학위논문, 2012.

최미경, 「元泳義의 『小學漢文讀本』硏究」, 성균관대학교 석사학위논문, 1999.

최성환, 「舊韓末 敎育政策에 대한 檢討」, 한국교원대학교 석사학위논문, 2006.

최재원, 「텍스트기반 검색과 시각화 브라우저 기반 검색의 비교연구」, 연세대학교 석사학위논문, 2005.

최필진, 「GIS를 이용한 향토문화 전자지도 서비스 방안 연구 : 한국향토문화전자대전 중심으로」, 단국대학교 석사학위논문, 2010.

5. 연구논문

강범모·장효현·윤재민, 「한국학문헌의 전산화를 위한 TEI 표준안 응용 및 확장 방안 연구」, 『한국어전산학』, 제2호, 1998, 227~278쪽.

강지훈·김희정, 「디지털인문학과 전자문화지도 : 도서 지중해 여성의 전자문화 지도 구현」, 『지중해지역연구』, 제17권, 제2호, 2015, 61~76쪽.

구지현·서소리, 「한중교류 척독의 시각화 방안 시론」, 『열상고전연구』, 제50집, 2016, 39~65쪽.

권순회, 「조선시대 전자문화지도 Dataset 구현 방안」, 『민족문화연구』, 제38권, 2003, 1~32쪽.

권혁래·김사현, 「나선정벌 서사의 시각화 콘텐츠 제작 방안 모색」, 『열상고전연구』, 제50집, 2016, 67~100쪽.

김광규, 「근대개혁기 ~ 일제강점기 관공립초등학교 교장 인사와 조선인 교장」, 『한국교육사학』, 제37권, 제3호, 2015, 1~26쪽.

김광규, 「근대개혁기 ~ 일제강점기 교원시험의 변천」, 『역사교육』, 제132권, 2014, 173~206쪽.

김광규, 「大韓帝國期 初等教員의 養成과 任用」, 『역사교육』, 제119집, 2011, 91~126쪽.

김남일, 「고문서 메타데이터 표준화 현황과 과제 : 역사정보통합시스템과 한국국학진흥원의 고문서 메타데이터를 중심으로」, 『고문서연구』, 제34호, 2009, 107~147쪽.

김바로, 「역사기록의 전자문서 편찬방법 탐구 - 역사요소를 중심으로 -」, 『열상고전연구』, 제51호, 2016, 203~223쪽.

김바로, 「해외 디지털인문학 동향」, 『인문콘텐츠』, 제33호, 2015, 229~254쪽.

김상균·박동훈·김안나·오용택·김지영·예상준·김철·장현철, 「한의 온톨로지 기반 시맨틱 검색 시스템」, 『한국콘텐츠학회』, 제12권, 제12호, 2012년, 533~543쪽.

김상균·장현철·김진현·김철·예상준·송미영, 「한의 기초 온톨로지 기반 시맨틱 검색 시스템」, 『한국한의학연구원논문집』, 제17권 제2호, 2011, 57~62쪽.

김성학, 「국가 차원의 교원양성제도 운영성과 고찰 -1895~1910년을 중심으로-」, 『한국교육사학』, 제38권, 제4호, 2016, 79~115쪽.

김영주, 「원영의(元泳義)의 『몽학한문초계(蒙學漢文初階)』 연구」, 『한문교육연구』, 제47권, 2016.

김영찬·이강준, 「3D역사연표개발을 위한 인터페이스 디자인 제안」, 『디지털디자인학연구』, 제16권, 제1호, 2016, 35~44쪽.

김종혁, 「고려대학교 민족문화연구원 개발 문화·역사지도의 DB 구조」, 『대한지리학회 학술대회논문집』, 대한지리학회, 2013, 291~295쪽.
김종혁, 「고지명 데이터베이스를 통한 19세기 지명의 지역별·유형별 분포 특징」, 『문화역사지리지』, 제20권, 제3호, 2008, 51~78쪽.
_____, 「디지털시대 인문학의 새 방법론으로서의 전자문화지도」, 『국학연구』, 제12권, 2008, 263~290쪽.
김지영·박선아·이선희, 「과학인물 LOD 구축에 관한 연구」, 『정보학회지』, 제45권, 제4호, 2014, 429~455쪽.
김철·김상균·송미영, 「논문분석과 구축사례 조사를 통한 한의학 온톨로지 연구동향 분석」, 『한국한의학연구원논문집』, 제14권, 제2호, 2008, 121~129쪽.
김현, 「〈조선왕조실록〉 전산화(電算化)를 위한 마크업(MarkUp) 규칙」, 『古文研究』, 제9권, 제1호, 1996, 244~262쪽.
____, 「고문헌 자료 XML 전자문서 편찬 기술」, 『고문서연구』, 제29호, 2006, 183~230쪽.
____, 「디지털 인문학 – 인문학과 문화콘텐츠의 상생 구도에 관한 구상」, 『인문콘텐츠』, 제29호, 2013, 9~26쪽.
____·김바로, 「미국 인문학재단(NEH)의 디지털인문학 육성 사업」, 『인문콘텐츠』, 제34호, 2014, 29~51쪽.
류인태, 「디지털 환경에서의 인문 지식 연구에 관한 小考 — 修信使 자료 DB 편찬 프로젝트를 중심으로」, 『열상고전연구회』, 제50호, 2016, 101~139쪽.
劉太昱, 「韓國初等教員 養成 制度의 變遷에 관한 研究」, 『教育論叢』, 제3권, 제1호, 1987, 57~106쪽.
리상용, 「XML을 활용한 고문헌의 원문디지털화 방안에 대한 연구 : 고문헌을 위한 DTD 개발을 중심으로」, 『한국문헌정보학회지』, 제37호, 2003, 171~201쪽.
마진·박민재·최영근·이종숙, 「개념망 기반의 지식 시각화를 위한 검색 시스템 설계」, 『한국정보과학회 2015 한국컴퓨터종합학술대회 논문집』, 2015, 1671~1673쪽.
박경모·임희숙·박종현, 「Protege를 이용한 한의학의 구조화된 증상 입력을 위한 온톨로지 개발」, 『대한동의생리학회지』, 제17권, 제5호, 2003, 1151~1156쪽.
박정원, 「중국 시간지식정보 큐레이팅(Curating) 전략」, 『중국지식네트워크』, 제6권, 2015, 111~141쪽.
박진석·양기철·오정진, 「시맨틱 웹 기반 박물관 유물 검색을 위한 온톨로지 설계 및 구현」, 『한국콘텐츠학회 종합학술대회 논문집』, 제2권, 제2호, 2004, 269~274쪽.

박환, 「근대 수원지역 학교운동회 연구」, 『한국민족운동사연구』, 제81권, 2014, 5~42쪽.

백승재·천현재·이홍철, 「문화재 정보의 온톨로지 기반 검색시스템」, 『한국컴퓨터정보학회 논문지』, 제10권, 제3호, 2005, 229~236쪽.

변지선, 「서울지역 마을굿 전자문화지도의 구축과 활용방안」, 『한국민속학』, 제45권, 제1호, 2007, 147~174쪽.

서은경, 「정보시각화에 대한 스킴모형별 비교 분석」, 『한국문헌정보학회지』, 제36권, 제4호, 2002, 175~205쪽.

손환·박상석, 「구한말 운동회의 개최실태에 관한 연구」, 『한국체육학회지』, 제52권, 제3호, 2013, 1~13쪽.

송준식, 「한말 경남지역 근대교육의 보급과 확산」, 『교육사상연구』, 제27권, 제3호, 2013, 213~240쪽.

신춘호, 「'17C 역사소설 공간' 전자문화지도 구축 방안 시고」, 『글로벌문화콘텐츠』, 제20호, 2015, 119~148쪽.

신항수, 「역사학의 새로운 과제와 전자문화지도」, 『민족문화연구』, 제38권, 2003, 1~12쪽.

오성균·김병곤, 「온톨로지를 이용한 웹문서의 시맨틱 검색」, 『한국디지털콘텐츠학회 논문지』, 제15권, 제5호, 2014, 603~612쪽.

우용제·안홍선, 「근대적 교원양성제도의 변천과 사범대학의 설립」, 『아시아교육연구』, 제7권, 제4호, 2006, 187~215쪽.

유호진·우응순, 「누정제영(樓亭題詠)의 시공간적 분포와 그 의미」, 『민족문화연구』, 제40권, 2004, 51~72쪽.

윤소영, 「LOD 기반 한국사 콘텐츠 서비스 구축에 관한 연구」, 『정보관리학회지』, 제30권, 제3호, 2013, 297~315쪽.

이남희, 「디지털시대의 고문서정리 표준화」, 『고문서연구』, 제22호, 2003, 25~50쪽.

이명진·이기준·박상언·홍준석·김우주, 「시맨틱 웹 포털에서의 검색과 시각화 방법 연구」, 2008 지식정보산업연합학회 창립기념 학술대회, 2008, 389~403쪽.

이상국, 「'빅데이터' 분석 기반 한국사 연구의 현황과 가능성 : 디지털 역사학의 시작」, 『응용통계연구』, 제29권, 제6호, 2016, 1007~1023쪽.

이상국, 「『안동권씨성화보(安東權氏成化譜)』에 나타난 13~15세기 관료 재생산과 혈연관계」, 『대동문화연구』, 제81권, 2013, 41~67쪽.

이상용, 「한국 문집을 위한 XML DTD 설계」, 『서지학연구』, 제25호, 2003, 169~208쪽.

이순우, 「근대시기 사부학당 터의 위치 확인과 공간 변화과정에 대한 고찰」, 『향토서울』, 제89호, 2015, 51~89쪽.
이시용, 「개화기의 경기교육의 관한 고찰」, 『畿甸文化研究』, 제29-30권, 2002, 187~212쪽.
이양원·구자용·최진무, 「역사인문지리정보 통합DB 구축을 위한 데이터 모델링 및 온톨로지 연계 방안」, 『한국지도학회지』, 제10권, 제2호, 2010, 129~137쪽.
이형대, 「기행가사 기반의 전자문화지도 구축과 그 활용 방안」, 『오늘의 가사문학』, 제7권, 2015, 246~272쪽.
임후남, 「대한제국기 근대교원의 활동과 사상」, 『교육사학연구』, 제13권, 2003, 95~119쪽.
전혜연, 「효과적인 역사 지식 시각화 방안 연구 - 뉴미디어의 역사 지식 시각화 그래픽을 중심으로」, 『Journal of Integrated Design Research』, 제15권, 제4호, 2016, 143~152쪽.
정재걸, 「개화기 공립소학교 연구」, 『대구교육대학교 논문집』, 제30호, 1995, 345~380쪽.
지혜성·박기남·임희석, 「지식 표상 방법을 이용한 정보 검색 시각화 도구 개발」, 『디지털융복합연구』, 제10권, 제9호, 2012, 383~390쪽.
최은림, 「시간의 흐름에 따라 변화하는 정보의 시각화 연구 : 경복궁 사례를 중심으로」, 『디지털디자인학연구』, 제11권, 제3호, 2011, 465~474쪽.
최혜경, 「일제강점기 보통학교의 설립과 교육활동 : 경기도 군포시 지역을 중심으로」, 『경주사학』, 제31권, 2010, 151~183쪽.
한석원, 「시간 관련 데이터 시각화의 정보디자인에 관한 연구 - 주기적, 순환적 시간을 중심으로 -」, 『조형미디어학』, 제18권, 제1호, 2015, 297~302쪽.
허용호, 「전자문화지도 연구에서 민속 데이터베이스의 구축과 활용」, 『비교민속학』, 제31권, 2006, 467~508쪽.

徐永明, 「中國古典文學探究的幾種可視化途徑 - 以湯顯祖研究爲例」, 『浙江大學學報(人文社會科學版)』, 2016(Yongming XU, Some Visualization Approaches to the Study of Classical Chinese Literature: A Case Study on Tang Xianzu, JOURNAL OF ZHEJIANG UNIVERSITY, 2016).
邱偉雲, 「關鍵詞叢與文本意義挖掘的嘗試: 以『淸季外交史料』爲例」(項潔 編, 『數位人文在歷史學研究的應用』, 臺灣大學出版中心, 2011).

6. 발표문
김현, 「디지털 인문학과 한국문화」, 건양대학교 발표자료, 2015년 5월 14일.
김현·안승준·류인태, 『고문서 연구를 위한 데이터 기술 모델』, 제59회 전국역사학대회, 2016.
이병학, 「시간적 순서에 기준한 정보 시각화 인터페이스 개발에 관한 연구」, 『한국디자인학회 봄국제학술발표대회 논문집 2009』, 2009.

7. 웹페이지
강화초등학교, http://ganghwa.icees.kr
경기고등학교, http://www.kyunggi.hs.kr
공공데이터포털, 한국정보화진흥원, https://www.data.go.kr
과천문화원, http://www.gcbook.or.kr
광주서석초등학교, http://www.seoseok.es.kr
국가법령정보센터, 법제처, http://www.korealaw.go.kr
국립중앙도서관 LOD, 국립중앙도서관, http://lod.nl.go.kr
기초학문자료센터, 한국연구재단, https://www.krm.or.kr
남양초등학교, http://www.ny.es.kr
남원용성초등학교, http://nwys.es.kr
네이버 지도, http://map.naver.com/
도화서터, 『서울 문화재 기념표석들의 스토리텔링 개발』, 문화콘텐츠닷컴, http://www.culturecontent.com/content/contentView.do?search_div=CP_THE&search_div_id=CP_THE010&cp_code=cp1012&index_id=cp10120111&content_id=cp101201110001&search_left_menu=
두산백과, http://www.doopedia.co.kr
한국근대사기초자료집, 한국사데이터베이스, 국사편찬위원회, http://db.history.go.kr/item/level.do?itemId=mh
목포북교초등학교, http://mokpobukkyo.es.jne.kr
밀양초등학교, http://miryang-p.gne.go.kr
바로바로의 중얼중얼, 김바로, http://www.ddokbaro.com/
부산역사문화대전, http://busan.grandculture.net
서울 열린데이터 광장 LOD 서비스, http://lod.seoul.go.kr
서울교동초등학교, http://www.skyodong.es.kr

서울매동초등학교, http://www.maedong.es.kr
서울양천초등학교, http://www.yangcheun.es.kr
서울역사편찬원, http://history.seoul.go.kr
안산초등학교, http://www.ansancho.es.kr
왕실도서관 장서각 디지털 아카이브, 한국학중앙연구원, http://yoksa.aks.ac.kr
우리역사넷, 국사편찬위원회, http://contents.history.go.kr
원주초등학교, http://www.wonju.es.kr
위키백과, https://ko.wikipedia.org
인천부평초등학교, http://ibp.icees.kr
인천창영초등학교, http://changyeong.icees.kr
일제시기 학교건축도면 콘텐츠, 국가기록원, http://theme.archives.go.kr/next/dwg/dwgMainView.do
전주초등학교, http://jeonju.es.kr
제주북초등학교, http://jejubuk.jje.es.kr
조선왕조실록 전문사전, 한국학중앙연구원, http://encysillok.aks.ac.kr

중앙초등학교, http://www.joongang.es.kr
직산초등학교, http://www.cs.caees.kr
진주초등학교, http://jinju-p.gne.go.kr
춘천초등학교, http://www.chunchon.es.kr
충주교현초등학교, http://khcho.es.kr
파주초등학교, http://arch.goeia.go.kr
표선초등학교, http://pyoseon.jje.es.kr
표준국어대사전, 국립국어원, http://stdweb2.korean.go.kr
한국고전종합DB, 한국고전번역원, http://db.itkc.or.kr
한국근현대잡지자료DB, 국사편찬위원회, http://db.history.go.kr/item/level.do?itemId=ma
한국 디지털인문학 허브, http://www.digitalhumanities.kr
한국민족문화대백과사전, 한국학중앙연구원, http://encykorea.aks.ac.kr
한국사LOD, 국사편찬위원회, http://lod.koreanhistory.or.kr
한국역대인물종합정보시스템, 한국학중앙연구원, https://people.aks.ac.kr
한국역사정보통합시스템, 국사편찬위원회, http://www.koreanhistory.or.kr

한국학자료 관련 문서 경로, 한국학중앙연구원, http://std.kostma.net/doc/문서경로.htm
한의학고전DB, 한국한의학연구원, https://www.mediclassics.kr
한컴오피스 한글, http://www.hancom.com
황씨 족보(黄氏 族譜), http://hwang.ne.kr
Daum 지도, http://map.daum.net/
EmEditor, https://ko.emeditor.com
RISS, 한국교육학술정보원(KERIS), http://www.riss.kr/
RISS LOD, 한국교육학술정보원(KERIS), http://data.riss.kr/
SPARQL Builder, 솔트룩스, http://data.visitkorea.or.kr/SPARQLBuilder/
eXERD, http://ko.exerd.com
xuanflute.com, 김현, http://www.xuanflute.com/

國立國會圖書館デジタルコレクション, 國立國會圖書館, http://dl.ndl.go.jp

불경규범데이터베이스(佛學規範資料庫, Buddhist Studies Authority Database Project), 법고불교학원(法鼓文理學院), http://authority.dila.edu.tw
불교 전기 문학(佛教傳記文學) 시각화, 법고불교학원(法鼓文理學院), http://dev.dila.edu.tw/biographies
청대 타이완 문관관직표 검색 시스템(清代臺灣文官官職表查詢系統), 국립타이완대학교(國立臺灣大學), http://ctb.digital.ntu.edu.tw
타이완역사디지털도서관(Taiwan History Digital Library:THDL), 국립타이완대학교(國立臺灣大學), http://thdl.ntu.edu.tw/

Adobe, http://www.adobe.com
Altova XMLSpy, https://www.altova.com
BCP47, https://tools.ietf.org/html/bcp47
Bibliographic Ontology, http://bibliontology.com
CBDB, Harvard University, http://projects.iq.harvard.edu/cbdb
CHGIS, Harvard University, http://www.fas.harvard.edu/~chgis/
Christian Bizer, Tom Heath, Tim Berners-Lee, "Linked Data - The Story So Far", http://tomheath.com/papers/bizer-heath-berners-lee-ijswis-linke

d-data.pdf

Gephi, https://gephi.org

Google Maps, https://www.google.co.kr/maps

Google Charts, https://developers.google.com/chart/interactive/docs/gallery

Google Docs, https://docs.google.com

Google Earth, https://www.google.co.kr/intl/ko/earth/

Juso Ontology, http://rdfs.co/juso/

iSPARQL, OpenLink Software, http://dbpedia.org/isparql/

MARKUS, Universiteit Leiden, http://dh.chinese-empires.eu/beta

Mediawiki, https://www.mediawiki.org

Microsoft, https://www.microsoft.com

MIT APP INVENTOR, http://appinventor.mit.edu

MSSQL, https://www.microsoft.com

Neo4J, https://neo4j.com

Open Knowledge Foundation, "Open Data Handbook Documentation", 2012, http://opendatahandbook.org/en/

protégé, http://protege.stanford.edu

RDF Schema 1.1, https://www.w3.org/TR/rdf-schema/

RDFConvert, https://bitbucket.org/jeenbroekstra/rdf-syntax-convert

Scratch, https://scratch.mit.edu

SPARQL Query Language for RDF, W3C Recommendation 15 January 2008, https://www.w3.org/TR/rdf-sparql-query/

SPARQL Query Language for RDF, W3C Recommendation 15 January 2008, https://www.w3.org/TR/rdf-sparql-query/

SQL, Wikipedia, https://en.wikipedia.org/wiki/SQL

The Event Ontology, http://purl.org/NET/c4dm/event.owl

The WGS84 Geo Positioning Ontology, http://www.w3.org/2003/01/geo/wgs84_pos#

Twinkle, http://www.ldodds.com/projects/twinkle/

Virtuoso Universal Server, https://virtuoso.openlinksw.com/

W3C, https://www.w3.org

W3C, "OWL Web Ontology Language Guide", 2009, https://www.w3.org/TR/owl

-guide/

W3C, "OWL Web Ontology Language Overview", 2009, https://www.w3.org/TR/2004/REC-owl-features-20040210

W3C, "OWL Web Ontology Language Reference", 2009, https://www.w3.org/TR/owl-ref/

WebOWL, MIT, http://visualdataweb.de/webvowl/

Wikipedia, https://en.wikipedia.org

WorldMap, Harvard University, http://worldmap.harvard.edu

부록

[부록 1] 학교의 고증
[부록 2] 제도의 고증
[부록 3] 인사운영의 용어·용례 고증

〔부록 1〕

학교의 고증

본 연구의 대상 범위에서 실제적인 학교 명칭과 그 변화 양상은 크게 관립학교[1)]와 공립학교로 분류하였다.[2)] 그 중에서 공립학교는 4가지 기준으로 구분하였다. 법률에 의거하여 소학교에서 보통학교로 개편된 "법적승계", 법률로는 승계되지 않았지만 동일 지역에서 교원의 전임을 통해서 실질적으로 승계된 "교원승계", 법률적으로도 승계되지 않았고, 교원의 전임을 통한 승계도 없지만 동일한 지역에서 교육의 직무를 승계한 "지역승계", 마지막으로 법률, 교원이동과 지역적인 어떠한 연관성도 발견되지 않은 "단독학교"가 바로 이에 해당한다. 각각의 분류 하단에서는 각 학교의 설립일을 우선 기준으로 삼아 정렬하고, 설립일이 동일한 경우에는 가나다 순으로 정렬하였다.

---

1) 근대의 관립학교로는 사범학교, 소학교(보통학교), 중학교, 외국어학교, 실업학교, 법관양성소 등 다양한 교육 수요에 맞춘 학교들이 존재하였다. 본 연구에서는 그 중에서 일반 교육을 담당한 소학교(보통학교)와 중학교 및 교원의 양성을 담당한 사범학교만을 대상으로 선택하였다. 이는 개인연구의 한계로 인하여 범위를 제한할 수밖에 없었기 때문이다. 다만 외국어학교나 실업학교 등에 대한 고증만을 수행하지 않았을 뿐, 사범학교, 소학교(보통학교), 중학교와 그 외의 학교 간의 보직이동은 데이터로 온전히 전환하였다.

2) 근대의 학교는 크게 관공립학교와 사립학교로 구분할 수 있다. 근대의 사립학교는 제국주의 열강의 침략에 맞서기 위한 근대 교육의 필요성을 절감한 민간 유지들과 기독교계 선교단체를 양대 축으로 하여 전개된 교육운동의 실제 운용 기관으로 중요한 역사적 위치를 지니고 있다. 그러나 개인연구의 한계상 체계성이 떨어지며, 사립학교의 교원 인사운용 기록이나 학교 위치 변화 등의 세부적인 정보에 대한 접근 자체가 제한되기에 본 연구에서는 관공립학교를 중심으로만 학교의 명칭과 변화를 고증한다. 다만 구한말 관보의 인사운용 기록에서 출현하는 사립학교는 학교 자체에 대한 고증작업만 생략하였을 뿐, 기록 자체는 데이터로 온전히 전환하였다.

1. 관립학교

1) 관립소학교 및 관립보통학교

관립소학교는 1895년 7월 19일 칙령 제145호 소학교령(小學校令)[3]에 의거하여 설치되었다. 최초의 관립소학교에는 장동관립소학교(壯洞官立小學校), 정동관립소학교(貞洞官立小學校), 계동관립소학교(桂洞官立小學校), 주동관립소학교(紬洞官立小學校)가 있고,[4] 이후 몇 번의 개명과 이전 및 신규 설치를 행하였다.[5] 그러나 1906년 8월 27일 칙령 제44호 보통학교령(普通學校令)[6]과 1906년 8월 27일 칙령 제40호 학부직할학교급공립학교관제(學部直轄學校及公立學校官制)[7] 시행 이전의 교원 운영에서는 세부적인 학교 분류가 아닌 관립소학교로 통합되어 운영되었다.

▌수하동관립소학교(水下洞官立小學校), 관립수하동보통학교(官立水下洞普通學校), 공립수하동보통학교(公立水下洞普通學校): 수하동관립소학교는 1895년 7월 19일 칙령 145호 소학교령(小學校令)[8]에 의거하여 을미의숙(乙未義塾)을 대체하여 개교하였다.[9] 1906년 8월 27일 칙령 제44호 보통학교령(普通學校令)[10] 및 1906년 9월 1일 학부령 제24호 학부직할보통학교명칭(學部直轄普通學校名稱)[11]에 의거하여, 1906년 9월 1일부로 관립수하동보통학교로 개편하였다. 1910년 3월 11일 학부고시 제4호[12]에 의거하여, 공립수하동보통학교로 개편

3) 勅令第一百四十五號, 開國五百四年七月十九日, 구한말 관보, 第一百十九號.
4) 구한말 관보, 第一百二十六號.
5) 1906년 8월 27일 이전의 관립소학교 산하 학교에 대한 변화 양상은 개별 학교의 변화에서 다룬다.
6) 勅令第四十四號, 光武十年八月二十七日, 구한말 관보, 第三千五百四十六號.
7) 勅令第四十號, 光武十年八月卅一日, 구한말 관보, 第三千五百四十六號.
8) 勅令第一百四十五號, 開國五百四年七月十九日, 구한말 관보, 第一百十九號.
9) 수하동관립소학교는 옛 도화서 터이자 을미의숙이 있던 자리에 개설되었다.
10) 勅令第四十四號, 光武十年八月二十七日, 구한말 관보, 第三千五百四十六號.
11) 學部令第二十四號, 光武十年九月一日, 구한말 관보, 第三千五百四十九號.
12) 學部告示第四號, 隆熙四年三月十一日, 구한말 관보, 第四千六百二十六號.

하였다. 수하동관립소학교의 위치는 현재의 우정총국[13] 자리이다.[14]

▌장동관립소학교(壯洞官立小學校), 매동관립소학교(梅洞官立小學校), 관립매동보통학교(官立梅洞普通學校), 공립매동보통학교(公立梅洞普通學校), 교동관립소학교(校洞官立小學校): 장동관립소학교는 1895년 7월 19일 칙령 제145호 소학교령(小學校令)[15]에 의거하여, 1895년 8월 8일부로 개학하였다.[16] 1895년 9월 김선원의 옛집으로 이전하였다.[17] 1895년 11월 15일 고종 32년 9월 28일 기사[18]에 의거하여, 매동관립소학교로 개명하고 매동(梅洞)으로 이전하였다.[19] 1906년 8월 27일 칙령 제44호 보통학교령(普通學校令)[20] 및 1906

13) 우정총국 경위도 좌표: 37.57439, 126.98273

14) "수하동관립소학교는 도화서 터에 세워져 있는데, 현재의 우정총국에 도화서 터 표지석이 있다", 도화서터, 『서울 문화재 기념표석들의 스토리텔링 개발』.

15) 勅令第一百四十五號, 開國五百四年七月十九日, 구한말 관보, 第一百十九號.

16) 구한말 관보, 第一百二十六號 (온라인 참조: 관보DB, 규장각한국학연구원, http://e-kyujanggak.snu.ac.kr/home/index.do?idx=06&siteCd=KYU&topMenuId=206&targetId=379&gotourl=http://e-kyujanggak.snu.ac.kr/home/GAN/GAN_SEOJILST.jsp?setid=1940494^ptype=list^subtype=02^lclass=17289^mclass=0002^xmlfilename=GK17289_00I0002_0025.xml).

17) "1895년 8월 '소학교령'에 의해 당시 장동에 있는 민가 8칸을 개조하여 장동관립소학교로 개교한 데서 유래하였다. 9월에 김상용의 옛집으로 이전하였다가 11월에 다시 매동의 전(前) 대루원(待樓院)으로 옮기고 매동관립소학교로 개명하였다. 1900년에는 금부 직방(禁部 直房)의 건물로 이전하였으며", 학교연혁, 서울매동초등학교, http://www.maedong.es.kr/schoolContent/schoolHistory.do. "서울특별시 종로구 필운동에 있는 공립 초등학교. 1895년(고종 32) 8월「소학교령」에 의거해서 한성 장동(壯洞: 지금의 서울시 종로구 통의동 일부)에 있는 민가 8칸을 교사로 개조하여 관립 장동소학교로 개교하였다. 같은 해 9월 김선원(金仙源)의 옛집으로 이전하였다가 11월 다시 매동(지금의 서울시 종로구 통의동 일부)의 전 대루원(待漏院: 대궐문 열리기를 기다리는 곳)으로 교사를 옮기고 매동소학교로 개칭하였다.1906년 매동보통학교로 개칭하고 교사를 신축하였다.", 서울매동초등학교, 한국민족문화대백과사전, http://encykorea.aks.ac.kr/Contents/Index?contents_id=E0027990.

18) "今에 二十三府에 學校 아즉다 設始치 못엿거니와 爲先京城內에 小學校 壯洞과 貞洞과 廟洞과 桂洞四處에 設立야 兒童을 教育 貞洞 外三處에 在 學校屋子가 狹隘기로 壯洞은 梅洞前觀象監으로 廟洞은 惠洞前惠民署로 桂洞은 齋洞으로 移設고", 조선왕조실록 1895년 9월 28일 첫 번째 기사.

년 9월 1일 학부령 제24호 학부직할보통학교명칭(學部直轄普通學校名稱)[21]에 의거하여, 1906년 9월 1일부로 관립매동보통학교로 개편하였다. 1910년 3월 11일 학부고시 제4호[22]에 의거하여, 공립매동보통학교로 개편하였다. 장동관립소학교의 1895년 8월 8일의 정확한 최초 설치 위치는 미상이며, 현재의 Hide & Seek 게스트하우스[23]의 근처에 위치했을 것으로 추정된다.[24] 1895년 9월에 장동관립소학교는 서울특별시 종로구 통의동 2-1번지 김선원의 집[25]으로 이전하였다.[26] 1895년 11월 15일에 장동관립소학교는 매동관립소학교로 개명하고, 서울특별시 종로구 통의동 7번지 전(前) 대루원(待漏院) 및 관상감(觀象監)으로 이전하였다.[27] 1900년에 서울특별시 종로

19) "… 1895년 8월 '소학교령'에 의해 당시 장동에 있는 민가 8칸을 개조하여 장동관립소학교로 개교한 데서 유래하였다. 9월에 김상용의 옛집으로 이전하였다가 11월에 다시 매동의 전(前) 대루원(待樓院)으로 옮기고 매동관립소학교로 개명하였다. 1900년에는 금부 직방(禁部 直房)의 건물로 이전하였으며…", 학교연혁, 서울매동초등학교, http://www.maedong.es.kr/schoolContent/schoolHistory.do. "서울특별시 종로구 필운동에 있는 공립 초등학교. 1895년(고종 32) 8월 「소학교령」에 의거해서 한성 장동(壯洞: 지금의 서울시 종로구 통의동 일부)에 있는 민가 8칸을 교사로 개조하여 관립 장동소학교로 개교하였다. 같은 해 9월 김선원(金仙源)의 옛집으로 이전하였다가 11월 다시 매동(지금의 서울시 종로구 통의동 일부)의 전 대루원(待漏院: 대궐문 열리기를 기다리는 곳)으로 교사를 옮기고 매동소학교로 개칭하였다. 1906년 매동보통학교로 개칭하고 교사를 신축하였다.", 서울매동초등학교, 한국민족문화대백과사전, http://encykorea.aks.ac.kr/Contents/Index?contents_id=E0027990

20) 勅令第四十四號, 光武十年八月二十七日, 구한말 관보, 第三千五百四十六號.

21) 學部令第二十四號, 光武十年九月一日, 구한말 관보, 第三千五百四十九號.

22) 學部告示第四號, 隆熙四年三月十一日, 구한말 관보, 第四千六百二十六號.

23) Hide & Seek 게스트하우스 경위도 좌표: 37.57802, 126.97279

24) 서울매동초등학교, 한국민족문화대백과사전 및 서울매동초등학교의 학교연혁을 바탕으로 비정하였다.

25) 김선원(金仙源)의 집 경위도 좌표: 37.579, 126.9736

26) 겨레문화유산연구원, 『서울 종로구 통의동 2-1번지 근린생활시설 부지 내 유적 문화재 시발굴조사 완료 약보고서』, 2013, 7~8쪽.

27) 대루원과 관상감의 정확한 위치는 알 수 없다. 다만 대루원과 관상감 및 금부 직방이 인접해 있었으며, 대루원의 대궐문이 열리기를 대기하는 기능상 현재의 통의동 보안여관(37.57897, 126.97365)에서 40m 이내에 있었을 것으로 추정된다.

구 통의동 7번지 금부 직방(禁部 直房)의 건물로 이전하였다.[28)]

▌관립교동보통학교(官立校洞普通學校), 한성사범학교부속보통학교(漢城師範學校附屬普通學校), 관립교동보통학교(官立校洞普通學校), 공립교동보통학교(公立校洞普通學校): 관립교동보통학교는 1895년 4월 16일 칙령 제79호 한성사범학교관제(漢城師範學校官制)[29)]에 의거하여 1895년 5월 1일부로 한성사범학교부속보통학교로 대체되었다. 1906년 8월 27일 칙령 제44호 보통학교령(普通學校令)[30)] 및 1906년 9월 1일 학부령 제24호 학부직할보통학교명칭(學部直轄普通學校名稱)[31)]에 의거하여, 관립교동보통학교로 개편하였다. 1906년 9월 1일 학부령 제25호 "관립교동보통학교의 관립한성사범학교부속보통학교 대용건"[32)]에 의거하여 1906년 9월 1일부로 관립교동보통학교를 관립한성사범학교부속보통학교로 대용하였다.[33)] 1907년 8월 30일 학부령 제2호 "관립안동보통학교의 관립한성사범학교부속보통학교 대용 및 광무 10년 학부령 제25호 폐지건"[34)]에 의거하여 1907년 9월 1일부로 관립교동보통학교는 관립한성사범학교부속보통학교와 분리되어 독립적인 학교로서 기능을 하게 되었다. 1910년 3월 11일 학부고시 제4호[35)]에 의거하

---

28) 비록 금부직방의 정확한 위치는 알 수 없지만, 금부직방으로 이전한 이후, 1906년 9월 1일부로 관립매동보통학교로 명칭을 변경하며, 동일 위치에 교사를 신축하였다. "경성부시가강계도(京城府市街疆界圖) 세부" 1914년에 따르면 관립매동보통학교는 영추문(迎秋門)의 맞은편 북측에 위치해 있기에 경위도 좌표는 "37.57886, 126.97363"으로 비정할 수 있으며, 보수적으로 추정하여도 비정한 경위도 좌표를 기준으로 20m 이내에 있었을 것으로 판단된다.

29) 勅令第七十九號, 開國五百四年四月十六日, 法規類編 元 및 조선왕조실록 1245년 4월 16일 두 번째 기사.

30) 勅令第四十四號, 光武十年八月二十七日, 구한말 관보, 第三千五百四十六號.

31) 學部令第二十四號, 光武十年九月一日, 구한말 관보, 第三千五百四十九號.

32) 學部令第二十五號, 光武十年九月一日, 구한말 관보, 第三千五百四十九號.

33) 비록 관립교동보통학교의 이름을 가지게 되었지만, 사실상 지속적으로 관립한성사범학교부속보통학교로서 기능하였다.

34) 學部令第二號, 隆熙元年八月三十日, 구한말 관보, 第三千八百八十一號.

여, 공립교동보통학교로 개편하였다. 관립교동보통학교의 위치는 현재의 서울교동초등학교[36] 자리이다.[37]

▌정동관립소학교(貞洞官立小學校), 관립정동보통학교(官立貞洞普通學校), 공립정동보통학교(公立貞洞普通學校): 정동관립소학교는 1895년 7월 19일 칙령 제145호 소학교령(小學校令)[38]에 의거하여, 1895년 8월 9일부로 개학하였다.[39] 1906년 8월 27일 칙령 제44호 보통학교령(普通學校令)[40] 및 1906년 9월 1일 학부령 제24호 학부직할보통학교명칭(學部直轄普通學校名稱)[41]에 의거하여, 1906년 9월 1일부로 관립정동보통학교로 개편하였다. 1910년 3월 11일 학부고시 제4호[42]에 의거하여, 공립정동보통학교로 개편하였다. 정동관립소학교의 정확한 설치 위치는 미상이며, 현재의 예원학교[43]의 근처에 있었을 것으로 추정된다.[44]

▌계동관립소학교(桂洞官立小學校), 재동관립소학교(齋洞官立小學校), 관립재동보통학교(官立齋洞普通學校), 공립재동보통학교(公立齋洞普通學校): 계동관립소학교는 1895년 7월 19일 칙령 제145호 소학교령(小學校令)[45]에 의거하여,

---

35) 學部告示第四號, 隆熙四年三月十一日, 구한말 관보, 第四千六百二十六號.

36) 서울교동초등학교 경위도 좌표: 37.5747, 126.98774

37) 관립교동보통학교는 지금까지 이전 없이 몇 번의 개명을 거쳐서 현재의 서울교동초등학교가 되었다.

38) 勅令第一百四十五號, 開國五百四年七月十九日, 구한말 관보, 第一百十九號.

39) 구한말 관보, 第一百二十六號.

40) 勅令第四十四號, 光武十年八月二十七日, 구한말 관보, 第三千五百四十六號.

41) 學部令第二十四號, 光武十年九月一日, 구한말 관보, 第三千五百四十九號.

42) 學部告示第四號, 隆熙四年三月十一日, 구한말 관보, 第四千六百二十六號.

43) 예원학교 경위도 좌표: 37.56692, 126.97157

44) 정동소학교는 1895년 8월 9일 개학 이래로 1938년 3월 1일 만리동의 신축교사로 옮기며, 경성봉래공립소학교로 개칭하기 전까지 정동에 위치해 있었다. 그러나 현재로서는 사료의 한계로 인하여, 정확한 위치 비정은 힘들고, 예원학교를 중심으로 500m 이내에 있었을 것으로 추정된다.

1895년 8월 12일부로 개학하였다.[46] 1895년 9월 28일 고종 32년 9월 28일[47]에 의거하여, 재동관립소학교로 개명하고 재동(齋洞)으로 이전하였다. 1906년 8월 27일 칙령 제44호 보통학교령(普通學校令)[48] 및 1906년 9월 1일 학부령 제24호 학부직할보통학교명칭(學部直轄普通學校名稱)[49]에 의거하여, 1906년 9월 1일부로 관립재동보통학교로 개편하였다. 1910년 3월 11일 학부고시 제4호[50]에 의거하여, 공립재동보통학교로 개편하였다. 계동관립소학교의 정확한 최초 설치 위치는 미상이다.[51] 1895년 9월 28일 이후의 재동관립소학교의 위치는 현재의 재동초등학교[52] 자리이다.[53]

▌주동관립소학교(紬洞官立小學校): 주동관립소학교는 1895년 7월 19일 칙령 제145호 소학교령(小學校令)[54]에 의거하여, 1895년 8월 13일부로 개학하였다.[55] 이후의 변화 양상은 미상이다. 주동관립소학교의 설치 위치는 미상이다.[56]

---

45) 勅令第一百四十五號, 開國五百四年七月十九日, 구한말 관보, 第一百十九號.

46) 구한말 관보, 第一百二十六號.

47) "今에 二十三府에 學校 아즉다 設始치 못엿거니와 爲先京城內에 小學校 壯洞과 貞洞과 廟洞과 桂洞四處에 設立야 兒童을 敎育 貞洞 外三處에 在 學校屋子가 狹隘기로 壯洞은 梅洞前觀象監으로 廟洞은 惠洞前惠民署로 桂洞은 齋洞으로 移設고", 조선왕조실록 1895년 9월 28일 첫 번째 기사.

48) 勅令第四十四號, 光武十年八月二十七日, 구한말 관보, 第三千五百四十六號.

49) 學部令第二十四號, 光武十年九月一日, 구한말 관보, 第三千五百四十九號.

50) 學部告示第四號, 隆熙四年三月十一日, 구한말 관보, 第四千六百二十六號.

51) 다만 계동에 위치했던 것은 분명하기에 현재의 인촌고택(37.58083, 126.98723)을 중심으로 400m 이내에 위치했을 것으로 추정된다.

52) 재동초등학교 경위도 좌표: 37.57955, 126.98545

53) 재동관립소학교는 지금까지 이전 없이 몇 번의 개명을 거쳐서 현재의 재동초등학교가 되었다.

54) 勅令第一百四十五號, 開國五百四年七月十九日, 구한말 관보, 第一百十九號.

55) 구한말 관보, 第一百二十六號.

56) 다만 주동에 위치한 것은 분명하기에 현재의 낙원동 악기 상가(37.57274, 126.98803)를 중심으로 200m 이내에 위치했을 것으로 추정된다.

▌묘동관립소학교(廟洞官立小學校), 혜동관립소학교(惠洞官立小學校): 묘동관립소학교는 1895년 7월 19일 칙령 제145호 소학교령(小學校令)[57]에 의거하여, 1895년 8월 1일부터 1895년 8월 31일 사이에 개교하였다.[58] 고종 32년 9월 28일 기사[59]에 의거하여, 1895년 9월 28일 혜동관립소학교로 개명하고 혜동(惠洞)으로 이전하였다. 묘동관립소학교의 설치 위치는 미상이다.[60] 혜동관립소학교의 설치 위치는 미상이다.[61]

▌양사동관립소학교(養士洞官立小學校), 관립양사동보통학교(官立養士洞普通學校), 관립어의동보통학교(官立於義洞普通學校), 공립어의동보통학교(公立於義洞普通學校): 양사동관립소학교는 1895년 7월 19일 칙령 제145호 소학교령(小學校令)[62]에 의거하여 1895년 11월 15일부로 개학하였다.[63] 1906년 8월 27일 칙령 제44호 보통학교령(普通學校令)[64] 및 1906년 9월 1일 학부령 제24호 학부직할보통학교명칭(學部直轄普通學校名稱)[65]에 의거하여, 1906년

57) 勅令第一百四十五號, 開國五百四年七月十九日, 구한말 관보, 第一百十九號.

58) 다만 정재걸은 「개화기 공립소학교 연구」(『대구교육대학교 논문집』, 제30호, 1995, 345~380쪽)에서 묘동관립소학교가 장동소학교, 정동소학교, 계동소학교, 주동소학교와 비슷한 시기에 개학을 했을 것으로 보았다. 이에 대한 명확한 근거 제시가 부족하지만, 서술되지 않은 근거 및 추론이 있다는 가정하에 1895년 8월 1일부터 1895년 8월 31일 사이에 개학했을 것으로 추정할 수도 있다.

59) "今에 二十三府에 學校 아즉다 設始치 못엿거니와 爲先京城內에 小學校 壯洞과 貞洞과 廟洞과 桂洞四處에 設立야 兒童을 敎育 貞洞 外三處에 在 學校屋子가 狹隘기로 壯洞은 梅洞前觀象監으로 廟洞은 惠洞前惠民署로 桂洞은 齋洞으로 移設고", 조선왕조실록 1895년 9월 28일 1번째 기사.

60) 다만 묘동에 위치한 것은 분명하기에 현재의 종로3가역 7번 출구(37.57261, 126.99161)를 중심으로 200m 이내에 위치했을 것으로 추정된다.

61) 다만 혜동에 위치한 것은 분명하기에 현재의 혜화동 주민센터(37.58684, 127.00054)를 중심으로 500m 이내에 위치했을 것으로 추정된다.

62) 勅令第一百四十五號, 開國五百四年七月十九日, 구한말 관보, 第一百十九號.

63) 서울효제초등학교, 한국민족문화대백과사전, http://encykorea.aks.ac.kr/Contents/Index?contents_id=E0028088

64) 勅令第四十四號, 光武十年八月二十七日, 구한말 관보, 第三千五百四十六號.

65) 學部令第二十四號, 光武十年九月一日, 구한말 관보, 第三千五百四十九號.

9월 1일부로 관립양사동보통학교로 개편하였다. 1907년 6월 22일 학부령 제6호[66]에 따라 관립양현동보통학교와 병합하여, 어의동 신축교사로 이전하고 관립어의동보통학교로 개편하였다. 1910년 3월 11일 학부고시 제4호[67]에 의거하여, 공립어의동보통학교로 개편하였다. 양사동관립소학교는 동부학당[68]에 위치하였다.[69] 관립어의동보통학교=는 현재의 서울효제초등학교[70] 자리에 위치하였다.[71]

▮ 양현동관립소학교(養賢洞官立小學校), 관립양현동보통학교(官立養賢洞普通學校), 관립어의동보통학교(官立於義洞普通學校), 공립어의동보통학교(公立於義洞普通學校): 양현동관립소학교는 1895년 7월 19일 칙령 제145호 소학교령(小學校令)[72]에 의거하여 1896년 8월 1일부터 1896년 8월 31일 사이에 개학하였다.[73] 1906년 8월 27일 칙령 제44호 보통학교령(普通學校令)[74] 및 1906년 9월 1일 학부령 제24호 학부직할보통학교명칭(學部直轄普通學校名稱)[75]에 의거하여, 1906년 9월 1일부로 관립양현동보통학교로 개편하였다. 1907년 6월 22일 학부령 제6호[76]에 따라 관립양사동보통학교(官立養士洞普通學校)와 병합하여, 어의동 신축교사로 이전하고 관립어의동보통학

66) 學部令第六號, 光武十一年六月二十二日, 구한말 관보, 第三千八百五號.
67) 學部告示第四號, 隆熙四年三月十一日, 구한말 관보, 第四千六百二十六號.
68) 동부학당 경위도 좌표: 37.57182, 127.00803
69) 이순우, 「근대시기 사부학당 터의 위치 확인과 공간 변화과정에 대한 고찰」, 『향토서울』, 제89호, 2015, 51~89쪽.
70) 서울효제초등학교 경위도 좌표: 37.57256, 127.00293
71) 관립어의동보통학교는 지금까지 이전 없이 몇 번의 개명을 거쳐서 현재의 서울효제초등학교가 되었다.
72) 勅令第一百四十五號, 開國五百四年七月十九日, 구한말 관보, 第一百十九號.
73) 서울효제초등학교, 한국민족문화대백과사전, http://encykorea.aks.ac.kr/Contents/Index?contents_id=E0028088
74) 勅令第四十四號, 光武十年八月二十七日, 구한말 관보, 第三千五百四十六號.
75) 學部令第二十四號, 光武十年九月一日, 구한말 관보, 第三千五百四十九號.
76) 學部令第六號, 光武十一年六月二十二日, 구한말 관보, 第三千八百五號.

교로 개편하였다. 1910년 3월 11일 학부고시 제4호[77]에 의거하여, 공립어의동보통학교로 개편하였다. 양현동관립소학교의 위치는 성균관 대성전[78] 자리이다.[79] 관립어의동보통학교의 위치는 현재의 서울효제초등학교[80] 자리이다.[81]

▌동현관립소학교(銅峴官立小學校): 동현관립소학교는 1895년 7월 19일 칙령 제145호 소학교령(小學校令)[82]에 의거하여 1896년 8월 24일부로 개학하였다.[83] 이후의 변화 양상은 미상이다. 동현관립소학교의 정확한 위치는 미상이다.[84]

▌안동관립소학교(安洞官立小學校), 관립안동보통학교(官立安洞普通學校), 한성사범학교부속보통학교(漢城師範學校附屬普通學校): 안동관립소학교는 1895년 7월 19일 칙령 제145호 소학교령(小學校令)[85]에 의거하여 1896년 9월 1일부로 개학하였다.[86] 1906년 8월 27일 칙령 제44호 보통학교령(普通學校令)[87] 및 1906년 9월 1일 학부령 제24호 학부직할보통학교명칭(學部直轄普通學校名稱)[88]에 의거하여, 관립안동보통학교로 개편하였다. 1907년 8월

---

77) 學部告示第四號, 隆熙四年三月十一日, 구한말 관보, 第四千六百二十六號.
78) 성균관 대성전 경위도 좌표: 37.58546, 126.99598
79) 양서울효제초등학교, 한국민족문화대백과사전, http://encykorea.aks.ac.kr/Contents/Index?contents_id=E0028088
80) 서울효제초등학교 경위도 좌표: 37.57256, 127.00293
81) 관립어의동보통학교는 지금까지 이전 없이 몇 번의 개명을 거쳐서 현재의 서울효제초등학교가 되었다.
82) 勅令第一百四十五號, 開國五百四年七月十九日, 구한말 관보, 第一百十九號.
83) 구한말 관보, 第三百九十六號.
84) 다만 동현에 위치한 것은 분명하기에 현재의 눈스퀘어(37.56349, 126.98292)를 중심으로 300m 이내에 위치했을 것으로 추정된다.
85) 勅令第一百四十五號, 開國五百四年七月十九日, 구한말 관보, 第一百十九號.
86) 구한말 관보, 第三百九十六號.
87) 勅令第四十四號, 光武十年八月二十七日, 구한말 관보, 第三千五百四十六號.

30일 학부령 제2호 "관립안동보통학교의 관립한성사범학교부속보통학교 대용 및 광무 10년 학부령 제25호 폐지건"[89]에 의거하여 1907년 9월 1일부로 관립한성사범학교부속보통학교로 대용되었다. 1907년 12월 31일 학부령 제6호 "관립안동보통학교를 관립한성사범학교부속보통학교로 개칭건"[90]에 의해서, 1908년 1월 1일부로 관립안동보통학교는 관립한성사범학교부속보통학교로 개편하였다. 관립안동보통학교의 정확한 위치는 미상이지만, 현재의 서울 연합뉴스빌딩 근처에 있었을 것으로 추정된다.[91]

▌주동관립소학교(鑄洞官立小學校), 관립인현보통학교(官立仁峴普通學校), 공립인현보통학교(公立仁峴普通學校): 주동관립소학교는 1895년 7월 19일 칙령 제145호 소학교령(小學校令)[92]에 의거하여, 1897년 2월 10일 개교하였다. 1906년 8월 27일 칙령 제44호 보통학교령(普通學校令)[93] 및 1906년 9월 1일 학부령 제24호 학부직할보통학교명칭(學部直轄普通學校名稱)[94]에 의거하여, 1906년 9월 1일부로 관립주동보통학교로 개편하였다. 1907년 1월 4일 학부령 제24호[95]에 의거하여, 관립인현보통학교로 개명하고, 인현동

88) 學部令第二十四號, 光武十年九月一日, 구한말 관보, 第三千五百四十九號.
89) 學部令第二號, 隆熙元年八月三十日, 구한말 관보, 第三千八百八十一號.
90) 學部令第六號, 隆熙元年十二月三十一日, 구한말 관보, 第三千九百八十號.
91) 관립한성사범학교부속보통학교는 1910년 8월 경성고등보통학교 부속보통학교로 명칭이 변경된다. 그리고 재단법인 한강문화재연구원의 『연합뉴스 사옥 재건축부지 내 문화재 지표조사 보고서』(2011, 34쪽, http://www.hich.or.kr/UpLoad/study/지표조사보고%20제%20124책%20연합뉴스%20사옥%20재건축부지%20내%20문화재%20지표조사%20보고서[2].pdf)에서는 1917년 제작된 "경성지도"의 고등보통학교 명칭과, "수송동 경성고등보통학교부속교원양성소부지" 평면도를 참고하여 현재의 연합뉴스빌딩(37.57438, 126.98043) 위치에 경성고등보통학교가 있었다고 비정하였다. 이에 따라서 경성고등보통학교부속고등학교와의 상대거리가 멀리 않았을 것을 감안하면, 관립한성사범학교부속보통학교는 현재의 연합뉴스빌딩을 중심으로 500m 안쪽에 있었을 것으로 보이며, 보수적으로 추정하여도 1km 안쪽에 위치했을 것으로 판단된다.
92) 勅令第一百四十五號, 開國五百四年七月十九日, 구한말 관보, 第一百十九號.
93) 勅令第四十四號, 光武十年八月二十七日, 구한말 관보, 第三千五百四十六號.
94) 學部令第二十四號, 光武十年九月一日, 구한말 관보, 第三千五百四十九號.

(仁峴洞)으로 이전하였다. 1910년 3월 11일 학부고시 제4호[96]에 의거하여, 공립인현보통학교로 개편하였다. 주동관립소학교의 설치 위치는 미상이다.[97] 관립인현보통학교의 설치 위치는 미상이다.[98]

2) 특수학교

▮ 한성사범학교(漢城師範學校)[99], 관립한성사범학교(官立漢城師範學校): 한성사범학교는 법률적으로는 1895년 4월 16일 칙령 제79호 한성사범학교관제(漢城師範學校官制)[100]에 의거하여, 1895년 5월 1일부로 설치되었다. 하지만 실제로는 그 이전인 1894년 가을에 이미 최항석, 이용원 등이 사범학교에서 수학을 한 기록이 존재한다. 따라서 실제로는 1894년 8월 1일부터 9월 1일 사이에 개교를 했으리라 추정된다.[101] 1906년 8월 27일 칙령 제41호 사범학교령(師範學校令)[102]에 의거하여, 1906년 9월 1일부로 관립한성사범학교로 개명하였다. 한성사범학교의 정확한 위치는 미상이지만, 현재의 서울교동초등학교[103] 근처에 있었을 것으로 추정된다.[104]

---

95) 學部令第一號, 光武十一年一月四日, 구한말 관보, 第三千六百六十四號.

96) 學部告示第四號, 隆熙四年三月十一日, 구한말 관보, 第四千六百二十六號.

97) 다만 주동에 위치한 것은 분명하기에 주동관립소학교는 현재의 명동역 10번 출구(37.56121, 126.9878)로부터 250m 이내에 위치했을 것으로 추정된다.

98) 다만 인현동에 위치한 것은 분명하기에 현재의 PJ 호텔(37.56438, 126.99575)을 중심으로 150m 이내에 위치했을 것으로 추정된다.

99) 한성사범학교의 전신은 1894년 9월 14일 개교한 관립사범학교이다(우용제 · 안홍선, 「근대적 교원양성제도의 변천과 사범대학의 설립」, 『아시아교육연구』, 제7권, 제4호, 2006, 190~191쪽.). 본 연구의 대상 범위가 아니기에 자세한 내용은 소략한다.

100) 勅令第七十九號, 開國五百四年四月十六日, 法規類編 元 및 조선왕조실록 1245년 4월 16일 2번째 기사.

101) 임후남, 「개명관료(開明官僚)로서의 근대교원」, 『아시아교육연구』, 제4권, 제1호, 2003, 114~115쪽.

102) 勅令第四十一號, 光武十年八月二十七日, 왕실자료 칙령②.

103) 교동초등학교 경위도 좌표: 37.5747, 126.98774

104) 또한 비록 한성사범학교의 과거 위치는 미상이지만, 한성사범학교 학생들의 교육실습을 위하여 1905년 5월 1일부로 설립된 최초의 한성사범학교부속소학교가 현재의

▌한성사범학교부속소학교(漢城師範學校附屬小學校)[105], 관립한성사범학교부속보통학교(官立漢城師範學校附屬普通學校): 한성사범학교부속소학교는 1895년 4월 16일 칙령 제79호 한성사범학교관제(漢城師範學校官制)[106]에 의거하여 1895년 5월 1일부로 1894년 9월 18일에 개교한 관립교동왕실학교[107]를 대체하며 설치되었다.[108] 1906년 8월 27일 칙령 제41호 사범학교령(師範學校令)[109]에 의거하여, 1906년 9월 1일부로 관립한성사범학교부속보통학교로 개편하였다. 그리고 1906년 8월 27일 칙령 제44호 보통학교령(普通學校令)[110] 및 1906년 9월 1일 학부령 제24호 학부직할보통학교명칭(學部直轄普通學校名稱)[111]에 의거하여 개교한 관립교동보통학교(官立校洞普通學校)를 1906년 9월 1일 학부령 제25호 "관립교동보통학교의 관립한성사범학교부속보통학교 대용건"[112]에 의거하여 1906년 9월 1일부로 관립한성사범학교부속보통학교로 대용하였다. 1907년 8월 30일 학부령 제2호 "관립안동보통학교의 관립한성사범학교부속보통학교 대용 및 광무 10년 학

교동초등학교이며, 또한 교동에 위치해 있던 옛 광무국 자리에 있던 관립사범학교를 대체하여 설립되었다. 이를 통해서 추정하였을 때 한성사범학교는 교동초등학교에서 700m 안쪽에 있었을 것으로 보이며, 보수적으로 추정하여도 1km 안쪽에 위치했을 것으로 판단된다.

105) 한성사범학교의 전신은 1894년 9월 14일 개교한 관립사범학교부속소학교이다(우용제·안홍선, 「근대적 교원양성제도의 변천과 사범대학의 설립」, 『아시아교육연구』, 제7권, 제4호, 2006, 190~191쪽.). 그러나 본 연구의 대상 범위가 아니기에 소략한다.

106) 勅令第七十九號, 開國五百四年四月十六日, 法規類編 元 및 조선왕조실록 1245년 4월 16일 두 번째 기사.

107) 교동초등학교[Kyodong Elementary School,校洞初等學校], 두산백과, http://www.doopedia.co.kr/doopedia/master/master.do?_method=view&MAS_IDX=101013000716434

108) 1895년 7월 23일 학부령 제1호 한성사범학교병부속소학교규칙(漢城師範學校竝附屬小學校規則)에 의거하여 한성사범학교 학생들의 교육법 실습을 위하여 설치됨을 다시 강조하였다.

109) 勅令第四十一號, 光武十年八月二十七日, 왕실자료 칙령②.

110) 勅令第四十四號, 光武十年八月二十七日, 구한말 관보, 第三千五百四十六號.

111) 學部令第二十四號, 光武十年九月一日, 구한말 관보, 第三千五百四十九號.

112) 學部令第二十五號, 光武十年九月一日, 구한말 관보, 第三千五百四十九號.

부령 제25호 폐지건"[113]에 의거하여 1907년 9월 1일부로 1906년 9월 1일 학부령 제24호 학부직할보통학교명칭(學部直轄普通學校名稱)[114]에 의거하여 설치된 관립안동보통학교를 관립한성사범학교부속보통학교로 대용하였다. 1907년 12월 31일 학부령 제6호 "관립안동보통학교를 관립한성사범학교부속보통학교로 개칭건"[115]에 의해서, 1908년 1월 1일부로 관립안동보통학교가 관립한성사범학교부속보통학교로 개편하였다. 1894년 9월 18일에 설치된 관립교동왕실학교로부터 이어진 관립교동보통학교는 현재의 서울교동초등학교[116] 자리에 위치하였다.[117] 다만 1907년 9월 1일까지 관립한성사범학교부속보통학교로 대용되다가 1908년 1월 1일부로 관립한성사범학교부속보통학교로 개명한 관립안동보통학교의 명확한 위치는 미상이지만, 현재의 연합뉴스빌딩 근처에 있었을 것으로 추정된다.[118]

▮ 관립중학교(官立中學校), 관립한성고등학교(官立漢城高等學校): 관립중학교는 1899년 4월 4일 칙령 제11호 중학교관제(中學校官制)[119]에 의거하여, 1899년

---

113) 學部令第二號, 隆熙元年八月三十日, 구한말 관보, 第三千八百八十一號.

114) 學部令第二十四號, 光武十年九月一日, 구한말 관보, 第三千五百四十九號.

115) 學部令第六號, 隆熙元年十二月三十一日, 구한말 관보, 第三千九百八十號.

116) 교동초등학교 경위도 좌표: 37.5747, 126.98774

117) 관립교동초등학교는 지금까지 몇 번의 개명을 거쳐서 현재와 같은 서울교동초등학교로 이름이 바뀌었다. 이에 본 위치는 서울교동초등학교의 연혁을 토대로 비정하였다.

118) 관립한성사범학교부속보통학교는 1910년 8월 경성고등보통학교부속보통학교로 변경된다. 그리고 재단법인 한강문화재연구원의『연합뉴스 사옥 재건축부지 내 문화재 지표조사 보고서』(2011, 34쪽, http://www.hich.or.kr/UpLoad/study/지표조사보고%20제%20124책%20연합뉴스%20사옥%20재건축부지%20내%20문화재%20지표조사%20보고서[2].pdf)에서는 1917년 제작된 "경성지도"의 고등보통학교 명칭과, "수송동 경성고등보통학교부속교원양성소부지" 평면도를 비교하여 현재의 연합뉴스빌딩 위치에 경성고등보통학교에 있었다고 비정하였다. 이에 따라서 경성고등보통학교가 경성고등보통학교부속고등학교에서 멀지 않을 것을 감안하면, 현재의 연합뉴스빌딩(37.57438, 126.98043)을 중심으로 500m 안쪽에 있었을 것으로 보이며, 보수적으로 추정하여도 1km 안쪽에 위치했을 것으로 판단된다.

119) 勅令第十一號, 光武三年四月六日, 구한말 관보, 第一千二百二十八號.

4월 4일부로 개교하였다. 1906년 8월 27일 칙령 제40호 학부직할학교급공립학교관제(學部直轄學校及公立學校官制)[120]에 의거하여, 1906년 8월 31일부로 관립한성고등학교로 개명하였다. 관립중학교는 현재의 서울특별시립정독도서관[121] 자리에 위치하였다.[122]

▮ 관립한성고등여학교(官立漢城高等女學校): 관립한성고등여학교는 1908년 4월 2일 칙령 제22호 고등여학교령(高等女學校令)[123]에 의거하여, 1908년 4월 2일부로 설치되었다. 관립한성고등여학교는 1908년 한성부 서부 공조[124]의 일부 건물을 빌려 설립되었고, 1910년에 헌법재판소[125] 자리로 교사를 신축하여 이전하였다.[126]

▮ 관립평양고등학교(官立平壤高等學校): 관립평양고등학교는 1909년 3월 22일 학부고시 제2호[127]에 의거하여, 1909년 4월 1일부로 관립평양일어학교(官立平壤日語學校)의 조직을 변경하고 그 명칭을 관립평양고등학교로 개칭한 것이다. 관립평양고등학교의 구체적인 위치는 미상이며, 평양역을 중심으로 2.5km 내에 있었을 것으로 추정된다.[128]

---

120) 勅令第四十號, 光武十年八月卅一日, 구한말 관보, 第三千五百四十六號.

121) 정독도서관 경위도 좌표: 37.581, 126.98299

122) 관립한성고등학교는 지금까지 몇 번의 개명과 이전을 거쳐서 현재의 경기고등학교가 되었다. 이에 본 위치는 경기고등학교 연혁을 토대로 비정하였다.

123) 勅令第二十二號, 隆熙二年四月二日, 구한말 관보, 第四千三十九號.

124) 현재의 종로구 도렴동으로 정확한 위치는 미상이다. 그러나 현재 정부종합청사별관(37.57349, 126.97495)을 중심으로 200m 내에 있었을 것으로 판단된다.

125) 헌법재판소 경위도 좌표: 37.57797, 126.98469

126) 경성여자고등보통학교, 일제시기 학교건축도면 콘텐츠, 국가기록원, http://theme.archives.go.kr/next/dwg/dwgSearchTailView.do?com_code=KS0058&com_kind=STR

127) 學部告示第二號, 隆熙三年三月二十二日, 구한말 관보, 第四千三百三十三號.

128) 평양성 내에 위치하고 있다고 가정한 결과이다. 평양역(39.00489, 125.73642)을 중심으로 2.5km 안쪽이 모두 평양성 내에 포함되기 때문이다. 다만 보수적으로 추정

2. 공립학교(소학교-보통학교 법적승계)

▮ 진주군공립소학교(晉州郡公立小學校), 경상남도관찰부공립소학교(慶尙南道觀察府公立小學校), 공립진주보통학교(公立晉州普通學校): 진주군공립소학교는 1895년 7월 19일 칙령 제145호 소학교령(小學校令)[129]에 의거하여, 1895년 9월 경상우도공립소학교(慶尙右道公立小學校)의 이름으로 최초 설립되었다.[130] 1896년 1월 1일 진주군공립소학교(晉州郡公立小學校)로 개명하였다. 1896년 9월 11일 학부령 제5호 지방공립소학교위치(地方公立小學校位置)[131]에 의거하여, 경상남도관찰부공립소학교(慶尙南道觀察府公立小學校)로 개명하였다. 1906년 8월 27일 칙령 제44호 보통학교령(普通學校令)[132] 및 1906년 9월 1일 학부령 제27호[133]에 의거하여, 공립진주보통학교(公立晉州普通學校)로 개편하였다. 경상우도공립소학교는 경상남도관찰부[134]에 위치했었다.[135] 진주군공립소학교는 경상남도관찰부 관리대기소[136] 자리에 위치하였다.[137] 경상남도관찰부공립소학교는 1902년 1월 20일 성내 매동으로 학교를 이전하였는데 정확한 이전 위치는 미상이다.[138] 1912년 5월 30

한다고 하더라도 5km 내에는 있었을 것으로 판단된다.

129) 勅令第一百四十五號, 開國五百四年七月十九日, 구한말 관보, 第一百十九號.

130) 주요연혁, 진주초등학교, http://jinju-p.gne.go.kr/index.jsp?SCODE=S0000000443&mnu=M001005002002

131) 學部令第五號, 建陽元年九月十七日, 구한말 관보, 第四百卅四號.

132) 勅令第四十四號, 光武十年八月二十七日, 구한말 관보, 第三千五百四十六號.

133) 學部令第二十七號, 光武十年九月一日, 구한말 관보, 第三千五百四十九號.

134) 경상남도관찰부 경위도 좌표: 35.18904, 128.07799

135) 진주초등학교 "주요연혁"에 따르면 성내 3동 소재 관찰부 회의실을 교실로 사용하였다. 경상남도관찰부의 정확한 위치 비정은 힘들지만, 비정된 좌표의 100m 이내에 있었을 것으로 추정된다.

136) 경상남도관찰부 경위도 좌표: 35.18904, 128.07799

137) 진주초등학교 "주요연혁"에 따르면 성내 3동 소재 관찰부 관리대기소를 교사로 개축하였다고 한다. 경상남도관찰부 관리대기실의 정확한 위치 비정은 힘들지만, 비정된 좌표의 100m 이내에 있었을 것으로 추정된다.

138) 다만 진주성 성내에 위치한 것은 분명하기에 현재의 진주성(35.18904, 128.07799)을 중심으로 200m 이내에 위치했을 것으로 추정할 수 있다.

일 현재의 진주초등학교[139]로 이전하기 전까지 성내 매동 쪽에 위치해 있었다.

▌대구부공립소학교(大邱府公立小學校), 경상북도관찰부공립소학교(慶尙北道觀察府公立小學校), 공립대구보통학교(公立大邱普通學校): 대구부공립소학교는 1895년 7월 19일 칙령 제145호 소학교령(小學校令)[140]에 의거하여, 1895년 12월 30일부터 1896년 3월 1일 사이에 개교했을 것으로 추정된다.[141] 1896년 9월 11일 학부령 제5호 지방공립소학교위치(地方公立小學校位置)[142]에 의거하여, 경상북도관찰부공립소학교로 개명하였다. 1906년 8월 27일 칙령 제44호 보통학교령(普通學校令)[143] 및 1906년 9월 1일 학부령 제27호[144]에 의거하여, 사립달성학교를 합병하여 공립대구보통학교로 개편하였다. 대구부공립소학교의 위치는 현재의 대구초등학교[145] 자리이다.[146]

▌충주부공립소학교(忠州府公立小學校), 충청북도관찰부공립소학교(忠淸北道觀察府公立小學校), 공립충주보통학교(公立忠州普通學校): 충주부공립소학교는 1895년 7월 19일 칙령 제145호 소학교령(小學校令)[147]에 의거하여, 1896년 5월 1일 개교하였다.[148] 1896년 9월 11일 학부령 제5호 지방공립소학교위치

139) 진주초등학교 경위도 좌표: 35.19309, 128.07837

140) 勅令第一百四十五號, 開國五百四年七月十九日, 구한말 관보, 第一百十九號.

141) 구한말 관보, 第二百三十號에 따르면, 1896년 1월 30일 이항선(李恒善)이 대구부공립소학교의 교원으로 임용되었다. 따라서 대구부공립소학교의 개교일은 이항선의 임명일 전후로 한 달을 넘지 않을 것으로 추정된다.

142) 學部令第五號, 建陽元年九月十七日, 구한말 관보, 第四百卌四號.

143) 勅令第四十四號, 光武十年八月二十七日, 구한말 관보, 第三千五百四十六號.

144) 學部令第二十七號, 光武十年九月一日, 구한말 관보, 第三千五百四十九號.

145) 대구초등학교 경위도 좌표: 35.86376, 128.59574

146) 대구부공립소학교는 지금까지 이전 없이 몇 번의 개명을 거쳐서 현재의 대구초등학교가 되었다.

147) 勅令第一百四十五號, 開國五百四年七月十九日, 구한말 관보, 第一百十九號.

148) 교현발자취, 충주교현초등학교, http://khcho.es.kr/index.jsp?SCODE=S000000

(地方公立小學校位置)[149]에 의거하여, 충청북도관찰부공립소학교로 개명하였다. 1906년 8월 27일 칙령 제44호 보통학교령(普通學校令)[150] 및 1906년 9월 1일 학부령 제27호[151]에 의거하여, 공립충주보통학교로 개편하였다. 충주부공립소학교의 위치는 현재의 충주교현초등학교[152] 자리이다.[153]

▮ 한성부공립소학교(漢城府公立小學校), 공립한성보통학교(公立漢城普通學校), 관립경교보통학교(官立京橋普通學校), 관립미동보통학교(官立渼洞普通學校), 공립미동보통학교(公立渼洞普通學校): 한성부공립소학교는 1895년 7월 19일 칙령 제145호 소학교령(小學校令)[154]에 의거하여, 1896년 5월 1일 개교하였다.[155] 1906년 9월 18일 학부령 제28호[156]에 따라 공립한성보통학교로 개편하였다. 1906년 8월 27일 칙령 제44호 보통학교령(普通學校令)[157] 및 1907년 1월 1일 학부령 제29호[158]에 의거하여, 관립경교보통학교로 개명하였다. 1908년 4월 7일 학부고시 제2호[159]에 의거하여, 관립미동보통학교로 개명하고 미동(渼洞)으로 이전하였다. 1910년 3월 11일 학부고시 제4호[160]에 의거하여, 1910년 4월 1일부로 공립미동보통학교로 개편하였다.

0383&mnu=M001001004

149) 學部令第五號, 建陽元年九月十七日, 구한말 관보, 第四百卌四號.

150) 勅令第四十四號, 光武十年八月二十七日, 구한말 관보, 第三千五百四十六號.

151) 學部令第二十七號, 光武十年九月一日, 구한말 관보, 第三千五百四十九號.

152) 충주교현초등학교 경위도 좌표: 36.97456, 127.93669

153) 충주부공립소학교는 지금까지 이전 없이 몇 번의 개명을 거쳐서 현재의 충주교현초등학교가 되었다.

154) 勅令第一百四十五號, 開國五百四年七月十九日, 구한말 관보, 第一百十九號.

155) 서울미동초등학교, 한국민족문화대백과사전, http://encykorea.aks.ac.kr/Contents/Index?contents_id=E0027997

156) 學部令第二十八號, 光武十年九月十八日, 구한말 관보, 第三千五百六十一號.

157) 勅令第四十四號, 光武十年八月二十七日, 구한말 관보, 第三千五百四十六號.

158) 學部令第二十九號, 光武十一年一月一日, 구한말 관보, 第三千六百五十五號.

159) 學部告示第二號, 隆熙二年四月七日, 구한말 관보, 第四千四十五號.

160) 學部告示第四號, 隆熙四年三月十一日, 구한말 관보, 第四千六百二十六號.

한성부공립소학교의 위치는 미상이다.[161] 관립미동보통학교의 위치는 현재의 서울미동초등학교[162] 자리이다.[163]

▌공주부공립소학교(公州府公立小學校), 충청남도관찰부공립소학교(忠淸南道觀察府公立小學校), 공립공주보통학교(公立公州普通學校): 공주부공립소학교는 1895년 7월 19일 칙령 제145호 소학교령(小學校令)[164]에 의거하여, 1896년 4월 30일부터 1896년 6월 30일 사이에 개교했을 것으로 추정된다.[165] 1896년 9월 11일 학부령 제5호 지방공립소학교위치(地方公立小學校位置)[166]에 의거하여, 충청남도관찰부공립소학교로 개명하였다. 1906년 8월 27일 칙령 제44호 보통학교령(普通學校令)[167] 및 1906년 9월 1일 학부령 제27호[168]에 의거하여, 공립공주보통학교로 개편하였다. 공주부공립소학교는 현재의 공주중동초등학교[169]에 위치하였다.[170]

▌평양부공립소학교(平壤府公立小學校), 평양군공립소학교(平壤郡公立小學校), 공립평양보통학교(公立平壤普通學校): 평양부공립소학교는 1895년 7월 19일 칙

---

161) 다만 한성부에 위치했던 것은 분명하기에 현재의 광화문역 9번 출구(37.57124, 126.97694)를 중심으로 4km 이내에 위치했을 것으로 추정된다.

162) 서울미동초등학교 경위도 좌표: 37.56297, 126.96577

163) 관립미동보통학교는 지금까지 이전 없이 몇 번의 개명을 거쳐서 현재의 서울미동초등학교가 되었다.

164) 勅令第一百四十五號, 開國五百四年七月十九日, 구한말 관보, 第一百十九號.

165) 구한말 관보, 第三百四十一號에 따르면, 1896년 5월 30일 이동현(李東鉉)이 공주부공립소학교의 교원으로 임용되었다. 따라서 공주부공립소학교의 개교일은 이동현의 임명일 전후로 한 달을 넘지 않을 것으로 추정된다.

166) 學部令第五號, 建陽元年九月十七日, 구한말 관보, 第四百卌四號.

167) 勅令第四十四號, 光武十年八月二十七日, 구한말 관보, 第三千五百四十六號.

168) 學部令第二十七號, 光武十年九月一日, 구한말 관보, 第三千五百四十九號.

169) 공주중동초등학교 경위도 좌표: 36.45364, 127.12518

170) 공주공립소학교는 지금까지 이전 없이 몇 번의 개명을 거쳐서 현재의 공주중동초등학교가 되었다.

령 제145호 소학교령(小學校令)[171]에 의거하여, 1896년 4월 30일부터 1896년 6월 30일 사이에 개교했을 것으로 추정된다.[172] 1896년 8월 4일 칙령 제36호에 따라, 평양군공립소학교로 개명하였다.[173] 1900년 9월 4일 칙령 제30호에 따라, 평양부공립소학교로 개명하였다.[174] 1903년 7월 3일 칙령 제10호에 따라, 평양군공립소학교로 개명하였다.[175] 1906년 8월 27일 칙령 제44호 보통학교령(普通學校令)[176] 및 1906년 9월 1일 학부령 제27호[177]에 의거하여, 평안남도관찰부공립소학교(平安南道觀察府公立小學校)와 합병하여 공립평양보통학교로 개편하였다. 평양부공립소학교와 공립평양보통학교의 정확한 위치는 미상이다.[178]

▌함흥부공립소학교(咸興府公立小學校)[179], 함경남도관찰부공립소학교(咸鏡南道觀察府公立小學校), 공립함흥보통학교(公立咸興普通學校): 함흥부공립소학교는 1895년 7월 19일 칙령 제145호 소학교령(小學校令)[180]에 의거하여, 1896년 5월 8일부터 1896년 7월 8일 사이에 개교했을 것으로 추정된다.[181] 1896년

171) 勅令第一百四十五號, 開國五百四年七月十九日, 구한말 관보, 第一百十九號.

172) 구한말 관보, 第三百四十一號에 따르면 1896년 5월 30일 안영상(安榮商)이 평양부공립소학교의 교원으로 임용되었다. 따라서 평양부공립소학교의 개교일은 안영상 임명일 전후로 한 달을 넘지 않을 것으로 추정된다.

173) 조선왕조실록 1896년 8월 4일 칙령 제36호.

174) 조선왕조실록 1900년 9월 4일 칙령 제30호.

175) 조선왕조실록 1903년 7월 3일 칙령 제10호.

176) 勅令第四十四號, 光武十年八月二十七日, 구한말 관보, 第三千五百四十六號.

177) 學部令第二十七號, 光武十年九月一日, 구한말 관보, 第三千五百四十九號.

178) 다만 평양 구시가에 위치한 것은 분명하기에 현재의 평양역(39.00489, 125.73642)을 중심으로 2km 이내에 위치했을 것으로 추정된다.

179) 함흥은 이십삼부제 체계에서는 함흥부였는데, 조선왕조실록 1896년 8월 4일 칙령 제36호에 따라 함경남도관찰부 소재지로 함흥군으로 개명되었다.

180) 勅令第一百四十五號, 開國五百四年七月十九日, 구한말 관보, 第一百十九號.

181) 구한말 관보, 第三百四十九號에 따르면 1896년 6월 8일 신병균(申秉均)이 함흥부공립소학교의 교원으로 임용되었다. 따라서 함흥부공립소학교의 개교일은 신병균의 임명일 전후로 한 달을 넘지 않을 것으로 추정된다.

9월 17일 학부령 제5호 지방공립소학교위치(地方公立小學校位置)[182]에 의거하여, 함경남도관찰부공립소학교로 개명하였다. 1906년 8월 27일 칙령 제44호 보통학교령(普通學校令)[183] 및 1906년 9월 1일 학부령 제27호[184]에 의거하여, 공립함흥보통학교로 개편하였다. 함흥부공립소학교의 위치는 미상이다.[185]

▮ 강원도관찰부공립소학교(江原道觀察府公立小學校), 공립춘천보통학교(公立春川普通學校): 강원도관찰부공립소학교는 1895년 7월 19일 칙령 제145호 소학교령(小學校令)[186] 및 1896년 9월 11일 학부령 제5호 지방공립소학교위치(地方公立小學校位置)[187]에 의거하여, 1896년 9월 17일 개교하였다.[188] 1906년 8월 27일 칙령 제44호 보통학교령(普通學校令)[189] 및 1906년 9월 1일 학부령 제27호[190]에 의거하여, 공립춘천보통학교로 개편하였다. 강원도관찰부공립소학교는 현재의 춘천초등학교[191]에 위치하였다.[192]

▮ 양주군공립소학교(楊州郡公立小學校), 공립양주보통학교(公立楊州普通學校): 양주군공립소학교는 1895년 7월 19일 칙령 제145호 소학교령(小學校令)[193]에

---

182) 學部令第五號, 建陽元年九月十七日, 구한말 관보, 第四百卅四號.
183) 勅令第四十四號, 光武十年八月二十七日, 구한말 관보, 第三千五百四十六號.
184) 學部令第二十七號, 光武十年九月一日, 구한말 관보, 第三千五百四十九號.
185) 다만 함흥 구시가에 위치한 것은 분명하기에 현재의 함흥역(39.91174, 127.54528)을 중심으로 2km 이내에 위치했을 것으로 추정된다.
186) 勅令第一百四十五號, 開國五百四年七月十九日, 구한말 관보, 第一百十九號.
187) 學部令第五號, 建陽元年九月十七日, 구한말 관보, 第四百卅四號.
188) 학교연혁, 춘천초등학교, http://www.chunchon.es.kr/
189) 勅令第四十四號, 光武十年八月二十七日, 구한말 관보, 第三千五百四十六號.
190) 學部令第二十七號, 光武十年九月一日, 구한말 관보, 第三千五百四十九號.
191) 춘천초등학교 경위도 좌표: 37.87459, 127.72211
192) 강원도관찰부공립소학교는 지금까지 이전 없이 몇 번의 개명을 거쳐서 현재의 춘천초등학교가 되었다.
193) 勅令第一百四十五號, 開國五百四年七月十九日, 구한말 관보, 第一百十九號.

의거하여, 1896년 9월 20일에 개교했다.[194] 1906년 8월 27일 칙령 제44호 보통학교령(普通學校令)[195] 및 1906년 9월 1일 학부령 제27호[196]에 의거하여, 공립양주보통학교로 개편하였다. 양주군공립소학교의 위치는 미상이다.[197]

■ 경흥항공립소학교(慶興港公立小學校), 공립경흥보통학교(公立慶興普通學校): 경흥항공립소학교는 1895년 7월 19일 칙령 제145호 소학교령(小學校令)[198]에 의거하여, 1896년 10월 6일부터 1896년 12월 6일 사이에 개교했을 것으로 추정된다.[199] 1906년 8월 27일 칙령 제44호 보통학교령(普通學校令)[200] 및 1906년 9월 1일 학부령 제27호[201]에 의거하여, 공립경흥보통학교로 개편하였다. 경흥항공립소학교의 위치는 미상이다.[202]

■ 안악군공립소학교(安岳郡公立小學校), 공립안악보통학교(公立安岳普通學校): 안악군공립소학교는 1895년 7월 19일 칙령 제145호 소학교령(小學校令)[203]에 의거하여, 1896년 10월 16일부터 1896년 12월 16일 사이에 개교했을 것으로

---

194) 학교연혁, 중앙초등학교, http://www.joongang.es.kr/wah/main/html/view.htm?menuCode=45

195) 勅令第四十四號, 光武十年八月二十七日, 구한말 관보, 第三千五百四十六號.

196) 學部令第二十七號, 光武十年九月一日, 구한말 관보, 第三千五百四十九號.

197) 다만 중앙초등학교의 학교연혁에 따르면 양주군 주내면 유양리에 위치한 것은 분명하기에 현재의 양주 관아지(37.78559, 127.02954)를 중심으로 400m 이내에 위치했을 것으로 추정된다.

198) 勅令第一百四十五號, 開國五百四年七月十九日, 구한말 관보, 第一百十九號.

199) 구한말 관보, 第四百七十六號에 따르면, 1896년 11월 6일 조재혁(趙在赫)이 경흥항공립소학교의 교원으로 임용되었다. 따라서 경흥항공립소학교의 개교일은 조재혁의 임용일을 전후로 한 달을 넘지 않을 것으로 추정된다.

200) 勅令第四十四號, 光武十年八月二十七日, 구한말 관보, 第三千五百四十六號.

201) 學部令第二十七號, 光武十年九月一日, 구한말 관보, 第三千五百四十九號.

202) 다만 경흥 구시가에 위치한 것은 분명하기에 현재의 경흥역(40.28941, 127.59586)을 중심으로 250m 이내에 위치했을 것으로 추정된다.

203) 勅令第一百四十五號, 開國五百四年七月十九日, 구한말 관보, 第一百十九號.

추정된다.[204] 1906년 8월 27일 칙령 제44호 보통학교령(普通學校令)[205] 및 1906년 9월 1일 학부령 제27호[206]에 의거하여, 공립안악보통학교로 개편하였다. 안악군공립소학교와 공립안악보통학교의 위치는 미상이다.[207]

▌전라남도관찰부공립소학교(全羅南道觀察府公立小學校), 공립광주보통학교(公立光州普通學校): 전라남도관찰부공립소학교는 1895년 7월 19일 칙령 제145호 소학교령(小學校令)[208]에 의거하여, 1896년 10월 6일부터 1896년 12월 6일 사이에 개교했다.[209] 1906년 8월 27일 칙령 제44호 보통학교령(普通學校令)[210] 및 1906년 9월 1일 학부령 제27호[211]에 의거하여, 공립광주보통학교로 개편하였다. 전라남도관찰부공립소학교의 위치는 현재의 광주서석초등학교[212]이다.[213]

▌평안북도관찰부공립소학교(平安北道觀察府公立小學校), 공립영변보통학교(公立寧邊普通學校): 평안북도관찰부공립소학교는 1895년 7월 19일 칙령 제145

---

204) 구한말 관보, 第四百八十四號에 따르면, 1896년 11월 16일 윤상홍(尹相洪)이 안악군공립소학교의 교원으로 임용되었다. 따라서 안악군공립소학교의 개교일은 윤상홍의 임용일 전후로 한 달을 넘지 않을 것으로 추정된다.

205) 勅令第四十四號, 光武十年八月二十七日, 구한말 관보, 第三千五百四十六號.

206) 學部令第二十七號, 光武十年九月一日, 구한말 관보, 第三千五百四十九號.

207) 다만 안악 구시가에 위치한 것은 분명하기에 현재의 안악군 중심(38.50625, 125.49228)으로부터 1km 이내에 위치했을 것으로 추정된다.

208) 勅令第一百四十五號, 開國五百四年七月十九日, 구한말 관보, 第一百十九號.

209) 구한말 관보, 第四百七十六號에 따르면, 1896년 11월 6일 조한설(趙漢卨)이 전라남도관찰부공립소학교 교원으로 임용되었다. 전라남도관찰부공립소학교의 개교일은 조한설의 임명일 전후로 한 달을 넘지 않을 것으로 추정된다.

210) 勅令第四十四號, 光武十年八月二十七日, 구한말 관보, 第三千五百四十六號.

211) 學部令第二十七號, 光武十年九月一日, 구한말 관보, 第三千五百四十九號.

212) 광주서석초등학교 경위도 좌표: 35.1474, 126.9242

213) 전라남도관찰부공립소학교는 지금까지 이전 없이 몇 번의 개명을 거쳐서 현재의 광주서석초등학교가 되었다.

호 소학교령(小學校令)[214] 및 1896년 9월 11일 학부령 제5호 지방공립소학교 위치(地方公立小學校位置)[215]에 의거하여, 1896년 10월 6일부터 1896년 12월 6일 사이에 개교했을 것으로 추정된다.[216] 1906년 8월 27일 칙령 제44호 보통학교령(普通學校令)[217] 및 1906년 9월 1일 학부령 제27호[218]에 의거하여, 공립영변보통학교로 개편하였다. 평안북도관찰부공립소학교와 공립영변보통학교의 위치는 미상이다.[219]

■ 함경북도관찰부공립소학교(咸鏡北道觀察府公立小學校), 공립경성보통학교(公立鏡城普通學校): 함경북도관찰부공립소학교는 1895년 7월 19일 칙령 제145호 소학교령(小學校令)[220] 및 1896년 9월 11일 학부령 제5호 지방공립소학교위치(地方公立小學校位置)[221]에 의거하여, 1896년 10월 6일부터 1896년 12월 6일 사이에 개교했을 것으로 추정된다.[222] 1906년 8월 27일 칙령 제44호 보통학교령(普通學校令)[223] 및 1906년 9월 1일 학부령 제27호[224]에 의거하여, 공립경성보통학교로 개편하였다. 함경북도관찰부공립소학교의 위치는 미상이다.[225]

---

214) 勅令第一百四十五號, 開國五百四年七月十九日, 구한말 관보, 第一百十九號.

215) 學部令第五號, 建陽元年九月十七日, 구한말 관보, 第四百卌四號.

216) 구한말 관보, 第四百七十六號에 따르면 1896년 11월 6일 정운호(鄭雲好)가 평안남도관찰부공립소학교의 교원으로 임용되었다. 따라서 평안남도관찰부공립소학교의 개교일은 정운호의 임명일을 전후로 한 달을 넘지 않았을 것으로 추정된다.

217) 勅令第四十四號, 光武十年八月二十七日, 구한말 관보, 第三千五百四十六號.

218) 學部令第二十七號, 光武十年九月一日, 구한말 관보, 第三千五百四十九號.

219) 다만 영변 구시가에 위치한 것은 분명하기에 현재의 영변읍 중심가(39.81417, 125.80543)로부터 700m 이내에 위치했을 것으로 추정된다.

220) 勅令第一百四十五號, 開國五百四年七月十九日, 구한말 관보, 第一百十九號.

221) 學部令第五號, 建陽元年九月十七日, 구한말 관보, 第四百卌四號.

222) 구한말 관보, 第四百七十六號에 따르면 1896년 11월 6일 정환교(鄭煥教)가 평안남도관찰부공립소학교의 교원으로 임용되었다. 따라서 함경북도관찰부공립소학교의 개교일은 정환교의 임명일 전후로 한 달을 넘지 않을 것으로 추정된다.

223) 勅令第四十四號, 光武十年八月二十七日, 구한말 관보, 第三千五百四十六號.

224) 學部令第二十七號, 光武十年九月一日, 구한말 관보, 第三千五百四十九號.

▌황해도관찰부공립소학교(黃海道觀察府公立小學校), 공립해주보통학교(公立海州普通學校): 황해도관찰부공립소학교는 1895년 7월 19일 칙령 제145호 소학교령(小學校令)[226] 및 1896년 9월 11일 학부령 제5호 지방공립소학교위치(地方公立小學校位置)[227]에 의거하여, 1896년 10월 6일부터 1896년 12월 6일 사이에 개교했을 것으로 추정된다.[228] 1906년 8월 27일 칙령 제44호 보통학교령(普通學校令)[229] 및 1906년 9월 1일 학부령 제27호[230]에 의거하여, 공립해주보통학교로 개편하였다. 황해도관찰부공립소학교와 공립해주보통학교의 정확한 위치는 미상이다.[231]

▌전라북도관찰부공립소학교(全羅北道觀察府公立小學校), 공립전주보통학교(公立全州普通學校): 전라북도관찰부공립소학교는 1895년 7월 19일 칙령 제145호 소학교령(小學校令)[232]과 1896년 9월 11일 학부령 제5호 지방공립소학교위치(地方公立小學校位置)[233]에 의거하여, 1896년 11월 21일부터 1897년 4월 21일 사이에 개교했다.[234] 1906년 8월 27일 칙령 제44호 보통학교령(普通學校令)[235] 및 1906년 9월 1일 학부령 제27호[236]에 의거하여, 1898

225) 다만 경성 구시가에 위치한 것은 분명하기에 현재의 경성역(41.58448, 129.60858)을 중심으로 1km 이내에 위치했을 것으로 추정된다.

226) 勅令第一百四十五號, 開國五百四年七月十九日, 구한말 관보, 第一百十九號.

227) 學部令第五號, 建陽元年九月十七日, 구한말 관보, 第四百卅四號.

228) 구한말 관보, 第四百七十六號에 따르면, 1896년 11월 6일 김인환(金寅煥)이 황해도관찰부공립소학교의 교원으로 임용되었다. 따라서 황해도관찰부공립소학교의 개교일은 김인환의 임명일 전후로 한 달을 넘지 않을 것으로 추정할 수 있다.

229) 勅令第四十四號, 光武十年八月二十七日, 구한말 관보, 第三千五百四十六號.

230) 學部令第二十七號, 光武十年九月一日, 구한말 관보, 第三千五百四十九號.

231) 다만 해주 구시가에 위치한 것은 분명하기에 현재의 해주역(38.03432, 125.7275)을 중심으로 1km 이내에 위치했을 것으로 추정할 수 있다.

232) 勅令第一百四十五號, 開國五百四年七月十九日, 구한말 관보, 第一百十九號.

233) 學部令第五號, 建陽元年九月十七日, 구한말 관보, 第四百卅四號.

234) 구한말 관보, 第六百十八號에 따르면, 1897년 4월 21일 장성화(張聖和)가 전라북도관찰부공립소학교 교원에서 의원면본관하였다. 따라서 전라북도관찰부공립소학교의 개교일은 장성화가 의원면본관한 날 이전 6개월은 넘지 않을 것으로 추정된다.

년 11월에 설립된 공주사립소학교와 병합하여 공립전주보통학교로 개편하였다. 전라북도관찰부공립소학교의 위치는 현재의 전주초등학교[237] 자리이다.[238]

▌평안남도관찰부공립소학교(平安南道觀察府公立小學校)[239], 공립평양보통학교(公立平壤普通學校): 평안남도관찰부공립소학교는 1906년 9월 1일 학부령 제27호[240]에 의거하여, 1897년 6월 19일부터 1897년 8월 19일 사이에 개교했을 것으로 추정된다.[241] 1906년 8월 27일 칙령 제44호 보통학교령(普通學校令)[242] 및 1906년 9월 1일 학부령 제27호[243]에 의거하여, 평양군공립소학교(平壤郡公立小學校)와 합병하여 공립평양보통학교로 개편하였다. 평안남도관찰부공립소학교와 공립평양보통학교의 정확한 위치는 미상이다.[244]

▌회양군공립소학교(淮陽郡公立小學校), 공립회양보통학교(公立淮陽普通學校): 회양군공립소학교는 1895년 7월 19일 칙령 제145호 소학교령(小學校令)[245]

---

235) 勅令第四十四號, 光武十年八月二十七日, 구한말 관보, 第三千五百四十六號.

236) 學部令第二十七號, 光武十年九月一日, 구한말 관보, 第三千五百四十九號.

237) 전주중동초등학교 경위도 좌표: 35.82216, 127.1395

238) 전라북도관찰부공립소학교는 지금까지 이전 없이 몇 번의 개명을 거쳐서 현재의 전주초등학교가 되었다.

239) 일반적인 경우와 다르게 평양부공립소학교(平壤府公立小學校)는 1896년 9월 11일 학부령 제5호 지방공립소학교위치(地方公立小學校位置)에 의거하여 평안남도관찰부공립소학교(平安南道觀察府公立小學校)로 개명하지 않고, 1906년 9월 1일 학부령 제27호 발행 이전까지 독립적으로 존재하였다.

240) 學部令第二十七號, 光武十年九月一日, 구한말 관보, 第三千五百四十九號.

241) 구한말 관보, 第六百九十二號에 따르면 1897년 7월 19일 고창순(高昌淳)이 평안남도관찰부공립소학교의 부교원으로 임용되었다. 따라서 평안남도관찰부공립소학교의 개교일은 고창순 임명일 전후로 한 달을 넘지 않을 것으로 추정된다.

242) 勅令第四十四號, 光武十年八月二十七日, 구한말 관보, 第三千五百四十六號.

243) 學部令第二十七號, 光武十年九月一日, 구한말 관보, 第三千五百四十九號.

244) 다만 평양 구시가에 위치했던 것은 분명하기에 현재의 평양역(39.00489, 125.73642)을 중심으로 2km 이내에 위치했을 것으로 추정된다.

에 의거하여, 1897년 7월 5일부터 1897년 9월 5일 사이에 개교했을 것으로 추정된다.[246] 1906년 8월 27일 칙령 제44호 보통학교령(普通學校令)[247] 및 1906년 9월 1일 학부령 제27호[248]에 의거하여, 공립회양보통학교로 개편하였다. 회양군공립소학교, 공립회양보통학교의 위치는 미상이다.[249]

▌통진군공립소학교(通津郡公立小學校), 공립통진보통학교(公立通津普通學校): 통진군공립소학교는 1895년 7월 19일 칙령 제145호 소학교령(小學校令)[250]에 의거하여, 1897년 10월 16일부터 1897년 12월 16일 사이에 개교했을 것으로 추정된다.[251] 1906년 8월 27일 칙령 제44호 보통학교령(普通學校令)[252] 및 1906년 9월 1일 학부령 제27호[253]에 의거하여, 공립통진보통학교로 개편하였다. 통진군공립소학교, 공립통진보통학교의 위치는 미상이다.[254]

▌김포군공립소학교(金浦郡公立小學校), 공립김포보통학교(公立金浦普通學校): 김

245) 勅令第一百四十五號, 開國五百四年七月十九日, 구한말 관보, 第一百十九號.

246) 구한말 관보, 第七百七號에 따르면, 1897년 8월 5일 손석홍(孫錫洪)이 회양군공립소학교의 부교원으로 임용되었다. 따라서 회양군공립소학교의 개교일은 손석홍의 임용일 전후로 한 달을 넘지 않을 것으로 추정된다.

247) 勅令第四十四號, 光武十年八月二十七日, 구한말 관보, 第三千五百四十六號.

248) 學部令第二十七號, 光武十年九月一日, 구한말 관보, 第三千五百四十九號.

249) 다만 회양군에 위치한 것은 분명하기에 현재의 회양군 중심가(38.713, 127.5995)로부터 800m 이내에 위치했을 것으로 추정된다.

250) 勅令第一百四十五號, 開國五百四年七月十九日, 구한말 관보, 第一百十九號.

251) 구한말 관보, 第七百九十七號에 따르면, 1897년 11월 16일 최인식(崔麟植)이 통진군공립소학교의 부교원으로 임용되었다. 따라서 통진군공립소학교의 개교일은 최인식의 임용일 전후로 한 달을 넘지 않을 것으로 추정된다.

252) 勅令第四十四號, 光武十年八月二十七日, 구한말 관보, 第三千五百四十六號.

253) 學部令第二十七號, 光武十年九月一日, 구한말 관보, 第三千五百四十九號.

254) 다만 통진군에 위치한 것은 분명하기에 현재의 통진읍 중심가(37.68991, 126.59773)로부터 1km 이내에 위치했을 것으로 추정된다.

포군공립소학교는 1895년 7월 19일 칙령 제145호 소학교령(小學校令)[255]에 의거하여, 1898년 5월 13일부터 1898년 7월 13일 사이에 개교했을 것으로 추정된다.[256] 1906년 8월 27일 칙령 제44호 보통학교령(普通學校令)[257] 및 1906년 9월 1일 학부령 제27호[258]에 의거하여, 공립김포보통학교로 개편하였다. 김포군공립소학교와 공립김포보통학교의 위치는 현재의 김포초등학교[259] 자리이다.[260]

▌증산군공립소학교(甑山郡公立小學校), 공립증산보통학교(公立甑山普通學校): 증산군공립소학교는 1895년 7월 19일 칙령 제145호 소학교령(小學校令)[261]에 의거하여, 1898년 7월 9일부터 1898년 9월 9일 사이에 개교했을 것으로 추정된다.[262] 1906년 8월 27일 칙령 제44호 보통학교령(普通學校令)[263] 및 1906년 9월 1일 학부령 제27호[264]에 의거하여, 공립증산보통학교로 개편하였다. 증산군공립소학교, 공립증산보통학교의 위치는 미상이다.[265]

---

255) 勅令第一百四十五號, 開國五百四年七月十九日, 구한말 관보, 第一百十九號.

256) 구한말 관보, 第一千四百八十五號에 따르면, 1898년 6월 13일 이의낙(李義洛)이 김포군공립소학교의 부교원으로 임용되었다. 따라서 곽산군공립소학교의 개교일은 이의낙의 임용일을 전후로 한 달을 넘지 않을 것으로 추정된다. 다만 김포초등학교 학교연혁에서는 1907년 9월 1일에 공립소학교로 개교하였다고 서술되었다. 그러나 1907년 9월 1일이면 보통학교로 이미 전환된 시점이며, 그 이전의 김포군공립소학교 기록이나 공립김포보통학교 기록이 분명히 남아 있기에 김포초등학교의 학교연혁은 믿을 수 없다.

257) 勅令第四十四號, 光武十年八月二十七日, 구한말 관보, 第三千五百四十六號.

258) 學部令第二十七號, 光武十年九月一日, 구한말 관보, 第三千五百四十九號.

259) 김포초등학교 경위도 좌표: 37.62532, 126.70866

260) 김포군공립소학교는 지금까지 이전 없이 몇 번의 개명을 거쳐서 현재의 김포초등학교가 되었다.

261) 勅令第一百四十五號, 開國五百四年七月十九日, 구한말 관보, 第一百十九號.

262) 구한말 관보, 第一千二十三號에 따르면, 1898년 8월 9일 김익섭(金益燮)이 증산군공립소학교의 부교원으로 임용되었다. 따라서 증산군공립소학교의 개교일은 김익섭의 임용일 전후로 한 달을 넘지 않을 것으로 추정된다.

263) 勅令第四十四號, 光武十年八月二十七日, 구한말 관보, 第三千五百四十六號.

264) 學部令第二十七號, 光武十年九月一日, 구한말 관보, 第三千五百四十九號.

▌진위군공립소학교(振威郡公立小學校), 공립진위보통학교(公立振威普通學校): 진위군공립소학교는 1895년 7월 19일 칙령 제145호 소학교령(小學校令)[266]에 의거하여, 1899년 3월 11일부터 1899년 5월 11일 사이에 개교했을 것으로 추정된다.[267] 1906년 8월 27일 칙령 제44호 보통학교령(普通學校令)[268] 및 1906년 9월 1일 학부령 제27호[269]에 의거하여, 공립진위보통학교로 개편하였다. 진위군공립소학교, 공립진위보통학교의 위치는 현재의 진위초등학교[270] 자리이다.[271]

▌운산군공립소학교(雲山郡公立小學校), 공립운산보통학교(公立雲山普通學校): 운산군공립소학교는 1895년 7월 19일 칙령 제145호 소학교령(小學校令)[272]에 의거하여, 1899년 5월 16일부터 1899년 7월 16일 사이에 개교했을 것으로 추정된다.[273] 1906년 8월 27일 칙령 제44호 보통학교령(普通學校令)[274] 및 1906년 9월 1일 학부령 제27호[275]에 의거하여, 공립운산보통학교로 개편하였다. 운산군공립소학교, 공립운산보통학교의 위치는 미상이다.[276]

---

265) 다만 증산군에 위치한 것은 분명하기에 현재의 증산군 중심가(39.10402, 125.37155)로부터 1km 이내에 위치했을 것으로 추정된다.

266) 勅令第一百四十五號, 開國五百四年七月十九日, 구한말 관보, 第一百十九號.

267) 구한말 관보, 第一千二百卅五號에 따르면, 1899년 4월 11일 이교홍(李敎鴻)이 진위군공립소학교의 교원으로 임용되었다. 따라서 진위군공립소학교의 개교일은 이교홍의 임용일 전후로 한 달을 넘지 않을 것으로 추정된다.

268) 勅令第四十四號, 光武十年八月二十七日, 구한말 관보, 第三千五百四十六號.

269) 學部令第二十七號, 光武十年九月一日, 구한말 관보, 第三千五百四十九號.

270) 진위초등학교 경위도 좌표: 37.1007, 127.09002

271) 진위군공립소학교는 지금까지 이전 없이 몇 번의 개명을 거쳐서 현재의 진위초등학교가 되었다.

272) 勅令第一百四十五號, 開國五百四年七月十九日, 구한말 관보, 第一百十九號.

273) 구한말 관보, 第一千二百九十一號에 따르면, 1899년 6월 16일 박치운(朴致雲)이 운산군공립소학교의 부교원으로 임용되었다. 따라서 운산군공립소학교의 개교일은 박치운의 임용일 전후로 한 달을 넘지 않을 것으로 추정된다.

274) 勅令第四十四號, 光武十年八月二十七日, 구한말 관보, 第三千五百四十六號.

275) 學部令第二十七號, 光武十年九月一日, 구한말 관보, 第三千五百四十九號.

▮ 문천군공립소학교(文川郡公立小學校), 공립문천보통학교(公立文川普通學校): 문천군공립소학교는 1895년 7월 19일 칙령 제145호 소학교령(小學校令)[277]에 의거하여, 1899년 5월 27일부터 1899년 7월 27일 사이에 개교했을 것으로 추정된다.[278] 1906년 8월 27일 칙령 제44호 보통학교령(普通學校令)[279] 및 1906년 9월 1일 학부령 제27호[280]에 의거하여, 공립문천보통학교로 개편하였다. 문천군공립소학교와 공립문천보통학교의 위치는 미상이다.[281]

▮ 영흥군공립소학교(永興郡公立小學校), 공립영흥보통학교(公立永興普通學校): 영흥군공립소학교는 1895년 7월 19일 칙령 제145호 소학교령(小學校令)[282]에 의거하여, 1899년 5월 27일부터 1899년 7월 27일 사이에 개교했을 것으로 추정된다.[283] 1906년 8월 27일 칙령 제44호 보통학교령(普通學校令)[284] 및 1906년 9월 1일 학부령 제27호[285]에 의거하여, 공립영흥보통학교로 개편하였다. 영흥군공립소학교, 공립영흥보통학교의 위치는 미상이다.[286]

---

276) 다만 운산군에 위치한 것은 분명하기에 현재의 북진로동자구 중심가(40.20208, 125.74788)로부터 2km 이내에 위치했을 것으로 추정된다.

277) 勅令第一百四十五號, 開國五百四年七月十九日, 구한말 관보, 第一百十九號.

278) 구한말 관보, 第一千三百號에 따르면, 1899년 6월 27일 마희율(馬羲律)이 문천군공립소학교의 교원으로 임용되었다. 따라서 문천군공립소학교의 개교일은 마희율의 임용일을 전후로 한 달을 넘지 않을 것으로 추정된다.

279) 勅令第四十四號, 光武十年八月二十七日, 구한말 관보, 第三千五百四十六號.

280) 學部令第二十七號, 光武十年九月一日, 구한말 관보, 第三千五百四十九號.

281) 다만 문천군 구시가에 위치한 것은 분명하기에 현재의 문천역(39.2338, 127.35539)을 중심으로 3km 이내에 위치했을 것으로 추정된다.

282) 勅令第一百四十五號, 開國五百四年七月十九日, 구한말 관보, 第一百十九號.

283) 구한말 관보, 第一千三百號에 따르면, 1899년 6월 27일 한연수(韓鍊洙)가 영흥군공립소학교의 부교원으로 임용되었다. 따라서 영흥군공립소학교의 개교일은 한연수의 임용일 전후로 한 달을 넘지 않을 것으로 추정된다.

284) 勅令第四十四號, 光武十年八月二十七日, 구한말 관보, 第三千五百四十六號.

285) 學部令第二十七號, 光武十年九月一日, 구한말 관보, 第三千五百四十九號.

286) 다만 영흥군에 위치한 것은 분명하기에 현재의 금야읍 중심가(39.54941, 127.24227)로부터 800m 이내에 위치했을 것으로 추정된다.

▌장진군공립소학교(長津郡公立小學校), 공립장진보통학교(公立長津普通學校): 장진군공립소학교는 1895년 7월 19일 칙령 제145호 소학교령(小學校令)[287]에 의거하여, 1899년 5월 27일부터 1899년 7월 27일 사이에 개교했을 것으로 추정된다.[288] 1906년 8월 27일 칙령 제44호 보통학교령(普通學校令)[289] 및 1906년 9월 1일 학부령 제27호[290]에 의거하여, 공립장진보통학교로 개편하였다. 장진군공립소학교, 공립장진보통학교의 위치는 미상이다.[291]

▌남양군공립소학교(南陽郡公立小學校), 공립남양보통학교(公立南陽普通學校): 남양군공립소학교는 1895년 7월 19일 칙령 제145호 소학교령(小學校令)[292]에 의거하여, 1899년 9월 24일부터 1899년 11월 24일 사이에 개교했을 것으로 추정된다.[293] 1906년 8월 27일 칙령 제44호 보통학교령(普通學校令)[294] 및 1906년 9월 1일 학부령 제27호[295]에 의거하여, 공립남양보통학교로 개편하였다. 남양군공립소학교와 공립남양보통학교의 위치는 현재의 남양초등학교[296] 자리이다.[297]

---

287) 勅令第一百四十五號, 開國五百四年七月十九日, 구한말 관보, 第一百十九號.

288) 구한말 관보, 第一千三百號에 따르면, 1899년 6월 27일 이석영(李錫榮)이 장진군공립소학교의 교원으로 임용되었다. 따라서 장진군공립소학교의 개교일은 이석영의 임용일 전후로 한 달을 넘지 않을 것으로 추정된다.

289) 勅令第四十四號, 光武十年八月二十七日, 구한말 관보, 第三千五百四十六號.

290) 學部令第二十七號, 光武十年九月一日, 구한말 관보, 第三千五百四十九號.

291) 다만 장진군에 위치한 것은 분명하기에 현재의 장진읍 중심가(40.38359, 127.24245)로부터 1km 이내에 위치했을 것으로 추정된다.

292) 勅令第一百四十五號, 開國五百四年七月十九日, 구한말 관보, 第一百十九號.

293) 구한말 관보, 第一千四百二號에 따르면, 1899년 10월 24일 박제현(朴齊賢)이 남양군공립소학교의 교원으로 임용되었다. 따라서 남양군공립소학교의 개교일은 박제현의 임용일을 전후로 한 달을 넘지 않을 것으로 추정된다. 다만 남양초등학교 학교연혁에 따르면, 1898년 10월 1일에 개교하였다고 기술하고 있다. 그러나 1898년 10월 1일에는 아직 교원 배치가 이루어지지도 않았기에, 설령 1898년 10월 1일에 개교하였어도 박제현의 임용 전에는 실제 운영이 이루어지지 않았다고 판단할 수 있다.

294) 勅令第四十四號, 光武十年八月二十七日, 구한말 관보, 第三千五百四十六號.

295) 學部令第二十七號, 光武十年九月一日, 구한말 관보, 第三千五百四十九號.

▌덕원부공립소학교(德源府公立小學校), 덕원군공립소학교(德源郡公立小學校), 덕원항공립소학교(德源港公立小學校)[298], 공립덕원보통학교(公立德源普通學校): 덕원부공립소학교는 1895년 7월 19일 칙령 제145호 소학교령(小學校令)[299]에 의거하여, 1899년 9월 24일부터 1899년 11월 24일 사이에 개교했을 것으로 추정된다.[300] 1903년 7월 3일 칙령 제10호[301]에 의거하여, 덕원군공립소학교로 개명하였다.[302] 1906년 8월 27일 칙령 제44호 보통학교령(普通學校令)[303] 및 1906년 9월 1일 학부령 제27호[304]에 의거하여, 공립덕원보통학교로 개편하였다. 덕원군공립소학교의 위치는 미상이다.[305]

▌안산군공립소학교(安山郡公立小學校), 공립안산보통학교(公立安山普通學校): 안산군공립소학교는 1895년 7월 19일 칙령 제145호 소학교령(小學校令)[306]에 의거하여, 1899년 10월 6일부터 1899년 12월 6일 사이에 개교했을 것으로 추정된다.[307] 1906년 8월 27일 칙령 제44호 보통학교령(普通學校令)[308] 및

---

296) 남양초등학교 경위도 좌표: 37.21035, 126.81557

297) 남양군공립소학교는 지금까지 이전 없이 몇 번의 개명을 거쳐서 현재의 남양초등학교가 되었다.

298) 대한제국의 지방행정구역 명칭에 따르면 덕원의 공립학교의 공식적인 명칭으로 "덕원항공립소학교"가 있을 수 없다. 다만 개항장인 덕원항에 위치하여 때때로 "德源港公立小學校"로 구한말 관보에 오기된 것으로 보인다.

299) 勅令第一百四十五號, 開國五百四年七月十九日, 구한말 관보, 第一百十九號.

300) 구한말 관보, 第一千四百二號에 따르면, 1899년 10월 24일 강기하(康基夏)가 덕원부공립소학교의 교원으로 임용되었다. 따라서 덕원부공립소학교의 개교일은 강기하의 임용일을 전후로 한 달을 넘지 않을 것으로 추정된다.

301) 조선왕조실록 1903년 7월 30일 칙령 제10호.

302) 다만 개명 이후에도 1905년 10월 23일자 구한말 관보에 덕원부공립소학교(德源府公立小學校)라는 오기가 출현한다.

303) 勅令第四十四號, 光武十年八月二十七日, 구한말 관보, 第三千五百四十六號.

304) 學部令第二十七號, 光武十年九月一日, 구한말 관보, 第三千五百四十九號.

305) 다만 덕원에 위치한 것은 분명하기에 현재의 덕원역(39.17736, 127.38075)을 중심으로 1km 이내에 위치했을 것으로 추정된다.

306) 勅令第一百四十五號, 開國五百四年七月十九日, 구한말 관보, 第一百十九號.

1906년 9월 1일 학부령 제27호[309]에 의거하여, 공립안산보통학교로 개편하였다. 안산군공립소학교의 위치는 안산향교[310] 자리이다.[311] 공립안산보통학교의 위치는 안산 객사 터[312] 자리이다.[313]

▮ 철원군공립소학교(鐵原郡公立小學校), 공립철원보통학교(公立鐵原普通學校): 철원군공립소학교는 1895년 7월 19일 칙령 제145호 소학교령(小學校令)[314]에 의거하여, 1899년 10월 6일부터 1899년 12월 6일 사이에 개교했을 것으로 추정된다.[315] 1906년 8월 27일 칙령 제44호 보통학교령(普通學校令)[316] 및 1906년 9월 1일 학부령 제27호[317]에 의거하여, 공립철원보통학교로 개편하였다. 철원군공립소학교의 위치는 미상이다.[318] 공립철원보통학교의 위치는 현재의 철원공립보통학교 터[319] 자리이다.[320]

---

307) 구한말 관보, 第一千四百十三號에 따르면, 1899년 11월 6일 김광식(金光植)이 안성군공립소학교의 교원으로 임용되었다. 따라서 안성군공립소학교의 개교일은 김광식의 임용일 전후로 한 달을 넘지 않을 것으로 추정된다.

308) 勅令第四十四號, 光武十年八月二十七日, 구한말 관보, 第三千五百四十六號.

309) 學部令第二十七號, 光武十年九月一日, 구한말 관보, 第三千五百四十九號.

310) 안산향교 터 경위도 좌표: 37.36214, 126.88181

311) 학교뿌리찾기, 안산초등학교, http://www.ansancho.es.kr/doc.view?mcode=101110&cate=101110

312) 안산 객사 터 경위도 좌표: 37.36477, 126.88121

313) 학교뿌리찾기, 안산초등학교: http://www.ansancho.es.kr/doc.view?mcode=101110&cate=101110

314) 勅令第一百四十五號, 開國五百四年七月十九日, 구한말 관보, 第一百十九號.

315) 구한말 관보, 第一千四百十三號에 따르면, 1899년 11월 6일 황태성(黃台性)이 철원군공립소학교의 교원으로 임용되었다. 따라서 철원군공립소학교의 개교일은 황태성의 임용일 전후로 한 달을 넘지 않을 것으로 추정된다.

316) 勅令第四十四號, 光武十年八月二十七日, 구한말 관보, 第三千五百四十六號.

317) 學部令第二十七號, 光武十年九月一日, 구한말 관보, 第三千五百四十九號.

318) 다만 철원군에 위치한 것은 분명하기에 현재의 묘장초등학교(38.26382, 127.16516)를 중심으로 1km 이내에 위치했을 것으로 추정된다.

319) 철원공립보통학교 터 경위도 좌표: 38.2591, 127.19517

320) 철원군 관광문화과에 따르면, 철원공립보통학교는 1906년 4월 20일 철원읍 사요리

■ 강서군공립소학교(江西郡公立小學校), 공립강서보통학교(公立江西普通學校): 강서군공립소학교는 1895년 7월 19일 칙령 제145호 소학교령(小學校令)[321]에 의거하여, 1899년 11월 7일부터 1900년 1월 7일 사이에 개교했을 것으로 추정된다.[322] 1906년 8월 27일 칙령 제44호 보통학교령(普通學校令)[323] 및 1906년 9월 1일 학부령 제27호[324]에 의거하여, 공립강서보통학교로 개편하였다. 강서군공립소학교와 공립강서보통학교의 위치는 미상이다.[325]

■ 안변군공립소학교(安邊郡公立小學校), 공립안변보통학교(公立安邊普通學校): 안변군공립소학교는 1895년 7월 19일 칙령 제145호 소학교령(小學校令)[326]에 의거하여, 1899년 11월 7일부터 1900년 1월 7일 사이에 개교했을 것으로 추정된다.[327] 1906년 8월 27일 칙령 제44호 보통학교령(普通學校令)[328] 및 1906년 9월 1일 학부령 제27호[329]에 의거하여, 공립안변보통학교로 개편하였다. 안변군공립소학교와 공립안변보통학교의 위치는 미상이다.[330]

에 위치한 강원도립철원의원의 전 부지에 목조교사 1동(2학급 8교실)을 신축하고 4년제로 설립, 개교하였다.

321) 勅令第一百四十五號, 開國五百四年七月十九日, 구한말 관보, 第一百十九號.

322) 구한말 관보, 第一千四百三十八號에 따르면, 1899년 12월 7일 김최건(金最鍵)이 강서군공립소학교의 교원으로 임용되었다. 따라서 강서군공립소학교의 개교일은 김최건의 임용일을 전후로 한 달을 넘지 않을 것으로 추정된다.

323) 勅令第四十四號, 光武十年八月二十七日, 구한말 관보, 第三千五百四十六號.

324) 學部令第二十七號, 光武十年九月一日, 구한말 관보, 第三千五百四十九號.

325) 다만 강서군 구시가에 위치한 것은 분명하기에 현재의 강서역(38.91737, 125.5217)을 중심으로 2km 이내에 위치했을 것으로 추정된다.

326) 勅令第一百四十五號, 開國五百四年七月十九日, 구한말 관보, 第一百十九號.

327) 구한말 관보, 第一千四百三十八號에 따르면, 1899년 12월 7일 박양현(朴暘鉉)이 안변군공립소학교의 교원으로 임용되었다. 따라서 안변군공립소학교의 개교일은 박양현의 임용일 전후로 한 달을 넘지 않을 것으로 추정된다.

328) 勅令第四十四號, 光武十年八月二十七日, 구한말 관보, 第三千五百四十六號.

329) 學部令第二十七號, 光武十年九月一日, 구한말 관보, 第三千五百四十九號.

330) 다만 안변군에 위치한 것은 분명하기에 현재의 안변군 중심가(39.04318, 127.52524)로부터 600m 이내에 위치했을 것으로 추정된다.

■ 풍덕군공립소학교(豐德郡公立小學校), 공립풍덕보통학교(公立豐德普通學校): 풍덕군공립소학교는 1895년 7월 19일 칙령 제145호 소학교령(小學校令)[331]에 의거하여, 1899년 11월 30일부터 1900년 1월 30일 사이에 개교했을 것으로 추정된다.[332] 1906년 8월 27일 칙령 제44호 보통학교령(普通學校令)[333] 및 1906년 9월 1일 학부령 제27호[334]에 의거하여, 공립풍덕보통학교로 개편하였다. 풍덕군공립소학교, 공립풍덕보통학교의 위치는 미상이다.[335]

■ 부평군공립소학교(富平郡公立小學校), 공립부평보통학교(公立富平普通學校): 부평군공립소학교는 1895년 7월 19일 칙령 제145호 소학교령(小學校令)[336]에 의거하여, 1900년 1월 27일부터 1900년 3월 27일 사이에 개교했을 것으로 추정된다.[337] 1906년 8월 27일 칙령 제44호 보통학교령(普通學校令)[338] 및 1906년 9월 1일 학부령 제27호[339]에 의거하여, 공립부평보통학교로 개편하였다. 부평군공립소학교와 공립부평보통학교의 위치는 현재의 인천부평초등학교[340] 자리이다.[341]

---

331) 勅令第一百四十五號, 開國五百四年七月十九日, 구한말 관보, 第一百十九號.

332) 구한말 관보, 第一千四百六十號에 따르면, 1899년 12월 30일 정규종(鄭奎鍾)이 풍덕군공립소학교의 교원으로 임용되었다. 따라서 풍덕군공립소학교의 개교일은 정규종의 임용일 전후로 한 달을 넘지 않을 것으로 추정된다.

333) 勅令第四十四號, 光武十年八月二十七日, 구한말 관보, 第三千五百四十六號.

334) 學部令第二十七號, 光武十年九月一日, 구한말 관보, 第三千五百四十九號.

335) 다만 풍덕군에 위치한 것은 분명하기에 현재의 개풍역(37.95225, 126.45749)을 중심으로 1km 이내에 위치했을 것으로 추정된다.

336) 勅令第一百四十五號, 開國五百四年七月十九日, 구한말 관보, 第一百十九號.

337) 구한말 관보, 第一千五百十號에 따르면, 1900년 2월 27일 박희명(朴熙命)이 부평군공립소학교의 교원으로 임용되었다. 따라서 부평군공립소학교의 개교일은 박희명의 임용일 전후로 한 달을 넘지 않을 것으로 추정된다. 다만 인천부평초등학교 학교연혁에 따르면, 1899년 3월 15일에 설립되었다. 그러나 1900년 2월 27일 이전에 어떠한 인사기록도 없기에 문제가 있다고 판단된다.

338) 勅令第四十四號, 光武十年八月二十七日, 구한말 관보, 第三千五百四十六號.

339) 學部令第二十七號, 光武十年九月一日, 구한말 관보, 第三千五百四十九號.

340) 인천부평초등학교 경위도 좌표: 37.54233, 126.72377

▌양천군공립소학교(陽川郡公立小學校), 공립양천보통학교(公立陽川普通學校): 양천군공립소학교는 1895년 7월 19일 칙령 제145호 소학교령(小學校令)[342]에 의거하여, 1900년 1월 27일부터 1900년 3월 27일 사이에 개교했을 것으로 추정된다.[343] 1906년 8월 27일 칙령 제44호 보통학교령(普通學校令)[344] 및 1906년 9월 1일 학부령 제27호[345]에 의거하여, 공립양천보통학교로 개편하였다. 양천군공립소학교, 공립양천보통학교의 위치는 현재의 서울양천초등학교[346] 자리이다.[347]

▌창원항공립소학교(昌原港公立小學校)[348], 공립창원보통학교(公立昌原普通學校): 창원항공립소학교는 1895년 7월 19일 칙령 제145호 소학교령(小學校令)[349]에 의거하여, 1900년 1월 27일부터 1900년 3월 27일 사이에 개교했을 것으로 추정된다.[350] 1906년 8월 27일 칙령 제44호 보통학교령(普通學校令)[351] 및

---

341) 부평군공립소학교는 지금까지 이전 없이 몇 번의 개명을 거쳐서 현재의 인천부평초등학교가 되었다.

342) 勅令第一百四十五號, 開國五百四年七月十九日, 구한말 관보, 第一百十九號.

343) 구한말 관보, 第一千五百十號에 따르면, 1900년 2월 27일 김규원(金奎元)이 양천군공립소학교의 부교원으로 임용되었다. 따라서 양천군공립소학교의 개교일은 김규원(金奎元)의 임용일 전후로 한 달을 넘지 않을 것으로 추정된다. 다만 서울양천초등학교 학교역사에 따르면, 1900년 2월 15일에 개교하였다고 한다.

344) 勅令第四十四號, 光武十年八月二十七日, 구한말 관보, 第三千五百四十六號.

345) 學部令第二十七號, 光武十年九月一日, 구한말 관보, 第三千五百四十九號.

346) 서울양천초등학교 경위도 좌표: 37.56989, 126.83959

347) 양천군공립소학교는 지금까지 이전 없이 몇 번의 개명을 거쳐서 현재의 서울양천초등학교가 되었다.

348) 창원항공립소학교가 공식 명칭이지만, 창원부공립소학교(昌原府公立小學校)와 창원군공립소학교(昌原郡公立小學校)의 표기가 각각 한 번씩 보인다. 대한제국의 지방제도 변경에 따른 혼란으로 보인다.

349) 勅令第一百四十五號, 開國五百四年七月十九日, 구한말 관보, 第一百十九號.

350) 구한말 관보, 第一千五百十號에 따르면, 1900년 2월 27일 이필구(李弼求)가 창원항공립소학교의 교원으로 임용되었다. 따라서 창원항공립소학교의 개교일은 이필구의 임용일 전후로 한 달을 넘지 않을 것으로 추정된다.

351) 勅令第四十四號, 光武十年八月二十七日, 구한말 관보, 第三千五百四十六號.

1906년 9월 1일 학부령 제27호[352]에 의거하여, 공립창원보통학교로 개편하였다. 창원항공립소학교, 공립창원보통학교의 위치는 현재의 창원초등학교[353] 자리이다.[354]

▌고원군공립소학교(高原郡公立小學校), 공립고원보통학교(公立高原普通學校): 고원군공립소학교는 1895년 7월 19일 칙령 제145호 소학교령(小學校令)[355]에 의거하여, 1900년 2월 28일부터 1900년 4월 28일 사이에 개교했을 것으로 추정된다.[356] 1906년 8월 27일 칙령 제44호 보통학교령(普通學校令)[357] 및 1906년 9월 1일 학부령 제27호[358]에 의거하여, 공립고원보통학교로 개편하였다.[359] 고원군공립소학교와 공립고원보통학교의 위치는 미상이다.[360]

▌곽산군공립소학교(郭山郡公立小學校), 공립곽산보통학교(公立郭山普通學校): 곽

352) 學部令第二十七號, 光武十年九月一日, 구한말 관보, 第三千五百四十九號.

353) 창원초등학교 경위도 좌표: 35.26573, 128.61911

354) 창원항공립소학교는 당시 창원관아의 옆에 있었다. 그리고 창원관아는 현재의 창원초등학교이다. 비록 창원항공립소학교와 창원초등학교 사이의 계승 관계는 명확하지 않지만, 위치적으로는 동일한 자리를 사용했을 것으로 추정된다.

355) 勅令第一百四十五號, 開國五百四年七月十九日, 구한말 관보, 第一百十九號.

356) 구한말 관보, 第一千五百卅三號에 따르면, 1900년 3월 28일 조윤우(趙胤遇)가 고원군공립소학교의 부교원으로 임용되었다. 따라서 고원군공립소학교의 개교일은 조윤우의 임용일을 전후로 한 달을 넘지 않을 것으로 추정된다.

357) 勅令第四十四號, 光武十年八月二十七日, 구한말 관보, 第三千五百四十六號.

358) 學部令第二十七號, 光武十年九月一日, 구한말 관보, 第三千五百四十九號.

359) 비록 구한말 관보, 第二千六百八十二號에 따라, 1903년 11월 28일 조희영(趙熙泳)이 고원군공립소학교 부교원에 임명된 이후 구한말 관보, 第三千八百六十三號에 따라, 1907년 8월 31일 김낙훈(金洛薰)이 공립고원보통학교의 부교원으로 임명되기 전까지의 인사기록이 없지만, 구한말 관보, 第三千九百十九號에 따라, 1907년 11월 9일 고원군공립소학교 부교원으로 임명되었던 조희영(趙熙泳)이 공립고원보통학교의 부교원에서 해임되기에 고원군공립소학교와 공립고원보통학교는 연속성을 가진다고 판단된다.

360) 다만 고원군 구시가에 위치한 것은 분명하기에 현재의 고원군 중심가(39.44057, 127.24484)로부터 900m 이내에 위치했을 것으로 추정된다.

산군공립소학교는 1895년 7월 19일 칙령 제145호 소학교령(小學校令)[361]에 의거하여, 1900년 2월 28일부터 1900년 4월 28일 사이에 개교했을 것으로 추정된다.[362] 1906년 8월 27일 칙령 제44호 보통학교령(普通學校令)[363] 및 1906년 9월 1일 학부령 제27호[364]에 의거하여, 공립곽산보통학교로 개편하였다. 곽산군공립소학교와 공립곽산보통학교의 위치는 미상이다.[365]

▮ 김해군공립소학교(金海郡公立小學校), 공립김해보통학교(公立金海普通學校): 김해군공립소학교는 1895년 7월 19일 칙령 제145호 소학교령(小學校令)[366]에 의거하여, 1901년 2월 2일부터 1901년 4월 2일 사이에 개교했을 것으로 추정된다.[367] 1906년 8월 27일 칙령 제44호 보통학교령(普通學校令)[368] 및 1906년 9월 1일 학부령 제27호[369]에 의거하여, 공립김해보통학교로 개편하였다. 김해군공립소학교와 공립김해보통학교의 위치는 현재의 김해동광초등학교[370] 자리이다.[371]

---

361) 勅令第一百四十五號, 開國五百四年七月十九日, 구한말 관보, 第一百十九號.

362) 구한말 관보, 第一千二百九十一號에 따르면, 1899년 6월 16일 강익수(姜翼修)가 곽산군공립소학교의 교원으로 임용되었다. 따라서 곽산군공립소학교의 개교일은 강익수의 임용일을 전후로 한 달을 넘지 않을 것으로 추정된다.

363) 勅令第四十四號, 光武十年八月二十七日, 구한말 관보, 第三千五百四十六號.

364) 學部令第二十七號, 光武十年九月一日, 구한말 관보, 第三千五百四十九號.

365) 다만 곽산군 구시가에 위치한 것은 분명하기에 현재의 곽산역(39.68496, 125.07914)의 중심으로부터 2km 이내에 위치했을 것으로 추정된다.

366) 勅令第一百四十五號, 開國五百四年七月十九日, 구한말 관보, 第一百十九號.

367) 구한말 관보, 第一千四百八十五號에 따르면, 1901년 3월 2일 김구연(金龜演)이 김해군공립소학교의 부교원으로 임용되었다. 따라서 김해군공립소학교의 개교일은 김구연의 임용일을 전후로 한 달을 넘지 않을 것으로 추정된다.

368) 勅令第四十四號, 光武十年八月二十七日, 구한말 관보, 第三千五百四十六號.

369) 學部令第二十七號, 光武十年九月一日, 구한말 관보, 第三千五百四十九號.

370) 김해동광초등학교 경위도 좌표: 35.23676, 128.88707

371) 김해군공립소학교는 지금까지 이전 없이 몇 번의 개명을 거쳐서 현재의 김해동광초등학교가 되었다. 다만 김해동광초등학교 학교연혁에 따르면, 1898년 2월 19일에 사립 육영학교로 개교하여 1906년 9월 1일 공립보통학교로 인가를 받았다고 기술하였

▌토산군공립소학교(兎山郡公立小學校), 공립토산보통학교(公立兎山普通學校): 토산군공립소학교는 1895년 7월 19일 칙령 제145호 소학교령(小學校令)[372]에 의거하여, 1901년 2월 8일부터 1901년 4월 8일 사이에 개교했을 것으로 추정된다.[373] 1906년 8월 27일 칙령 제44호 보통학교령(普通學校令)[374] 및 1906년 9월 1일 학부령 제27호[375]에 의거하여, 공립토산보통학교로 개편하였다. 토산군공립소학교, 공립토산보통학교의 위치는 미상이다.[376]

▌진도군공립소학교(珍島郡公立小學校), 공립진도보통학교(公立珍島普通學校): 진도군공립소학교는 1895년 7월 19일 칙령 제145호 소학교령(小學校令)[377]에 의거하여, 1901년 3월 24일부터 1901년 5월 24일 사이에 개교했을 것으로 추정된다.[378] 1906년 8월 27일 칙령 제44호 보통학교령(普通學校令)[379] 및 1906년 9월 1일 학부령 제27호[380]에 의거하여, 공립진도보통학교로 개편하였다. 진도군공립소학교, 공립진도보통학교의 위치는 현재의 진도초등학

다. 그런데 김해군공립소학교 교원 이준호(李濬鎬)가 공립김해보통학교의 교원으로 임용되고, 김해군공립소학교 교원 박정수(朴廷秀)가 공립김해보통학교의 부교원으로 임명된 것으로 보아서 김해군공립소학교와 공립김해보통학교는 분명한 승계관계가 존재한다. 그렇다면 사립 육영학교는 김해군공립소학교의 오기일 수도 있다. 또는 김해군공립소학교와 사립 육영학교가 합쳐서 공립김해보통학교가 되었을 수도 있다.

372) 勅令第一百四十五號, 開國五百四年七月十九日, 구한말 관보, 第一百十九號.

373) 구한말 관보, 第一千四百十三號에 따르면, 1901년 3월 8일 한두운(韓斗運)이 토산군공립소학교의 부교원으로 임용되었다. 따라서 토산군공립소학교의 개교일은 한두운의 임용일 전후로 한 달을 넘지 않을 것으로 추정된다.

374) 勅令第四十四號, 光武十年八月二十七日, 구한말 관보, 第三千五百四十六號.

375) 學部令第二十七號, 光武十年九月一日, 구한말 관보, 第三千五百四十九號.

376) 다만 토산군에 위치한 것은 분명하기에 현재의 토산읍 중심가(38.30932, 126.69437)로부터 1km 이내에 위치했을 것으로 추정된다.

377) 勅令第一百四十五號, 開國五百四年七月十九日, 구한말 관보, 第一百十九號.

378) 구한말 관보, 第一千八百六十九號에 따르면, 1901년 4월 24일 박진원(朴晉遠)이 진도군공립소학교의 부교원으로 임용되었다. 따라서 진도군공립소학교의 개교일은 박진원의 임용일 전후로 한 달을 넘지 않을 것으로 추정된다.

379) 勅令第四十四號, 光武十年八月二十七日, 구한말 관보, 第三千五百四十六號.

380) 學部令第二十七號, 光武十年九月一日, 구한말 관보, 第三千五百四十九號.

교[381] 자리이다.[382]

▌개성부공립소학교(開城府公立小學校), 공립개성보통학교(公立開城普通學校): 개성부공립소학교는 1895년 7월 19일 칙령 제145호 소학교령(小學校令)[383]에 의거하여, 1902년 4월 3일부터 1902년 6월 3일 사이에 개교했을 것으로 추정된다.[384] 1906년 8월 27일 칙령 제44호 보통학교령(普通學校令)[385] 및 1906년 9월 1일 학부령 제27호[386]에 의거하여, 공립개성보통학교로 개편하였다. 개성부공립소학교의 위치는 미상이다.[387]

▌황간군공립소학교(黃澗郡公立小學校), 공립황간보통학교(公立黃澗普通學校): 황간군공립소학교는 1895년 7월 19일 칙령 제145호 소학교령(小學校令)[388]에 의거하여, 1902년 5월 21일부터 1902년 7월 21일 사이에 개교했을 것으로 추정된다.[389] 1906년 8월 27일 칙령 제44호 보통학교령(普通學校令)[390] 및 1906년 9월 1일 학부령 제27호[391]에 의거하여, 공립황간보통학교로 개편하

381) 진도초등학교 경위도 좌표: 34.48611, 126.26556

382) 공립진도보통학교는 지금까지 이전은 없었지만 1924년 진도공립보통학교 동맹휴학으로 인하여 폐교가 되었다가 재개교하여 몇 번의 개명을 거쳐서 현재의 진도초등학교가 되었다.

383) 勅令第一百四十五號, 開國五百四年七月十九日, 구한말 관보, 第一百十九號.

384) 구한말 관보, 第二百七十三號에 따르면 1896년 2월 10일 이종협(李鍾浹)이 개성부공립소학교의 교원으로 임용되었다. 따라서 개성부공립소학교의 개교일은 이종협의 임용일을 전후로 한 달을 넘지 않을 것으로 추정된다.

385) 勅令第四十四號, 光武十年八月二十七日, 구한말 관보, 第三千五百四十六號.

386) 學部令第二十七號, 光武十年九月一日, 구한말 관보, 第三千五百四十九號.

387) 다만 개성 구시가에 위치한 것은 분명하기에 현재의 개성민속여관(Kaesong Folk Hotel)(37.97652, 126.55293)을 중심으로 1km 이내에 위치했을 것으로 추정된다.

388) 勅令第一百四十五號, 開國五百四年七月十九日, 구한말 관보, 第一百十九號.

389) 구한말 관보, 第二千二百三十二號에 따르면, 1902년 06월 21일 김유현(金壝鉉)이 황간군공립소학교의 교원으로 임용되었다. 따라서 황간군공립소학교의 개교일은 김유현의 임용일 전후로 한 달을 넘지 않을 것으로 추정된다.

390) 勅令第四十四號, 光武十年八月二十七日, 구한말 관보, 第三千五百四十六號.

였다. 황간군공립소학교, 공립황간보통학교의 위치는 미상이다.[392]

3. 공립학교(소학교-보통학교 교원승계)

▌강화군공립소학교(江華郡公立小學校), 강화부공립소학교(江華府公立小學校), 공립강화보통학교(公立江華普通學校): 강화군공립소학교는 1895년 7월 19일 칙령 제145호 소학교령(小學校令)[393]에 의거하여, 1896년 1월 4일부터 1896년 3월 4일 사이에 개교했을 것으로 추정된다.[394] 1896년 8월 4일 칙령 제36호 지방제도관제개정건(地方制度官制改正件)[395]에 의거하여, 강화부공립소학교로 개명하였다. 1906년 9월 24일 칙령 제48호[396]에 의거하여, 강화군공립소학교로 개명하였다. 1906년 8월 27일 칙령 제44호 보통학교령(普通學校令)[397]과 1908년 4월 22일 학부고시 제3호[398]에 의거하여 1908년 1월 1일부터 1908년 4월 22일 사이에 신설된 공립강화보통학교로 실질적 승계가 되었다.[399] 강화군공립소학교와 공립강화보통학교의 위치

391) 學部令第二十七號, 光武十年九月一日, 구한말 관보, 第三千五百四十九號.

392) 다만 황간군에 위치한 것은 분명하기에 현재의 황간향교(36.2284, 127.91569)로부터 800m 이내에 위치했을 것으로 추정된다.

393) 勅令第一百四十五號, 開國五百四年七月十九日, 구한말 관보, 第一百十九號.

394) 구한말 관보, 第二百四十一號에 따르면 1896년 2월 4일 정지석(鄭芝錫)이 강화군공립소학교의 교원으로 임용되었다. 따라서 강화군공립소학교의 개교일은 정지석의 임명일 전후로 한 달을 넘지 않을 것으로 추정된다. 다만 강화초등학교 학교연혁에 따르면, 1898년 4월에 을종성내공립보통학교로 개교를 하였다고 서술되어 있다. 그러나 당시에는 보통학교가 존재하지도 않았고, 갑을종이 분리되지도 않았다. 따라서 강화초등학교의 학교 연혁의 신빙성은 떨어진다.

395) 조선왕조실록 1896년 8월 4일 칙령 제36호.

396) 조선왕조실록 1906년 9월 24일 칙령 제48호.

397) 勅令第四十四號, 光武十年八月二十七日, 구한말 관보, 第三千五百四十六號.

398) 學部告示第三號, 隆熙二年四月二十二日, 구한말 관보, 第四千六十三號.

399) 구한말 관보, 第三千五百三十五號에 의거하여, 1906년 8월 16일 강화군공립소학교의 교원으로 임명된 정중근(鄭重根)은 구한말 관보, 第四千百十五號에 의거하여, 1908년 6월 18일 공립강화보통학교에서 공립남양보통학교 본과훈도로 전임한다. 또한 구

는 현재의 강화초등학교[400] 자리이다.[401]

▌홍주부공립소학교(洪州府公立小學校), 홍주군공립소학교(洪州郡公立小學校), 홍주군공립보통학교(洪州郡公立普通學校), 공립홍주보통학교(公立洪州普通學校): 홍주부공립소학교는 1895년 7월 19일 칙령 제145호 소학교령(小學校令)[402]에 의거하여, 1896년 6월 8일부터 1896년 8월 8일 사이에 개교했을 것으로 추정된다.[403] 1896년 8월 4일 칙령 제36호[404]에 의거하여, 홍주군공립소학교로 개명하였다. 1906년 8월 27일 칙령 제44호 보통학교령(普通學校令)[405] 및 1906년 9월 1일 학부령 제27호[406]에 의거하여, 홍주군공립보통학교로 개편하였다. 1906년 8월 27일 칙령 제44호 보통학교령(普通學校令)[407] 과 1907년 4월 1일 학부령 제4호 공립보통학교명칭급소재지건(公立普通學校名稱及所在地件)[408]에 의거하여, 1907년 4월 1일에 신설된 공립홍주보통학교로 실질적 승계가 되었다.[409] 홍주부공립소학교의 위치는 미상이다[410]. 공립

한말 관보, 第三千四百十七號에 의거하여, 1906년 4월 3일에 강화군공립소학교에서 부교원으로 임명된 이규학(李圭鶴)이 구한말 관보, 第三千六百九十七號에 의거하여, 1907년 2월 23일 공립강화보통학교에서 해임된다. 따라서 공립강화보통학교가 강화군공립소학교를 실제적으로 승계하고 있다고 판단할 수 있다.

400) 강화초등학교 경위도 좌표: 37.751, 126.48551

401) 강화군공립소학교는 지금까지 이전 없이 몇 번의 개명을 거쳐서 현재의 강화초등학교가 되었다.

402) 勅令第一百四十五號, 開國五百四年七月十九日, 구한말 관보, 第一百十九號.

403) 구한말 관보, 第三百七十四號에 따르면, 1896년 7월 8일 김영제(金寧濟)가 홍주군공립소학교의 교원으로 임용되었다. 따라서 홍주군공립소학교의 개교일은 김영제의 임용일 전후로 한 달을 넘지 않을 것으로 추정된다.

404) 조선왕조실록, 1896년 8월 4일 칙령 제36호.

405) 勅令第四十四號, 光武十年八月二十七日, 구한말 관보, 第三千五百四十六號.

406) 學部令第二十七號, 光武十年九月一日, 구한말 관보, 第三千五百四十九號.

407) 勅令第四十四號, 光武十年八月二十七日, 구한말 관보, 第三千五百四十六號.

408) 學部令第四號, 光武十一年四月一日, 구한말 관보, 第三千七百四十八號.

409) 공립홍주보통학교를 승계한 홍성초등학교에서는 학교연혁에 홍주군공립소학교를 적시하고 있지 않다. 그러나 구한말 관보, 第三千七百六十九號에 따르면 홍주군공립

홍주보통학교의 위치는 현재의 홍성초등학교[411] 자리이다.[412]

▌부산항공립소학교(釜山港公立小學校), 동래항공립소학교(東萊港公立小學校), 동래항공립보통학교(東萊港公立普通學校), 공립동래보통학교(公立東萊普通學校): 부산항공립소학교는 1895년 7월 19일 칙령 제145호 소학교령(小學校令)[413]에 의거하여, 1896년 10월 6일부터 1896년 12월 6일 사이에 개교했을 것으로 추정된다.[414] 1900년 3월 5일 구한말 임명 기록에서는 원인 미상의 이유에 의거하여 동래항공립소학교로 개명되었다. 1906년 8월 27일 칙령 제44호 보통학교령(普通學校令)[415] 및 1906년 9월 1일 학부령 제27호[416]에 의하여 동래항공립보통학교로 개편하였다. 1906년 8월 27일 칙령 제44호 보통학교령(普通學校令) 및 1907년 4월 1일 학부령 제4호 공립보통학교명칭급소재지건(公立普通學校名稱及所在地件)[417]에 의거하여, 1907년 4월 1일에 신설된 공립동래보통학교로 실질적 승계가 되었다.[418] 부산항공립소

보통학교(洪州郡公立普通學校)의 교원 이필구(李弼求)가 공립홍주보통학교(公立洪州普通學校)로 전임하고 학교장까지 겸임한 것으로 보아 실제적으로 승계하고 있다고 판단할 수 있다.

410) 다만 공립홍주보통학교로 승계되는 과정에서 학교의 이전이 없었다면 공립홍주보통학교는 현재의 홍성초등학교(36.59895, 126.65722)와 동일한 위치에 있었다고 할 수 있다. 하지만 공립홍주보통학교가 신설로 만들어졌으므로 이전이 있었을 가능성이 높다. 따라서 홍주부공립소학교는 현재의 홍주아문(36.6013, 126.66138)을 중심으로 500m 이내에 위치했을 것으로 추정된다.

411) 홍성초등학교 경위도 좌표: 36.59895, 126.65722

412) 공립홍주보통학교는 지금까지 이전 없이 몇 번의 개명을 거쳐서 현재의 홍성초등학교가 되었다.

413) 勅令第一百四十五號, 開國五百四年七月十九日, 구한말 관보, 第一百十九號.

414) 구한말 관보, 第四百七十六號에 따르면, 1896년 11월 6일 김병천(金炳天)이 부산항공립소학교의 교원으로 임용되었다. 따라서 부산항공립소학교의 개교일은 김병천의 임용일 전후로 한 달을 넘지 않을 것으로 추정된다.

415) 勅令第四十四號, 光武十年八月二十七日, 구한말 관보, 第三千五百四十六號.

416) 學部令第二十七號, 光武十年九月一日, 구한말 관보, 第三千五百四十九號.

417) 學部令第四號, 光武十一年四月一日, 구한말 관보, 第三千七百四十八號.

418) 공립동래보통학교를 승계한 내성초등학교에서는 학교연혁에 부산항공립소학교와

학교의 위치는 미상이다.[419] 공립동래보통학교는 현재의 내성초등학교[420]에 위치하였다.[421]

▮ 경주군공립소학교(慶州郡公立小學校), 경주군공립보통학교(慶州郡公立普通學校), 공립경주보통학교(公立慶州普通學校): 경주군공립소학교는 1895년 7월 19일 칙령 제145호 소학교령(小學校令)[422]에 의거하여, 1896년 10월 16일부터 1896년 12월 16일 사이에 개교했을 것으로 추정된다.[423] 1906년 8월 27일 칙령 제44호 보통학교령(普通學校令)[424] 및 1906년 9월 1일 학부령 제27호[425]에 의거하여, 경주군공립보통학교로 개편하였다. 1906년 8월 27일 칙령 제44호 보통학교령(普通學校令)[426]과 1907년 4월 1일 학부령 제4호 공립보통학교명칭급소재지건(公立普通學校名稱及所在地件)[427]에 의거하여, 1907년 4월 1일에 신설된 공립경주보통학교로 실질적 승계가 되었

동래공립소학교를 적시하고 있지 않다. 그러나 구한말 관보, 第三千七百六十九號에 따르면, 동래항공립보통학교(東萊港公立普通學校)의 교원 박희명(朴熙命)이 공립동래보통학교(公立東萊普通學校)로 전임하고 학교장까지 겸임한 것으로 보아 실제적으로 승계하고 있다고 판단할 수 있다.

419) 다만 공립동래보통학교로 승계되는 과정에서 학교의 이전이 없었다면 현재의 내성초등학교(35.20463, 129.08952)를 공립동래보통학교로 볼 수 있을 것이다. 하지만 공립동래보통학교는 신설로 만들어져서 이전이 있었을 가능성이 높다. 부산항공립소학교는 부산감리서 위치로 추정되는 현재의 봉래초등학교(35.1117, 129.03598)를 중심으로 1km 이내에 위치했을 것으로 추정된다.

420) 내성초등학교 경위도 좌표: 35.20463, 129.08952

421) 공립동래보통학교는 지금까지 이전 없이 몇 번의 개명을 거쳐서 현재의 내성초등학교가 되었다.

422) 勅令第一百四十五號, 開國五百四年七月十九日, 구한말 관보, 第一百十九號.

423) 구한말 관보, 第四百八十四號에 따르면, 1896년 11월 16일 윤필구(尹弼求)가 경주군공립소학교의 교원으로 임용되었다. 따라서 경주군공립소학교의 개교일은 윤필구의 임용일 전후로 한 달을 넘지 않을 것으로 추정된다.

424) 勅令第四十四號, 光武十年八月二十七日, 구한말 관보, 第三千五百四十六號.

425) 學部令第二十七號, 光武十年九月一日, 구한말 관보, 第三千五百四十九號.

426) 勅令第四十四號, 光武十年八月二十七日, 구한말 관보, 第三千五百四十六號.

427) 學部令第四號, 光武十一年四月一日, 구한말 관보, 第三千七百四十八號.

다.[428] 경주군공립소학교, 공립경주보통학교의 위치는 현재의 계림초등학교[429]이다.[430]

▌강릉군공립소학교(江陵郡公立小學校), 강릉군공립보통학교(江陵郡公立普通學校), 공립강릉보통학교(公立江陵普通學校): 강릉군공립소학교는 1895년 7월 19일 칙령 제145호 소학교령(小學校令)[431]에 의거하여, 1896년 10월 18일부터 1896년 12월 18일 사이에 개교했을 것으로 추정된다.[432] 1906년 8월 27일 칙령 제44호 보통학교령(普通學校令)[433]과 1906년 9월 1일 학부령 제27호[434]에 의거하여, 강릉군공립보통학교로 개편하였다. 1906년 8월 27일 칙령 제44호 보통학교령(普通學校令)[435]과 1907년 4월 1일 학부령 제4호 공립보통학교명칭급소재지건(公立普通學校名稱及所在地件)[436]에 의거하여, 1907년 4월 1일에 신설된 공립강릉보통학교로 실질적 승계가 되었다.[437] 강릉군공립소학교, 공립강릉보통학교의 위치는 현재의 강릉초등

---

428) 구한말 관보, 第三千四百卅三號에 의거하여, 1906년 4월 21일 경주군공립소학교에 임명된 부교원 이종규(李鍾奎)가 구한말 관보, 第三千六百九十七號에 의거하여, 1907년 9월 23일 공립경주보통학교에서 해임된다. 따라서 공립경주보통학교가 경주군공립소학교를 실제적으로 승계하고 있다고 판단할 수 있다.

429) 계림초등학교 경위도 좌표: 35.84932, 129.21264

430) 경주군공립소학교는 지금까지 이전 없이 몇 번의 개명을 거쳐서 현재의 계림초등학교가 되었다.

431) 勅令第一百四十五號, 開國五百四年七月十九日, 구한말 관보, 第一百十九號.

432) 구한말 관보, 第四百八十四號에 따르면, 1896년 11월 18일 박희명(朴熙命)이 강릉군공립소학교의 교원으로 임용되었다. 따라서 강릉군공립소학교의 개교일은 박희명의 임용일 전후로 한 달을 넘지 않을 것으로 추정된다. 다만 원주초등학교 학교연혁에 따르면, 원주군공립소학교는 1896년 9월 17일에 개교하였다. 다만 1896년 9월 17일에 개교하였어도 실제적인 학교 운영은 교원이 부임한 이후에나 정상적으로 이루어졌을 것으로 판단된다.

433) 勅令第四十四號, 光武十年八月二十七日, 구한말 관보, 第三千五百四十六號.

434) 學部令第二十七號, 光武十年九月一日, 구한말 관보, 第三千五百四十九號.

435) 勅令第四十四號, 光武十年八月二十七日, 구한말 관보, 第三千五百四十六號.

436) 學部令第四號, 光武十一年四月一日, 구한말 관보, 第三千七百四十八號.

437) 구한말 관보, 第三千七百六十九號에 따르면, 1907년 4월 1일 강릉군공립보통학교(江陵

학교[438] 자리이다.[439]

▌북청군공립소학교(北青郡公立小學校), 북청군공립보통학교(北青郡公立普通學校), 공립북청보통학교(公立北青普通學校): 북청군공립소학교는 1895년 7월 19일 칙령 제145호 소학교령(小學校令)[440]에 의거하여, 1896년 10월 18일부터 1896년 12월 18일 사이에 개교했을 것으로 추정된다.[441] 1906년 8월 27일 칙령 제44호 보통학교령(普通學校令)[442]과 1906년 9월 1일 학부령 제27호[443]에 의거하여, 북청군공립보통학교로 개편하였다. 1906년 8월 27일 칙령 제44호 보통학교령(普通學校令)[444]과 1907년 4월 1일 학부령 제4호 공립보통학교명칭급소재지건(公立普通學校名稱及所在地件)[445]에 의거하여, 1907년 4월 1일에 신설된 공립북청보통학교로 실질적 승계가 되었다.[446] 북청군공립소학교와 공립북청보통학교의 위치는 미상이다.[447]

郡公立普通學校)의 교원 정해관(鄭海觀)이 공립강릉보통학교(公立江陵普通學校)로 전임하고 학교장까지 겸임한 것으로 보아 실제적으로 승계하고 있다고 판단할 수 있다.

438) 강릉초등학교 경위도 좌표: 37.75346, 128.88791

439) 강릉군공립소학교는 지금까지 이전 없이 몇 번의 개명을 거쳐서 현재의 강릉초등학교가 되었다.

440) 勅令第一百四十五號, 開國五百四年七月十九日, 구한말 관보, 第一百十九號.

441) 구한말 관보, 第四百八十四號에 따르면, 1896년 11월 18일 이상원(李相元)이 강릉군공립소학교의 교원으로 임용되었다. 따라서 강릉군공립소학교의 개교일은 이상원의 임용일 전후로 한 달을 넘지 않을 것으로 추정된다.

442) 勅令第四十四號, 光武十年八月二十七日, 구한말 관보, 第三千五百四十六號.

443) 學部令第二十七號, 光武十年九月一日, 구한말 관보, 第三千五百四十九號.

444) 勅令第四十四號, 光武十年八月二十七日, 구한말 관보, 第三千五百四十六號.

445) 學部令第四號, 光武十一年四月一日, 구한말 관보, 第三千七百四十八號.

446) 구한말 관보, 第三千七百六十九號에 따르면, 1907년 5월 18일 북청군공립소학교(北青郡公立小學校)의 교원 한연수(韓鍊洙)가 공립북청보통학교(公立北青普通學校)로 전임하고 학교장까지 겸임한 것으로 보아 실제적으로 승계하고 있다고 판단할 수 있다.

447) 다만 북청군 구시가에 위치한 것은 분명하기에 현재의 북청역(40.24146, 128.30996)을 중심으로 1.5km 이내에 위치했을 것으로 추정된다.

▌삼화항공립소학교(三和港公立小學校), 삼화군공립소학교(三和郡公立小學校), 삼화군공립보통학교(三和郡公立普通學校), 공립진남포보통학교(公立鎭南浦普通學校), 공립삼화보통학교(公立三和普通學校): 삼화항공립소학교는 1895년 7월 19일 칙령 제145호 소학교령(小學校令)[448]에 의거하여, 1898년 2월 16일부터 1898년 4월 16일 사이에 개교했을 것으로 추정된다.[449] 1903년 7월 3일 칙령 제10호[450]에 따라, 삼화군공립소학교로 개명하였다. 1906년 8월 27일 칙령 제44호 보통학교령(普通學校令)[451] 및 1906년 9월 1일 학부령 제27호[452]에 의거하여, 삼화군공립보통학교로 개편하였다. 1906년 8월 27일 칙령 제44호 보통학교령(普通學校令)[453]과 1907년 4월 1일 학부령 제4호 공립보통학교명칭급소재지건(公立普通學校名稱及所在地件)[454]에 의거하여, 1907년 4월 1일에 신설된 공립진남포보통학교로 실질적 승계가 되었다.[455] 이후 공립삼화보통학교를 잠시 혼용하다 1908년 1월 1일부터는 지속적으로 공립진남포보통학교로 학교명이 통일되었다. 삼화항공립소학교, 삼화군공립소학교, 삼화군공립보통학교, 공립진남포보통학교의 위치는 미상이다.[456]

448) 勅令第一百四十五號, 開國五百四年七月十九日, 구한말 관보, 第一百十九號.

449) 구한말 관보, 第九百號에 따르면, 1898년 3월 16일 신병균(申秉均)이 삼화군공립소학교의 교원으로 임용되었다. 따라서 삼화군공립소학교의 개교일은 신병균의 임용일 전후로 한 달을 넘지 않을 것으로 추정된다.

450) 조선왕조실록 1903년 7월 3일 칙령 제10호.

451) 勅令第四十四號, 光武十年八月二十七日, 구한말 관보, 第三千五百四十六號.

452) 學部令第二十七號, 光武十年九月一日, 구한말 관보, 第三千五百四十九號.

453) 勅令第四十四號, 光武十年八月二十七日, 구한말 관보, 第三千五百四十六號.

454) 學部令第四號, 光武十一年四月一日, 구한말 관보, 第三千七百四十八號.

455) 구한말 관보, 第三千七百六十九號에 따르면, 1907년 4월 1일 삼화군공립보통학교(三和郡公立普通學校)의 교원 이영직(李英稙)이 공립진남포보통학교(公立鎭南浦普通學校)로 전임하고 학교장까지 겸임한 것으로 보아 실제적으로 승계하고 있다고 판단할 수 있다.

456) 다만 삼화군에 위치한 것은 분명하기에 현재의 남포역(38.73373, 125.41236)을 중심으로 2km 이내에 위치했을 것으로 추정된다.

▌무안항공립소학교(務安港公立小學校), 무안군공립소학교(務安郡公立小學校), 무안항공립보통학교(務安港公立普通學校), 공립목포보통학교(公立木浦普通學校): 무안항공립소학교는 1895년 7월 19일 칙령 제145호 소학교령(小學校令)[457]에 의거하여, 1898년 2월 21일부터 1898년 4월 21일 사이에 개교했을 것으로 추정된다.[458] 1903년 7월 3일 칙령 제10호[459]에 따라, 무안군공립소학교로 개명하였다. 하지만 원인 미상의 이유로 1904년 3월 28일부터는 다시 무안항공립소학교라는 명칭을 사용하였다. 1906년 8월 27일 칙령 제44호 보통학교령(普通學校令)[460] 및 1906년 9월 1일 학부령 제27호[461]에 의거하여, 무안항공립보통학교[462]로 개편하였다. 1906년 8월 27일 칙령 제44호 보통학교령(普通學校令)[463] 및 1907년 4월 1일 학부령 제4호 공립보통학교명칭급소재지건(公立普通學校名稱及所在地件)[464]에 의거하여, 1907년 4월 1일에 신설된 공립목포보통학교로 실질적 승계가 되었다.[465] 무안항공립소학교는 처음에 무안읍 향교[466]에 위치하였다.[467] 1901년 현재의 목포북교초등학교[468] 자

457) 勅令第一百四十五號, 開國五百四年七月十九日, 구한말 관보, 第一百十九號.

458) 구한말 관보, 第九百四號에 따르면, 1898년 3월 21일 변지학(卞志學)이 무안항공립소학교의 교원으로 임용되었다. 따라서 무안항공립소학교의 개교일은 변지학의 임용일을 전후로 한 달을 넘지 않을 것으로 추정된다.

459) 조선왕조실록 1903년 7월 3일 칙령 제10호.

460) 勅令第四十四號, 光武十年八月二十七日, 구한말 관보, 第三千五百四十六號.

461) 學部令第二十七號, 光武十年九月一日, 구한말 관보, 第三千五百四十九號.

462) 보통학교의 일반적인 명명규칙은 "공립+지역명+보통학교"이다. 하지만, 항구에 대해서는 "항구명+공립+보통학교"의 명명규칙을 따르고 있다.

463) 勅令第四十四號, 光武十年八月二十七日, 구한말 관보, 第三千五百四十六號.

464) 學部令第四號, 光武十一年四月一日, 구한말 관보, 第三千七百四十八號.

465) 구한말 관보, 第三千七百六十九號에 의거하여, 1907년 4월 1일 무안항공립소학교 교원 이우정(李愚定)은 공립목포보통학교의 교원으로 전임한다. 또한 공립목포보통학교가 설립된 목포항은 무안항에서 개명하였다. 따라서 공립목포보통학교가 무안항공립소학교를 실제적으로 승계하고 있다고 판단할 수 있다.

466) 무안읍 향교 경위도 좌표, 34.98962, 126.46772

467) 학교연혁, 목포북교초등학교, http://mokpobukkyo.es.jne.kr/user/indexSub.action?codyMenuSeq=161959&siteId=mokpobukkyo_es&menuUIType=top

468) 목포북교초등학교 경위도 좌표: 34.79622, 126.37812

리로 이전하였다.[469)]

▮ 성진군공립소학교(城津郡公立小學校), 길성항공립소학교(吉城港公立小學校), 성진항공립소학교(吉城港公立小學校), 길주항공립소학교(吉州港公立小學校), 공립길주보통학교(公立吉州普通學校), 공립성진보통학교(公立城津普通學校): 성진군공립소학교는 1895년 7월 19일 칙령 제145호 소학교령(小學校令)[470)]에 의거하여, 1899년 5월 19일부터 1899년 7월 19일 사이에 개교했을 것으로 추정된다.[471)] 1900년 1월 23일 칙령 제9호[472)]에 의거하여, 길성항공립소학교로 개명하였다. 1900년 5월 16일 칙령 제18호[473)]에 의거하여, 성진항공립소학교로 개명하였다. 1901년 10월 20일 칙령 제19호[474)]에 의거하여, 길주항공립소학교로 개명하였다. 1903년 8월 8일 칙령 제15호[475)]에 의거하여, 길성항공립소학교로 개명하였다. 1906년 8월 27일 칙령 제44호 보통학교령(普通學校令)[476)]과 1907년 4월 1일 학부령 제4호 공립보통학교명칭급소재지건(公立普通學校名稱及所在地件)[477)]에 의거하여, 1907년 4월 1일에 신설된 공립길주보통학교로 실질적 승계가 되었다.[478)] 1907년 9월 14일 학부령 제1호[479)]

---

469) 학교연혁, 목포북교초등학교, http://mokpobukkyo.es.jne.kr/user/indexSub.action?codyMenuSeq=161959&siteId=mokpobukkyo_es&menuUIType=top

470) 勅令第一百四十五號, 開國五百四年七月十九日, 구한말 관보, 第一百十九號.

471) 구한말 관보, 第一千二百九十一號에 따르면, 1899년 6월 19일 한병수(韓炳洙)가 성진군공립소학교의 교원으로 임용되었다. 따라서 성진군공립소학교의 개교일은 한병수의 임명일 전후로 한 달을 넘지 않을 것으로 추정된다.

472) 조선왕조실록 1900년 1월 23일 칙령 제9호.

473) 조선왕조실록 1900년 5월 16일 칙령 제18호.

474) 조선왕조실록 1901년 10월 20일 칙령 제19호.

475) 조선왕조실록 1903년 8월 8일 칙령 제15호.

476) 勅令第四十四號, 光武十年八月二十七日, 구한말 관보, 第三千五百四十六號.

477) 學部令第四號, 光武十一年四月一日, 구한말 관보, 第三千七百四十八號.

478) 구한말 관보, 第三千三百四十九號에 의거하여, 1906년 1월 10일 정태헌(鄭泰憲)은 성진항공립소학교의 교원으로 임명되었다. 그런데 구한말 관보, 第三千八百八十七號에 따르면, 정태헌은 공립성진보통학교의 교원에서 면직되었다. 따라서 성진항공립소학교와 공립성진보통학교는 실질적으로 승계관계가 있다고 판단할 수 있다.

에 의거하여, 공립성진보통학교로 개명하였다. 성진군공립소학교의 위치는 미상이다.[480]

▌옥구항공립소학교(沃溝港公立小學校), 옥구항공립보통학교(沃溝港公立普通學校), 공립군산보통학교(公立群山普通學校): 옥구항공립소학교는 1895년 7월 19일 칙령 제145호 소학교령(小學校令)[481]에 의거하여, 1899년 8월 9일부터 1899년 10월 9일 사이에 개교했을 것으로 추정된다.[482] 1906년 8월 27일 칙령 제44호 보통학교령(普通學校令)[483] 및 1906년 9월 1일 학부령 제27호[484]에 의거하여, 옥구항공립보통학교[485]로 개편하였다. 1906년 8월 27일 칙령 제44호 보통학교령(普通學校令)[486] 및 1907년 4월 1일 학부령 제4호 공립보통학교명칭급소재지건(公立普通學校名稱及所在地件)[487]에 의거하여, 1907년 4월 1일에 신설된 공립군산보통학교로 실질적 승계가 되었다.[488] 옥구항공립소학교의 위치는 미상이다.[489] 공립군산보통학교의

479) 學部令第一號, 隆熙元年九月十四日, 구한말 관보, 第三千八百七十八號.

480) 다만 성진항 근처에 위치한 것은 분명하기에 현재의 김책역(40.66519, 129.19629)을 중심으로 1.5km 이내에 위치했을 것으로 추정된다.

481) 勅令第一百四十五號, 開國五百四年七月十九日, 구한말 관보, 第一百十九號.

482) 구한말 관보, 第一千三百六十四號에 따르면, 1899년 9월 9일 한필수(韓弼洙)가 옥구항공립소학교의 교원으로 임용되었다. 따라서 옥구항공립소학교의 개교일은 한필수의 임용일 전후로 한 달을 넘지 않을 것으로 추정된다.

483) 勅令第四十四號, 光武十年八月二十七日, 구한말 관보, 第三千五百四十六號.

484) 學部令第二十七號, 光武十年九月一日, 구한말 관보, 第三千五百四十九號.

485) 보통학교의 일반적인 명명규칙은 "공립+지역명+보통학교"이다. 하지만, 항구에 대해서는 "항구명+공립+보통학교"의 명명규칙을 따르고 있다.

486) 勅令第四十四號, 光武十年八月二十七日, 구한말 관보, 第三千五百四十六號.

487) 學部令第四號, 光武十一年四月一日, 구한말 관보, 第三千七百四十八號.

488) 구한말 관보, 第三千七百六十九號에 의거하여, 1907년 4월 1일 옥구항공립보통학교의 교원 이광래(李匡來)는 공립군산보통학교(公立群山普通學校)의 교원으로 전임하고 학교장까지 겸임하였다. 따라서 공립군산보통학교가 옥구항공립보통학교를 실제적으로 승계하고 있다고 판단할 수 있다.

489) 다만 옥구항에 위치한 것은 분명하기에 현재의 월명동 주민센터(35.98637,

위치는 현재의 상주초등학교[490] 자리이다.[491]

▌금성군공립소학교(金城郡公立小學校), 금성군공립보통학교(金城郡公立普通學校), 공립금성보통학교(公立金城普通學校): 금성군공립소학교는 1895년 7월 19일 칙령 제145호 소학교령(小學校令)[492]에 의거하여, 1899년 12월 27일부터 1900년 2월 27일 사이에 개교했을 것으로 추정된다.[493] 1906년 8월 27일 칙령 제44호 보통학교령(普通學校令)[494] 및 1906년 9월 1일 학부령 제27호[495]에 의거하여, 금성군공립보통학교로 개편하였다. 1906년 8월 27일 칙령 제44호 보통학교령(普通學校令)[496]과 1910년 6월 15일 학부고시 제16호 공립보통학교 설치인가(公立普通學校 設置認可)[497]에 의거하여, 1910년 6월 9일 인가된 공립금성보통학교로 실질적으로 승계되었다.[498] 다만 금성군공립보통학교는 1907년 6월 21일에 사실상 폐교한 것으로 추정된다.[499] 금성군공립소학교, 금성군공립보통학교, 공립금성보통학교의

126.70886)를 중심으로 600m 이내에 위치했을 것으로 추정된다.

490) 군산중앙초등학교 경위도 좌표: 35.98233, 126.71642

491) 공립군산보통학교는 지금까지 이전 없이 몇 번의 개명을 거쳐서 현재의 군산중앙초등학교가 되었다.

492) 勅令第一百四十五號, 開國五百四年七月十九日, 구한말 관보, 第一百十九號.

493) 구한말 관보, 第一千四百八十五號에 따르면, 1900년 1월 27일 이종각(李鍾珏)이 곽산군공립소학교의 교원으로 임용되었다. 따라서 곽산군공립소학교의 개교일은 이종각의 임용일 전후로 한 달을 넘지 않을 것으로 추정된다.

494) 勅令第四十四號, 光武十年八月二十七日, 구한말 관보, 第三千五百四十六號.

495) 學部令第二十七號, 光武十年九月一日, 구한말 관보, 第三千五百四十九號.

496) 勅令第四十四號, 光武十年八月二十七日, 구한말 관보, 第三千五百四十六號.

497) 學部告示第一六號, 隆熙四年六月十五日, 구한말 관보, 第四千七百七號.

498) 구한말 관보, 第三千三百三十九號에 의거하여, 1905년 12월 29일 정주영(鄭洙英)이 금성군공립보통학교(金城郡公立普通學校)의 교원에 임명되었다. 그런데 구한말 관보, 第三千五百九十六號에 따르면, 1906년 10월 26일 정주영(鄭洙英)은 공립금성보통학교의 교원으로 견책 처분을 받았다. 그 사이에 전임 명령이 없는 것으로 보아서 자동적으로 승계가 된 것으로 볼 수 있다.

499) 구한말 관보, 第三千七百四十八號에 따르면, 1907년 6월 21일 노탁(盧鐸)이 금성군

위치는 미상이다.[500]

▌밀양군공립소학교(密陽君公立小學校), 공립밀양보통학교(公立密陽普通學校): 밀양군공립소학교는 1895년 7월 19일 칙령 제145호 소학교령(小學校令)[501]에 의거하여, 1901년 6월 6일부터 1901년 8월 6일 사이에 개교했을 것으로 추정된다.[502] 1906년 8월 27일 칙령 제44호 보통학교령(普通學校令)[503] 및 1910년 3월 4일 학부고시 제3호[504]에 의거하여, 사립개창학교로부터 1908년 1월 1일부터 1908년 4월 22일 사이에 신설된 공립밀양보통학교[505]로 실질적 승계가 되었다.[506] 밀양군공립소학교의 위치는 미상이다.[507] 공립밀양보통학교의 위치는 현재의 밀양초등학교[508] 자리이다.[509]

공립보통학교의 부교원에서 해임하였다. 그 이후 다른 인사기록이 보이지 않고, 1910년 6월 15일 학부고시 제16호에 의해서 공립금성보통학교(公立金城普通學校)가 인가되었다는 점을 보았을 때 실제로 폐교하였다고 판단할 수 있다.

500) 다만 금성군 구시가에 위치한 것은 분명하기에 현재의 평강군 탑거리(塔距里)(38.42241, 127.58994)를 중심으로 500m 이내에 위치했을 것으로 추정된다.

501) 勅令第一百四十五號, 開國五百四年七月十九日, 구한말 관보, 第一百十九號.

502) 구한말 관보, 第一千九百三十二號에 따르면, 1901년 7월 6일 손영수(孫瑛秀)가 밀양군공립소학교의 교원으로 임용되었다. 따라서 밀양군공립소학교의 개교일은 손영수의 임용일 전후로 한 달을 넘지 않을 것으로 추정된다.

503) 勅令第四十四號, 光武十年八月二十七日, 구한말 관보, 第三千五百四十六號.

504) 學部告示第三號, 隆熙四年三月四日, 구한말 관보, 第四千六百二十號.

505) 학교연혁, 밀양초등학교, http://miryang-p.gne.go.kr/?SCODE=S0000000164&mnu=M001005002

506) 구한말 관보, 第三千三百四十五號에 의거하여, 1906년 1월 9일에 밀양군공립소학교에 임명된 부교원 이원조(李元祚)가 구한말 관보, 第三千八百七十八號에 의거하여, 1907년 9월 23일 공립밀양보통학교에서 해임된다. 따라서 공립밀양보통학교가 밀양군공립소학교를 실제적으로 승계하고 있다고 판단할 수 있다.

507) 다만 밀양군에 위치한 것은 분명하기에 현재의 밀양관아(35.49434, 128.75405)를 중심으로 1km 이내에 위치했을 것으로 추정된다.

508) 밀양초등학교 경위도 좌표: 35.4889, 128.7561

509) 공립밀양보통학교는 지금까지 이전 없이 몇 번의 개명을 거쳐서 현재의 밀양초등학교가 되었다.

▮ 안성군공립소학교(安城郡公立小學校), 안성군공립보통학교(安城郡公立普通學校) 공립안성보통학교(公立安城普通學校): 안성군공립소학교는 1895년 7월 19일 칙령 제145호 소학교령(小學校令)[510]에 의거하여, 1904년 10월 4일부터 1904년 12월 4일 사이에 개교했을 것으로 추정된다.[511] 1906년 8월 27일 칙령 제44호 보통학교령(普通學校令)[512] 및 1906년 9월 1일 학부령 제27호[513]에 의거하여, 안성군공립보통학교로 개편하였다. 1906년 8월 27일 칙령 제44호 보통학교령(普通學校令)[514]과 1907년 4월 1일 학부령 제4호 공립보통학교명칭급소재지건(公立普通學校名稱及所在地件)[515]에 의거하여, 1907년 4월 1일에 신설된 공립안성보통학교로 실질적 승계가 되었다.[516] 안성군공립소학교, 공립안성보통학교의 위치는 미상이다.[517]

4. 공립학교(소학교-보통학교 지역승계)

▮ 인천부공립소학교(仁川府公立小學校), 인천군공립소학교(仁川郡公立小學校), 인천항공립소학교(仁川港公立小學校)[518]: 인천부공립소학교는 1895년 7월 19일

---

510) 勅令第一百四十五號, 開國五百四年七月十九日, 구한말 관보, 第一百十九號.

511) 구한말 관보, 第二千九百七十五號에 따르면, 1904년 11월 4일 한상오(韓相五)가 안성군공립소학교의 교원으로 임용되었다. 따라서 밀양군공립소학교의 개교일은 한상오의 임용일 전후로 한 달을 넘지 않을 것으로 추정된다.

512) 勅令第四十四號, 光武十年八月二十七日, 구한말 관보, 第三千五百四十六號.

513) 學部令第二十七號, 光武十年九月一日, 구한말 관보, 第三千五百四十九號.

514) 勅令第四十四號, 光武十年八月二十七日, 구한말 관보, 第三千五百四十六號.

515) 學部令第四號, 光武十一年四月一日, 구한말 관보, 第三千七百四十八號.

516) 구한말 관보, 第三千七百六十九號에 따르면, 1907년 4월 1일 안성군공립보통학교(安城郡公立普通學校)의 교원 이무년(李茂年)이 공립안성보통학교(公立安城普通學校)로 전임하고 학교장까지 겸임한 것으로 보아 실제적으로 승계하고 있다고 판단할 수 있다.

517) 다만 안성군에 위치한 것은 분명하기에 현재의 안성향교(37.01377, 127.27637)로부터 1km 이내에 위치했을 것으로 추정된다.

518) 인천은 조선왕조실록 1896년 8월 4일 칙령 제36호에 따라 인천부였다. 1903년 7월 3일 칙령 제10호에 따라 인천군으로 개명되었다. 그런데 인천은 개항이라는 특별한

칙령 제145호 소학교령(小學校令)[519]에 의거하여, 1895년 12월 22일부터 1896년 2월 22일 사이에 개교했을 것으로 추정된다.[520] 1903년 7월 3일 칙령 제10호[521]에 따라, 인천군공립소학교로 개명하였다. 하지만 인천군공립소학교는 교원과 부교원의 임명과 해임을 짧은 시간 동안 반복하다가[522] 1905년 3월 17일부터 1906년 9월 17일 사이에 사실상 폐교한 것으로 추정된다.[523] 인천부공립소학교의 위치는 미상이다.[524]

▌공립인천보통학교(公立仁川普通學校): 공립인천보통학교는 1906년 8월 27일 칙령 제44호 보통학교령(普通學校令)[525]과 1907년 4월 1일 학부령 제4호 공립보통학교명칭급소재지건(公立普通學校名稱及所在地件)[526]에 의거하여, 1907년 5월 6일에 개교하였다.[527] 공립인천보통학교는 현재의 인천

지위 때문에 구한말 관보에 인천항공립소학교(仁川港公立小學校)로 기술되기도 하였다.

519) 勅令第一百四十五號, 開國五百四年七月十九日, 구한말 관보, 第一百十九號.

520) 구한말 관보, 第二百三十號에 따르면 1896년 1월 22일 변영대(卞榮大)가 인천부공립소학교의 교원으로 임용되었다. 따라서 인천부공립소학교의 개교일은 변영대의 임용일 전후로 한 달을 넘지 않을 것으로 추정된다.

521) 조선왕조실록 1900년 9월 4일 칙령 30호.

522) 1903년 1월 20일부터 1905년 10월 17일까지 2년이 안 되는 시간 동안 1902년 5월 13일 최초 부교원 임명부터 1905년 3월 17일 최후 임용까지 3년이 안 되는 시간 동안 총 9명의 교원과 부교원의 임용, 해임 및 전임이 발생하였다.

523) 구한말 관보, 第三千八十九號에 따르면 1905년 3월 17일 관립소학교 교원인 조관증(趙寬增)이 함흥군공립소학교의 교원으로 임용되었다. 그 이후 함흥군공립소학교에 관련된 인사기록은 보이지 않는다. 교원의 임명과 해임 양상을 고려했을 때 함흥군공립소학교는 6개월 이내에 폐교했을 것으로 추정된다.

524) 다만 인천항과 혼용을 한 것으로 보아서 인천항에 위치한 것으로 추정되기에 인천감리서 위치로 추정되는 현재의 인천신포스카이타워(37.47267, 126.62692)를 중심으로 1km 이내에 위치했을 것으로 추정된다. 혹은 인천 구시가지에 위치한다면, 현재의 인천도호부청사(37.43898, 126.68772)로부터 500m 이내에 위치했을 것으로 추정된다.

525) 勅令第四十四號, 光武十年八月二十七日, 구한말 관보, 第三千五百四十六號.

526) 學部令第四號, 光武十一年四月一日, 구한말 관보, 第三千七百四十八號.

527) 학교연혁, 인천창영초등학교, http://changyeong.icees.kr/sub/info.do?m=0204&s=changyeong

창영초등학교[528]에 위치하였다.[529]

▌수원군공립소학교(水原郡公立小學校): 수원군공립소학교는 1895년 7월 19일 칙령 제145호 소학교령(小學校令)[530]에 의거하여, 1896년 2월 10일 개교하였다.[531][532] 하지만 다른 인사명령 없이 1898년 6월 10일에 사실상 폐교한 것으로 추정된다.[533] 수원군공립소학교의 위치는 미상이다.[534]

▌경기관찰부공립소학교(京畿觀察府公立小學校), 공립수원보통학교(公立水原普通學校): 경기관찰부공립소학교는 1895년 7월 19일 칙령 제145호 소학교령(小學校令)[535] 및 1896년 9월 11일 학부령 제5호 지방공립소학교위치(地方公立小學校位置)[536]에 의거하여, 1896년 7월 16일부터 1896년 9월 16일 사이에 개교했을 것으로 추정된다.[537] 1906년 8월 27일 칙령 제44호 보통학교

528) 인천창영초등학교 경위도 좌표: 37.47181, 126.63942

529) 공립인천보통학교는 지금까지 이전 없이 몇 번의 개명을 거쳐서 현재의 인천창영초등학교가 되었다.

530) 勅令第一百四十五號, 開國五百四年七月十九日, 구한말 관보, 第一百十九號.

531) 수원신풍초등학교, 한국민족문화대백과사전, http://encykorea.aks.ac.kr/Contents/Index?contents_id=E0031607

532) 구한말 관보, 第四百卅四號에 따르면, 1896년 2월 4일 이필구(李弼求)가 수원군공립소학교의 교원으로 임용되었다.

533) 구한말 관보, 第九百七十四號에 따르면, 1898년 6월 10일 수원군공립소학교 교원 이필구(李弼求)가 전라남도관찰부공립소학교 교원으로 임용되었다. 그 이후 수원군공립소학교에 어떠한 인사명령도 출현하지 않는 것으로 보아서 동일 지역에 있던 경기관찰부공립소학교로 지역 교육 기능이 통합되었을 것으로 판단된다.

534) 다만 수원관아로 사용되던 화성행궁 유여택(37.28153, 127.01333)을 중심으로 500m 이내에 위치했을 것으로 추정된다. 혹은 수원향교에 위치한다면, 수원향교(37.27254, 127.01211)로부터 500m 이내에 위치했을 것으로 추정된다.

535) 勅令第一百四十五號, 開國五百四年七月十九日, 구한말 관보, 第一百十九號.

536) 學部令第五號, 建陽元年九月十七日, 구한말 관보, 第四百卅四號.

537) 구한말 관보, 第四百卅三號에 따르면, 1896월 8월 16일 황한동(黃漢東)이 경기관찰부공립소학교의 교원으로 임용되었다. 따라서 경기관찰부공립소학교의 개교일은 황한동의 임명일을 전후로 한 달을 넘지 않을 것으로 추정된다. 당시 경기관찰부공립소

령(普通學校令)[538] 및 1906년 9월 1일 학부령 第27호[539]에 의거하여, 공립 수원보통학교로 개편하였다. 경기관찰부공립소학교의 위치는 현재의 수원 신풍초등학교[540] 자리이다.[541]

▌파주군공립소학교(坡州郡公立小學校): 파주군공립소학교는 1895년 7월 19일 칙령 第145호 소학교령(小學校令)[542]에 의거하여, 1896년 2월 20일부터 1896년 4월 20일 사이에 개교했을 것으로 추정된다.[543] 하지만 파주군공립소학교는 교원과 부교원의 임명과 해임을 반복하면서 1904년 4월 14일에 사실상 폐교한 것으로 추정된다.[544] 파주군공립소학교의 위치는 미상이다.[545]

▌공립파주보통학교(公立坡州普通學校): 공립파주보통학교는 1906년 8월 27일 칙령 第44호 보통학교령(普通學校令)[546] 및 1910년 3월 4일 학부고시

학교의 소재지인 수원에는 수원군공립소학교(水原郡公立小學校)가 동시기에 존재하고 있었으며, 임명 기록에 따르면 서로 독립되어 있었다.

538) 勅令第四十四號, 光武十年八月二十七日, 구한말 관보, 第三千五百四十六號.

539) 學部令第二十七號, 光武十年九月一日, 구한말 관보, 第三千五百四十九號.

540) 수원신풍초등학교 경위도 좌표: 37.28587, 127.05319

541) 경기관찰부공립소학교는 지금까지 이전 없이 몇 번의 개명을 거쳐서 현재의 수원신풍초등학교가 되었다.

542) 勅令第一百四十五號, 開國五百四年七月十九日, 구한말 관보, 第一百十九號.

543) 구한말 관보, 第二百八十一號에 따르면, 1896월 3월 20일 이한응(李漢應)이 파주군공립소학교의 교원으로 임용되었다. 따라서 파주군공립소학교의 개교일은 이한응의 임명일을 전후로 한 달을 넘지 않을 것으로 추정된다.

544) 구한말 관보, 第二千八百號에 따르면, 1904년 4월 14일 유영수(柳榮秀)가 파주군공립소학교의 부교원에서 해임되었다. 그 이후 파주군공립소학교에 관련된 인사기록은 보이지 않는다.

545) 다만 파주 관아 인근에 있었을 가능성이 높기에 파주 관아가 있던 곳으로 추정되는 현재의 파주초등학교(37.8323, 126.81586)로부터 600m 이내에 위치했을 것으로 추정된다.

546) 勅令第四十四號, 光武十年八月二十七日, 구한말 관보, 第三千五百四十六號.

제3호[547]에 의거하여, 1909년 4월 1일 개교하였다.[548] 공립파주보통학교는 현재의 파주초등학교[549]에 위치하였다.[550]

▌청주군공립소학교(淸州郡公立小學校): 청주군공립소학교는 1895년 7월 19일 칙령 제145호 소학교령(小學校令)[551]에 의거하여, 1896년 9월 30일부터 1896년 11월 30일 사이에 개교했을 것으로 추정된다.[552] 하지만 삼등군공립소학교는 교원과 부교원의 임명과 해임을 반복하면서 1905년 10월 24일부터 1906년 4월 24일 사이에 사실상 폐교한 것으로 추정된다.[553] 청주군공립소학교는 현재의 주성초등학교[554] 자리에 위치하였다.[555]

---

547) 學部告示第三號, 隆熙四年三月四日, 구한말 관보, 第四千六百二十號.

548) 학교연혁, 파주초등학교, http://arch.goeia.go.kr/archmain/?menugrp=cafe&master=bbs&act=list&cafe_sid=3334&master_sid=13334

549) 파주초등학교 경위도 좌표: 37.8323, 126.81586

550) 공립파주보통학교는 지금까지 이전 없이 몇 번의 개명을 거쳐서 현재의 파주초등학교가 되었다.

551) 勅令第一百四十五號, 開國五百四年七月十九日, 구한말 관보, 第一百十九號.

552) 구한말 관보, 第四百七十號에 따르면, 1896년 10월 30일 김계명(金啓明)이 청주군공립소학교의 교원으로 임용되었다. 따라서 청주군공립소학교의 개교일은 김계명의 임용일 전후로 한 달을 넘지 않을 것으로 추정된다. 다만 주성초등학교의 학교연혁에 따르면 1896년 9월 17일에 개교하였다. 그러나 1899년 6월 27일에나 최초의 교원이 배정되었기에 청주군공립소학교는 1896년 11월 6일 이후에나 실질적으로 운영되었을 가능성이 높다.

553) 구한말 관보, 第三千二百七十八號에 따르면, 1905년 10월 24일 오영석(吳永奭)이 청주군공립소학교에 부교원으로 임명되었다. 그 이후 1907년 5월 1일 공립청주보통학교 이전의 어떠한 청주군공립소학교에 관련된 인사기록은 보이지 않는다. 따라서 당시의 교원과 부교원 임명과 해임 양상을 고려하였을 때 사실상 청주군공립소학교는 운영되지 않았을 것으로 보인다. 다만 주성초등학교의 학교연혁에 따르면 청주군공립소학교와 공립청주보통학교가 승계관계에 있다. 그러나 위치적인 승계관계라고는 볼 수 있지만, 교원의 승계는 이루어지지 않았기에 분리하여 서술하였다.

554) 주성초등학교 경위도 좌표: 36.64143, 127.48516

555) 청주군공립소학교는 지금까지 이전 없이 몇 번의 개명을 거쳐서 현재의 주성초등학교가 되었다.

▌공립청주보통학교(公立淸州普通學校): 공립청주보통학교는 1906년 8월 27일 칙령 제44호 보통학교령(普通學校令)[556] 및 1906년 9월 1일 학부령 제27호[557]에 의거하여, 1907년 4월 1일부터 1907년 6월 1일 사이에 개교했을 것으로 추정된다.[558] 공립청주보통학교는 현재의 주성초등학교[559] 자리에 위치하였다.[560]

▌남원군공립소학교(南原郡公立小學校): 남원군공립소학교는 1895년 7월 19일 칙령 제145호 소학교령(小學校令)[561]에 의거하여, 1896년 10월 6일부터 1896년 12월 6일 사이에 개교했을 것으로 추정된다.[562] 하지만 남원군공립소학교는 교원과 부교원의 임명과 해임을 반복하면서 1904년 4월 14일에 사실상 폐교한 것으로 추정된다.[563] 남원군공립소학교의 위치는 미상이다.[564]

---

556) 勅令第四十四號, 光武十年八月二十七日, 구한말 관보, 第三千五百四十六號.

557) 學部令第二十七號, 光武十年九月一日, 구한말 관보, 第三千五百四十九號.

558) 구한말 관보, 第四百七十號에 따르면, 1907년 5월 1일 신태석(申台錫)이 공립청주보통학교의 부교원으로 임용되었다. 따라서 공립청주보통학교의 개교일은 신태석의 임용일 전후로 한 달을 넘지 않을 것으로 추정된다.

559) 주성초등학교 경위도 좌표: 36.64143, 127.48516

560) 공립청주보통학교는 지금까지 이전 없이 몇 번의 개명을 거쳐서 현재의 주성초등학교가 되었다.

561) 勅令第一百四十五號, 開國五百四年七月十九日, 구한말 관보, 第一百十九號.

562) 구한말 관보, 第四百七十六號에 따르면, 1896년 11월 6일에 최초로 박치상(朴稚祥)이 남원군공립소학교의 교원으로 임명되었다. 다만, 남원용성초등학교의 학교연혁에 따르면, 1896년 9월 7일에 개교하였다. 그러나 박치상의 임명일을 고려하면 남원군공립소학교는 1896년 11월 6일 이후에나 실질적으로 운영되었을 가능성이 높다.

563) 구한말 관보, 第二千八百號에 따르면, 1904년 4월 14일 이용래(李龍來)가 정주군공립소학교의 부교원에서 해임되었다. 그 이후 정주군공립소학교에 관련된 인사기록은 보이지 않는다. 당시의 교원과 부교원의 임명과 해임 양상을 고려하였을 때 정주군공립소학교는 사실상 운영되지 않았을 것으로 보인다.

564) 다만 공립남원보통학교로 승계되는 과정에서 학교의 이전이 없었다면 공립남원보통학교와 현재의 남원용성초등학교(35.41016, 127.3799)의 위치는 동일하다. 하지만 공립남원보통학교가 신설로 만들어져서 이전이 있었을 가능성도 있다. 이 경우 남원

▌공립남원보통학교(公立南原普通學校): 공립남원보통학교는 1906년 8월 27일 칙령 제44호 보통학교령(普通學校令)565) 및 1907년 4월 1일 학부령 제4호 공립보통학교명칭급소재지건(公立普通學校名稱及所在地件)566)에 의거하여, 1907년 4월 1일부터 1907년 6월 1일 사이에 개교한 것으로 추정된다.567) 공립남원보통학교의 위치는 현재의 남원용성초등학교568) 자리이다.569)

▌원산항공립소학교(元山港公立小學校): 원산항공립소학교는 1895년 7월 19일 칙령 제145호 소학교령(小學校令)570)에 의거하여, 1896년 10월 6일부터 1896년 12월 6일 사이에 개교했을 것으로 추정된다.571) 하지만 원산항공립소학교는 교원과 부교원의 임명과 해임을 짧은 시간 동안 반복하다가 1899년 5월 16일부터 1899년 11월 16일 사이에 사실상 폐교한 것으로 추정한다.572) 원산항공립소학교의 위치는 미상이다.573)

군공립소학교는 현재의 광한루원(35.40294, 127.37957)을 중심으로 1km 이내에 위치했을 것으로 추정된다.

565) 勅令第四十四號, 光武十年八月二十七日, 구한말 관보, 第三千五百四十六號.

566) 學部令第四號, 光武十一年四月一日, 구한말 관보, 第三千七百四十八號.

567) 구한말 관보, 第三千七百七十八號에 따르면, 1907년 5월 1일의 공립강화보통학교(公立江華普通學校)의 부교원 어병선(魚秉善)이 공립남원보통학교의 부교원으로 임용되었다. 다만, 남원용성초등학교의 학교연혁에 따르면, 남원용성초등학교는 1906년 6월 7일에 개교하였다. 그러나, 어병선의 임명일을 고려하면 공립강화보통학교는 1907년 5월 1일 이후에나 실질적으로 운영되었을 가능성이 높다.

568) 남원용성초등학교 경위도 좌표: 35.41016, 127.3799

569) 공립남원보통학교는 지금까지 이전 없이 몇 번의 개명을 거쳐서 현재의 남원용성초등학교가 되었다.

570) 勅令第一百四十五號, 開國五百四年七月十九日, 구한말 관보, 第一百十九號.

571) 구한말 관보, 第四百七十六號에 따르면, 1896년 11월 6일 김봉수(金鳳秀)가 원산항공립소학교의 교원으로 임용되었다. 따라서 원산항공립소학교의 개교일은 김봉수의 임명일 전후로 한 달을 넘지 않을 것으로 추정된다.

572) 구한말 관보, 第一千二百六十四號에 따르면 원산항공립소학교의 이름이 마지막으로 출현하는 인사기록은 1899년 5월 16일 원산항공립소학교 교원 김윤정(金允鼎)의 승급이다. 그런데 구한말 관보, 第一千六百九十三號에 따르면, 김윤정은 1900년 9월 26일 문천군공립소학교(文川郡公立小學校)의 교원으로 승급한다. 따라서 원산항공립소학

▌공립원산보통학교(公立元山普通學校): 공립원산보통학교는 1906년 8월 27일 칙령 제44호 보통학교령(普通學校令)[574] 및 1907년 4월 1일 학부령 제4호 공립보통학교명칭급소재지건(公立普通學校名稱及所在地件)[575]에 의거하여, 1907년 3월 1일부터 1907년 5월 1일 사이에 개교했을 것으로 추정된다.[576] 공립원산보통학교의 위치는 미상이다.[577]

▌의주군공립소학교(義州郡公立小學校): 의주군공립소학교는 1895년 7월 19일 칙령 제145호 소학교령(小學校令)[578]에 의거하여, 1896년 10월 16일부터 1896년 12월 16일 사이에 개교했을 것으로 추정된다.[579] 하지만 의주군공립소학교는 교원과 부교원의 임명과 해임을 반복하면서 1904년 4월 14일에 사실상 폐교한 것으로 추정된다.[580] 의주군공립소학교의 위치는 미상이다.[581]

교는 명맥을 유지하지 못하였다고 추정된다.

573) 다만 원산 구시가에 위치한 것은 분명하기에 현재의 원산시 시중심(39.16628, 127.43078)으로부터 700m 이내에 위치했을 것으로 추정된다.

574) 勅令第四十四號, 光武十年八月二十七日, 구한말 관보, 第三千五百四十六號.

575) 學部令第四號, 光武十一年四月一日, 구한말 관보, 第三千七百四十八號.

576) 구한말 관보, 第三千七百六十九號에 따르면, 1907년 4월 1일 홍재명(洪在明)이 공립원산보통학교의 교원으로 임용되었다. 따라서 공립원산보통학교의 개교일은 홍재명의 임명일 전후로 한 달을 넘지 않을 것으로 추정된다.

577) 다만 원산시 구시가에 위치한 것은 분명하기에 현재의 원산시 시중심(39.16628, 127.43078)으로부터 700m 이내에 위치했을 것으로 추정된다.

578) 勅令第一百四十五號, 開國五百四年七月十九日, 구한말 관보, 第一百十九號.

579) 구한말 관보, 第四百八十四號에 따르면, 1896년 11월 16일 정규종(鄭奎鍾)이 의주군공립소학교의 교원으로 임용되었다. 따라서 의주군공립소학교의 개교일은 정규종의 임용일 전후로 한 달을 넘지 않을 것으로 추정된다.

580) 구한말 관보, 第二千八百號에 따르면, 1904년 4월 14일 오계선(吳桂善)이 의주군공립소학교의 부교원에서 해임되었다. 그 이후 의주군공립소학교에 관련된 인사기록은 보이지 않는다.

581) 다만 의주군 구시가에 위치한 것은 분명하기에 현재의 의주군 중심가(40.19792, 124.53155)로부터 500m 이내에 위치했을 것으로 추정된다.

▮ 공립의주보통학교(公立義州普通學校): 공립의주보통학교는 1906년 8월 27일 칙령 제44호 보통학교령(普通學校令)[582]과 1907년 4월 1일 학부령 제4호 공립보통학교명칭급소재지건(公立普通學校名稱及所在地件)[583]에 의거하여, 1907년 7월 1일부터 1907년 9월 1일 사이에 개교했을 것으로 추정된다.[584] 공립의주보통학교의 위치는 미상이다.[585]

▮ 제주목공립소학교(濟州牧公立小學校)[586]: 제주목공립소학교는 1895년 7월 19일 칙령 제145호 소학교령(小學校令)[587]에 의거하여, 1896년 10월 16일부터 1896년 12월 16일 사이에 개교했을 것으로 추정된다.[588] 하지만 제주목공립소학교는 교원과 부교원의 임명과 해임을 반복하면서 1905년 11월 13일부터 1906년 5월 1일 사이에 사실상 폐교한 것으로 추정된다.[589]

---

582) 勅令第四十四號, 光武十年八月二十七日, 구한말 관보, 第三千五百四十六號.

583) 學部令第四號, 光武十一年四月一日, 구한말 관보, 第三千七百四十八號.

584) 구한말 관보, 第三千七百八十號에 따르면 1907년 5월 30일 의주군 군수 정해운(鄭海運)이 공립의주보통학교의 학교장을 겸직하게 한다. 또한 구한말 관보, 第三千七百八十四號에 따르면, 1907년 8월 1일에 이택세(金澤世)가 공립의주보통학교의 부교원으로 임명된다. 따라서 공립의주보통학교의 개교일은 이택세의 임명일 전후로 한 달을 넘지 않을 것으로 추정된다.

585) 다만 의주군 구시가에 위치한 것은 분명하기에 현재의 의주군 중심가(40.19792, 124.53155)로부터 500m 이내에 위치했을 것으로 추정된다.

586) 구한말 관보에는 제주군공립소학교(濟州郡公立小學校)에 대한 기술이 1회 등장한다. 그러나 1906년 9월 24일 칙령 제47호에 의해서 제주목이 폐지되고, 제주부로 변경된다. 이에 따라서 제주군공립소학교에 대한 기술은 이십삼부 제도하의 제주군 표기에 따른 오기로 보인다.

587) 勅令第一百四十五號, 開國五百四年七月十九日, 구한말 관보, 第一百十九號.

588) 구한말 관보, 第三千七百六十九號에 따르면, 1896월 11월 16일 전석규(田錫圭)가 제주목공립소학교의 교원으로 임용되었다. 따라서 제주목공립소학교의 개교일은 홍재명의 임명일 전후로 한 달을 넘지 않을 것으로 추정된다.

589) 구한말 관보, 第三千二百九十五號에 따르면, 1905년 11월 13일 장성흠(張聖欽)이 제주목공립소학교에 부교원으로 임명되었다. 그 이후 1907년 5월 1일 공립제주보통학교 이전의 어떠한 제주목공립소학교에 관련된 인사기록은 보이지 않는다. 따라서 당시의 교원과 부교원 임명과 해임 양상을 고려하였을 때 사실상 제주목공립소학교는 운영되지 않았을 것으로 보인다.

제주목공립소학교의 위치는 미상이다.[590)]

▌공립제주보통학교(公立濟州普通學校): 1906년 8월 27일 칙령 제44호 보통학교령(普通學校令)[591)]과 1907년 4월 1일 학부령 제4호 공립보통학교명칭급소재지건(公立普通學校名稱及所在地件)[592)]에 의거하여, 1907년 4월 30일부터 1907년 6월 30일 사이에 개교했을 것으로 추정된다.[593)] 공립제주보통학교는 현재의 제주북초등학교[594)]에 위치하였다.[595)]

▌원주군공립소학교(原州郡公立小學校): 원주군공립소학교는 1895년 7월 19일 칙령 제145호 소학교령(小學校令)[596)]에 의거하여, 1896년 10월 18일부터 1896년 12월 18일 사이에 개교했을 것으로 추정된다.[597)] 하지만 원주군공립소학교는 교원과 부교원의 임명과 해임을 반복하면서 1904년 4월 14일에 사실상 폐교한 것으로 추정된다.[598)] 원주군공립소학교의 위치는

---

590) 다만 정주 구시가에 위치한 것은 분명하기에 현재의 정주청년역(39.68748, 125.2142)을 중심으로 1.5km 이내에 위치했을 것으로 추정된다.

591) 勅令第四十四號, 光武十年八月二十七日, 구한말 관보, 第三千五百四十六號.

592) 學部令第四號, 光武十一年四月一日, 구한말 관보, 第三千七百四十八號.

593) 구한말 관보, 第三千七百八十號에 따르면 1907년 5월 30일 제주군 군수 윤원구(尹元求)가 공립제주보통학교의 학교장을 겸직하게 하였다. 제주북초등학교의 학교연혁에서는 1907년 5월 19일에 개교하였다고 기술하고 있다.

594) 제주북초등학교 경위도 좌표: 33.51512, 126.52258

595) 공립제주보통학교는 지금까지 이전 없이 몇 번의 개명을 거쳐서 현재의 제주북초등학교가 되었다.

596) 勅令第一百四十五號, 開國五百四年七月十九日, 구한말 관보, 第一百十九號.

597) 구한말 관보, 第四百八十四號에 따르면, 1896년 11월 18일 이승의(李昇儀)가 원주군공립소학교의 교원으로 임용되었다. 따라서 원주군공립소학교의 개교일은 이승의의 임용일 전후로 한 달을 넘지 않을 것으로 추정된다. 다만 원주초등학교 학교연혁에 따르면, 원주군공립소학교는 1896년 9월 17일에 개교하였다. 다만 1896년 9월 17일에 개교하였어도 실제적인 학교 운영은 교원이 부임 이후에나 정상적으로 이루어졌을 것으로 판단된다.

598) 구한말 관보, 第二千八百號에 따르면, 1904년 4월 14일 신석휴(申奭休)가 원주군공

현재의 원주초등학교[599] 자리이다.[600]

▌공립원주보통학교(公立原州普通學校): 공립원주보통학교는 1906년 8월 27일 칙령 제44호 보통학교령(普通學校令)[601]과 1907년 4월 1일 학부령 제4호 공립보통학교명칭급소재지건(公立普通學校名稱及所在地件)[602]에 의거하여, 1907년 4월 1일부터 1907년 6월 1일 사이에 개교했을 것으로 추정된다.[603] 공립원주보통학교의 위치는 현재의 원주초등학교[604] 자리이다.[605]

▌정평군공립소학교(定平郡公立小學校): 정평군공립소학교는 1895년 7월 19일 칙령 제145호 소학교령(小學校令)[606]에 의거하여, 1899년 7월 30일부터 1899년 9월 30일 사이에 개교했을 것으로 추정된다.[607] 하지만 정평군공립소학교는 교원과 부교원의 임명과 해임을 반복하면서 1906년 4월 21일부터 1906년 10월 21일 사이에 사실상 폐교한 것으로 추정된다.[608] 정평

립소학교의 부교원에서 해임되었다. 그 이후 원주군공립소학교에 관련된 인사기록은 보이지 않는다.

599) 원주초등학교 경위도 좌표: 37.34746, 127.95899

600) 원주군공립소학교는 지금까지 이전 없이 몇 번의 개명을 거쳐서 현재의 원주초등학교가 되었다.

601) 勅令第四十四號, 光武十年八月二十七日, 구한말 관보, 第三千五百四十六號.

602) 學部令第四號, 光武十一年四月一日, 구한말 관보, 第三千七百四十八號.

603) 구한말 관보, 第三千七百八十四號에 따르면, 1907년 5월 1일에 이건용(李建用)이 공립원주보통학교의 부교원으로 임명된다. 따라서 공립원주보통학교의 개교일은 이건용의 임명일 전후로 한 달을 넘지 않을 것으로 추정된다.

604) 원주초등학교 경위도 좌표: 37.34746, 127.95899

605) 공립원주보통학교는 지금까지 이전 없이 몇 번의 개명을 거쳐서 현재의 원주초등학교가 되었다.

606) 勅令第一百四十五號, 開國五百四年七月十九日, 구한말 관보, 第一百十九號.

607) 구한말 관보, 第一千三百五十四號에 따르면, 1899년 8월 31일 이달훈(李達勳)이 정평군공립소학교의 부교원으로 임용되었다. 따라서 정평군공립소학교의 개교일은 이달훈의 임용일 전후로 한 달을 넘지 않을 것으로 추정된다.

608) 구한말 관보, 第三千四百卅三號에 따르면, 1906년 4월 21일 이인수(李寅秀)가 정평

군공립소학교의 위치는 미상이다.[609)]

▮ 공립정평보통학교(公立定平普通學校): 공립정평보통학교는 1906년 8월 27일 칙령 제44호 보통학교령(普通學校令)[610)]에 의거하여, 1907년 7월 30일부터 1907년 9월 30일 사이에 개교했을 것으로 추정된다.[611)] 공립정평보통학교의 위치는 미상이다.[612)]

▮ 홍원군공립소학교(洪原郡公立小學校), 홍원군공립보통학교(洪原郡公立普通學校): 홍원군공립소학교는 1895년 7월 19일 칙령 제145호 소학교령(小學校令)[613)]에 의거하여, 1899년 12월 2일부터 1900년 2월 2일 사이에 개교했을 것으로 추정된다.[614)] 1906년 8월 27일 칙령 제44호 보통학교령(普通學校令)[615)] 및 1906년 9월 1일 학부령 제27호[616)]에 의거하여, 홍원군공립보

군공립소학교의 부교원에 임명되었다. 그 이후 정평군공립소학교에 관련된 인사기록은 보이지 않는다. 또한 구한말 관보, 第三千八百六十三號에 따르면, 1907년 8월 31일 이인수(李寅秀)가 공립정평보통학교 부교원에 임명되었다. 따라서 정평군공립소학교와 공립정평보통학교는 다른 학교이며, 정평군 공립소학교는 사실상 폐교되었다고 볼 수 있다.

609) 다만 장성군에 위치한 것은 분명하기에 현재의 정평역(39.78486, 127.39874)을 중심으로 1km 이내에 위치했을 것으로 추정된다.

610) 勅令第四十四號, 光武十年八月二十七日, 구한말 관보, 第三千五百四十六號.

611) 구한말 관보, 第三千八百六十三號에 따르면, 1907년 8월 31일 이인수(李寅秀)가 공립정평보통학교 부교원에 임명되었다. 따라서 공립정평보통학교의 개교일은 이인수의 임명일 전후로 한 달을 넘지 않을 것으로 추정된다.

612) 다만 장성군에 위치한 것은 분명하기에 현재의 정평역(39.78486, 127.39874)을 중심으로 1km 이내에 위치했을 것으로 추정된다.

613) 勅令第一百四十五號, 開國五百四年七月十九日, 구한말 관보, 第一百十九號.

614) 구한말 관보, 第一千四百六十號에 따르면, 1900년 1월 2일 김병희(金炳熙)가 홍원군공립소학교의 부교원으로 임용되었다. 따라서 홍원군공립소학교의 개교일은 김병희의 임용일 전후로 한 달을 넘지 않을 것으로 추정된다.

615) 勅令第四十四號, 光武十年八月二十七日, 구한말 관보, 第三千五百四十六號.

616) 學部令第二十七號, 光武十年九月一日, 구한말 관보, 第三千五百四十九號.

통학교로 개명하였다. 하지만 홍원의 공립교육이 신설된 공립홍원보통학교로 이전되면서 1907년 6월 5일에 폐교하였다.[617] 홍원군공립소학교의 위치는 미상이다.[618]

▮ 공립홍원보통학교(公立洪原普通學校): 공립홍원보통학교는 1906년 8월 27일 칙령 제44호 보통학교령(普通學校令)[619]에 의거하여, 1907년 4월 30일부터 1907년 6월 30일 사이에 개교했을 것으로 추정된다.[620] 공립홍원보통학교의 위치는 미상이다.[621]

▮ 종성군공립소학교(鍾城郡公立小學校): 종성군공립소학교는 1895년 7월 19일 칙령 제145호 소학교령(小學校令)[622]에 의거하여, 1900년 5월 4일부터 1900년 7월 4일 사이에 개교했을 것으로 추정된다.[623] 하지만 종성군공립소학교는 부교원의 임명과 해임을 반복하면서 1905년 6월 5일부터 1905년 12월 5일 사이에 사실상 폐교한 것으로 추정된다.[624] 종성군공립

617) 구한말 관보, 第三千七百八十四號에 따르면, 1907년 6월 5일 김규학(金圭學)이 홍원군공립소학교의 부교원에서 해임되었다.

618) 다만 홍원군에 위치한 것은 분명하기에 현재의 홍원역(40.02288, 127.96034)을 중심으로 1km 이내에 위치했을 것으로 추정된다.

619) 勅令第四十四號, 光武十年八月二十七日, 구한말 관보, 第三千五百四十六號.

620) 구한말 관보, 第四千四百二十九號에 따르면, 1907년 5월 31일 강형구(姜烔求)가 공립홍원보통학교의 부교원에 임명되었다. 따라서 공립홍원보통학교의 개교일은 강형구의 임명일 전후로 한 달을 넘지 않을 것으로 추정된다.

621) 다만 홍원군에 위치한 것은 분명하기에 현재의 홍원역(40.02288, 127.96034)을 중심으로 1km 이내에 위치했을 것으로 추정된다.

622) 勅令第一百四十五號, 開國五百四年七月十九日, 구한말 관보, 第一百十九號.

623) 구한말 관보, 第一千五百九十一號에 따르면, 1900년 6월 4일 주정규(朱定奎)가 종성군공립소학교의 부교원으로 임용되었다. 따라서 종성군공립소학교의 개교일은 주정규의 임용일 전후로 한 달을 넘지 않을 것으로 추정된다.

624) 구한말 관보, 第三千一百五十七號에 따르면, 1905년 6월 5일 이영룡(李榮龍)이 종성군공립소학교의 부교원에 임명되었다. 그 이후 종성군공립소학교에 관련된 인사기록은 보이지 않는다.

소학교의 위치는 미상이다.[625]

▮ 공립종성보통학교(公立鍾城普通學校): 공립종성보통학교는 1906년 8월 27일 칙령 제44호 보통학교령(普通學校令)[626]에 의거하여, 1909년 5월 12일부터 1909년 7월 12일 사이에 개교했을 것으로 추정된다.[627] 공립종성보통학교의 위치는 미상이다.[628]

▮ 장연군공립소학교(長連郡公立小學校): 장연군공립소학교는 1895년 7월 19일 칙령 제145호 소학교령(小學校令)[629]에 의거하여, 1900년 6월 11일부터 1900년 8월 11일 사이에 개교했을 것으로 추정된다.[630] 하지만 장연군공립소학교는 1904년 4월 14일에 사실상 폐교한 것으로 추정된다.[631] 장연군공립소학교의 위치는 미상이다.[632]

---

625) 다만 종성군에 위치한 것은 분명하기에 현재의 종성군 중심가(42.76105, 129.79305)로부터 600m 이내에 위치했을 것으로 추정된다.

626) 勅令第四十四號, 光武十年八月二十七日, 구한말 관보, 第三千五百四十六號.

627) 구한말 관보, 第四千四百二十九號에 따르면, 1909년 6월 12일 이영룡(李榮龍)이 공립종성보통학교 부교원에 임명되었다. 따라서 공립종성보통학교의 개교일은 이영룡의 임명일 전후로 한 달을 넘지 않을 것으로 추정된다.

628) 다만 종성군에 위치한 것은 분명하기에 현재의 종성군 중심가(42.76105, 129.79305)로부터 600m 이내에 위치했을 것으로 추정된다.

629) 勅令第一百四十五號, 開國五百四年七月十九日, 구한말 관보, 第一百十九號.

630) 구한말 관보, 第一千六百二十三號에 따르면, 1900년 7월 11일 허곤(許坤)이 장연군공립소학교의 부교원으로 임용되었다. 따라서 장연군공립소학교의 개교일은 허곤의 임용일 전후로 한 달을 넘지 않을 것으로 추정된다.

631) 구한말 관보, 第二千八百號에 따르면, 1904년 4월 14일 허곤(許坤)이 장연군공립소학교의 부교원에서 해임되었다. 그 이후 장성군공립소학교에 관련된 인사기록은 보이지 않는다. 따라서 장성군공립소학교는 한 명의 부교원만이 임명되었다가 해임된 이후에 폐쇄되었을 것으로 보인다.

632) 다만 장연군에 위치한 것은 분명하기에 현재의 장연군 중심가(38.25274, 125.09719)로부터 900m 이내에 위치했을 것으로 추정된다.

▮ 공립장연보통학교(公立長連普通學校): 공립장연보통학교는 1906년 8월 27일 칙령 제44호 보통학교령(普通學校令)633)에 의거하여, 1907년 7월 30일부터 1907년 9월 30일 사이에 개교했을 것으로 추정된다.634) 공립장연보통학교의 위치는 미상이다.635)

▮ 광주군공립소학교(廣州府公立小學校): 광주군공립소학교는 1895년 7월 19일 칙령 제145호 소학교령(小學校令)636)에 의거하여, 1900년 10월 27일부터 1900년 12월 27일 사이에 개교했을 것으로 추정된다.637) 하지만 광주군공립소학교는 교원과 부교원의 임명과 해임을 반복하면서 1905년 6월 2일에 사실상 폐교한 것으로 추정된다.638) 광주군공립소학교의 위치는 미상이다.639)

▮ 공립광주보통학교(公立廣州普通學校): 공립광주보통학교는 1906년 8월 27일 칙령 제44호 보통학교령(普通學校令)640)에 의거하여, 1907년 7월 31일

---

633) 勅令第四十四號, 光武十年八月二十七日, 구한말 관보, 第三千五百四十六號.

634) 구한말 관보, 第三千八百六十三號에 따르면 1907년 8월 31일 조용구(趙鎔九)가 공립장연보통학교 부교원으로 임명되었다. 따라서 공립장연보통학교의 개교일은 조용구의 임명일 전후로 한 달을 넘지 않을 것으로 추정된다.

635) 다만 장연군에 위치한 것은 분명하기에 현재의 장연군 중심가(38.25274, 125.09719)로부터 900m 이내에 위치했을 것으로 추정된다.

636) 勅令第一百四十五號, 開國五百四年七月十九日, 구한말 관보, 第一百十九號.

637) 구한말 관보, 第一千七百四十二號에 따르면, 1900년 11월 27일 한성택(韓聖澤)이 광주부공립소학교의 교원으로 임용되었다. 따라서 광주부공립소학교의 개교일은 한성택의 임용일 전후로 한 달을 넘지 않을 것으로 추정된다.

638) 구한말 관보, 第三千一百五十七號에 따르면, 1905년 6월 2일 광주부공립소학교 교원 서정휘(徐廷徽)가 충청남도관찰부공립소학교(忠淸南道觀察府公立小學校)의 교원으로 전임되었다. 그 이후 광주부공립소학교에 관련된 인사기록은 보이지 않는다.

639) 다만 광주 구시가에 위치한 것은 분명하며, 남한 산성 내부에 학교로 사용하기에 합당한 장소를 고려했을 때, 현재의 남한산초등학교(37.47852, 127.18542)를 중심으로 100m 이내에 위치했을 것으로 추정된다.

640) 勅令第四十四號, 光武十年八月二十七日, 구한말 관보, 第三千五百四十六號.

부터 1907년 9월 30일 사이에 개교했을 것으로 추정된다.[641] 공립광주보통학교의 위치는 미상이다.[642]

▌직산군공립소학교(稷山郡公立小學校): 직산군공립소학교는 1895년 7월 19일 칙령 제145호 소학교령(小學校令)[643]에 의거하여, 1901년 1월 27일부터 1901년 3월 27일 사이에 개교했을 것으로 추정된다.[644] 하지만 직산군공립소학교는 부교원의 임명과 해임을 반복하면서 1904년 7월 26일부터 1905년 1월 26일 사이에 사실상 폐교한 것으로 추정된다.[645] 직산군공립소학교의 위치는 미상이다.[646]

▌공립직산보통학교(公立稷山普通學校): 공립직산보통학교는 1906년 8월 27일 칙령 제44호 보통학교령(普通學校令)[647]과 1910년 5월 24일 학부고시

641) 구한말 관보, 第三千八百六十三號에 따르면, 1907년 8월 31일에 김사찬(金思贊)이 공립광주보통학교(公立廣州普通學校)의 교원으로 임명된다. 따라서 공립광주보통학교의 개교일은 김사찬의 임명일 전후로 한 달을 넘지 않을 것으로 추정된다.

642) 다만 광주 구시가에 위치한 것은 분명하며, 남한 산성 내부에 학교로 사용하기에 합당한 장소를 고려했을 때, 현재의 남한산초등학교(37.47852, 127.18542)를 중심으로 100m 이내에 위치했을 것으로 추정된다.

643) 勅令第一百四十五號, 開國五百四年七月十九日, 구한말 관보, 第一百十九號.

644) 구한말 관보, 第一千八百二十一號에 따르면, 1901년 2월 27일 노승욱(盧昇旭)이 직산군공립소학교의 부교원으로 임용되었다. 따라서 직산군공립소학교의 개교일은 노승욱의 임용일 전후로 한 달을 넘지 않을 것으로 추정된다. 다만 직산초등학교 학교연혁에 따르면, 1897년 4월 24일 설립된 직산현 사립경위학교가 공립소학교 인가를 받아서 1901년 2월 27일에 직산군공립소학교가 개교했다고 기술하고 있다. 1901년 2월 27일은 노승욱의 임용일을 기준으로 한 것으로 판단된다.

645) 구한말 관보, 第三千四百卅三號에 따르면, 1904년 7월 26일 박준채(朴準采)가 직산군공립소학교의 부교원에 임명되었다. 그 이후 직산군공립소학교에 관련된 인사기록은 보이지 않는다.

646) 다만 직산군에 위치하였으며, 직산초등학교의 학교연혁에 따르면 직산초등학교가 직산군공립소학교를 승계하고 있기에 학교 부지 관계상 위치가 변경될 가능성이 낮다는 점을 고려하면 현재의 직산초등학교(36.90395, 127.16255)로 추정할 수 있다.

647) 勅令第四十四號, 光武十年八月二十七日, 구한말 관보, 第三千五百四十六號.

제12호[648]에 의거하여, 1910년 5월 24일 직산군사립경위보통학교(稷山郡私立經緯普通學校)에서 공립직산보통학교로 인가되었고, 1910년 5월 28일 교원[649]이 배치되었다. 공립직산보통학교의 위치는 현재의 직산초등학교[650] 자리이다.[651]

▌상주군공립소학교(尙州君公立小學校): 상주군공립소학교는 1895년 7월 19일 칙령 제145호 소학교령(小學校令)[652]에 의거하여, 1901년 2월 23일부터 1901년 4월 23일 사이에 개교했을 것으로 추정된다.[653] 하지만 상주군공립소학교는 부교원의 임명과 해임을 반복하면서 1906년 4월 21일부터 1906년 10월 21일 사이에 사실상 폐교한 것으로 추정된다.[654] 상주군공립소학교의 위치는 미상이다.[655]

▌공립상주보통학교(公立尙州普通學校): 공립상주보통학교는 1906년 8월 27

648) 學部告示第一二號, 隆熙四年五月二十四日, 구한말 관보, 第四千六百八十八號.

649) 구한말 관보, 第四千六百九十四號에 따라서, 1910년 5월 28일 직산군사립경위보통학교의 센바 부헤이(仙波武平)가 공립직산보통학교의 본과훈도 겸 교감으로, 직산군사립경위보통학교의 민갑훈(閔甲勳)이 공립직산보통학교의 본과부훈도로 임명되었다.

650) 직산초등학교 경위도 좌표: 36.90395, 127.16255

651) 공립직산보통학교는 지금까지 이전 없이 몇 번의 개명을 거쳐서 현재의 직산초등학교가 되었다.

652) 勅令第一百四十五號, 開國五百四年七月十九日, 구한말 관보, 第一百十九號.

653) 구한말 관보, 第一千八百四十二號에 따르면, 1901년 3월 23일 김영우(金永佑)가 상주군공립소학교의 교원으로 임용되었다. 따라서 상주군공립소학교의 개교일은 김영우의 임용일 전후로 한 달을 넘지 않을 것으로 추정된다.

654) 구한말 관보, 第三千四百卌三號에 따르면, 1906년 4월 21일 신관우(申觀雨)가 의주군공립소학교의 부교원으로 임명되었다. 그 이후 의주군공립소학교에 관련된 인사기록은 보이지 않는다. 또한 1907년 4월 27일 학부령 제4호 공립보통학교명칭급소재지건(公立普通學校名稱及所在地件)에 의해서 공립상주보통학교가 신설되었다. 따라서 의주군공립소학교는 실질적으로 폐교되었을 것으로 추정된다.

655) 다만 상주군에 위치한 것은 분명하기에 현재의 상주향청(36.41841, 128.16302)을 중심으로 1km 이내에 위치했을 것으로 추정된다.

일 칙령 제44호 보통학교령(普通學校令)[656]과 1907년 4월 1일 학부령 제4호 공립보통학교명칭급소재지건(公立普通學校名稱及所在地件)[657]에 의거하여, 1906년 11월 30일부터 1907년 5월 30일 사이에 개교했을 것으로 추정된다.[658] 공립상주보통학교의 위치는 현재의 상주초등학교[659] 자리이다.[660]

▌담양군공립소학교(潭陽郡公立小學校): 담양군공립소학교는 1895년 7월 19일 칙령 제145호 소학교령(小學校令)[661]에 의거하여, 1901년 3월 24일부터 1902년 5월 24일 사이에 개교했을 것으로 추정된다.[662] 하지만 담양군공립소학교는 교원 없이 부교원의 임명과 해임을 짧은 시간 동안 반복하다가[663] 1904년 4월 14일에 사실상 폐교한 것으로 추정된다.[664] 담양군공립소학교의 위치는 미상이다.[665]

---

656) 勅令第四十四號, 光武十年八月二十七日, 구한말 관보, 第三千五百四十六號.

657) 學部令第四號, 光武十一年四月一日, 구한말 관보, 第三千七百四十八號.

658) 구한말 관보, 第三千七百八十號에 따르면 1907년 5월 30일 윤달수(尹達洙)가 공립상주보통학교의 부교원에서 해임된다. 따라서 공립상주보통학교의 개교일은 윤달수의 해명일 전 여섯 달을 넘지 않을 것으로 추정된다.

659) 상주부평초등학교 경위도 좌표: 36.41639, 128.15652

660) 공립상주보통학교는 지금까지 이전 없이 몇 번의 개명을 거쳐서 현재의 상주초등학교가 되었다.

661) 勅令第一百四十五號, 開國五百四年七月十九日, 구한말 관보, 第一百十九號.

662) 구한말 관보, 第一千八百六十九號에 따르면 1901년 4월 24일 조병권(趙炳權)이 담양군공립소학교의 부교원으로 임용되었다. 따라서 담양군공립소학교의 개교일은 조병권의 임용일 전후로 한 달을 넘지 않을 것으로 추정된다.

663) 1901년 4월 24일 최초 부교원 임명일로부터 1904년 4월 14일까지 2년이 안 되는 시간 동안 총 8명의 부교원 임용 및 해임이 발생하였다.

664) 구한말 관보, 第二千八百號에 따르면, 1904년 4월 14일 박영수(朴永洙)가 담양군공립소학교의 부교원에서 해임되었다. 그 이후 담양군공립소학교에 관련된 임명 기록은 보이지 않는다.

665) 다만 담양 구시가에 위치한 것은 분명하기에 옛 창평현 관아가 있던 현재의 담양면 사무소(35.23884, 127.01905)를 중심으로 400m 이내에 위치했을 것으로 추정된다.

▮ 공립담양보통학교(公立潭陽普通學校): 공립담양보통학교는 1906년 8월 27일 칙령 제44호 보통학교령(普通學校令)[666]과 1909년 4월 15일 학부고시 제4호 공립보통학교설립인가(公立普通學校設置認可)[667]에 의거하여, 1909년 3월 15일 인가되었고, 1909년 6월 15일 교장[668]이 배치되었다. 공립담양보통학교의 위치는 현재의 담양동초등학교[669] 자리이다.[670]

▮ 단천군공립소학교(端川郡公立小學校): 단천군공립소학교는 1895년 7월 19일 칙령 제145호 소학교령(小學校令)[671]에 의거하여, 1901년 6월 6일부터 1901년 8월 6일 사이에 개교했을 것으로 추정된다.[672] 그러나 오래 유지되지 못하고 1904년 4월 14일에 사실상 폐교한 것으로 추정된다.[673] 단천군공립소학교의 위치는 미상이다.[674]

▮ 공립단천보통학교(公立端川普通學校): 공립단천보통학교는 1906년 8월 27일 칙령 제44호 보통학교령(普通學校令)[675]과 1910년 6월 15일 학부고시

666) 勅令第四十四號, 光武十年八月二十七日, 구한말 관보, 第三千五百四十六號.

667) 學部告示第四號, 隆熙三年四月十五日, 구한말 관보, 第四千三百五十三號.

668) 구한말 관보, 第四千四百六號에 따라서, 1909년 6월 15일 담양군 군수 이호영(李虎榮)이 공립담양보통학교의 교장을 겸임하게 되었다.

669) 담양동초등학교 경위도 좌표: 35.32094, 126.98344

670) 공립담양보통학교는 지금까지 이전 없이 몇 번의 개명을 거쳐서 현재의 담양동초등학교가 되었다.

671) 勅令第一百四十五號, 開國五百四年七月十九日, 구한말 관보, 第一百十九號.

672) 구한말 관보, 第一千九百三十二號에 따르면, 1901년 7월 6일 이연응(李淵應)이 단천군공립소학교의 부교원으로 임용되었다. 따라서 단천군공립소학교의 개교일은 이연응의 임용일 전후로 한 달을 넘지 않을 것으로 추정된다.

673) 구한말 관보, 第二千八百號에 따르면 1904년 4월 14일 이인려(李淵應)가 단천군공립소학교의 부교원에서 해임되었다. 그 이후 단천군공립소학교에 관련된 임명 기록은 보이지 않는다.

674) 다만 단천 구시가 근처에 위치한 것은 분명하기에 현재의 단천시 중심가(40.4588, 128.90377)로부터 1km 이내에 위치했을 것으로 추정된다.

675) 勅令第四十四號, 光武十年八月二十七日, 구한말 관보, 第三千五百四十六號.

제16호[676]에 의거하여, 1910년 3월 3일 인가되었고, 1910년 5월 28일 교원[677]이 배치되었다. 공립단천보통학교의 위치는 미상이다.[678]

▮ 안주군공립소학교(安州郡公立小學校), 안주군공립보통학교(安州郡公立普通學校): 안주군공립소학교는 1895년 7월 19일 칙령 제145호 소학교령(小學校令)[679]에 의거하여, 1901년 7월 21일부터 1901년 9월 21일 사이에 개교했을 것으로 추정된다.[680] 1906년 8월 27일 칙령 제44호 보통학교령(普通學校令)[681] 및 1906년 9월 1일 학부령 제27호[682]에 의거하여, 안주군공립보통학교로 개명하였다. 하지만 안주의 공립교육이 신설된 공립안주보통학교로 이전되면서 1907년 6월 5일에 폐교하였다.[683] 안주군공립소학교의 위치는 미상이다.[684]

▮ 공립안주보통학교(公立安州普通學校): 공립안주보통학교는 1906년 8월 27일 칙령 제44호 보통학교령(普通學校令)[685]과 1907년 5월 1일 학부령 제5

676) 學部告示第一六號, 隆熙四年六月十五日, 구한말 관보, 第四千七百七號.

677) 구한말 관보, 第四千六百九十四號에 따라서, 1910년 5월 28일 아라키 이노쿠마(荒木猪熊)가 본과훈도로, 손일봉(孫日峯)이 본과부훈도로 임명되었다.

678) 다만 단천 구시가 근처에 위치한 것은 분명하기에 현재의 단천시 중심가(40.4588, 128.90377)로부터 1km 이내에 위치했을 것으로 추정된다.

679) 勅令第一百四十五號, 開國五百四年七月十九日, 구한말 관보, 第一百十九號.

680) 구한말 관보, 第一千九百七十一號에 따르면, 1901년 8월 21일 이석룡(李錫龍)이 안주군공립소학교의 부교원으로 임용되었다. 따라서 안주군공립소학교의 개교일은 이석룡의 임용일 전후로 한 달을 넘지 않을 것으로 추정된다.

681) 勅令第四十四號, 光武十年八月二十七日, 구한말 관보, 第三千五百四十六號.

682) 學部令第二十七號, 光武十年九月一日, 구한말 관보, 第三千五百四十九號.

683) 구한말 관보, 第三千七百八十四號에 따르면, 1907년 6월 5일 전하덕(全河悳)이 안주군공립소학교의 부교원에서 해임되었다.

684) 다만 안주군에 위치한 것은 분명하기에 현재의 안주군 중심가(39.61749, 125.66114)로부터 600m 이내에 위치했을 것으로 추정된다.

685) 勅令第四十四號, 光武十年八月二十七日, 구한말 관보, 第三千五百四十六號.

號 공립보통학교명칭급소재지건(公立普通學校名稱及所在地件)[686]에 의거하여, 1907년 4월 30일부터 1907년 6월 30일 사이에 개교했을 것으로 추정된다.[687] 공립안주보통학교의 위치는 미상이다.[688]

▌양근군공립소학교(楊根郡公立小學校): 양근군공립소학교는 1895년 7월 19일 칙령 제145호 소학교령(小學校令)[689]에 의거하여, 1901년 12월 11일부터 1902년 2월 11일 사이에 개교했을 것으로 추정된다.[690] 하지만 양근군공립소학교는 부교원의 임명과 해임을 반복하면서 1904년 4월 14일에 사실상 폐교한 것으로 추정된다.[691] 양근군공립소학교의 위치는 양근천 근처이다.[692]

▌공립양근보통학교(公立楊根普通學校), 공립양평보통학교(公立楊平普通學校): 공립안주보통학교는 1906년 8월 27일 칙령 제44호 보통학교령(普通學校

686) 學部令第五號, 光武十一年五月一日, 구한말 관보, 第三千七百八十一號.

687) 구한말 관보, 第三千七百八十號에 따르면 1907년 5월 30일 안주군 군수 김일현(金一鉉)이 공립안주보통학교 학교장을 겸임하였다. 따라서 공립안주보통학교의 개교일은 김일현의 겸임일 전후로 한 달을 넘지 않을 것으로 추정된다.

688) 다만 안주군에 위치한 것은 분명하기에 현재의 안주군 중심가(39.61749, 125.66114)로부터 600m 이내에 위치했을 것으로 추정된다.

689) 勅令第一百四十五號, 開國五百四年七月十九日, 구한말 관보, 第一百十九號.

690) 구한말 관보, 第一千八百四十二號에 따르면, 1902년 1월 11일 최재운(崔在雲)이 양근군공립소학교의 교원으로 임용되었다. 따라서 양근군공립소학교의 개교일은 최재운의 임용일 전후로 한 달을 넘지 않을 것으로 추정된다.

691) 구한말 관보, 第二千八百號에 따르면, 1904년 4월 14일 윤명(尹溟)이 양근군공립소학교의 부교원에서 해임되었다. 이후 양근군공립소학교에 관련된 인사기록은 보이지 않는다. 비록 양평초등학교 총동문회의 『양평초등학교 발자취 100년사 보유편』(2014)에 따르면 양근군공립소학교에서 공립양근보통학교로 승계를 하고 있지만, 실제 교원 임명 기록으로는 승계가 이루어질 수 없다. 양근군공립소학교는 교원 부족으로 폐교를 하였다가, 공립양근보통학교로 재개교한 것으로 판단된다.

692) 양평초등학교 총동문회의 『양평초등학교 발자취 100년사 보유편』(2014)에서는 양근군공립소학교가 양근천 근처(37.49318, 127.49361)에 있었다고 기술하였다.

令)[693]에 의거하여, 1907년 7월 30일부터 1907년 9월 30일 사이에 개교했을 것으로 추정된다.[694] 1909년 5월 10일 학부고시 제5호[695]에 의거하여, 공립양평보통학교(公立楊平普通學校)로 개명하였다. 공립양근보통학교와 공립양평보통학교의 위치는 양근천 근처이다.[696]

▌정주군공립소학교(定州郡公立小學校): 정주군공립소학교는 1895년 7월 19일 칙령 제145호 소학교령(小學校令)[697]에 의거하여, 1902년 4월 13일부터 1902년 6월 13일 사이에 개교했을 것으로 추정된다.[698] 하지만 정주군공립소학교는 교원 없이 부교원의 임명과 해임을 반복하면서 1904년 4월 14일에 사실상 폐교한 것으로 추정된다.[699] 정주군공립소학교의 위치는 미상이다.[700]

▌공립정주보통학교(公立定州普通學校): 공립정주보통학교는 1906년 8월 27일 칙령 제44호 보통학교령(普通學校令)[701]과 1907년 4월 1일 학부령 제4

---

693) 勅令第四十四號, 光武十年八月二十七日, 구한말 관보, 第三千五百四十六號.

694) 구한말 관보, 第三千八百六十三號에 따르면 1907년 8월 31일 안재순(安在純)이 공립양근보통학교의 부교원으로 임명되었다. 따라서 공립양근보통학교의 개교일은 안재순의 임용일 전후로 한 달을 넘지 않을 것으로 추정된다.

695) 學部告示第五號, 隆熙三年五月十日, 구한말 관보, 第四千三百七十四號.

696) 양평초등학교 총동문회의『양평초등학교 발자취 100년사 보유편』(2014)에 따르면, 양근군공립소학교는 양근천 근처(37.49318, 127.49361)로부터 100m 이내에 위치했을 것으로 추정된다.

697) 勅令第一百四十五號, 開國五百四年七月十九日, 구한말 관보, 第一百十九號.

698) 구한말 관보, 第二千一百九十八號에 따르면 1902년 5월 13일 김도현(金濤鉉)이 정주군공립소학교의 부교원으로 임용되었다. 따라서 정주군공립소학교의 개교일은 김도현의 임명일 전후로 한 달을 넘지 않을 것으로 추정된다.

699) 구한말 관보, 第二千八百號에 따르면, 1904년 4월 14일 홍영표(洪瀅杓)가 정주군공립소학교의 부교원에서 해임되었다. 그 이후 정주군공립소학교에 관련된 인사기록은 보이지 않는다.

700) 다만 정주 구시가에 위치한 것은 분명하기에 현재의 정주청년역(39.68748, 125.2142)을 중심으로 1.5km 이내에 위치했을 것으로 추정된다.

호 공립보통학교명칭급소재지건(公立普通學校名稱及所在地件)[702]에 의거하여, 1907년 4월 30일부터 1907년 6월 30일 사이에 개교했을 것으로 추정된다.[703] 공립정주보통학교의 위치는 미상이다.[704]

▌회령군공립소학교(會寧郡公立小學校): 회령군공립소학교는 1895년 7월 19일 칙령 제145호 소학교령(小學校令)[705]에 의거하여, 1902년 7월 25일부터 1902년 9월 25일 사이에 개교했을 것으로 추정된다.[706] 하지만 회령군공립소학교는 1902년 8월 25일부터 1903년 2월 25일 사이에 사실상 폐교한 것으로 추정된다.[707] 회령군공립소학교의 위치는 미상이다.[708]

▌공립회령보통학교(公立會寧普通學校): 공립회령보통학교는 1906년 8월 27일 칙령 제44호 보통학교령(普通學校令)[709]과 1907년 4월 1일 학부령 제4

---

701) 勅令第四十四號, 光武十年八月二十七日, 구한말 관보, 第三千五百四十六號.

702) 學部令第四號, 光武十一年四月一日, 구한말 관보, 第三千七百四十八號.

703) 구한말 관보, 第三千七百八十號에 따르면 1907년 5월 30일 정주군 군수 이세경(李世卿)에게 공립정주보통학교의 학교장을 겸직하게 하였다. 또한 구한말 관보, 第三千七百八十四號에 따르면, 1907년 5월 31일에 이성규(朴聖奎)가 공립정주보통학교의 부교원으로 임명된다. 따라서 공립정주보통학교의 개교일은 이성규의 임명일 전후로 한 달을 넘지 않을 것으로 추정된다.

704) 다만 정주 구시가에 위치한 것은 분명하기에 현재의 정주청년역(39.68748, 125.2142)을 중심으로 1.5km 이내에 위치했을 것으로 추정된다.

705) 勅令第一百四十五號, 開國五百四年七月十九日, 구한말 관보, 第一百十九號.

706) 구한말 관보, 第二千二百八十七號에 따르면, 1902년 8월 25일 이철래(李哲來)가 회령군공립소학교의 부교원으로 임용되었다. 따라서 회령군공립소학교의 개교일은 이철래의 임용일 전후로 한 달을 넘지 않을 것으로 추정된다.

707) 구한말 관보, 第二千二百八十七號에 따르면, 1902년 8월 25일 이철래(李哲來)가 회령군공립소학교의 부교원으로 임용되었다. 그 이후 회령군공립소학교에 관련된 인사기록은 보이지 않는다. 따라서 회령군공립소학교는 한 명의 부교원만이 임명되었다가 해임된 이후에 폐쇄되었을 것으로 보인다.

708) 다만 회령군에 위치한 것은 분명하기에 현재의 회령청년역(42.44486, 129.74218)을 중심으로 1.5km 이내에 위치했을 것으로 추정된다.

709) 勅令第四十四號, 光武十年八月二十七日, 구한말 관보, 第三千五百四十六號.

호 공립보통학교명칭급소재지건(公立普通學校名稱及所在地件)[710]에 의거하여, 1907년 4월 30일부터 1907년 6월 30일 사이에 개교했을 것으로 추정된다.[711] 공립회령보통학교의 위치는 미상이다.[712]

▌김화군공립소학교(金化郡公立小學校): 김화군공립소학교는 1895년 7월 19일 칙령 제145호 소학교령(小學校令)[713]에 의거하여, 1904년 9월 7일부터 1904년 11월 7일 사이에 개교했을 것으로 추정된다.[714] 하지만 그 이후 어떠한 인사 기록도 보이지 않기에 1904년 10월 7일부터 1905년 4월 7일 사이에 사실상 폐교한 것으로 추정된다. 김화군공립소학교의 위치는 미상이다.[715]

▌공립김화보통학교(公立金化普通學校): 공립김화보통학교는 1906년 8월 27일 칙령 제44호 보통학교령(普通學校令)[716]에 의거하여, 1907년 7월 31일부터 1907년 9월 30일 사이에 개교했을 것으로 추정된다.[717] 공립김화보통학교의 위치는 미상이다.[718]

---

710) 學部令第四號, 光武十一年四月一日, 구한말 관보, 第三千七百四十八號.

711) 구한말 관보, 第三千七百八十號에 따르면 1907년 5월 30일 회령군 군수 이종진(李鍾振)이 공립회령보통학교의 학교장을 겸임한다. 따라서 공립회령보통학교의 개교일은 이종진의 임용일 전후로 한 달을 넘지 않을 것으로 추정된다.

712) 다만 회령군에 위치한 것은 분명하기에 현재의 회령청년역(42.44486, 129.74218)을 중심으로 1.5km 이내에 위치했을 것으로 추정된다.

713) 勅令第一百四十五號, 開國五百四年七月十九日, 구한말 관보, 第一百十九號.

714) 구한말 관보, 第二千九百五十一號에 따르면, 1904년 10월 7일 염준환(廉俊煥)이 김화군공립소학교의 부교원으로 임용되었다. 따라서 김화군공립소학교의 개교일은 염준환의 임용일 전후로 한 달을 넘지 않을 것으로 추정된다.

715) 다만 김화 관아 근처에 위치한 것은 분명하기에 현재의 읍내삼거리(38.29165, 127.45491)로부터 1km 이내에 위치했을 것으로 추정된다.

716) 勅令第四十四號, 光武十年八月二十七日, 구한말 관보, 第三千五百四十六號.

717) 구한말 관보, 第三千八百六十三號에 따르면, 1907년 8월 31일에 이상휘(李商徽)가 공립김화보통학교의 교원으로 임명된다. 따라서 공립김화보통학교의 개교일은 이상휘의 임명일 전후로 한 달을 넘지 않을 것으로 추정된다.

718) 다만 김화 관아 근처에 위치한 것은 분명하기에 현재의 읍내삼거리(38.29165,

▌금천군공립소학교(金川郡公立小學校): 금천군공립소학교는 1895년 7월 19일 칙령 제145호 소학교령(小學校令)[719]에 의거하여, 1905년 6월 12일부터 1905년 8월 12일 사이에 개교했을 것으로 추정된다.[720] 하지만 그 이후 어떠한 인사 기록도 보이지 않기에 1905년 7월 12일부터 1906년 1월 12일 사이에 사실상 폐교한 것으로 추정된다. 금천군공립소학교의 위치는 미상이다.[721]

▌공립금천보통학교(公立金川普通學校): 공립금천보통학교는 1906년 8월 27일 칙령 제44호 보통학교령(普通學校令)[722]에 의거하여, 1907년 7월 31일부터 1907년 9월 30일 사이에 개교했을 것으로 추정된다.[723] 공립금천보통학교의 위치는 미상이다.[724]

5. 공립학교(소학교-보통학교 단독)

1) 소학교

▌순천군공립소학교(順天郡公立小學校): 순천군공립소학교는 1895년 7월 19

127.45491)로부터 1km 이내에 위치했을 것으로 추정된다.

719) 勅令第一百四十五號, 開國五百四年七月十九日, 구한말 관보, 第一百十九號.

720) 구한말 관보, 第二千九百五十一號에 따르면, 1905년 7월 12일 정희룡(鄭熙龍)이 금천군공립소학교의 부교원으로 임용되었다. 따라서 금천군공립소학교의 개교일은 정희룡의 임용일 전후로 한 달을 넘지 않을 것으로 추정된다.

721) 다만 금천 구시가 근처에 위치한 것은 분명하기에 현재의 금천역(38.16352, 126.47549)을 중심으로 600m 이내에 위치했을 것으로 추정된다.

722) 勅令第四十四號, 光武十年八月二十七日, 구한말 관보, 第三千五百四十六號.

723) 구한말 관보, 第三千八百六十三號에 따르면, 1907년 8월 31일에 이승렬(李承烈)이 공립금천보통학교의 교원으로 임명된다. 따라서 공립금천보통학교의 개교일은 이승렬의 임명일 전후로 한 달을 넘지 않을 것으로 추정된다.

724) 다만 금천 구시가 근처에 위치한 것은 분명하기에 현재의 금천역(38.16352, 126.47549)을 중심으로 600m 이내에 위치했을 것으로 추정된다.

일 칙령 제145호 소학교령(小學校令)[725]에 의거하여, 1896년 10월 6일부터 1896년 12월 6일 사이에 개교했을 것으로 추정된다.[726] 하지만 순천군공립소학교는 교원과 부교원의 임명과 해임을 반복하면서 1904년 12월 23일부터 1905년 6월 23일 사이에 사실상 폐교한 것으로 추정된다.[727] 순천군공립소학교의 위치는 미상이다.[728]

▌영광군공립소학교(靈光郡公立小學校): 영광군공립소학교는 1895년 7월 19일 칙령 제145호 소학교령(小學校令)[729]에 의거하여, 1896년 10월 6일부터 1896년 12월 6일 사이에 개교했을 것으로 추정된다.[730] 하지만 영광군공립소학교는 교원과 부교원의 임명과 해임을 반복하면서 1904년 8월 8일부터 1905년 2월 8일 사이에 사실상 폐교한 것으로 추정된다.[731] 영광군공립소학교의 위치는 미상이다.[732]

---

725) 勅令第一百四十五號, 開國五百四年七月十九日, 구한말 관보, 第一百十九號.

726) 구한말 관보, 第四百七十六號에 따르면, 1896년 11월 6일 이강호(李康浩)가 순천군공립소학교의 교원으로 임용되었다. 따라서 순천군공립소학교의 개교일은 이강호의 임명일 전후로 한 달을 넘지 않을 것으로 추정된다.

727) 구한말 관보, 第三千十七號에 따르면, 1904년 12월 23일 박찬면(朴贊勉)이 순천군공립소학교의 교원에 임명되었다. 그 이후 순천군공립소학교에 관련된 인사기록은 보이지 않는다. 부교원의 임명과 해임 양상을 고려했을 때 순천군공립소학교는 6개월 이내에 폐교했을 것으로 추정된다.

728) 다만 순천 관아 인근에 있었을 가능성이 높기에 현재의 낙안객사(34.90719, 127.34117)를 중심으로 300m 이내에 위치했을 것으로 추정된다.

729) 勅令第一百四十五號, 開國五百四年七月十九日, 구한말 관보, 第一百十九號.

730) 구한말 관보, 第四百七十六號에 따르면, 1896년 11월 6일 이종각(李鍾珏)이 영광군공립소학교의 교원으로 임용되었다. 따라서 영광군공립소학교의 개교일은 이종각의 임명일 전후로 한 달을 넘지 않을 것으로 추정된다.

731) 구한말 관보, 第二千八百九十九號에 따르면, 1904년 8월 8일 이범준(李範淳)이 영광군공립소학교의 교원에 임명되었다. 그 이후 영광군공립소학교에 관련된 인사기록은 보이지 않는다. 부교원의 임명과 해임 양상을 고려했을 때 영광군공립소학교는 6개월 이내에 폐교했을 것으로 추정된다.

732) 다만 영광 관아 인근에 있었을 가능성이 높기에 현재의 영광군천(35.27713, 126.51207)을 중심으로 500m 이내에 위치했을 것으로 추정된다.

▌임천군공립소학교(林川郡公立小學校): 임천군공립소학교는 1895년 7월 19일 칙령 제145호 소학교령(小學校令)[733]에 의거하여, 1896년 10월 6일부터 1896년 12월 6일 사이에 개교했을 것으로 추정된다.[734] 하지만 임천군공립소학교는 교원과 부교원의 임명과 해임을 반복하면서 1904년 9월 23일부터 1905에 3월 23일 사이에 사실상 폐교한 것으로 추정된다.[735] 임천군공립소학교의 위치는 미상이다.[736]

▌강계군공립소학교(江界郡公立小學校): 강계군공립소학교는 1895년 7월 19일 칙령 제145호 소학교령(小學校令)[737]에 의거하여, 1896년 10월 16일부터 1896년 12월 16일 사이에 개교했을 것으로 추정된다.[738] 하지만 강계군공립소학교는 교원과 부교원의 임명과 해임을 반복하면서 1904년 4월 14일에 사실상 폐교한 것으로 추정된다.[739] 강계군공립소학교의 위치는 미상이다.[740]

---

733) 勅令第一百四十五號, 開國五百四年七月十九日, 구한말 관보, 第一百十九號.

734) 구한말 관보, 第四百七十六號에 따르면, 1896년 11월 6일 유철수(柳桀秀)가 임천군공립소학교의 교원으로 임용되었다. 따라서 임천군공립소학교의 개교일은 유철수의 임명일 전후로 한 달을 넘지 않을 것으로 추정된다.

735) 구한말 관보, 第二千九百三十九號에 따르면, 1904년 9월 23일 홍완(洪垸)이 임천군공립소학교의 교원에 임명되었다. 그 이후 임천군공립소학교에 관련된 인사기록은 보이지 않는다. 부교원의 임명과 해임 양상을 고려했을 때 임천군공립소학교는 6개월 이내에 폐교했을 것으로 추정된다.

736) 다만 임천 관아 인근에 있었을 가능성이 높기에 임천 관아가 있던 곳으로 추정되는 현재의 임천면사무소(36.19117, 126.89479)를 중심으로 300m 이내에 위치했을 것으로 추정된다.

737) 勅令第一百四十五號, 開國五百四年七月十九日, 구한말 관보, 第一百十九號.

738) 구한말 관보, 第四百八十四號에 따르면, 1896년 11월 16일 임치형(林致亨)이 강계군공립소학교의 교원으로 임용되었다. 따라서 강계군공립소학교의 개교일은 임치형의 임용일 전후로 한 달을 넘지 않을 것으로 추정된다.

739) 구한말 관보, 第二千八百號에 따르면, 1904년 4월 14일 오계선(金益漢)이 강계군공립소학교의 부교원에서 해임되었다. 그 이후 강계군공립소학교에 관련된 인사기록은 보이지 않는다.

740) 다만 강계시 구시가에 위치한 것은 분명하기에 현재의 강계시 중심가(40.96767,

■ 안동군공립소학교(安東郡公立小學校): 안동군공립소학교는 1895년 7월 19일 칙령 제145호 소학교령(小學校令)[741]에 의거하여, 1896년 10월 16일부터 1896년 12월 16일 사이에 개교했을 것으로 추정된다.[742] 하지만 안동군공립소학교는 교원과 부교원의 임명과 해임을 반복하면서 1904년 4월 14일에 사실상 폐교한 것으로 추정된다.[743] 안동군공립소학교의 위치는 미상이다.[744]

■ 성천군공립소학교(成川郡公立小學校): 성천군공립소학교는 1895년 7월 19일 칙령 제145호 소학교령(小學校令)[745]에 의거하여, 1896년 10월 18일부터 1896년 12월 18일 사이에 개교했을 것으로 추정된다.[746] 하지만 성천군공립소학교는 교원과 부교원의 임명과 해임을 반복하면서 1905년 4월 29일부터 1905년 10월 29일 사이에 사실상 폐교한 것으로 추정된다.[747] 성천군공립소학교의 위치는 미상이다.[748]

126.59909)로부터 600m 이내에 위치했을 것으로 추정된다.

741) 勅令第一百四十五號, 開國五百四年七月十九日, 구한말 관보, 第一百十九號.

742) 구한말 관보, 第四百八十四號에 따르면, 1896년 11월 16일 윤보영(尹輔榮)이 안동군공립소학교의 교원으로 임용되었다. 따라서 안동군공립소학교의 개교일은 윤보영의 임용일 전후로 한 달을 넘지 않을 것으로 추정된다.

743) 구한말 관보, 第二千八百號에 따르면, 1904년 4월 14일 한동석(韓東錫)이 안동군공립소학교의 부교원에서 해임되었다. 그 이후 안동군공립소학교에 관련된 인사기록은 보이지 않는다.

744) 다만 안동군공립소학교는 안동 관아 인근에 있었을 가능성이 높기에 현재의 웅부공원(36.56616, 128.73319)을 중심으로 600m 이내에 위치했을 것으로 추정된다.

745) 勅令第一百四十五號, 開國五百四年七月十九日, 구한말 관보, 第一百十九號.

746) 구한말 관보, 第四百八十四號에 따르면, 1896년 11월 18일 김창유(金昌有)가 성천군공립소학교의 교원으로 임용되었다. 따라서 성천군공립소학교의 개교일은 김창유의 임용일 전후로 한 달을 넘지 않을 것으로 추정된다.

747) 구한말 관보, 第三千一百二十六號에 따르면, 1905년 4월 29일 홍두현(洪斗鉉)이 성천군공립소학교의 부교원으로 임명되었다. 그 이후 성천군공립소학교에 관련된 인사기록은 보이지 않는다. 부교원의 임명과 해임 양상을 고려했을 때 성천군공립소학교는 6개월 이내에 폐교했을 것으로 추정된다.

748) 다만 성천군 구시가에 위치한 것은 분명하기에 현재의 성천역(39.25017, 126.19092)

▮ 장성군공립소학교(長城郡公立小學校): 장성군공립소학교는 1895년 7월 19일 칙령 제145호 소학교령(小學校令)[749]에 의거하여, 1900년 5월 4일부터 1900년 7월 4일 사이에 개교했을 것으로 추정된다.[750] 하지만 장성군공립소학교는 1904년 4월 14일에 사실상 폐교한 것으로 추정된다.[751] 장성군공립소학교의 위치는 미상이다.[752]

▮ 용강군공립소학교(龍岡郡公立小學校): 용강군공립소학교는 1895년 7월 19일 칙령 제145호 소학교령(小學校令)[753]에 의거하여, 1900년 5월 12일부터 1900년 7월 12일 사이에 개교했을 것으로 추정된다.[754] 하지만 용강군공립소학교는 부교원의 임명과 해임을 반복하면서 1904년 4월 14일부터 10월 14일 사이에 사실상 폐교한 것으로 추정된다.[755] 용강군공립소학교의

을 중심으로 900m 이내에 위치했을 것으로 추정된다.

749) 勅令第一百四十五號, 開國五百四年七月十九日, 구한말 관보, 第一百十九號.

750) 구한말 관보, 第一千五百九十一號에 따르면, 1900년 6월 4일 조병화(曹秉和)가 장성군공립소학교의 부교원으로 임용되었다. 따라서 장성군공립소학교의 개교일은 조병화의 임용일 전후로 한 달을 넘지 않을 것으로 추정된다.

751) 구한말 관보, 第二千八百號에 따르면, 1904년 4월 14일 조병화(曹秉和)가 장성군공립소학교의 부교원에서 해임되었다. 그 이후 장성군공립소학교에 관련된 인사기록은 보이지 않는다. 따라서 장성군공립소학교는 한 명의 부교원만이 임명되었다가 해임된 이후에 폐쇄되었을 것으로 보인다.

752) 다만 장성군에 위치한 것은 분명하기에 현재의 장성향교(35.29872, 126.78125)를 중심으로 800m 이내에 위치했을 것으로 추정된다.

753) 勅令第一百四十五號, 開國五百四年七月十九日, 구한말 관보, 第一百十九號.

754) 구한말 관보, 第一千五百九十八號에 따르면, 1900년 6월 12일 고창순(高昌淳)이 용강군공립소학교의 교원으로 임용되었다. 따라서 용강군공립소학교의 개교일은 고창순의 임용일 전후로 한 달을 넘지 않을 것으로 추정된다.

755) 구한말 관보, 第二千八百號에 따르면, 1904년 4월 14일 송면순(宋冕淳)이 용강군공립소학교 부교원에서 해임되었다. 그 이후 용강군공립소학교에 관련된 인사기록은 보이지 않는다. 부교원의 임명과 해임 양상을 고려했을 때 용강군공립소학교는 6개월 이내에 폐교했을 것으로 추정된다. 다만 구한말 관보, 第三千四百七十二號에 의하면 1906년 6월 6일 사립학교 교사인 이경수(李京壽)를 용강군공립소학교 부교원으로 임명하면서 재개교를 목표로 하는 것 같아 보이지만, 구한말 관보, 第三千四百九十三號에 의하면, 1906년 6월 27일 용강군 공립소학교 부교원 이경수는 법부의 주사로 임명

위치는 미상이다.[756]

▌과천군공립소학교(果川郡公立小學校): 과천군공립소학교는 1895년 7월 19일 칙령 제145호 소학교령(小學校令)[757]에 의거하여, 1900년 6월 20일부터 1900년 8월 20일 사이에 개교했을 것으로 추정된다.[758] 하지만 과천군공립소학교는 부교원의 임명과 해임을 반복하면서 1905년 5월 23일부터 1905년 11월 23일 사이에 사실상 폐교한 것으로 추정된다.[759] 과천군공립소학교의 위치는 미상이다.[760]

▌용인군공립소학교(龍仁郡公立小學校): 용인군공립소학교는 1895년 7월 19일 칙령 제145호 소학교령(小學校令)[761]에 의거하여, 1900년 8월 6일부터 1900년 10월 6일 사이에 개교했을 것으로 추정된다.[762] 하지만 용인군공

되었다. 따라서 이경수는 사실상 용강군공립소학교의 재개교에 어떤 영향도 미치지 못했다고 판단할 수 있다.

756) 다만 용간군에 위치한 것은 분명하기에 현재의 용강군 중심가(38.85882, 125.41977)로부터 700m 이내에 위치했을 것으로 추정된다.

757) 勅令第一百四十五號, 開國五百四年七月十九日, 구한말 관보, 第一百十九號.

758) 구한말 관보, 第一千六百三十一號에 따르면, 1900년 7월 20일 신종묵(愼宗默)이 과천군공립소학교의 부교원으로 임용되었다. 따라서 과천군공립소학교의 개교일은 신종묵의 임용일 전후로 한 달을 넘지 않을 것으로 추정된다.

759) 구한말 관보, 第三千一百四十六號에 따르면, 1905년 5월 23일 변각현(邊珏鉉)이 과천군공립소학교의 부교원으로 임명되었다. 그 이후 과천군공립소학교에 관련된 인사기록은 보이지 않는다. 부교원의 임명과 해임 양상을 고려했을 때 과천군공립소학교는 6개월 이내에 폐교했을 것으로 추정된다. 다만 과천문화원의 과천사지 (온라인참조: 과천문화원, http://www.gcbook.or.kr/web/main.html?book=1&page=347)에 따르면, 과천군공립소학교 폐교 이후 군내면에 광명학교와 명륜학교가 개교하였고, 하서면에는 낙영학교가, 하북면에는 은로학교가 개교하여 과천군공립소학교 교육의 명맥을 이었다.

760) 다만 과천군 구시가에 위치한 것은 분명하기에 현재의 과천 관아 터(37.43614, 126.99253)를 중심으로 900m 이내에 위치했을 것으로 추정된다.

761) 勅令第一百四十五號, 開國五百四年七月十九日, 구한말 관보, 第一百十九號.

762) 구한말 관보, 第一千六百七十二號에 따르면, 1900년 9월 6일 하석우(河錫禹)가 용인

립소학교는 부교원의 임명과 해임을 반복하면서 1906년 2월 15일부터 1906년 8월 15일 사이에 사실상 폐교한 것으로 추정된다.[763] 용인군공립소학교의 위치는 미상이다.[764]

▌포천군공립소학교(抱川郡公立小學校): 포천군공립소학교는 1895년 7월 19일 칙령 제145호 소학교령(小學校令)[765]에 의거하여, 1900년 11월 10일부터 1901년 1월 10일 사이에 개교했을 것으로 추정된다.[766] 하지만 포천군공립소학교는 부교원의 임명과 해임을 반복하면서 1904년 8월 10일부터 1905년 2월 10일 사이에 사실상 폐교한 것으로 추정된다.[767] 포천군공립소학교의 위치는 미상이다.[768]

▌삼등군공립소학교(三登郡公立小學校): 삼등군공립소학교는 1895년 7월 19

군공립소학교의 교원으로 임용되었다. 따라서 용인군공립소학교의 개교일은 하석우의 임용일 전후로 한 달을 넘지 않을 것으로 추정된다.

763) 구한말 관보, 第二千八百號에 따르면, 1904년 4월 14일 이근형(李根炯)이 용인군공립소학교의 부교원에서 해임되었다. 다만 구한말 관보, 第三千四百七十二號에 의하면 1906년 2월 15일 현상학(玄相鶴)을 용인군공립소학교 부교원으로 임명하면서 재개교를 하는 것처럼 보이지만, 그 이후 삼등군공립소학교에 관련된 인사기록은 보이지 않는다. 부교원의 임명과 해임 양상을 고려했을 때 삼등군공립소학교는 현상학의 임명일로부터 6개월 이내에 폐교했을 것으로 추정된다.

764) 다만 용인군에 위치한 것은 분명하기에 현재의 용인향교(37.29545, 127.12024)를 중심으로 800m 이내에 위치했을 것으로 추정된다.

765) 勅令第一百四十五號, 開國五百四年七月十九日, 구한말 관보, 第一百十九號.

766) 구한말 관보, 第一千七百五十三號에 따르면, 1900년 12월 10일 서상우(徐相愚)가 포천군공립소학교의 부교원으로 임용되었다. 따라서 포천군공립소학교의 개교일은 서상우의 임용일 전후로 한 달을 넘지 않을 것으로 추정된다.

767) 구한말 관보, 第二千九百一號에 따르면, 1904년 8월 10일 홍종현(洪鍾顯)이 포천군공립소학교의 부교원에 임명되었다. 그 이후 포천군공립소학교에 관련된 인사기록은 보이지 않는다. 부교원의 임명과 해임 양상을 고려했을 때 포천군공립소학교는 6개월 이내에 폐교했을 것으로 추정된다.

768) 다만 포천군에 위치한 것은 분명하기에 현재의 포천 관아 터(37.88893, 127.21659)를 중심으로 500m 이내에 위치했을 것으로 추정된다.

일 칙령 제145호 소학교령(小學校令)[769]에 의거하여, 1901년 1월 4일부터 1901년 3월 4일 사이에 개교했을 것으로 추정된다.[770] 하지만 삼등군공립소학교는 교원 없이 부교원의 임명과 해임을 반복하면서 1904년 10월 3일부터 1905년 4월 3일 사이에 사실상 폐교한 것으로 추정된다.[771] 삼등군공립소학교의 위치는 미상이다.[772]

▌경성군공립소학교(鏡城郡公立小學校): 경성군공립소학교는 1895년 7월 19일 칙령 제145호 소학교령(小學校令)[773]에 의거하여, 1902년 4월 3일부터 1902년 6월 3일 사이에 개교했을 것으로 추정된다.[774] 하지만 경성군공립소학교는 교원 없이 부교원의 임명과 해임을 짧은 시간 동안 반복하다가[775] 1905년 3월 17일부터 1905년 9월 17일 사이에 사실상 폐교한 것으로 추정된다.[776] 경성군공립소학교의 위치는 미상이다.[777]

---

769) 勅令第一百四十五號, 開國五百四年七月十九日, 구한말 관보, 第一百十九號.

770) 구한말 관보, 第一千八百一號에 따르면 1901년 2월 4일 황종찬(黃鍾贊)이 삼등군공립소학교의 부교원으로 임용되었다. 따라서 삼등군공립소학교의 개교일은 김도현의 임명일 전후로 한 달을 넘지 않을 것으로 추정된다.

771) 구한말 관보, 第二千九百四十七號에 따르면, 1904년 10월 3일 엄주명(嚴柱明)이 삼등군공립소학교의 부교원에 임명되었다. 그 이후 삼등군공립소학교에 관련된 인사기록은 보이지 않는다. 부교원의 임명과 해임 양상을 고려했을 때 삼등군공립소학교는 6개월 이내에 폐교했을 것으로 추정된다.

772) 다만 삼등군에 위치한 것은 분명하기에 현재의 삼등역(39.01151, 126.17724)을 중심으로 1km 이내에 위치했을 것으로 추정된다.

773) 勅令第一百四十五號, 開國五百四年七月十九日, 구한말 관보, 第一百十九號.

774) 구한말 관보, 第二千一百九十號에 따르면 1902년 5월 3일 전영수(全永秀)가 경성군공립소학교의 부교원으로 임용되었다. 따라서 경성군공립소학교의 개교일은 전영수의 임용일 전후로 한 달을 넘지 않을 것으로 추정된다.

775) 1902년 5월 13일 최초 부교원 임명부터 1905년 3월 17일까지 최후 임용까지 3년이 안 되는 시간 동안 총 8명의 부교원 임용 및 해임이 발생하였다.

776) 구한말 관보, 第三千八十九號에 따르면, 1905년 3월 17일 남윤기(南潤綺)가 함흥군공립소학교의 부교원으로 임용되었다. 그 이후 함흥군공립소학교에 관련된 인사기록은 보이지 않는다. 부교원의 임명과 해임 양상을 고려했을 때 함흥군공립소학교는 6개월 이내에 폐교했을 것으로 추정된다.

▌함흥군공립소학교(咸興郡公立小學校)[778]: 함흥군공립소학교는 1895년 7월 19일 칙령 제145호 소학교령(小學校令)[779]에 의거하여, 1902년 4월 13일부터 1902년 6월 13일 사이에 개교했을 것으로 추정된다.[780] 하지만 함흥군공립소학교는 교원 없이 부교원의 임명과 해임을 짧은 시간 동안 반복하다가[781] 1904년 4월 14일에 사실상 폐교한 것으로 추정된다.[782] 함흥군공립소학교의 위치는 미상이다.[783]

▌중화군공립소학교(中和郡公立小學校): 중화군공립소학교는 1895년 7월 19일 칙령 제145호 소학교령(小學校令)[784]에 의거하여, 1902년 10월 28일부터 1902년 12월 28일 사이에 개교했을 것으로 추정된다.[785] 하지만 중화군공립소학교는 부교원의 임명과 해임을 반복하면서 1904년 8월 27일부터 1905년 2월 27일 사이에 사실상 폐교한 것으로 추정된다.[786] 중화군공

---

777) 다만 경성 구시가에 위치한 것은 분명하기에 현재의 경성역(41.58448, 129.60858)을 중심으로 1km 이내에 위치했을 것으로 추정된다.

778) 함흥은 이십삼부제 체계에서는 함흥부였는데, 조선왕조실록 1896년 8월 4일 칙령 제36호에 따라 함경남도관찰부 소재지로 함흥군으로 개명되었다.

779) 勅令第一百四十五號, 開國五百四年七月十九日, 구한말 관보, 第一百十九號.

780) 구한말 관보, 第二千一百九十八號에 따르면 1902년 5월 13일 심홍택(沈洪澤)이 함흥군공립소학교의 부교원으로 임용되었다. 따라서 함흥군공립소학교의 개교일은 심홍택의 임용일 전후로 한 달을 넘지 않을 것으로 추정된다.

781) 1902년 5월 13일 최초 부교원 임명일로부터 1904년 4월 14일까지 2년이 안 되는 시간 동안 총 8명의 부교원 임용 및 해임이 발생하였다.

782) 구한말 관보, 第二千八百號에 따르면 1904년 4월 14일 이인려(李麟呂)가 함흥군공립소학교의 부교원에서 해임되었다. 그 이후 함흥군공립소학교에 관련된 임명 기록은 보이지 않는다.

783) 다만 함흥 구시가에 위치한 것은 분명하기에 현재의 함흥역(39.91174, 127.54528)을 중심으로 2km 이내에 위치했을 것으로 추정된다.

784) 勅令第一百四十五號, 開國五百四年七月十九日, 구한말 관보, 第一百十九號.

785) 구한말 관보, 第二千三百六十九號에 따르면, 1902년 11월 28일 임정렴(林鼎濂)이 중화군공립소학교의 부교원으로 임용되었다. 따라서 중화군공립소학교의 개교일은 임정렴의 임용일 전후로 한 달을 넘지 않을 것으로 추정된다.

786) 구한말 관보, 第二千九百十六號에 따르면, 1904년 8월 27일 이근식(李根寔)이 중화

립소학교의 위치는 미상이다.[787]

▮ 명천군공립소학교(明川郡公立小學校): 명천군공립소학교는 1895년 7월 19일 칙령 제145호 소학교령(小學校令)[788]에 의거하여, 1903년 10월 14일부터 1904년 4월 14일 사이에 개교했을 것으로 추정된다.[789] 그러나 부교원 인력조차 안정적으로 수급되지 않아서, 1904년 11월 7일부터 1905년 5월 7일 사이에 사실상 폐교한 것으로 추정된다.[790] 명천군공립소학교의 위치는 미상이다.[791]

▮ 면천군공립소학교(沔川郡公立小學校): 면천군공립소학교는 1895년 7월 19일 칙령 제145호 소학교령(小學校令)[792]에 의거하여, 1904년 4월 23일부터 1904년 6월 23일 사이에 개교했을 것으로 추정된다.[793] 하지만 그 이후 어떠한 인사 기록도 보이지 않기에 1904년 5월 23일부터 1904년 11월

군공립소학교의 부교원에 임명되었다. 그 이후 중화군공립소학교에 관련된 인사기록은 보이지 않는다. 부교원의 임명과 해임 양상을 고려했을 때 중화군공립소학교는 이근식의 임명일로부터 6개월 이내에 폐교했을 것으로 추정된다.

787) 다만 중화군에 위치한 것은 분명하기에 현재의 중화 중심가(38.86235, 125.80182)로부터 800m 이내에 위치했을 것으로 추정된다.

788) 勅令第一百四十五號, 開國五百四年七月十九日, 구한말 관보, 第一百十九號.

789) 구한말 관보, 第二千八百號에 따르면, 1904년 4월 14일 김병규(金炳圭)가 명천군공립소학교의 부교원에서 해임되었다. 따라서 명천군공립소학교의 개교일은 김병규의 해임일 이전 6개월 이내에 있었을 것으로 추정된다.

790) 구한말 관보, 第二千九百七十七號에 따르면 1904년 11월 7일 최명섭(崔命燮)이 명천군공립소학교의 부교원으로 임명되었다. 그 이후 명천군공립소학교에 관련된 임명 기록은 보이지 않는다.

791) 다만 명천군 구시가 근처에 위치한 것은 분명하기에 현재의 명천군 중심가(41.06857, 129.43219)로부터 600m 이내에 위치했을 것으로 추정된다.

792) 勅令第一百四十五號, 開國五百四年七月十九日, 구한말 관보, 第一百十九號.

793) 구한말 관보, 第二千八百三十三號에 따르면, 1904년 5월 23일 최규현(崔逵顯)이 금천군공립소학교의 부교원으로 임용되었다. 따라서 면천군공립소학교의 개교일은 최규현의 임용일 전후로 한 달을 넘지 않을 것으로 추정된다.

23일 사이에 사실상 폐교한 것으로 추정된다. 면천군공립소학교의 위치는 미상이다.[794]

▌북간도공립소학교(北墾島公立小學校): 북간도공립소학교는 1895년 7월 19일 칙령 제145호 소학교령(小學校令)[795]에 의거하여, 1905년 2월 17일부터 1905년 4월 17일 사이에 개교했을 것으로 추정된다.[796] 하지만 1905년 3월 17일 이후 북간도공립소학교에 대한 인사기록도 보이지 않고, 북간도공립소학교에 부임한 부교원들의 인사기록도 찾을 수 없다. 아마도 폐교하였거나, 사립학교로 전환되었을 것으로 추정된다. 북간도공립소학교의 위치는 미상이다.[797]

2) 보통학교

▌공립성주보통학교(公立星州普通學校): 공립성주보통학교는 1906년 8월 27일 칙령 제44호 보통학교령(普通學校令)[798]과 1907년 4월 1일 학부령 제4호 공립보통학교명칭급소재지건(公立普通學校名稱及所在地件)[799]에 의거하여, 1906년 11월 1일부터 1907년 5월 1일 사이에 개교했을 것으로 추정된다.[800]

---

794) 다만 면천 구시가 근처에 위치한 것은 분명하기에 현재의 면천면사무소(36.81745, 126.66699)로부터 300m 이내에 위치했을 것으로 추정된다.

795) 勅令第一百四十五號, 開國五百四年七月十九日, 구한말 관보, 第一百十九號.

796) 구한말 관보, 第三千八十九號에 따르면, 1905년 3월 17일 오재영(吳在英), 김용흡(金容洽), 김성진(金聲振), 최정현(崔定鉉), 박병휘(朴秉輝), 노승룡(盧承龍), 이남섭(李南燮), 김중경(金重經)이 북간도공립소학교의 부교원으로 임용되었다. 따라서 북간도공립소학교의 개교일은 부교원들의 임용일 전후로 한 달을 넘지 않을 것으로 추정된다.

797) 다만 북간도에 위치한 것은 분명하기에 현재의 연길역(42.88634, 129.49684)을 중심으로 200km 이내에 위치했을 것으로 추정된다.

798) 勅令第四十四號, 光武十年八月二十七日, 구한말 관보, 第三千五百四十六號.

799) 學部令第四號, 光武十一年四月一日, 구한말 관보, 第三千七百四十八號.

800) 구한말 관보, 第三千八百六十三號에 따르면, 1907년 5월 1일에 장도빈(張道斌)이 공립성주보통학교의 부교원에서 해임되었다. 따라서 공립성주보통학교의 폐교일은 장도빈의 해임일 전 여섯 달을 넘지 않을 것으로 추정된다.

공립성주보통학교의 위치는 현재의 성주초등학교[801] 자리이다.[802]

▮ 공립마산보통학교(公立馬山普通學校): 공립마산보통학교는 1906년 8월 27일 칙령 제44호 보통학교령(普通學校令)[803]과 1907년 4월 1일 학부령 제4호 공립보통학교명칭급소재지건(公立普通學校名稱及所在地件)[804]에 의거하여, 1907년 4월 1일부터 1907년 6월 1일 사이에 개교했을 것으로 추정된다.[805] 공립마산보통학교의 위치는 현재의 성호초등학교[806] 자리이다.[807]

▮ 공립울산보통학교(公立蔚山普通學校): 공립울산보통학교는 1906년 8월 27일 칙령 제44호 보통학교령(普通學校令)[808]과 1907년 4월 1일 학부령 제4호 공립보통학교명칭급소재지건(公立普通學校名稱及所在地件)[809]에 의거하여, 1907년 4월 1일부터 1907년 6월 1일 사이에 개교했을 것으로 추정된다.[810] 공립울산보통학교의 위치는 현재의 울산초등학교[811] 자리이다.[812]

---

801) 성주초등학교 경위도 좌표: 35.91961, 128.28541

802) 공립성주보통학교는 지금까지 이전 없이 몇 번의 개명을 거쳐서 현재의 성주초등학교가 되었다.

803) 勅令第四十四號, 光武十年八月二十七日, 구한말 관보, 第三千五百四十六號.

804) 學部令第四號, 光武十一年四月一日, 구한말 관보, 第三千七百四十八號.

805) 구한말 관보, 第三千八百六十三號에 따르면, 1907년 5월 1일에 공립창원보통학교 교원 윤태권(尹泰權)이 공립마산보통학교의 교원으로 전임되었다. 따라서 공립창원보통학교의 개교일은 윤태권의 임명일 전후로 한 달을 넘지 않을 것으로 추정된다.

806) 성호초등학교 경위도 좌표: 35.20918, 128.5716

807) 공립마산보통학교는 지금까지 이전 없이 몇 번의 개명을 거쳐서 현재의 성호초등학교가 되었다.

808) 勅令第四十四號, 光武十年八月二十七日, 구한말 관보, 第三千五百四十六號.

809) 學部令第四號, 光武十一年四月一日, 구한말 관보, 第三千七百四十八號.

810) 구한말 관보, 第三千八百六十三號에 따르면, 1907년 5월 1일에 이석균(李錫均)이 공립울산보통학교 부교원으로 임명되었다. 따라서 공립울산보통학교의 개교일은 이석균의 임명일 전후로 한 달을 넘지 않을 것으로 추정된다.

811) 울산초등학교 경위도 좌표: 35.56195, 129.29958

812) 공립울산보통학교는 지금까지 이전 없이 몇 번의 개명을 거쳐서 현재의 울산초등학교

▮ 공립강경보통학교(公立江鏡普通學校), 공립강경보통학교(公立江景普通學校): 공립강경보통학교(公立江鏡普通學校)는 1906년 8월 27일 칙령 제44호 보통학교령(普通學校令)[813]과 1907년 4월 1일 학부령 제4호 공립보통학교명칭급소재지건(公立普通學校名稱及所在地件)[814]에 의거하여, 1907년 4월 30일부터 1907년 6월 30일 사이에 개교했을 것으로 추정된다.[815] 1910년 5월 30일 학부고시 제14호[816]에 의거하여 공립강경보통학교(公立江景普通學校)로 개명하였다. 공립강경보통학교의 위치는 현재의 강경중앙초등학교[817] 자리이다.[818]

▮ 공립나주보통학교(公立羅州普通學校): 공립나주보통학교는 1906년 8월 27일 칙령 제44호 보통학교령(普通學校令)[819]과 1907년 4월 1일 학부령 제4호 공립보통학교명칭급소재지건(公立普通學校名稱及所在地件)[820]에 의거하여, 1907년 7월 30일부터 1907년 9월 30일 사이에 개교했을 것으로 추정된다.[821] 공립나주보통학교의 위치는 현재의 나주초등학교[822]이다.[823]

교가 되었다.

813) 勅令第四十四號, 光武十年八月二十七日, 구한말 관보, 第三千五百四十六號.

814) 學部令第四號, 光武十一年四月一日, 구한말 관보, 第三千七百四十八號.

815) 구한말 관보, 第三千七百八十四號에 따르면, 1907년 5월 31일에 박상환(朴祥煥)이 공립강경보통학교의 전과부훈도으로 임명된다. 따라서 공립강경보통학교의 개교일은 박상환의 임명일 전후로 한 달을 넘지 않을 것으로 추정된다.

816) 學部告示第一四號, 隆熙四年五月三十日, 구한말 관보, 第四千六百九十二號.

817) 강경중앙초등학교 경위도 좌표: 36.16037, 127.01944

818) 공립강경보통학교는 지금까지 이전 없이 몇 번의 개명을 거쳐서 현재의 강경중앙초등학교가 되었다.

819) 勅令第四十四號, 光武十年八月二十七日, 구한말 관보, 第三千五百四十六號.

820) 學部令第四號, 光武十一年四月一日, 구한말 관보, 第三千七百四十八號.

821) 구한말 관보, 第三千八百六十三號에 따르면, 1907년 8월 31일에 윤무영(尹茂榮)이 공립나주보통학교의 전과부훈도으로 임명된다. 따라서 공립나주보통학교의 개교일은 윤무영의 임명일 전후로 한 달을 넘지 않을 것으로 추정된다.

822) 나주초등학교 경위도 좌표: 35.02714, 126.7187

823) 공립나주보통학교는 지금까지 이전 없이 몇 번의 개명을 거쳐서 현재의 나주초등학

▌공립진남보통학교(公立鎭南普通學校[824]), 공립용남보통학교(公立龍南普通學校): 공립진남보통학교는 1906년 8월 27일 칙령 제44호 보통학교령(普通學校令)[825]과 1908년 4월 22일 학부고시 제3호[826]에 의거하여 1908년 4월 25일 교원이 임명되었다.[827] 1909년 5월 10일 학부고시 제5호[828]에 의거하여 공립용남보통학교로 개명하였다. 공립진남보통학교와 공립용남보통학교의 위치는 현재의 통영초등학교[829] 자리이다.[830]

▌공립선천보통학교(公立宣川普通學校): 공립선천보통학교는 1906년 8월 27일 칙령 제44호 보통학교령(普通學校令)[831]과 1908년 4월 22일 학부고시 제3호[832]에 의거하여, 1908년 4월 25일 교원이 임명되었다.[833] 공립선천보통학교의 위치는 미상이다.[834]

교가 되었다.

824) 공립진남보통학교는 1908년 4월 22일 학부고시 제3호에서는 공립통영보통학교(公立統營普通學校)로 기술되었다. 그러나 구한말 관보, 第四千七十九號의 正誤(小)에서 공립진남보통학교로 개정하였다. 사실상 공립진남보통학교는 오기이기에 정식명칭에는 포함되지 않는다고 판단된다.

825) 勅令第四十四號, 光武十年八月二十七日, 구한말 관보, 第三千五百四十六號.

826) 學部告示第三號, 隆熙二年四月二十二日, 구한말 관보, 第四千六十三號.

827) 구한말 관보, 第四千六十四號에서는 1908년 4월 25일에 최기승(崔基昇)이 공립통영보통학교 본과훈도로, 최계욱(崔桂旭)이 공립통영보통학교 본과부훈도로 임명되었다고 기술하였다.

828) 學部告示第五號公, 隆熙三年五月十日, 구한말 관보, 第四千三百七十四號.

829) 통영초등학교 경위도 좌표: 34.8628, 128.42446

830) 공립진남보통학교는 지금까지 이전 없이 몇 번의 개명을 거쳐서 현재의 통영초등학교가 되었다.

831) 勅令第四十四號, 光武十年八月二十七日, 구한말 관보, 第三千五百四十六號.

832) 學部告示第三號, 隆熙二年四月二十二日, 구한말 관보, 第四千六十三號.

833) 구한말 관보, 第四千六十四號에 따르면 1908년 4월 25일 김은설(金殷說)이 공립선천보통학교 본과부훈도로 임명되었다.

834) 다만 선천군에 위치한 것은 분명하기에 현재의 선천군 중심가(39.79839, 124.91214)로부터 500m 이내에 위치했을 것으로 추정된다.

▌공립고부보통학교(公立古阜普通學校): 공립고부보통학교는 1906년 8월 27일 칙령 제44호 보통학교령(普通學校令)[835]과 1908년 4월 22일 학부고시 제3호[836]에 의거하여, 1908년 4월 25일 교원이 임명되었다.[837] 공립고부보통학교의 위치는 현재의 고부초등학교[838] 자리이다.[839]

▌공립영암보통학교(公立靈巖普通學校): 공립영암보통학교는 1906년 8월 27일 칙령 제44호 보통학교령(普通學校令)[840]과 1908년 4월 22일 학부고시 제3호[841]에 의거하여, 1908년 4월 25일 교원이 임명되었다.[842] 공립영암보통학교의 위치는 현재의 영암초등학교[843] 자리이다.[844]

▌공립이천보통학교(公立伊川普通學校): 공립이천보통학교는 1906년 8월 27일 칙령 제44호 보통학교령(普通學校令)[845]과 1908년 11월 9일 학부고시 제9호[846]에 의거하여, 1908년 5월 22일 인가되었고, 1909년 5월 15일 교원이 임명되었다.[847] 공립이천보통학교의 위치는 현재의 이천초등학

835) 勅令第四十四號, 光武十年八月二十七日, 구한말 관보, 第三千五百四十六號.
836) 學部告示第三號, 隆熙二年四月二十二日, 구한말 관보, 第四千六十三號.
837) 구한말 관보, 第四千六十四號에 따르면 1908년 4월 25일 오창근(吳昌根)이 공립고부보통학교 본과훈도로 임명되었다.
838) 고부초등학교 경위도 좌표: 35.62143, 126.7719
839) 공립고부보통학교는 지금까지 이전 없이 몇 번의 개명을 거쳐서 현재의 고부초등학교가 되었다.
840) 勅令第四十四號, 光武十年八月二十七日, 구한말 관보, 第三千五百四十六號.
841) 學部告示第三號, 隆熙二年四月二十二日, 구한말 관보, 第四千六十三號.
842) 구한말 관보, 第四千六十四號에 따르면 1908년 4월 25일 김계식(金啓植)이 공립고부보통학교 본과훈도로 임명되었다.
843) 영암초등학교 경위도 좌표: 34.79666, 126.68776
844) 공립영암보통학교는 지금까지 이전 없이 몇 번의 개명을 거쳐서 현재의 영암초등학교가 되었다.
845) 勅令第四十四號, 光武十年八月二十七日, 구한말 관보, 第三千五百四十六號.
846) 學部告示第九號, 隆熙二年十一月九日, 구한말 관보, 第四千二百廿五號.
847) 구한말 관보, 第四千三百八十二號에 따르면, 1909년 5월 15일에 김도환(崔基昇)이

교[848] 자리이다.[849]

▮ 공립온양보통학교(公立溫陽普通學校): 공립온양보통학교는 1906년 8월 27일 칙령 제44호 보통학교령(普通學校令)[850]과 1908년 4월 22일 학부고시 제3호[851]에 의거하여, 1908년 6월 18일 교원이 임명되었다.[852] 공립온양보통학교의 위치는 현재의 온양초등학교[853] 자리이다.[854]

▮ 공립여주보통학교(公立驪州普通學校): 공립여주보통학교는 1906년 8월 27일 칙령 제44호 보통학교령(普通學校令)[855]과 1908년 4월 22일 학부고시 제3호[856]에 의거하여, 1908년 9월 18일 교원이 임명되었다.[857] 공립여주보통학교의 위치는 현재의 여주초등학교[858] 자리이다.[859]

공립이천보통학교 전과부훈도로 임명되었다고 기술하였다. 다만 구한말 관보, 第四千三百七十三號에 따르면 1909년 4월 20일 박지혁(朴之赫), 이일영(李日榮), 최봉익(崔鳳翼), 이건영(李建榮), 이응태(李膺泰), 김계식(金啓植)이 공립이천보통학교 학무위원으로 촉탁되었다.

848) 이천초등학교 경위도 좌표: 37.28368, 127.44226

849) 공립이천보통학교는 지금까지 이전 없이 몇 번의 개명을 거쳐서 현재의 이천초등학교가 되었다.

850) 勅令第四十四號, 光武十年八月二十七日, 구한말 관보, 第三千五百四十六號.

851) 學部告示第三號, 隆熙二年四月二十二日, 구한말 관보, 第四千六十三號.

852) 구한말 관보, 第四千百十五號에 따르면 1908년 6월 18일 이승구(李承九)가 공립온양보통학교 전과부훈도로 임명되었다.

853) 온양초등학교 경위도 좌표: 36.76113, 127.01837

854) 공립온양보통학교는 지금까지 이전 없이 몇 번의 개명을 거쳐서 현재의 온양초등학교가 되었다.

855) 勅令第四十四號, 光武十年八月二十七日, 구한말 관보, 第三千五百四十六號.

856) 學部告示第三號, 隆熙二年四月二十二日, 구한말 관보, 第四千六十三號.

857) 구한말 관보, 第四千百八十五號에 따르면 1908년 9월 18일 원용한(元容漢)이 공립여주보통학교의 전과부훈도로 임명되었다.

858) 여주초등학교 경위도 좌표: 37.29855, 127.63594

859) 공립여주보통학교는 지금까지 이전 없이 몇 번의 개명을 거쳐서 현재의 여주초등학교가 되었다.

▌공립은진보통학교(公立恩津普通學校): 공립은진보통학교는 1906년 8월 27일 칙령 제44호 보통학교령(普通學校令)[860]과 1908년 11월 9일 학부고시 제9호[861]에 의거하여, 1908년 8월 21일 인가되었고, 1908년 12월 9일 교원이 임명되었다.[862] 공립은진보통학교의 위치는 미상이다.[863]

▌공립일신보통학교(公立日新普通學校): 공립일신보통학교는 1906년 8월 27일 칙령 제44호 보통학교령(普通學校令)[864]과 1908년 11월 9일 학부고시 제9호[865]에 의거하여, 1908년 10월 15일 인가되었고, 1909년 5월 15일에 교원이 배치되었다.[866] 공립일신보통학교의 위치는 미상이다.[867]

▌공립봉양보통학교(公立鳳陽普通學校), 공립구례보통학교(公立求禮普通學校)[868]: 공립봉양보통학교는 1906년 8월 27일 칙령 제44호 보통학교령(普通學校令)[869]과 1909년 4월 15일 학부고시 제4호 공립보통학교설립인가(公立普通學校設置認可)[870]에 의거하여, 1909년 3월 13일 인가되었고, 1909년 5월

---

860) 勅令第四十四號, 光武十年八月二十七日, 구한말 관보, 第三千五百四十六號.

861) 學部告示第九號, 隆熙二年十一月九日, 구한말 관보, 第四千二百卄五號.

862) 구한말 관보, 第四千二百五十五號에 따르면 1908년 12월 9일 신영합(愼寧洽)이 공립은진보통학교의 전과부훈도로 임명되었다고 기술하였다.

863) 다만 은진현에 위치한 것은 분명하기에 은진현 관아 터인 현재의 은진초등학교(36.16817, 127.10649)를 중심으로 100m 이내에 위치했을 것으로 추정된다.

864) 勅令第四十四號, 光武十年八月二十七日, 구한말 관보, 第三千五百四十六號.

865) 學部告示第九號, 隆熙二年十一月九日, 구한말 관보 第四千二百卄五號.

866) 구한말 관보, 第四千三百八十二號에 따르면, 1909년 5월 15일에 정석환(鄭錫煥)이 본과부훈도에, 송사렴(宋士濂)이 전과부훈도에 임명되었다.

867) 다만 강계시 구시가에 위치한 것은 분명하기에 현재의 강계시 중심가(40.96767, 126.59909)로부터 600m 이내에 위치했을 것으로 추정된다.

868) 1910년 7월 9일까지의 공식적인 학교 명칭은 공립봉양보통학교(公立鳳陽普通學校)이지만, 구한말 관보, 第四千四百十八號의 1909년 7월 1일의 임명기록에서는 공립구례보통학교(公立求禮普通學校)로 오기하고 있다.

869) 勅令第四十四號, 光武十年八月二十七日, 구한말 관보, 第三千五百四十六號.

870) 學部告示第四號, 隆熙三年四月十五日, 구한말 관보, 第四千三百五十三號.

14일 교원이 배치되었다.[871] 1910년 7월 9일 학부고시 제18호[872]에 의거하여, 공립구례보통학교로 개명하였다. 공립봉양보통학교와 공립구례보통학교의 위치는 현재의 구례중앙초등학교[873] 자리이다.[874]

▌공립정의보통학교(公立旌義普通學校): 공립정의보통학교는 1906년 8월 27일 칙령 제44호 보통학교령(普通學校令)[875]과 1909년 4월 15일 학부고시 제4호 공립보통학교설립인가(公立普通學校設置認可)[876]에 의거하여, 1909년 3월 13일 인가되었고, 1909년 10월 18일 교원이 배치되었다.[877] 공립정의보통학교의 위치는 현재의 표선면 성읍정의현로 24번길 5-14[878]이다.[879]

▌공립부산보통학교(公立釜山普通學校): 공립부산보통학교는 1906년 8월 27일 칙령 제44호 보통학교령(普通學校令)[880]과 1909년 4월 9일 학부고시 제3호[881]에 의거하여 개교하였다. 공립부산보통학교의 위치는 미상이다.[882]

---

871) 구한말 관보, 第四千三百八十七號에 따라서, 1909년 5월 14일 고용주(高墉柱)가 전과부훈도로 임명되었다.

872) 學部告示第十八號, 隆熙四年七月九日, 구한말 관보, 第四千七百二十七號.

873) 구례중앙초등학교 경위도 좌표: 35.20446, 127.46518

874) 공립봉양보통학교는 지금까지 이전 없이 몇 번의 개명을 거쳐서 현재의 구례중앙초등학교가 되었다.

875) 勅令第四十四號, 光武十年八月二十七日, 구한말 관보, 第三千五百四十六號.

876) 學部告示第四號, 隆熙三年四月十五日, 구한말 관보, 第四千三百五十三號.

877) 구한말 관보, 第四千五百九號에 따라서, 1909년 10월 18일 오창모(吳昌模)가 전과부훈도로 임명되었다. 다만 구한말 관보, 第四千四百十八號에 의하면, 1909년 7월 1일 조달팽(趙達彭), 현한휴(玄漢休), 강봉휴(康鳳休), 강승봉(康丞鳳), 강석항(康錫恒), 오기남(吳箕南), 양주호(梁柱澔)가 공립정의보통학교의 학무위원으로 촉탁되었다.

878) 표선면 성읍정의현로 24번길 5-14 경위도 좌표: 33.3871, 126.80154

879) 표선초등학교 학교연혁에 따르면, "1909년 7월 12일 동중면 성읍리 875번지에서 개교"하였다. 해당 위치의 현재 법정주소는 "대한민국 제주특별자치도 서귀포시 표선면 성읍정의현로34번길 5-14"이다.

880) 勅令第四十四號, 光武十年八月二十七日, 구한말 관보, 第三千五百四十六號.

881) 學部告示第三號, 隆熙三年四月九日, 구한말 관보, 第四千三百四十八號.

▌공립동복보통학교(公立同福普通學校): 공립동복보통학교는 1906년 8월 27일 칙령 제44호 보통학교령(普通學校令)[883]과 1909년 9월 10일 학부고시 제9호 공립보통학교 설치인가(公立普通學校 設置認可)[884]에 의거하여, 1909년 8월 30일 인가되었고, 1909년 11월 1일 교원이 배치되었다.[885] 공립동복보통학교의 위치는 현재의 동복초등학교[886] 자리이다.[887]

▌공립남포보통학교(公立藍浦普通學校): 공립남포보통학교는 1906년 8월 27일 칙령 제44호 보통학교령(普通學校令)[888]과 1909년 9월 13일 학부고시 제10호 공립보통학교 설립허가(公立普通學校設置許可)[889]에 의거하여, 1909년 9월 13일 남포군사립청출보통학교(藍浦郡私立靑出普通學校)에서 공립남포보통학교(公立藍浦普通學校) 인가되었고, 1909년 5월 26일 교원이 배치되었다.[890] 공립정의보통학교의 위치는 미상이다.[891]

▌공립마포보통학교(公立麻浦普通學校): 공립마포보통학교(公立麻浦普通學校)는

882) 다만 부산역사문화대전의 부산공립보통학교에 따르면, 중구 초량동에 위치한 것은 분명하기에 현재의 부산고등학교(35.12122, 129.03681)로부터 1km 이내에 위치했을 것으로 추정된다.

883) 勅令第四十四號, 光武十年八月二十七日, 구한말 관보, 第三千五百四十六號.

884) 學部告示第九號, 隆熙三年九月十日, 구한말 관보, 第四千四百七十八號.

885) 구한말 관보, 第四千四百六十六號에 따라서, 1909년 11월 1일 동복군 군수 이사필(李思弼)이 공립동복보통학교의 학교장으로, 오진묵(吳晉默)이 본과부훈도로 임명되었다.

886) 동복초등학교 경위도 좌표: 35.07211, 127.12824

887) 공립동복보통학교는 지금까지 이전 없이 몇 번의 개명을 거쳐서 현재의 동복초등학교가 되었다.

888) 勅令第四十四號, 光武十年八月二十七日, 구한말 관보, 第三千五百四十六號.

889) 學部告示第十號, 隆熙三年九月十三日, 구한말 관보, 四千四百八十號.

890) 구한말 관보, 第四千四百六十六號에 따라서, 1909년 5월 26일 황창현(黃昌顯)이 남포군사립청출보통학교(藍浦郡私立靑出普通學校)의 전과부훈도로 임명되었다.

891) 다만 남포군에 위치한 것은 분명하기에 현재의 남포초등학교(36.30518, 126.60901)로부터 300m 이내에 위치했을 것으로 추정된다.

1906년 8월 27일 칙령 제44호 보통학교령(普通學校令)[892]과 1910년 6월 29일 학부고시 제17호 공립보통학교 설치인가(公立普通學校 設置認可)[893]에 의거하여, 1910년 6월 23일 인가되었고, 1910년 6월 13일 학무위원이 촉탁되었다.[894] 공립마포보통학교의 위치는 현재의 서울마포초등학교[895] 자리이다.[896]

▮공립영동보통학교(公立永同普通學校): 공립영동보통학교는 1906년 8월 27일 칙령 제44호 보통학교령(普通學校令)[897]과 1910년 7월 30일 학부고시 제20호 공립보통학교 설치인가(公立普通學校 設置認可)[898]에 의거하여, 1910년 7월 30일 영동군사립영동보통학교(永同郡私立永同普通學校)에서 공립영동보통학교로 인가되었고, 1910년 7월 30일 교원이 배치되었다.[899] 공립영동보통학교의 위치는 현재의 영동초등학교[900] 자리이다.[901]

▮공립옥천보통학교(公立沃川普通學校): 공립옥천보통학교(公立沃川普通學校)는 1906년 8월 27일 칙령 제44호 보통학교령(普通學校令)[902]과 1910년 7월

---

892) 勅令第四十四號, 光武十年八月二十七日, 구한말 관보, 第三千五百四十六號.

893) 學部告示第十七號, 隆熙四年六月二十九日, 구한말 관보, 第四千七百十九號.

894) 구한말 관보, 第四千七百五十九號에 따르면, 1910년 6월 13일 김인호(金仁浩), 최영준(崔榮準), 조병관(曹秉觀), 윤영배(尹永培), 우종현(禹鍾鉉)이 공립마포보통학교 학무위원으로 촉탁되었다.

895) 서울마포초등학교 경위도 좌표: 37.53826, 126.94963

896) 공립마포보통학교는 지금까지 이전 없이 몇 번의 개명을 거쳐서 현재의 서울마포초등학교가 되었다.

897) 勅令第四十四號, 光武十年八月二十七日, 구한말 관보, 第三千五百四十六號.

898) 學部告示第二十號, 隆熙四年七月三十日, 구한말 관보, 第四千七百四十七號.

899) 구한말 관보, 第四千七百五十號에 따르면 1910년 7월 30일 영동군사립영동보통학교(永同郡私立永同普通學校) 본과훈도 겸 교감 조천용(早川勇)이 공립영동보통학교 본과훈도 겸 교감으로, 영동군사립영동보통학교(永同郡私立永同普通學校) 본과부훈도 이택재(李宅宰)가 공립영동보통학교 본과부훈도로 임명되었다.

900) 영동초등학교 경위도 좌표: 36.17266, 127.77929

901) 공립영동보통학교는 지금까지 이전 없이 몇 번의 개명을 거쳐서 현재의 영동초등학교가 되었다.

30일 학부고시 제20호 공립보통학교 설치인가(公立普通學校 設置認可)[903]에 의거하여, 1910년 7월 30일 옥천군사립창명보통학교(沃川郡私立彰明普通學校)에서 공립옥천보통학교로 인가되었고, 1910년 7월 30일 교원이 배치되었다.[904] 공립옥천보통학교의 위치는 현재의 죽향초등학교[905] 자리이다.[906]

902) 勅令第四十四號, 光武十年八月二十七日, 구한말 관보, 第三千五百四十六號.

903) 學部告示第二十號, 隆熙四年七月三十日, 구한말 관보, 第四千七百四十七號.

904) 구한말 관보, 第四千七百五十號에 따르면 1910년 7월 30일 옥천군사립창명보통학교(沃川郡私立彰明普通學校)의 본과훈도 겸 교감 오노 토쿠이치(大野德市)가 공립옥천보통학교의 본과훈도 겸 교감으로, 옥천군사립창명보통학교(沃川郡私立彰明普通學校)의 본과부훈도 박창화(朴昌和)가 공립옥천보통학교의 본과부훈도로 임명되었다.

905) 죽향초등학교 경위도 좌표: 36.31333, 127.57752

906) 공립옥천보통학교는 지금까지 이전 없이 몇 번의 개명을 거쳐서 현재의 죽향초등학교가 되었다.

〔부록 2〕

제도의 고증

1. 교원의 직위 고증

본 연구가 대상으로 하는 범위에서 실제적인 직위 명칭과 그 변화 양상은 다음과 같다.

▮ 교관(教官): 교관은 1895년 4월 16일 칙령 제79호 한성사범학교관제(漢城師範學校官制)[1]에 의거하여 한성사범학교에 2명 이하의 주임관 혹은 판임관으로 편성된 직책이다. 교관의 직무는 학생의 교육을 담당하는 것이다.[2] 1899년 4월 4일 칙령 제11호 중학교관제(中學校官制)[3]에 의거하여 7명 이하의 주임관 혹은 판임관으로 편성하고, 필요에 따라서 학부 주임관이 겸임하도록 하였다. 1906년 8월 27일 칙령 제40호 학부직할학교급공립학교관제(學部直轄學校及公立學校官制)[4]에 의거하여, 주임관인 교관은 3명 이하로 하였다. 1906년 9월 3일 칙령 제45호 학부직할학교직원정원령(學部直轄學校職員定員令)[5]에 의거하여 한성사범학교는 교관과 부교관 모두 합쳐서 7명, 관립한성고등학교는 교관과 부교관 모두 합쳐서 8명으로 편성하였다. 1907년 12월 13일 칙령 제55호 학부직할학교급공립학교관제(學部直轄學校及公立學校官制)[6]에 의거하여, 교수로 직책명이 변경되었다.

---

1) 勅令第七十九號, 開國五百四年四月十六日, 法規類編 元.

2) 教官은生徒의教育을掌홈.

3) 勅令第十一號, 光武三年四月六日, 구한말 관보, 第一千二百二十八號.

4) 勅令第四十號, 光武十年八月卅一日, 구한말 관보, 第三千五百四十六號.

5) 勅令第四十五號, 光武十年九月三日, 구한말 관보, 第三千五百五十三號.

▌부교관(副敎官): 부교관은 1895년 4월 16일 칙령 제79호 한성사범학교관제(漢城師範學校官制)[7]에 의거하여 사범학교에 판임관으로 1명이 편성된 직책이다. 부교관의 직무는 교관의 직무를 보조하는 것이다.[8] 1906년 8월 27일 칙령 제40호 학부직할학교급공립학교관제(學部直轄學校及公立學校官制)[9]에 의거하여, 직할학교에 판임관으로 편성되었다. 1906년 9월 3일 칙령 제45호 학부직할학교직원정원령(學部直轄學校職員定員令)[10]에 의거하여 한성사범학교는 교관과 부교관 모두 합쳐서 7명, 관립한성고등학교는 교관과 부교관을 모두 합쳐서 8명으로 편성하였다. 1907년 12월 13일 칙령 제55호 학부직할학교급공립학교관제(學部直轄學校及公立學校官制)[11]에 의거하여, 부교수로 직책명이 변경되었다.

▌교원(敎員): 교원은 1895년 4월 16일 칙령 제79호 한성사범학교관제(漢城師範學校官制)[12]에 의거하여, 판임관으로 3명 이하가 편성된 직책이다. 한성사범학교 교원의 직무는 부속소학교 아동의 교육을 담당하는 것이다.[13] 1895년 7월 19일 칙령 제145호 소학교령(小學校令)[14]에 의거하여 소학교에도 판임관으로 교원이 편성되었다. 1906년 8월 27일 칙령 제44호 보통학교령(普通學校令)[15]에 의거하여 보통학교에서도 계속 판임관으로 편성되었다. 1906년 9월 3일 칙령 제45호 학부직할학교직원정원령(學部直轄學校職員定員令)[16]에 의거하여, 교원과 부교원을 합쳐서 5명으로 편성하였다.

---

6) 勅令第五十五號, 隆熙元年十二月十三日, 구한말 관보, 號外, 隆熙元年十二月十八日.
7) 勅令第七十九號, 開國五百四年四月十六日, 法規類編 元.
8) 副敎官은敎官의職務助홈.
9) 勅令第四十號, 光武十年八月卅一日, 구한말 관보, 第三千五百四十六號.
10) 勅令第四十五號, 光武十年九月三日, 구한말 관보, 第三千五百五十三號.
11) 勅令第五十五號, 隆熙元年十二月十三日, 구한말 관보, 號外, 隆熙元年十二月十八日.
12) 勅令第七十九號, 開國五百四年四月十六日, 法規類編 元.
13) 敎員은附屬小學校兒童의敎育을掌.
14) 勅令第一百四十五號, 開國五百四年七月十九日, 구한말 관보, 第一百十九號.
15) 勅令第四十四號, 光武十年八月二十七日, 구한말 관보, 第三千五百四十六號.

▌부교원(副教員): 부교원은 1906년 8월 27일 칙령 제44호 보통학교령(普通學校令)[17]에 의거하여 판임관으로 편성된 직책이다. 부교원의 직무는 학생의 교육이다.[18] 1906년 9월 3일 칙령 제45호 학부직할학교직원정원령(學部直轄學校職員定員令)[19]에 의거하여, 교원과 부교원을 합쳐서 5명으로 편성하였다.

▌교수(教授): 교수는 1907년 12월 13일 칙령 제55호 학부직할학교급공립학교관제(學部直轄學校及公立學校官制)[20]에 의거하여 교관이 개칭된 것으로 주임관으로 편성되었다. 교수의 직무는 학생의 교육을 담당하는 것이다. 1907년 12월 13일 칙령 제56호 학부직할학교직원정원령(學部直轄學校職員定員令)[21]에 의거하여, 관립한성사범학교는 교수와 부교수를 모두 합쳐서 9명, 관립한성고등학교는 10명으로 편성하였다. 1908년 4월 22일 칙령 제20호 학부직할학교직원정원령중개정건(學部直轄學校職員定員令中改正件)[22]에 의거하여, 관립한성고등여학교는 교수와 부교수를 모두 합쳐서 12명으로 편성하였다. 1909년 2월 4일 칙령 제7호 학부직할학교급공립학교관제(개정)(學部直轄學校及公立學校官制(改正))[23]에 의거하여 교수는 주임관 혹은 판임관으로 학부 혹은 지방관청의 관원이 겸임하도록 하였다. 1909년 2월 4일 칙령 제8호 학부직할학교직원정원령(개정)(學部直轄學校職員定員令(改正))[24]에 의거하여, 관립한성사범학교는 교수와 부교수를 모두 합쳐서 14

16) 勅令第四十五號, 光武十年九月三日, 구한말 관보, 第三千五百五十三號.
17) 勅令第四十四號, 光武十年八月二十七日, 구한말 관보, 第三千五百四十六號.
18) 副教員은學徒의教育을掌이라.
19) 勅令第四十五號, 光武十年九月三日, 구한말 관보, 第三千五百五十三號.
20) 勅令第五十五號, 隆熙元年十二月十三日, 구한말 관보, 號外, 隆熙元年十二月十八日.
21) 勅令第五十六號, 隆熙元年十二月十三日, 구한말 관보, 號外, 隆熙元年十二月十八日.
22) 勅令第二十號, 隆熙二年四月二日, 구한말 관보, 第四千三十九號.
23) 勅令第七號, 隆熙三年二月四日, 구한말 관보, 第四千二百九十九號.
24) 勅令第八號, 隆熙三年二月四日, 구한말 관보, 第四千二百九十九號.

명으로 편성하였다. 1910년 2월 22일 칙령 제16호 학부직할학교직원정원령(개정)(學部直轄學校職員定員令(改正))[25]에 의거하여 관립한성사범학교는 교수와 부교수를 모두 합쳐서 15명으로, 관립한성고등학교는 12명으로 편성하였다.

▌부교수(副教授): 부교수는 1907년 12월 13일 칙령 제55호 학부직할학교급공립학교관제(學部直轄學校及公立學校官制)[26]에 의거하여, 부교관이 개칭되어 직할학교에 판임관으로 편성되었다. 부교수의 직무는 학생의 교육에 종사하는 것이다. 1907년 12월 13일 칙령 제56호 학부직할학교직원정원령(學部直轄學校職員定員令)[27]에 의거하여, 관립한성사범학교는 교수와 부교수를 모두 합쳐서 9명으로, 관립한성고등학교는 10명으로 편성하였다. 1908년 4월 22일 칙령 제20호 학부직할학교직원정원령중개정건(學部直轄學校職員定員令中改正件)[28]에 의거하여, 관립한성고등여학교는 교수와 부교수를 모두 합쳐서 12명으로 편성하였다. 1909년 2월 4일 칙령 제8호 학부직할학교직원정원령(개정)(學部直轄學校職員定員令(改正))[29]에 의거하여, 관립한성사범학교는 교수와 부교수를 모두 합쳐서 14명으로 편성하였다. 1910년 2월 22일 칙령 제16호 학부직할학교직원정원령(개정)(學部直轄學校職員定員令(改正))[30]에 의거하여 관립한성사범학교는 교수와 부교수를 모두 합쳐서 15명으로, 관립한성고등학교는 12명으로 편성하였다.

▌본과훈도(本科訓導): 본과훈도는 1907년 12월 13일 칙령 제55호 학부직할학교급공립학교관제(學部直轄學校及公立學校官制)[31]에 의거하여, 교원과 부

25) 勅令第十六號, 隆熙四年二月二十二日, 구한말 관보, 第四千六百十號.
26) 勅令第五十五號, 隆熙元年十二月十三日, 구한말 관보, 號外, 隆熙元年十二月十八日.
27) 勅令第五十六號, 隆熙元年十二月十三日, 구한말 관보, 號外, 隆熙元年十二月十八日.
28) 勅令第二十號, 隆熙二年四月二日, 구한말 관보, 第四千三十九號.
29) 勅令第八號, 隆熙三年二月四日, 구한말 관보, 第四千二百九十九號.
30) 勅令第十六號, 隆熙四年二月二十二日, 구한말 관보, 第四千六百十號.

교원을 개칭하여 직할학교 및 공립학교에 판임관으로 편성하였다. 직할학교 및 공립학교에서 본과훈도의 직무는 부속보통학교의 교육에 종사하는 것이다. 1907년 12월 30일 칙령 제83호 보통학교령중개정건(普通學校令中改正件)[32]에 의거하여 보통학교에 본과훈도를 편성하였다. 보통학교 훈도의 직무는 학생의 교육을 담당하는 것이다.[33] 1907년 12월 13일 칙령 제56호 학부직할학교직원정원령(學部直轄學校職員定員令)[34]에 의거하여, 본과훈도와 본과부훈도를 모두 합쳐서 6명으로 편성하였다. 1908년 4월 22일 칙령 제20호 학부직할학교직원정원령중개정건(學部直轄學校職員定員令中改正件)[35]에 의거하여, 관립한성고등여학교에 본과훈도와 본과부훈도를 모두 4명으로 편성하였다. 1909년 2월 4일 칙령 제8호 학부직할학교직원정원령(개정)(學部直轄學校職員定員令(改正))[36]에 의거하여, 본과훈도와 본과부훈도를 모두 7명으로 편성하였다.

▌본과부훈도(本科副訓導): 본과부훈도는 1907년 12월 13일 칙령 제55호 학부직할학교급공립학교관제(學部直轄學校及公立學校官制)[37]에 의거하여, 교원과 부교원을 개칭한 것으로 직할학교 및 공립학교에 판임관으로 편성하였다. 본과부훈도의 직무는 부속보통학교의 교육에 종사하는 것이다. 1907년 12월 30일 칙령 제83호 보통학교령중개정건(普通學校令中改正件)[38]에 의거하여 보통학교에 본과부훈도를 편성하였다. 보통학교에서 본과부훈도의 직무는 학생의 교육을 담당하는 것이다.[39] 1907년 12월 13일 칙령

31) 勅令第五十五號, 隆熙元年十二月十三日, 구한말 관보, 號外, 隆熙元年十二月十八日.
32) 勅令第八十三號, 隆熙元年十二月三十日, 구한말 관보, 第三千九百七十四號.
33) 訓導副訓導學徒의敎育을掌홈.
34) 勅令第五十六號, 隆熙元年十二月十三日, 구한말 관보, 號外, 隆熙元年十二月十八日.
35) 勅令第二十號, 隆熙二年四月二日, 구한말 관보, 第四千三十九號.
36) 勅令第八號, 隆熙三年二月四日, 구한말 관보, 第四千二百九十九號.
37) 勅令第五十五號, 隆熙元年十二月十三日, 구한말 관보, 號外, 隆熙元年十二月十八日.
38) 勅令第八十三號, 隆熙元年十二月三十日, 구한말 관보, 第三千九百七十四號.

제56호 학부직할학교직원정원령(學部直轄學校職員定員令)[40]에 의거하여, 본과훈도와 본과부훈도를 모두 합쳐서 6명으로 편성하였다. 1908년 4월 22일 칙령 제20호 학부직할학교직원정원령중개정건(學部直轄學校職員定員令中改正件)[41]에 의거하여, 관립한성고등여학교에 본과훈도와 본과부훈도를 모두 4명으로 편성하였다. 1909년 2월 4일 칙령 제8호 학부직할학교직원정원령(개정)(學部直轄學校職員定員令(改正))[42]에 의거하여, 본과훈도와 본과부훈도를 모두 7명으로 편성하였다.

▮ 전과훈도(專科訓導): 전과훈도는 1907년 12월 30일 칙령 제83호 보통학교령중개정건(普通學校令中改正件)[43]에 의거하여 교원과 부교원을 개칭한 것으로 보통학교에 편성되었다. 보통학교에서 전과훈도의 직무는 학생의 교육을 담당하는 것이다.[44]

▮ 전과부훈도(專科副訓導): 전과부훈도는 1907년 12월 30일 칙령 제83호 보통학교령중개정건(普通學校令中改正件)[45]에 의거하여 교원과 부교원을 개칭한 것으로 보통학교에 편성되었다. 보통학교에서 전과부훈도의 직무는 학생의 교육을 담당하는 것이다.[46]

▮ 서기(書記): 서기는 1895년 4월 16일 칙령 제79호 한성사범학교관제(漢城師範學校官制)[47]에 의거하여 직할학교에서 학부 주사가 판임관으로 겸임하

39) 訓導副訓導學徒의教育을掌홈.
40) 勅令第五十六號, 隆熙元年十二月十三日, 구한말 관보, 號外, 隆熙元年十二月十八日.
41) 勅令第二十號, 隆熙二年四月二日, 구한말 관보, 第四千三十九號.
42) 勅令第八號, 隆熙三年二月四日, 구한말 관보, 第四千二百九十九號.
43) 勅令第八十三號, 隆熙元年十二月三十日, 구한말 관보, 第三千九百七十四號.
44) 訓導副訓導學徒의教育을掌홈.
45) 勅令第八十三號, 隆熙元年十二月三十日, 구한말 관보, 第三千九百七十四號.
46) 訓導副訓導學徒의教育을掌홈.

는 직책이다. 서기의 직무는 학교장의 명에 따라서 서무 회계를 담당하는 것이다.[48] 1906년 8월 27일 칙령 제40호 학부직할학교급공립학교관제(學部直轄學校及公立學校官制)[49]에 의거하여, 학부 주사에 의한 겸직이 아닌 서기를 독립적으로 채용하도록 하였다. 1906년 9월 3일 칙령 제45호 학부직할학교직원정원령(學部直轄學校職員定員令)[50]에 의거하여 학생 수가 많지 않은 경우 교관 혹은 부교관이 서기를 겸직할 수 있도록 하였다. 1907년 12월 13일 칙령 제56호 학부직할학교직원정원령(學部直轄學校職員定員令)[51]에 의거하여, 부교수가 학부 주사를 겸직하도록 하였다.

▌보모(保姆): 보모는 1908년 4월 22일 칙령 제20호 학부직할학교직원정원령중개정건(學部直轄學校職員定員令中改正件)[52]에 의거하여 관립한성고등여학교(官立漢城高等女學校) 부속 유치원에 1명으로 편성된 직책이다. 보모 1인이 담당하는 유아의 수는 40인 이하이다.

▌학무위원(學務委員): 학무위원은 1908년 6월 22일 학부훈령 제66호 학무위원규정준칙(學務委員規程準則)[53]에 의거하여 관공립보통학교를 대상으로 학교 발전을 위하여 각 학교마다 7인 이하로 편성된 임기 2년의 명예직이다. 학무위원의 역할은 관공립보통학교에 관한 사항에서 부이(府尹), 군수, 학교장을 보좌하고, 자문에 응해서 의견을 진술하는 것이다. 구체적으로 입학의 권유와 출석 독촉에 관한 건, 설비에 관한 건, 기타 보통교육 장려에 관한 건을 직무로 한다.

---

47) 勅令第七十九號, 開國五百四年四月十六日, 法規類編 元.
48) 書記學部主事로兼任케니學校長의命을承야庶務會計에從事홈.
49) 勅令第四十號, 光武十年八月卅一日, 구한말 관보, 第三千五百四十六號.
50) 勅令第四十五號, 光武十年九月三日, 구한말 관보, 第三千五百五十三號.
51) 勅令第五十六號, 隆熙元年十二月十三日, 구한말 관보, 號外, 隆熙元年十二月十八日.
52) 勅令第二十號, 隆熙二年四月二日, 구한말 관보, 第四千三十九號.
53) 學部訓令第六十六號, 隆熙二年六月二十二日, 구한말 관보, 第四千百十五號.

▌학교장(學校長): 학교장은 1895년 4월 16일 칙령 제79호 한성사범학교관제(漢城師範學校官制)[54]에 의거하여, 한성사범학교에서 학부 참서관이 겸직하는 주임관 직책이다. 1895년 7월 19일 칙령 제145호 소학교령(小學校令)에 의거하여, 소학교에서 해당 학교 교원이나 때에 따라서 학부 주사가 겸직을 하는 판임관 직책이다. 1899년 4월 4일 칙령 제11호 중학교관제(中學校官制)[55]에 의거하여, 관립중학교 교장은 독립적으로 임명되는 주임관 직책이며, 공립중학교에서는 지방 관원이 겸직하는 직책이다. 1906년 8월 27일 칙령 제40호 학부직할학교급공립학교관제(學部直轄學校及公立學校官制)[56]에 의거하여, 직할 학교에 의해 독립적으로 임명되지만, 때에 따라서 학부 혹은 지방 관청의 관원에 의해 겸임되는 칙임관 혹은 주임관 직책이다. 1906년 8월 27일 칙령 제44호 보통학교령(普通學校令)[57]에 의거하여, 보통학교의 특별한 필요에 의해 독립적으로 임명되고, 또는 해당 학교 교원에 의해서 겸직되는 직책이다. 하지만 1907년 12월 13일 칙령 제55호 학부직할학교급공립학교관제(學部直轄學校及公立學校官制)[58]에 의거하여, 직할학교의 학교장은 학부 혹은 지방 관원에 의해서 겸임되는 칙임관 혹은 주임관 직책으로 변경된다. 1907년 12월 30일 칙령 제83호 보통학교령중개정건(普通學校令中改正件)[59]에 의거하여, 보통학교의 학교장은 본과훈도가 겸임하게 된다. 1910년 3월 1일 칙령 제17호 학부직할학교급공립학교관제(개정)(學部直轄學校及公立學校官制(改正))[60]에 의거하여 학부 및 기타 관리가 겸직하게 되어 겸직 가능한 직책의 범위가 확장되었다.

---

54) 勅令第七十九號, 開國五百四年四月十六日, 法規類編 元.
55) 勅令第十一號, 光武三年四月六日, 구한말 관보, 第一千二百二十八號.
56) 勅令第四十號, 光武十年八月卅一日, 구한말 관보, 第三千五百四十六號.
57) 勅令第四十四號, 光武十年八月二十七日, 구한말 관보, 第三千五百四十六號.
58) 勅令第五十五號, 隆熙元年十二月十三日, 구한말 관보, 號外, 隆熙元年十二月十八日.
59) 勅令第八十三號, 隆熙元年十二月三十日, 구한말 관보, 第三千九百七十四號.
60) 勅令第十七號, 隆熙四年三月一日, 구한말 관보, 第四千六百十六號.

▌학원감(學員監): 학원감은 1906년 8월 27일 칙령 제40호 학부직할학교급공립학교관제(學部直轄學校及公立學校官制)[61]에 의거하여, 기숙사[留宿舍]를 설치한 학교를 대상으로 만들어진 교관과 부교관이 겸직하는 2인에게 배정된 직책이다. 1907년 12월 13일 칙령 제55호 학부직할학교급공립학교관제(學部直轄學校及公立學校官制)[62]에 의거하여, 교수와 부교수가 겸직을 하는 직책으로 변경되었고, 각 학교의 사정에 따라서 관립한성사범학교에는 2명, 관립한성고등학교에는 1명의 인원이 배정되었다. 1909년 2월 4일 칙령 제8호 학부직할학교직원정원령(개정)(學部直轄學校職員定員令(改正))[63]에 의거하여 5명으로 배정 인원이 증가하였다.

▌학감(學監): 학감은 1907년 12월 13일 칙령 제55호 학부직할학교급공립학교관제(學部直轄學校及公立學校官制)[64]에 의거하여 직할 학교를 대상으로 만들어진 직책이다. 교감의 직무는 학교장을 보좌하며, 학교장에게 사고가 있을 시에는 학교장의 직무를 대행하고, 학도의 교육을 책임지는 것이다.[65] 1907년 12월 13일 칙령 제56호 학부직할학교직원정원령(學部直轄學校職員定員令)[66]에 의거하여 각 학교당 학감은 1명으로 하였다. 대상 시기의 학감은 이능화(李能和)를 제외하면 모두 일본인들만으로 임명되었다. 1910년 4월 5일 칙령 제26호 학부직할학교급공립학교관제(개정)(學部直轄學校及公立學校官制(改正))[67]에 의거하여 학감에는 주임뿐만이 아니라 판임도 임명 가능하게 하였다.

---

61) 勅令第四十號, 光武十年八月卅一日, 구한말 관보, 第三千五百四十六號.
62) 勅令第五十五號, 隆熙元年十二月十三日, 구한말 관보, 號外, 隆熙元年十二月十八日.
63) 勅令第八號, 隆熙三年二月四日, 구한말 관보, 第四千二百九十九號.
64) 勅令第五十五號, 隆熙元年十二月十三日, 구한말 관보, 號外, 隆熙元年十二月十八日.
65) 教監은學校長을補佐며學校長이事故가 有時其職務代辦고且學徒의教育을掌홈.
66) 勅令第五十六號, 隆熙元年十二月十三日, 구한말 관보, 號外, 隆熙元年十二月十八日.
67) 勅令第二十六號, 隆熙四年四月五日, 구한말 관보, 第四千六百四十五號.

▮ 교감(敎監): 교감은 1907년 12월 30일 칙령 제83호 보통학교령중개정건(普通學校令中改正件)[68]에 의거하여 보통학교를 대상으로 만들어진 직책으로 본과훈도가 겸직하였다. 교감의 직무는 학교장을 보좌하며, 학교장이 사고가 있을 시에는 학교장의 직무를 대행하고, 학도의 교육을 책임지는 것이다.[69] 대상 시기의 학감으로는 일본인만이 임명되었다.

2. 교원의 직급 고증

본 연구의 대상 범위에서 실제적인 직급 명칭과 그 변화 양상은 다음과 같다.

▮ 칙임(勅任): 칙임은 대신의 청으로 임금이 임명하던 직급이다. 1894년 7월 갑오개혁 이후 당시 일제의 문관임용령의 영향을 받아서 도입되었다. 기존 조선 관직 체계의 정1품에서 종2품까지를 칙임관으로 전환하였다.

▮ 주임(奏任): 주임은 대신이 임금에게 주천하여 임명하던 직급이다. 1894년 7월 갑오개혁 이후 당시 일제의 문관임용령의 영향을 받아서 도입되었다. 기존 조선 관직 체계의 3품에서 6품까지를 주임관으로 전환하였다.

▮ 판임(判任): 판임은 대신이 임명하던 직급이다. 1894년 7월 갑오개혁 이후 당시 일제의 문관임용령의 영향을 받아서 도입되었다. 기존 조선 관직 체계의 7품에서 9품까지를 주임관으로 전환하였다.

1894년 7월 갑오개혁 이후 칙임/주임/판임은 다시 여러 등급으로 세분

---

68) 勅令第八十三號, 隆熙元年十二月三十日, 구한말 관보, 第三千九百七十四號.
69) 敎監은學校長을補佐며學校長이事故가 有時其職務代辦고且學徒의敎育을掌홈.

화되었다. 최초에 칙임관은 1등부터 4등까지 존재하였고, 3등과 4등은 다시 세분화되어 각각 1급과 2급이 존재하였다. 주임관은 1등부터 6등까지 존재하였다. 판임관은 1등부터 8등까지 존재하였다.

1905년 6월 23일 칙령 제34호 관등봉급령(개정)(官等俸給令(改正))[70]에서 칙임은 1등부터 3등으로 구분하고, 1등은 1급과 2급, 2등은 3급과 4급, 3등은 5급과 6급으로 세분화하였다. 주임관은 1등부터 4등으로 구분하고, 1등은 1급과 2급, 2등은 3급과 4급, 3등은 5급과 6급, 4등은 7급과 8급으로 세분화하였다. 판임은 관등 없이 1급부터 10급까지 구분하였다.

1908년 6월 30일 칙령 제42호 관등봉급령(개정)(官等俸給令(改正))[71]에서 칙임은 1등부터 3등으로 구분하고, 3등만 다시 1급과 2급으로 세분화하였다. 주임은 1등부터 4등까지 구분하고, 1등은 1급과 2급, 2등은 3급과 4급, 3등은 5급과 6급, 4등은 7급과 8급으로 세분화하였다. 판임관은 1등부터 5등까지로 구분하고, 1등은 1급과 2급, 2등은 3급과 4급, 3등은 5급과 6급, 4등은 7급과 8급, 5등은 9급과 10급으로 구분하였다.

지금까지 칙임, 주임, 판임의 변화 양상에 대해 살펴보았다. 학교를 중심으로 한 구체적인 직위 및 직급에 대한 변화는 다음과 같다.

▌소학교(小學校), 보통학교(普通學校): 1895년 7월 19일 칙령 제145호 소학교령(小學校令)[72]에 의거하여, 학교장은 1명으로 교원이 겸직하거나 때에 따라서 학부 혹은 지방청 주사가 겸직하였다. 학교장은 판임관에, 교원은 인원수의 제약 없이 판임관에 임명하였다. 부교원은 법령에서 언급되지 않으며, 공립학교에서 필요에 따라서 임명하였다. 1906년 8월 27일 칙령 제44호 보통학교령(普通學校令)[73]에 의거하여 소학교는 보통학교로 개편

---

70) 勅令第三十四號, 光武九年六月二十三日, 구한말 관보, 號外, 光武九年六月二十六日.
71) 勅令第四十二號, 隆熙二年六月三十日, 구한말 관보, 第四千百廿一號.
72) 勅令第一百四十五號, 開國五百四年七月十九日, 구한말 관보, 第一百十九號.
73) 勅令第四十四號, 光武十年八月二十七日, 구한말 관보, 第三千五百四十六號.

되었다.

1906년 8월 27일 칙령 제44호 보통학교령(普通學校令)[74]에 의거하여, 학교장은 1명으로 교원이 겸직하거나 특별한 경우에 전임직으로 하였다. 교원은 인원수의 제한 없이 판임관에, 부교원은 인원수의 제한 없이 판임관에 임명하였다. 1907년 12월 30일 칙령 제83호 보통학교령중개정건(普通學校令中改正件)[75]에 의거하여, 학교장은 1명으로 본과훈도의 겸임직으로, 교감은 1명으로 본과훈도가 겸임하거나 특별한 경우에 전임직으로 하였다. 본과훈도, 본과부훈도, 전과훈도, 전과부훈도는 인원수의 제한 없이 법령에는 존재하지 않지만 판임관에 임명하였다. 1908년 6월 22일 학부훈령 제66호 학무위원규정준칙(學務委員規程準則)[76]에 의거하여, 학교장은 1명으로 본과훈도의 겸임직으로, 교감은 1명으로 본과훈도가 겸임하거나 특별한 경우에 전임직으로 하였다. 본과훈도, 본과부훈도, 전과훈도, 전과부훈도는 인원수의 제한 없이 법령이 명확히 규정되지 않았지만 판임관에, 학무위원을 명예직에 임명하였다.

▌한성사범학교(漢城師範學校), 관립한성사범학교(官立漢城師範學校): 1895년 4월 16일 칙령 제79호 한성사범학교관제(漢城師範學校官制)[77]에 따라서 한성사범학교의 학교장은 1명으로 학부의 참서관이 겸직하는 주임관에, 교관은 2명 이하로 주임관 혹은 판임관에, 부교관은 1명으로 판임관에, 교원은 3명 이하로 판임관에 임명하였다. 1906년 8월 27일 칙령 제41호 사범학교령(師範學校令)[78]에 의거하여, 한성사범학교는 1906년 9월 1일부로 관립한성사범학교(官立漢城師範學校)로 개명하였다. 1906년 8월 27일 칙령 제

---

74) 勅令第四十四號, 光武十年八月二十七日, 구한말 관보, 第三千五百四十六號.
75) 勅令第八十三號, 隆熙元年十二月三十日, 구한말 관보, 第三千九百七十四號.
76) 學部訓令第六十六號, 隆熙二年六月二十二日, 구한말 관보, 第四千百十五號.
77) 勅令第七十九號, 開國五百四年四月十六日, 法規類編 元.
78) 勅令第四十一號, 光武十年八月二十七日, 왕실자료 칙령②.

40호 학부직할학교급공립학교관제(學部直轄學校及公立學校官制)[79]에 의거하여, 학교장은 1명으로 학부 혹은 지방관원이 겸직하지만, 때에 따라서 전임직으로 임명할 수 있는 칙임관 혹은 주임관에, 교관은 3명 이하로 주임관 혹은 판임관에, 부교관은 판임관에, 서기는 판임관에 임명하였다. 그리고 학원감은 교관 혹은 부교관이 겸임직으로 하도록 하였다. 1906년 9월 3일 칙령 제45호 학부직할학교직원정원령(學部直轄學校職員定員令)[80]에 의거하여, 학교장은 1명으로 학부 혹은 지방관원이 겸직하지만, 때에 따라서 전임직으로 임명할 수 있는 칙임관 혹은 주임관에, 교관과 부교관은 둘의 수를 합쳐서 7명으로 교관은 주임관 혹은 판임관에, 부교관은 판임관에, 교원과 부교원은 둘의 수를 합쳐서 5명으로 판임관에, 서기는 2명으로 필요시에는 교관과 부교관이 겸직하는 판임관에 임명하였다. 그리고 학원감은 2명으로 교관 혹은 부교관이 겸임직으로 하도록 하였다. 1907년 12월 13일 칙령 제55호 학부직할학교급공립학교관제(學部直轄學校及公立學校官制)[81] 및 1907년 12월 13일 칙령 제56호 학부직할학교직원정원령(學部直轄學校職員定員令)[82]에 의거하여, 학교장은 1명으로 학부 혹은 지방관원에 의해서 겸직되는 칙임관 혹은 주임관에, 학감은 1명으로 주임관에, 교수와 부교수는 둘의 수를 합쳐서 9명으로 교수는 주임관에, 부교수는 판임관에, 서기는 2명으로 부교수가 겸직하는 판임관에, 본과훈도와 본과부훈도는 둘의 수를 합쳐서 6명으로 본과훈도는 판임관에, 본과부훈도는 판임관에 임명하였다. 그리고 학원감은 2명으로 교수 혹은 부교수가 겸임직으로 하도록 하였다. 1909년 2월 4일 칙령 제7호 학부직할학교급공립학교관제(개정)(學部直轄學校及公立學校官制(改正))[83]에 의거하여, 학교장은 1명으로

---

79) 勅令第四十號, 光武十年八月卅一日, 구한말 관보, 第三千五百四十六號.

80) 勅令第四十五號, 光武十年九月三日, 구한말 관보, 第三千五百五十三號.

81) 勅令第五十五號, 隆熙元年十二月十三日, 구한말 관보, 號外, 隆熙元年十二月十八日.

82) 勅令第五十六號, 隆熙元年十二月十三日, 구한말 관보, 號外, 隆熙元年十二月十八日.

83) 勅令第七號, 隆熙三年二月四日, 구한말 관보, 第四千二百九十九號.

학부 혹은 지방관원에 의해서 겸직되는 칙임관 혹은 주임관에, 학감은 1명으로 주임관에, 교수와 부교수는 둘의 수를 합쳐서 9명으로 교수는 학부 혹은 지방관청 관원이 겸직을 하는 주임관 혹은 판임관에, 부교수는 판임관에, 서기는 2명으로 부교수가 겸직하는 판임관에, 본과훈도와 본과부훈도는 둘의 수를 합쳐서 6명으로 본과훈도는 판임관에, 본과부훈도는 판임관에 임명하였다. 그리고 학원감은 2명으로 교수 혹은 부교수가 겸임직으로 하도록 하였다. 1909년 2월 4일 칙령 제8호 학부직할학교직원정원령(개정)(學部直轄學校職員定員令(改正))[84]에 의거하여, 학교장은 1명으로 학부 혹은 지방관원에 의해서 겸직되는 칙임관 혹은 주임관에, 학감은 1명으로 주임관에, 교수와 부교수는 둘의 수를 합쳐서 14명으로 교수는 학부 혹은 지방관청 관원이 겸직을 하는 주임관 혹은 판임관에, 부교수는 판임관에, 서기는 2명으로 부교수가 겸직하는 판임관에, 본과훈도와 본과부훈도는 둘의 수를 합쳐서 7명으로 본과훈도는 판임관에, 본과부훈도는 판임관에 임명하였다. 그리고 학원감은 5명으로 교수 혹은 부교수가 겸임직으로 하도록 하였다. 1910년 2월 22일 칙령 제16호 학부직할학교직원정원령(개정)(學部直轄學校職員定員令(改正))[85]에 의거하여, 학교장은 1명으로 학부 혹은 지방관원에 의해서 겸직되는 칙임관 혹은 주임관에, 학감은 1명으로 주임관에, 교수와 부교수는 둘의 수를 합쳐서 15명으로 교수는 학부 혹은 지방관청 관원이 겸직을 하는 주임관 혹은 판임관에, 부교수는 판임관에, 서기는 2명으로 부교수가 겸직하는 판임관에, 본과훈도와 본과부훈도는 둘의 수를 합쳐서 7명으로 본과훈도는 판임관에, 본과부훈도는 판임관에 임명하였다. 그리고 학원감은 5명으로 교수 혹은 부교수가 겸임직으로 하도록 하였다. 1910년 3월 1일 칙령 제17호 학부직할학교급공립학교관제(개정)(學部直轄學校及公立學校官制(改正))[86]에 의거하여, 학교장은 1명으로 학

84) 勅令第八號, 隆熙三年二月四日, 구한말 관보, 第四千二百九十九號.
85) 勅令第十六號, 隆熙四年二月二十二日, 구한말 관보, 第四千六百十號.
86) 勅令第十七號, 隆熙四年三月一日, 구한말 관보, 第四千六百十六號.

부 혹은 기타 관리에 의해서 겸직되는 칙임관 혹은 주임관에, 학감은 1명으로 주임관 혹은 판임관에, 교수와 부교수는 둘의 수를 합쳐서 15명으로 교수는 학부 혹은 지방관청 관원이 겸직을 하는 주임관 혹은 판임관에, 부교수는 판임관에, 서기는 2명으로 부교수가 겸직하는 판임관에, 본과훈도와 본과부훈도는 둘의 수를 합쳐서 7명으로 본과훈도는 판임관에, 본과부훈도는 판임관에 임명하였다. 그리고 학원감은 5명으로 교수 혹은 부교수가 겸임직으로 하도록 하였다.

▌중학교(中學校), 관립한성고등학교(官立漢城高等學校): 1899년 4월 4일 칙령 제11호 중학교관제(中學校官制)[87]에 의거하여, 관립중학교의 경우, 학교장은 1명으로 주임관에, 교관은 7명 이하로 때에 따라서 학부 주임관이 겸직하는 주임관 혹은 판임관에, 서기는 1명으로 판임관에 임명하였다. 공립중학교의 경우, 학교장은 지방 관원의 겸임직으로 임명하였다. 그러나 공립중학교에서 학교장은 실제로는 만들어지지 않았다. 1906년 8월 27일 칙령 제40호 학부직할학교급공립학교관제(學部直轄學校及公立學校官制)에 의거하여, 1906년 8월 31일부로 관립중학교에서 관립한성고등학교(官立漢城高等學校)로 개명하였다. 1906년 8월 27일 칙령 제40호 학부직할학교급공립학교관제(學部直轄學校及公立學校官制)[88]에 의거하여, 학교장은 1명으로 학부 혹은 지방관청 관원이 겸직하거나 때에 따라서 전임직인 칙임관 혹은 주임관에, 교관은 주임관은 3명 이하로, 판임관은 인원수의 제한 없이 주임관 혹은 판임관에, 부교관은 인원수의 제한 없이 판임관에, 학원감은 교관 혹은 부교관의 겸임직으로, 서기는 인원수의 제한 없이 판임관에 임명하였다. 1907년 12월 13일 칙령 제55호 학부직할학교급공립학교관제(學部直轄學校及公立學校官制)[89] 및 1907년 12월 13일 칙령 제56호 학부직할학교직

87) 勅令第十一號, 光武三年四月六日, 구한말 관보, 第一千二百二十八號.
88) 勅令第四十號, 光武十年八月卅一日, 구한말 관보, 第三千五百四十六號.
89) 勅令第五十五號, 隆熙元年十二月十三日, 구한말 관보, 號外, 隆熙元年十二月十八日.

원정원령(學部直轄學校職員定員令)[90]에 의거하여, 학교장은 1명으로 학부 혹은 지방관청 관원이 겸임하는 칙임관 혹은 주임관에, 학감은 1명으로 주임관에, 교수와 부교수는 둘의 수를 합쳐서 10명으로 교수는 주임관에, 부교수는 판임관에, 학원감은 1명으로 교수 혹은 부교수의 겸임직으로, 서기는 1명으로 판임관에 임명하였다. 1909년 2월 4일 칙령 제7호 학부직할학교급공립학교관제(개정)(學部直轄學校及公立學校官制(改正))[91]에 의거하여, 학교장은 1명으로 학부 혹은 지방관청 관원이 겸임하는 칙임관 혹은 주임관에, 학감은 1명으로 주임관에, 교수와 부교수는 둘의 수를 합쳐서 10명으로 교수는 학부 혹은 지방관청의 관원이 겸임하는 주임관 혹은 판임관에, 부교수는 판임관에, 학원감은 1명으로 교수 혹은 부교수의 겸임직으로, 서기는 1명으로 판임관에 임명하였다. 1910년 2월 22일 칙령 제16호 학부직할학교직원정원령(개정)(學部直轄學校職員定員令(改正))[92]에 의거하여, 학교장은 1명으로 학부 혹은 지방관청 관원이 겸임하는 칙임관 혹은 주임관에, 학감은 1명으로 주임관에, 교수와 부교수는 둘의 수를 합쳐서 12명으로 교수는 학부 혹은 지방관청의 관원이 겸임하는 주임관 혹은 판임관에, 부교수는 판임관에, 학원감은 1명으로 교수 혹은 부교수의 겸임직으로, 서기는 1명으로 판임관에 임명하였다. 1910년 3월 1일 칙령 제17호 학부직할학교급공립학교관제(개정)(學部直轄學校及公立學校官制(改正))[93]에 의거하여, 학교장은 1명으로 학부 혹은 기타 관리가 겸임하는 칙임관 혹은 주임관에, 학감은 1명으로 주임관 혹은 판임관에, 교수와 부교수는 둘의 수를 합쳐서 12명으로 교수는 학부 혹은 지방관청의 관원이 겸임하는 주임관 혹은 판임관에, 부교수는 판임관에, 학원감은 1명으로 교수 혹은 부교수의 겸임직으로, 서기는 1명으로 판임관에 임명하였다.

---

90) 勅令第五十六號, 隆熙元年十二月十三日, 구한말 관보, 號外, 隆熙元年十二月十八日.
91) 勅令第七號, 隆熙三年二月四日, 구한말 관보, 第四千二百九十九號.
92) 勅令第十六號, 隆熙四年二月二十二日, 구한말 관보, 第四千六百十號.
93) 勅令第十七號, 隆熙四年三月一日, 구한말 관보, 第四千六百十六號.

3. 교원의 직봉 고증

본 연구의 대상 범위에서 실제적인 직봉의 변화 양상은 다음과 같다.

학교 교원을 제외한 다른 직위는 기본적으로 1895년 3월 27일 칙령 제57호 관등봉급령(官等俸給令)에 의거하여 직봉을 수령하였다. 그러나 학교 교원은 1905년 6월 23일 칙령 제34호 관등봉급령(개정)(官等俸給令(改正))[94]이 발효되기까지 독립적인 직봉 체계를 유지하였다.

1895년 4월 16일 칙령 제80호 한성사범학교직원관등봉급령(漢城師範學校職員官等俸給令)[95]에 따르면, 직위에 관계없이 한성사범학교의 주임관 1등은 1,600원을, 주임관 2등은 1,400원을, 주임관 3등은 1,200원을, 주임관 4등은 1,000원을, 주임관 5등은 800원을, 주임관 6등은 600원을, 판임관 1등은 500원을, 판임관 2등은 420원을, 판임관 3등은 360원을, 판임관 4등은 300원을, 판임관 5등은 240원을, 판임관 6등은 180원을, 판임관 7등은 150원을, 판임관 8등은 120원을 연봉으로 수령하였다.

1895년 7월 19일 칙령 제146호 "관립소학교교원의 관등봉급에 관한 건(官立小學校教員의 官等俸給에 關한 件)"[96]과 1895년 7월 19일 칙령 제147호 "한성사범학교 교원의 관등봉급에 관한 건(漢城師範學校教員의 官等俸給에 關한 件)"[97]에 따르면, 직위와 관계없이 관립소학교와 한성사범학교의 교원[98]은 판임관 1등 1급은 35원을, 1등 2급은 33원을, 2등 1급은 30원을, 2등 2급은 28원을, 3등 1급은 26원을, 3등 2급은 24원을, 4등 1급은 22원을, 4등 2급은 20원을, 5등 1급은 18원을, 5등 2급은 16원을, 6등 1급은

---

94) 勅令第三十四號, 光武九年六月二十三日, 구한말 관보, 號外, 光武九年六月二十六日.
95) 勅令第八十號, 開國五百四年四月十六日, 法規類編 元.
96) 勅令第一百四十七號, 開國五百四年七月十九日, 일성록, 1895년 7월 19일.
97) 勅令第一百四十七號, 開國五百四年七月十九日, 구한말 관보, 第一百十九號.
98) 단 한성사범학교 교원은 넓은 의미의 교원이 아닌, 한성사범학교부속소학교에서 근무하는 교원(教員) 직위만을 가리킨다.

15원을, 6등 2급은 14원을, 7등 1급은 13원을, 7등 2급은 12원을, 8등 1급은 11원을, 8등 2급은 10원을 월급으로 수령하였다. 교원의 봉급은 관립소학교가 한성사범학교에 비하여 낮았다.

1897년 1월 14일 칙령 제10호 "한성사범학교관립공립소학교교원관등봉급개정(漢城師範學校官立公立小學校教員官等俸給改正)"[99]에 따르면, 직위에 관계없이 한성사범학교와 소학교의 주임관 1등은 1,600원을, 주임관 2등은 1,400원을, 주임관 3등은 1,200원을, 주임관 4등은 1,000원을, 주임관 5등은 800원을, 주임관 6등은 600원을, 판임관 1등은 500원을, 판임관 2등은 420원을, 판임관 3등은 360원을, 판임관 4등은 300원을, 판임관 5등은 240원을, 판임관 6등은 180원을, 판임관 7등은 150원을, 판임관 8등은 120원을 연봉으로 수령하였다. 한성사범학교의 봉급은 동결되어 있었으며, 관립소학교 교원의 봉급은 한성사범학교 교원의 봉급과 동일해졌다.

1899년 1월 5일 칙령 제1호 관립각종학교교관교원봉급개정(官立各種學校教官教員俸給改正)[100]에 따르면, 주임관[101] 1급은 월급 60원에 연봉 720원을, 주임관 2급은 월급 50원에 연봉 600원을, 주임관 3급은 월급 40원에 연봉 480원을, 판임관 1급은 월급 30원에 연봉 360원을, 판임관 2급은 월급 25원에 연봉 300원을, 판임관 3급은 월급 20원에 연봉 240원을 수령하였다. 전체적으로 교원의 직봉은 감소하였다.[102]

1905년 6월 23일 칙령 제34호 관등봉급령(개정)(官等俸給令(改正))[103]에서부터 사범학교, 소학교, 중학교의 직위와 직급에 따른 독립적인 교원 직봉 체계는 다른 직위와 같이 관등봉급령 체계에 편입하게 되었다. 1905년

99) 勅令第十號, 建陽二年一月十四日, 구한말 관보, 第五百三十五號.
100) 勅令第一號, 光武三年一月五日, 구한말 관보, 第一千一百五十二號.
101) 당시 학교 조직에서 주임관에 해당하는 관직은 실제로는 학교장과 교관밖에 없다.
102) 최고 연봉의 경우 기존의 1600원에서 740원으로 변경되어, 반 이상 감봉되었다. 그에 비하여 최하위 연봉이었던 기존의 120원은 최하 연봉이 240원이 됨으로써 2배로 늘어났다.
103) 勅令第三十四號, 光武九年六月二十三日, 구한말 관보, 號外, 光武九年六月二十六日.

6월 23일 칙령 第34호 관등봉급령(개정)(官等俸給令(改正))[104]에 의거하여, 의정대신은 칙임관 1등 1급으로 4,000원을, 의정대신 외의 대신은 칙임관 1등 2급으로 3,000원을, 칙임관 2등 3급은 2,200원을, 칙임관 3등 4급은 2,000원을, 칙임관 3등 5급은 1,800원을, 칙임관 3등 6급은 1,600원을, 주임관 1등 1급은 1,400원을, 주임관 1등 2급은 1,200원을, 주임관 2등 3급은 1,000원을, 주임관 2등 4급은 900원을, 주임관 3등 5급은 800원을, 주임관 3등 6급은 700원을, 주임관 4등 7급은 600원을, 주임관 4등 8급은 500원을, 판임관 1급은 600원을, 판임관 2급은 540원을, 판임관 3급은 480원을, 판임관 4급은 420원을, 판임관 5급은 360원을, 판임관 6급은 300원을, 판임관 7급은 240원을, 판임관 8급은 180원을, 판임관 9급은 144원을, 판임관 10급은 120원을 월급으로 수령하였다. 전체적으로 교원의 직봉은 대폭 증가하였다.[105]

1908년 6월 30일 칙령 제42호 관등봉급령(개정)(官等俸給令(改正))[106]에 의거하여, 내각총리대신은 친임관으로 7,000원을, 내각총리대신 외의 대신은 친임관으로 6,000원을, 친임관 1등은 2,200원을, 친임관 2등은 2,000원을, 친임관 3등 1급은 1,800원을, 친임관 3등 2급은 1,600원을, 주임관 1등 1급은 1,400원을, 주임관 1등 2급은 1,200원을, 주임관 2등 3급은 1,000원을, 주임관 2등 4급은 900원을, 주임관 3등 5급은 800원을, 주임관 3등 6급은 700원을, 주임관 4등 7급은 600원을, 주임관 4등 8급은 500원을, 판임관 1등 1급은 600원을, 판임관 1등 2급은 540원을, 판임관 2등 3급은 480원을, 판임관 2등 4급은 420원을, 판임관 3등 5급은 360원을, 판임관 3등 6급은 300원을, 판임관 4등 7급은 240원을, 판임관 4등

104) 勅令第三十四號, 光武九年六月二十三日, 구한말 관보, 號外, 光武九年六月二十六日.
105) 이에 따라서 교직원 인건비가 대규모 상승하게 되었다. 재정에 압박을 느낀 학부는 교원 인건비 삭감 정책을 진행하였고, 그에 따라서 교원들의 대규모 반발이 발생한다. 이에 대한 자세한 이야기는 본 연구의 "디지털 인사제도 사전 활용 모델"에서 찾아볼 수 있다.
106) 勅令第四十二號, 隆熙二年六月三十日, 구한말 관보, 第四千百卄一號.

8급은 180원을, 판임관 5등 9급은 144원을, 판임관 5등 10급은 120원을 월급으로 수령하였다. 친임관의 신설과 이에 따른 고위직에 대한 월급 부여를 제외하면, 학교 근무직의 직봉의 변화는 없다.

〔부록 3〕

인사운영의 용어·용례 고증

본 연구의 대상 범위에서 임명과 관련한 실제적인 용어의 뜻과 그 용례는 다음과 같다.

1. 임명 용어·용례

▮ 임(任): 임은 일반적인 임명을 의미한다.

(이름)(任)(조직명)(직위명)(敍)(직급명)(직위명)(직봉명)
洪性天 任 官立小學校 教員 敍 判任官 六等 給二級俸[1]

(任)(조직명)(직위명)(敍)(직위)(직위명)(직봉명)(이름)
任 金浦郡公立小學校 教員 敍 判任官 六等 趙寬增[2]

(이름)(이름)(이름)(이름)(任)(조직명)(직위명)(敍)(직급명)(직위명)(직봉명)
元泳義 洪性天 任 官立小學校 教員 敍 判任官 六等 給二級俸[3]

(이전조직)(이전관직명)(이름)(任)(조직명)(직위명)(敍)(직급명)(직위명)
漢城師範學校 教員 朴之陽 任 官立小學校 教員 敍 判任官 六等[4]

(이전조직)(이전관직명)(이름)(이전조직)(이전관직명)(이름)(이전조직)(이전관직명)(이름)(任)(조직명)(직위명)(敍)(직급명)(직위명)
漢城師範學校 教員 朴之陽 漢城師範學校 教員 朴之陽 漢城師範學校 教員 朴之陽 任 官立小學校 教員 敍 判任官 六等[5]

(任)(조직명)(직위명)(敍)(직급명)(직위명)(이전조직 혹은 前)(이전관직명)(이름)
任 官立小學校 教員 敍 判任官 三等 前 教員 韓明教[6]

(前)(이전관직명)(이름)(任)(조직명)(직위명)(敍)(직급명)(직위명)

前 教員 鄭奎鍾 任 豐德郡公立小學校 教員 敍 判任官 六等[7]

▮ 겸임(兼任): 겸임은 기존 관직을 유지하며 다른 관직의 직무를 같이 수행하는 것을 의미한다.

(兼任)(겸임조직명)(겸임관직명)(본조직명)(본관직명)(이름) 兼任 中學校 長 學部學務 局長 金珏鉉[8] (본조직명)(본관직명)(이름)(兼任)(겸임조직명)(겸임관직명) 官立漢城師範學校 教授 兒島元三郎 兼任 官立漢城高等學校 教授[9]

▮ 기복행공(起復行公): 기복행공은 부모상과 같은 정당한 사유로 직무의 수행이 정지된 상태에서 다시 직무 수행을 명하는 것을 의미한다.

(조직명)(직위명)(이름) (사유) (起復行公) (被命事) 全羅北道觀察府公立小學校 教員 宋淳鎣 이 父憂 丁한지 復期가 過하얏기 起復行公 被命事[10]

▮ 대(代) 혹은 대임(代任): 대 혹은 대임은 이전 관직자가 특정한 사유로 직무 수행이 불가하여 대임자를 임명하는 것을 의미한다.

---

1) 구한말 관보, 第一百三十五號.
2) 구한말 관보, 第七百三十八號.
3) 구한말 관보, 第一百三十五號.
4) 구한말 관보, 第三百卄一號.
5) 구한말 관보, 第三百五十一號.
6) 구한말 관보, 第一千四十二號.
7) 구한말 관보, 第一千四百六十號.
8) 구한말 관보, 第一千二百六十六號.
9) 구한말 관보, 第四千三百九號.
10) 구한말 관보, 第八百三十八號.
11) 구한말 관보, 第一千四百九十三號.

(조직명) (직위명) (이전관직자이름) (직무수행불가사유) (代) (대임자이름)
開城府公立小學校 副教員 馬文圭 遭故 代 에 朴載鉉 으로[11]

▮ 명(命): 명은 본직이 있으면서 특정한 임시직에 임명되는 것을 의미한다.

(命)(임시조직명)(임시관직)(본조직명)(본관직명)(이름)
命 前往日本國視察 屬員 中學校 教官 朱榮煥[12]

▮ 명 – 재근(命 – 在勤): 1909년 4월 8일 이후, 보통학교 교원들은 모두 관립보통학교와 공립보통학교로 귀속되었고, 중앙에서 관직과 관등 등을 통합 관리하고 각각의 개별 학교에 교원들을 파견하는 형식으로 행정체계가 변경되었다. 이에 따라서 교원의 구체적인 재직 장소를 지정할 때 "命 (가) 在勤"의 형식으로 (가)의 조직에 근무를 명하였다.

(본조직명)(본관직명)(이름)(命)(파견조직명)(在勤)
公立普通學校 本科副訓導 徐聖善 命 公立江鏡普通學校 在勤[13]

▮ 촉탁(囑託): 촉탁은 특정한 임시직에 임명하는 것을 의미한다.

A. 학무위원의 촉탁
隆熙二年學部訓令第六十六號에基因고觀察道令에依야各觀察道에셔左開學務委員을囑託報告가有홈(十一月十六日學部)

(조직명) (이름) (이름) (이름) (이름) (이름) (이름) (이름) (이름) (이름)
忠清南道公立公州普通學校 鄭寅億 鄭成源 尹滋和 林憲一 李根榮 金在勉 金弘植[14]

B. 일반 촉탁
(이름) (조직명) (직위명) (囑託) (관등명)(待遇)
飯塚近 公立於義洞普通學校教員을囑託홈(判任待遇)[15]

---

12) 구한말 관보, 第三千一百九十一號.
13) 구한말 관보, 第四千三百七十四號.

▌수칙(受勅)과 수첩(受牒): 수칙과 수첩은 왕으로부터 정식으로 임명받는 것을 의미한다. 수칙은 칙임관과 주임관을 대상으로 하고, 수첩은 판임관을 대상으로 한다.

(조직명) (직위명) (이름) (수여월일)
漢城師範學校 教官 李相卨 二月卄八日[16]

▌증(贈): 증은 명예직을 수여하는 것을 의미한다.

(贈) (조직명) (직위명) (원신분) (이름) (사유)
贈 中學校 教官 故學生 李承瑜 以上孝行卓異竝施[17]

▌훈(勳): 훈은 훈장을 수여하는 것을 의미한다.

(조직명) (직위명) (이름) (敍) (勳) (훈장등급) (賜) (훈장명)
公立普通學校 本科訓導 鄭芝錫 敍 勳 七等 賜 八卦章[18]

2. 면직 용어 · 용례

본 연구의 대상 범위에서 면직과 관련한 실제적인 용어의 뜻과 그 용례는 다음과 같다.

면(免): 면은 면직으로 일반적으로 자의면직과 타의면직이 있다. 자의면직은 스스로 원해서 면직한 경우이고, 타의면직은 특정 사유에 의해서 면직하는 경우이다.

---

14) 구한말 관보, 第四千二百三十六號.
15) 구한말 관보, 第四千六百六十一號.
16) 구한말 관보, 第二百六十二號.
17) 구한말 관보, 第二千九百四十七號.
18) 구한말 관보, 第四千七百五十八號.

▌면본관(免本官): 면본관은 현재의 관직을 면직하는 것을 의미한다.

(免本官) (조직명) (직위명) (이름) (사유) 免本官 東萊港公立小學校 教員 李鍾瑾 右東萊監理玄明運의報告를據증該員이由限이己過屢 月에尙不還校이校務를久曠이라기是以로免本官事[19]

▌면본임(免本任): 면본임은 현재의 관직을 면직한다는 의미로, 하위직에서 사용하다가 1905년 이후에 해임(解任)으로 대체하였다.

(조직명) (직위명) (이름) (사유) (免本任) 金浦郡公立小學校 副教員 李義洛 은 論報寮員이極爲爽實기免本任 事[20]

▌면겸임(免兼官): 면겸임은 현재의 겸임직을 면직하는 것을 의미한다.

(免兼官) (겸임조직명) (겸임직위명) (본조직명) (前) (본직위명) (이름) 免兼官 公立羅州普通學校 長 羅州 前 郡守 金聖基[21]

▌면본관병겸관(免本官并兼官): 면본관병겸관은 현재의 관직과 겸임직을 동시에 면직하는 것을 의미한다.

(조직명) (직위명) (兼) (겸임관직명) (이름) (依願免本官并兼官) 公立普通學校 本科訓導 兼 校長 尹泰權 依願免本官并兼官[22]

▌의원면관(依願免本官): 의원면관은 현재의 관직을 자의로 면직하는 것을 의미한다.

(조직명) (직위명) (이름) (依願免本官)

19) 구한말 관보, 第二千七十九號.
20) 구한말 관보, 第一千三百六十五號.
21) 구한말 관보, 第四千百五十六號.
22) 구한말 관보, 第四千六百六十五號.

洪州郡公立小學校 敎員 沈承弼 依願免本官[23)

■ 의원면겸임(依願免兼任): 의원면겸임은 현재의 겸임직을 자의로 면직하는 것을 의미한다.

(依願免兼任) (겸임조직명) (겸임관직명) (본조직명) (본관직명) (이름) 依願免兼任 漢城師範學校 長 學部編輯局 長 李鍾泰[24)

■ 의원면본관병겸관(依願免本官并兼官): 의원면본관병겸관은 현재의 관직과 겸임직을 모두 동시에 자의로 면직하는 것을 의미한다.

(조직명) (직위명) (兼) (겸직명) (이름) (依願免本官并兼官) 公立普通學校 本科訓導 兼 敎監 藤本玄治 依願免本官并兼官[25)

■ 해(解): 해는 면과 동일하게 면직을 의미한다. 하위직, 명예직, 임시직에 사용한다.

■ 해임(解任): 해임은 면직의 의미로 하위직에 사용한다.

(조직명) (직위명) (이름) (解任) 果川郡公立小學校 副敎員 李貞純 은 解任 고[26)

■ 해촉(解囑): 해촉은 면직을 의미하고 명예직, 임시직의 면직에 사용한다.

漢城府及各觀察道에셔左開學務委員을解囑 報告가有홈(六月六日學部) (책임기관) (조직명) (이름)

23) 구한말 관보, 第四百八十四號.
24) 구한말 관보, 第二千九百四十四號.
25) 구한말 관보, 第四千五百四十六號.
26) 구한말 관보, 第一千七百卅三號.

漢城府 公立梅洞普通學校 朴貞和[27]

▌의원해촉(依願解囑): 의원해촉은 하위직, 명예직, 임시직을 자의로 면직하는 것을 의미한다.

(조직명) (직위명) (이름) (依願解囑) 官立漢城高等學校 教師囑託 角田壽雄 依願解囑 흠[28]

▌해겸관(解兼官), 해겸임(解兼任): 해겸관과 해겸임은 겸임직을 면직하는 것을 의미하며, 대상 인물이 본직에서 면직된 이후에 추가적으로 겸임직에서 면직될 때 사용한다. 해겸관은 상대적으로 본직이 고위직이었을 때 사용하고, 해겸임은 상대적으로 본직이 하위직이었을 때 사용한다.

(前) (조직명) (직위명) (兼) (겸직조직명) (겸직관직명) (이름) (解兼官) 前 黃州郡 守 兼 公立黃州普通學校 長 韓貞奎 解兼官[29] (前) (직위명) (이름) (解兼任) (겸직조직명) (겸직관직명) 前 教員 洪在明 解兼任 公立元山普通學校 長[30]

▌신고(身故), 사거(死去): 신고와 사거는 관직자의 사망을 의미한다.

(조직명) (직위명) (이름) (일자) (身故) 忠淸南道觀察府公立小學校 教員 宋始顯 이가 五月三十一日 身故 事[31] (조직명) (직위명) (이름) (일자) (死去) 公立洪原普通學校 學務委員 金龜河가 六月二十七日에 死去[32]

27) 구한말 관보, 第四千七百號.
28) 구한말 관보, 第四千六百五十二號.
29) 구한말 관보, 第四千三百十九號.
30) 구한말 관보, 第三千九百三十六號.
31) 구한말 관보, 第三千一百五十七號.

3. 기타 용어·용례

본 연구의 대상 범위에서 임명과 면직에 해당하지 않는 기타 영역의 실제적인 용어의 뜻과 그 용례는 다음과 같다.

▌현직(現職): 현직은 현재 재직하고 있는 상태를 의미한다. 문맥에서 "(관직)(인명)"의 형태로 출현한다.

> 度支部에셔請議 中學校 教師 革勒貝 上年十月分全朔俸三百三十圜을預備金中支出事로議政府會議經後上奏야制日可라심 一月十八日[33]

▌전직(前職): 전직은 이전에 재직했던 상태였음을 의미한다. 문장 안에서 '전(前)'으로 사용하거나, 문맥상으로 파악할 수 있다.

> 前 教員 洪在明 解兼任 公立元山普通學校 長[34]

▌승서(陞敍): 승서는 기존의 관등이 상승하는 것을 의미한다.

> (조직명) (직위명) (이름) (陞) (敍) (승진한 직위명) (승진한 직위명)
> 官立小學校 教員 朴治勳 陞 敍 判任官 三等[35]

▌승봉(陞俸): 승봉은 기존의 관봉이 상승하는 것을 의미한다.

> (조직명) (직위명) (이름) (陞) (직봉등급) (俸) (사유)
> 中學校 教官 任寅鎬 陞 二級 俸 右學部令第十號第三條에依야褒証二度가有기陞級事
> 以上八月二十二日[36]

---

32) 구한말 관보, 第四千五百四十三號.
33) 구한말 관보, 第三千三百五十五號.
34) 구한말 관보, 第三千九百三十六號.
35) 구한말 관보, 第一千一百卌九號.
36) 구한말 관보, 第二千二百八十七號.

▌부우(父憂), 모우(母憂): 부우는 관직자의 아버지가, 모우는 관직자의 어머니가 사망한 것을 의미한다.

(조직명) (직위명) (이름) (일자) (父憂) 淮陽郡公立小學校 教員 尹弼求 가 二月十二日 에 父憂 丁 事[37]

▌책(責): 책은 법에 의한 명령 위반, 직무상의 태만이나 의무 위반 등의 사유로 이루어지는 처벌 행위이다. 일반적으로 견책, 감봉, 정직, 강등, 면직의 징계 종류가 있다.

▌견책(譴責): 견책은 문제에 대해서 훈계하고 회개하게 하는 것이다.

(조직명)(직위명) (이름) (同) (이름) (同) (이름) (사유) (譴責) 官立小學校 教員 洪性天 同 韓明教 同 朴治勳官立小學校大運動時에行己不愼야教師의體面을損이有기是로以야譴責홈 (以上六月二日學部)[38]

▌감봉(減俸), 벌봉(罰俸): 감봉과 벌봉은 일정 기간 동안의 보수를 감하는 처분이다.

(조직명) (직위명) (이름) (사유) (기간) (減俸) 平安北道觀察府公立小學校 教員 田德龍 右該員이多月曠校믄職務上에漫漶미라是以로一個月 減俸에處事[39] (조직명) (직위명) (이름) (사유) (근거) (罰俸) (기간) 公立普通學校 本科訓導 金啓植 右該員이公立靈岩普通學校在勤인바本年六月에其鄉里에歸省고迄不還校야曠瘝職務은官規違背이기官員懲戒令에依야 罰俸 三個月에處홈[40]

37) 구한말 관보, 第一千五百卄五號.
38) 구한말 관보, 第三百四十四號.
39) 구한말 관보, 第二千四百四十二號.
40) 구한말 관보, 第四千五百六十號.

▌면징계(免懲戒): 면징계는 일반적으로 면직 징계를 취소한다는 의미를 가진다. 단, 면징계는 어디까지나 면직 징계를 취소하는 것이다. 따라서 대상자는 기존의 관직으로 돌아가는 것이 아니라 새로이 관직을 임명 받아야 한다.

(免懲戒) (前) (직위명) (이름) (사유) 免懲戒 前 教員 朴在衡 右該員이江陵郡公立小學校教員在任時에本部를 憑藉 고 寮員의게 討索行爲를 不可仍置이기 免官矣러니 追究 情跡에 容有可恕이기 免懲戒事[41]

41) 구한말 관보, 第二千三百七十九號.

저자약력

김바로

1982년 서울에서 출생하여 2001년 서울고등학교를 졸업하였다. 2007년 중국 북경대학교 역사학과를 졸업하고, 2011년 동대학원에서 민족사 전공으로 석사를 졸업했다. 2013년 한국학중앙연구원 한국학대학원 인문정보학전공 박사 과정에 입학하고, 2017년 8월에 박사 학위를 취득하였다. 2018년부터 중앙대학교 인문콘텐츠연구소 HK+사업단(어젠다: 인공지능인문학)에서 HK연구교수로 근무하고 있다.

[논문]

「부끄러움/창피함/쑥스러움/수치스러움/수줍음 간의 관계 고찰: 공기 명사 및 네트워크 분석을 통한 문맥 분석」(공저)

「인공지능을 활용한 〈소현성록〉 연작의 감정 연구」(공저)

「소현성록 연작에 나타난 감정의 출현 빈도와 의미 –컴퓨터를 활용한 통계학적 분석을 바탕으로–」(공저)

「동양 시간 LOD 시론」(공저)

「영화 수용과 지배욕망: 트위터, 영화리뷰에 대한 정신분석적 텍스트마이닝을 통한 〈명량〉 수용 분석」(공저)

「역사기록의 전자문서 편찬방법 탐구 –역사요소를 중심으로–」

「한국 디지털인문학 교육 현황과 과제(韓國數位人文教育現狀與課題)」

「미국 인문학재단(NEH)의 디지털인문학 육성 사업」(공저)

「해외 디지털인문학 동향」

[저서]

『디지털 인문학 입문』(공저)(HUEBOOKs, 2016)

E-Mail : ddokbaro@gmail.com
Blog : http://www.ddokbaro.com

디지털인문학연구총서 6
시맨틱 데이터 아카이브의 구축과 활용

2018년 12월 10일 초판 1쇄 펴냄

저 자 김바로
발행인 김흥국
발행처 보고사

책임편집 이경민
표지디자인 손정자

등록 1990년 12월 13일 제6-0429호
주소 경기도 파주시 회동길 337-15 보고사 2층
전화 031-955-9797(대표)
02-922-5120~1(편집), 02-922-2246(영업)
팩스 02-922-6990
메일 kanapub3@naver.com / bogosabooks@naver.com
http://www.bogosabooks.co.kr

ISBN 979-11-5516-850-9 94300
979-11-5516-513-3 (세트)

정가 27,000원